Sylvie Pigeon

Les élèves en difficulté d'adaptation et d'apprentissage

2e édition

Georgette Goupil

Les élèves en difficulté d'adaptation et d'apprentissage

2e édition

gaëtan morin
éditeur

Montréal ▫ Paris ▫ Casablanca

Données de catalogage avant publication (Canada)

Goupil, Georgette

Les élèves en difficulté d'adaptation et d'apprentissage

2e éd.

Comprend des réf. bibliogr. et un index.

ISBN 2-89105-652-3

1. Enfants en difficulté d'apprentissage – Éducation – Québec (Province). 2. Enfants handicapés sociaux – Québec – Éducation (Province). 3. Handicapés – Éducation – Québec (Province). 4. Intégration scolaire – Québec (Province). I. Titre.

LC4706.C32Q8 1997 371.9'09714 C97-940353-7

Montréal, Gaëtan Morin Éditeur ltée
171, boul. de Mortagne, Boucherville (Québec), Canada J4B 6G4, Tél. : (514) 449-2369

Paris, Gaëtan Morin Éditeur, Europe
27 bis, avenue de Lowendal, 75015 Paris, France, Tél. : 01.45.66.08.05

Casablanca, Gaëtan Morin Éditeur – Maghreb S.A.
Rond-point des sports, angle rue Point du jour, Racine, 20000 Casablanca, Maroc, Tél. : 212 (2) 49.02.17

Révision linguistique : Jean-Pierre Leroux

Imprimé au Canada

Dépôt légal 2e trimestre 1997 – Bibliothèque nationale du Québec – Bibliothèque nationale du Canada

1 2 3 4 5 6 7 8 9 0 G M E 9 7 6 5 4 3 2 1 0 9 8 7

Remerciements

Je tiens à remercier toutes les personnes qui, de près ou de loin, m'ont soutenue au cours de la rédaction de cet ouvrage. Je remercie tout particulièrement Guy Lusignan, professeur au département des sciences de l'éducation de l'UQAM, Paul Maurice et Marc Tassé, professeurs au département de psychologie de l'UQAM, ainsi que Marie-Hélène Prud'Homme, qui ont mis à ma disposition plusieurs références et ont révisé un ou plusieurs chapitres de cet ouvrage. Je désire aussi remercier toute l'équipe de Gaëtan Morin Éditeur qui m'a accordé un soutien important dans la réalisation de ce livre: Céline Laprise, Stéphane Lavoie, Lucie Turcotte et Catherine Vallet. Je désire souligner le travail de Jean-Pierre Leroux, réviseur linguistique. Je remercie aussi les personnes qui ont facilité la recherche des nombreuses références nécessaires à ce volume: Catherine Doré, agente de recherche à l'UQAM, Jean-Yves Dufort, du Centre Butters-Savoy, Francine Baril, de l'Institut Nazareth et Louis-Braille. Je tiens aussi à souligner l'aide apportée par les bibliothécaires de l'UQAM et, en particulier, le soutien de Danielle Létourneau-Malette de la bibliothèque des sciences de l'éducation.

Avertissement

Dans cet ouvrage, le masculin est utilisé comme représentant des deux sexes, sans discrimination à l'égard des hommes et des femmes et dans le seul but d'alléger le texte.

Préface

L'enfant évolue sous l'influence
de la stimulation et des réponses
apportées à ses besoins
par son environnement éducatif.
Georgette Goupil

Cette phrase apparaît en filigrane dans toutes les sections de cet impressionnant volume, car elle représente bien le souci qu'a l'auteure de tenir compte de tous les agents d'éducation œuvrant auprès de l'enfant et des ressources mises à sa disposition pour faciliter son développement. Georgette Goupil décrit, dans *Les élèves en difficulté d'adaptation et d'apprentissage*, les instruments d'évaluation à la fine pointe du progrès scientifique ainsi que les stratégies éducatives les mieux adaptées. Pour tout dire, l'auteure adopte une approche écologique, puisqu'elle fait constamment appel aux ressources de toutes les personnes qui s'intéressent à l'éducation de l'enfant. La valorisation des ressources, tant celles de l'enfant que celles des parents, des autres intervenants ou des pairs, souligne l'importance d'une nouvelle perspective éducative à développer auprès des enfants qui ont des besoins particuliers, temporaires ou quasi permanents.

Dans la « mouvance » de la responsabilisation de plus en plus grande des usagers des services offerts à la personne et à sa famille, l'ajout de deux chapitres portant plus spécifiquement sur les plans d'intervention personnalisés et sur le rôle des parents démontre que l'auteure réserve une place privilégiée à l'enfant ainsi qu'à ses parents. Cela reflète bien ses préoccupations écologiques quant à l'éducation et à l'intervention, de même que le souci de valoriser les ressources des uns et des autres, et de placer l'enfant et ses parents au centre de l'action éducative.

Ce document didactique, qui témoigne d'une longue expérience de l'enseignement universitaire chez l'auteure, était attendu depuis fort longtemps dans les milieux de la formation professionnelle des enseignants et des intervenants, qu'il s'agisse de la formation initiale ou du perfectionnement dans le domaine de l'adaptation scolaire et sociale. Les lecteurs apprécieront la présentation de l'information à l'intérieur de chacun des chapitres, car l'auteure n'a pas ménagé ses efforts pour formuler clairement les objectifs à atteindre, établir les questions à préparer et proposer des lectures afin de compléter l'information. Pour les formateurs, cet ouvrage s'avère des plus précieux pour l'enseignement parce que son contenu touche à tous les genres de difficultés et correspond aux connaissances actuelles. En effet, rien n'a été négligé pour fournir aux lecteurs une documentation de pointe provenant du Québec, du Canada, des États-Unis, de l'Europe ou d'ailleurs.

L'auteure a su intégrer les connaissances et le savoir-faire pédagogiques de nos voisins américains et de nos collègues européens. Dans ce sens, cet ouvrage prend une dimension internationale et peut être utilisé avec profit pour la formation des enseignants et des intervenants par nos amis francophones de l'Europe. De surcroît, dans le contexte universitaire d'aujourd'hui où le groupe-cours devient de plus en plus important, cet outil didactique est d'autant plus pertinent qu'il permet à l'étudiant d'acquérir les connaissances théoriques et pratiques les plus valables pour sa future carrière.

Les enseignants et les intervenants bénéficieront grandement des connaissances sur les enfants en difficulté présentées dans cet ouvrage. Ce dernier les sensibilisera à certaines clientèles auxquelles l'adaptation scolaire et sociale pose problème. Je demeure persuadé que ce livre leur apportera une aide précieuse ; l'intégration leur paraîtra alors une démarche souhaitable, réaliste et avantageuse autant pour eux que pour l'enfant, les parents et les pairs. La manière utilisée par l'auteure pour décrire les clientèles, identifier leurs difficultés, dégager des approches pédagogiques adaptées, proposer des outils d'apprentissage et des stratégies éducatives appropriées rend ce livre nécessaire pour tous ceux et celles qui s'interrogent sur le bien-fondé de l'intégration et sur les moyens d'en assurer le succès.

Dans la première section, Georgette Goupil nous présente un historique de la scolarisation des élèves en difficulté ainsi que les mesures qui ont favorisé l'intégration des élèves handicapés et en difficulté. Dans le chapitre 2, elle examine l'évaluation des besoins des enfants et le plan d'intervention personnalisé. Cet ajout est primordial pour la préparation des enseignants et des intervenants en ce qui a trait à leurs relations avec les familles. Ce chapitre reflète très bien les préoccupations concernant la participation des parents aux décisions, où ils sont les premiers intéressés, quoi que puissent en dire certains professionnels qui ont de la difficulté à renoncer à leur rôle de détenteur quasi exclusif du savoir. À partir de l'information présentée dans ce chapitre, il n'y a qu'un pas à franchir pour associer les parents à l'évaluation de leur enfant et considérer leurs connaissances comme aussi importantes que celles des professionnels. C'est dans cette perspective que l'on pourra établir un véritable partenariat qui diffère de celui que certains auteurs appellent un partenariat bidon, où les parents ne sont plus associés aux décisions à partir du moment où leurs arguments diffèrent de ceux des professionnels. Tous les enseignants sont invités à lire cette section qui les aidera à mieux comprendre ces enfants et à se rendre compte que l'école est parfois en partie responsable de leurs difficultés.

La deuxième section présente les manifestations et les définitions, les conceptions et les causes, l'évaluation des difficultés et l'intervention auprès des enfants en difficulté d'apprentissage, qui sont de plus en plus nombreux dans le milieu scolaire. Le chapitre 3 définit les élèves qui éprouvent des difficultés d'apprentissage à l'école, ceux-là mêmes qui risquent d'être marginalisés si l'on n'entreprend pas rapidement des interventions adaptées à leurs besoins. L'évaluation et l'intervention auprès de ces enfants font l'objet des chapitres 4 et 5. Il revient au milieu scolaire de trouver des solutions de rechange au mode habituel de dépistage et d'intervention, où l'on se réfère le plus souvent aux difficultés de l'enfant plutôt qu'à ses ressources et à celles de son entourage. En cette matière, le milieu scolaire ne peut plus se contenter de s'occuper de la déficience ou des difficultés de l'enfant ; il doit mettre au point une gestion centrée sur ses besoins et ses ressources et sur les ressources de son entourage, soit les pairs, la famille et les proches. Dans cette perspective, l'auteure est en droit de parler d'apprentissage par les pairs et d'enseignement coopératif, qui se situent directement dans sa vision écologique de l'éducation.

La troisième section de ce livre nous fait connaître les « enfants à réputation ». Il s'agit des enfants qui éprouvent des difficultés d'adaptation et de comportement, et qui ont une mauvaise réputation dans l'école. Georgette Goupil nous aide à mieux les considérer, à les comprendre, puis à tenter de les intégrer. D'élèves peu sympathiques, ils deviennent des élèves attachants qui requièrent davantage notre soutien parce qu'ils ont vécu des situations malheureuses. En effet, certains ont subi, au cours de leur enfance, une privation culturelle grave, la violence conjugale, des abus sexuels ou l'inceste, ou encore des difficultés de toutes sortes. En plus de mieux nous les faire connaître, l'auteure propose des moyens et des stratégies pour les évaluer plus efficacement et pour aider l'enseignant à mieux les intégrer dans son groupe scolaire, ce qui leur permettra de vivre avec leurs pairs et d'être mieux acceptés. De nombreux conseils sont fournis aux intervenants pour les aider à interagir plus adéquatement avec ces enfants dont le comportement peut aussi surprendre agréablement.

Dans la quatrième section du volume, l'auteure nous familiarise d'abord avec la déficience intellectuelle. L'information transmise porte sur la connaissance de cette clientèle dont les besoins d'intégration sont parfois très différents de ceux des autres enfants en difficulté. Ainsi, les chapitres sur la déficience mentale informent les lecteurs au sujet des nombreux enfants qui, par le passé, ont souffert de l'institutionnalisation, alors qu'ils auraient facilement pu vivre dans leur famille et fréquenter l'école du quartier. Comme pour toutes les autres clientèles, l'auteure insiste, d'une part, sur l'importance du rôle de la famille et, d'autre part, sur la nécessité pour l'enseignant, l'intervenant et les parents de conjuguer leurs efforts. Cette concertation vise à réduire le plus possible les inconvénients du handicap intellectuel.

Une nouvelle clientèle est apparue dans les écoles depuis quelques années. Pendant longtemps, ces enfants étaient confinés dans les cliniques psychiatriques ou ignorés par le réseau scolaire et celui des services intégrés à la personne. Ces enfants présentant des troubles sévères du développement, identifiés parfois par l'autisme ou encore par l'audimutité, ont maintenant leur place à l'école au même titre que les autres enfants en difficulté. Ils ont longtemps arpenté les corridors des établissements psychiatriques ou ceux des centres de réadaptation parce que leurs parents ne trouvaient pas de lieux qui leur permettraient de se développer comme les autres enfants. Même si ces enfants causent souvent à la famille plus de problèmes au quotidien, ils ont des besoins particuliers quant à leur développement et à leur éducation. Cette clientèle nous amène à nous interroger sur l'organisation des services offerts à la famille. Comment aider cette dernière à se développer le plus possible comme les autres familles, à bénéficier des services de répit, à recevoir une attention du milieu scolaire qui la soulage davantage dans ses efforts d'intégration familiale et scolaire ? C'est à cette question que le chapitre sur l'autisme tente de répondre.

Le chapitre 12 porte sur les enfants ayant une déficience sensorielle ou physique. L'auteure présente l'information la plus pertinente en vue de favoriser une plus grande compréhension des besoins éducatifs de ces enfants ainsi que les meilleurs moyens de les aider et de faciliter leur intégration dans le milieu scolaire ordinaire. Encore ici, l'auteure nous incite à utiliser les plans d'intervention ou de services comme moyens de concertation entre les personnes préoccupées par leur éducation. Pour elle, ces outils pédagogiques sont de première importance lorsqu'il s'agit de répondre aux besoins des enfants et de leur famille. Le plan de services devient le moyen privilégié pour l'enseignant ou l'intervenant d'intégrer les parents à l'action éducative, en tant que véritables partenaires.

À l'heure où se produisent des changements majeurs dans l'éducation et l'intervention, l'auteure ne pouvait terminer son livre sans attirer notre attention sur un partenaire privilégié conditionnant en partie les résultats de nos interventions éducatives, psychosociales ainsi que médicales. Le parent est un membre à part entière du développement de son enfant, il est même l'intervenant privilégié pour ce qui est de son influence et de son rôle. Oublier cette réalité, c'est réduire l'effet de nos actions éducatives et de nos interventions. En accordant une place au parent dans cet ouvrage, Georgette Goupil rappelle aux enseignants et aux intervenants que la manière dont nous échangeons avec les parents aura un effet direct sur leur engagement auprès de leur enfant. Elle nous prévient que lorsque nous parlons uniquement des difficultés de l'enfant aux parents, nous risquons d'affecter l'image qu'ils se font d'eux-mêmes et d'accentuer la marginalité de l'enfant en raison des représentations négatives qu'ils sont susceptibles de développer à son endroit. En définitive, le discours professionnel a souvent eu pour effet de démontrer aux parents que leur enfant était différent des autres, voire parfois indésirable, ou qu'il ne pouvait être intégré à la société des personnes dites normales. Ainsi, au chapitre 13, l'auteure nous explique les étapes par lesquelles passent les parents auxquels on dit que leur enfant est différent, qu'il éprouve des difficultés scolaires ou qu'il perturbe le groupe et la vie de l'école. En même temps, elle nous parle des immenses ressources dans lesquelles les parents puisent pour vivre avec cet enfant qu'ils considèrent comme normal même s'il a des besoins spéciaux. Cette perception familiale est possible dans la mesure où les intervenants et les enseignants adoptent un discours positif avec les parents, dans lequel l'accent est mis sur l'importance de leurs ressources et de leurs moyens pour s'adapter à la situation de l'enfant. Nous devons aussi orienter leur réflexion sur l'apport de l'enfant dans la famille ; d'ailleurs, de plus en plus de parents nous parlent de cela spontanément. Les intervenants ont besoin de se pencher sur ces dimensions positives de la présence de l'enfant en difficulté dans la famille de manière à percevoir favorablement l'action des parents et à faire d'eux de véritables partenaires.

Dans l'ensemble de ses travaux, qui visent à nous faire découvrir les traits positifs de ces clientèles, Georgette Goupil plaide avec une grande constance la cause de l'enfant qui est dans le besoin. De fait, elle nous apprend à le considérer comme un atout pour le groupe scolaire. En s'appuyant sur les propos d'enseignants, de directeurs d'école et de parents, elle nous invite à respecter son aspiration fondamentale à être un enfant ordinaire qui, comme ses pairs, a besoin d'amour, de valorisation, de respect et de soutien.

Au nom de tous les lecteurs, je me permets de remercier l'auteure pour cette dernière pièce d'une collection de productions scientifiques et pédagogiques imposante. Cet ouvrage saura aider de nombreux enseignants et intervenants à se familiariser avec des approches pédagogiques qui, par ailleurs, pourront profiter à tous les enfants du groupe scolaire. De plus, il saura répondre aux nombreuses questions des parents et facilitera une concertation encore plus éclairée avec le monde des services éducatifs.

Jean-Marie Bouchard, professeur,
Département des sciences de l'éducation,
Centre interdisciplinaire de recherche en apprentissage
et de développement en éducation (CIRADE)

Table des matières

SECTION

HISTORIQUE ET PRINCIPES DE L'ÉVALUATION ET DE L'INTERVENTION

SECTION

LES ÉLÈVES EN DIFFICULTÉ D'APPRENTISSAGE

SECTION

LES ÉLÈVES EN DIFFICULTÉ D'ADAPTATION ET DE COMPORTEMENT

SECTION

LES ÉLÈVES AYANT UNE DÉFICIENCE INTELLECTUELLE, UN TROUBLE AUTISTIQUE OU UNE DÉFICIENCE SENSORIELLE OU PHYSIQUE

Chapitre 10 Les élèves ayant une déficience intellectuelle — Partie II : L'intervention 227

Chapitre 11 Les élèves présentant un trouble autistique 251

SECTION

LES PARENTS

SECTION

HISTORIQUE ET PRINCIPES DE L'ÉVALUATION ET DE L'INTERVENTION

Historique

OBJECTIFS

Après avoir lu ce chapitre, le lecteur devrait pouvoir:

- décrire l'idée qui est à la base de la création de classes et d'écoles spéciales à l'intention des élèves en difficulté d'adaptation et d'apprentissage;
- décrire les principaux événements qui ont amené les milieux scolaires à promouvoir les principes d'une scolarisation dans le cadre le plus normal possible;
- décrire divers mouvements qui ont influencé le choix des mesures de scolarisation à l'intention des élèves en difficulté d'adaptation et d'apprentissage.

INTRODUCTION

L'histoire de la scolarisation des élèves en difficulté est relativement récente au Québec. Néanmoins, elle a pris un essor considérable depuis la fin des années 60 :

> De 1969 à 1991, la baisse [du nombre total d'élèves] a atteint 33,3 % de l'effectif scolaire du primaire et du secondaire. En parallèle, la réforme de l'enseignement a favorisé le développement des services d'éducation spécialisée ; en effet, durant cette même période, il s'est produit une augmentation de 400 % en ce qui concerne la clientèle nommée désormais les élèves handicapés ou en difficulté d'adaptation et d'apprentissage (EHDAA) (Duval, Tardif et Gauthier, 1995, p. 13).

Ce premier chapitre consiste en un court historique des mouvements ayant influencé les mesures de scolarisation offertes aux élèves en difficulté d'adaptation et d'apprentissage au Québec. Nous verrons d'abord comment la réforme de l'enseignement au Québec a contribué à établir des mesures de scolarisation visant à permettre à tous les élèves l'accès à une scolarisation de qualité. Puis, nous décrirons différents mouvements qui ont influé sur le choix des mesures de scolarisation à offrir aux élèves en difficulté d'adaptation et d'apprentissage. Enfin, nous verrons comment certains débats et la reconnaissance des droits des personnes handicapées ont modifié la philosophie concernant les services et les mesures destinés à ces élèves.

1.1 LA CRÉATION DE MESURES SPÉCIALES POUR AIDER LES ÉLÈVES EN DIFFICULTÉ OU HANDICAPÉS

Avant 1960, rares sont les commissions scolaires qui procurent des services aux enfants en difficulté (Bouchard, 1985) ; cependant, quelques communautés religieuses leur offrent des services et l'hébergement. Par exemple, en 1861, les Sœurs grises de Montréal fondent l'institut Nazareth pour les enfants ayant une déficience visuelle. Mis à part quelques interventions sporadiques des commissions scolaires (Bouchard, 1985), jusqu'en 1960, on trouve peu d'interventions systématiques à l'intention des enfants en difficulté.

En 1963, le Bureau de l'enfance exceptionnelle est créé. Le rapport Parent reconnaît le droit à l'instruction et à l'égalité des chances des enfants « exceptionnels ». Ce rapport souligne la nécessité de répondre aux besoins des enfants en indiquant « qu'un système scolaire vraiment démocratique leur offrira des possibilités de réadaptation et un enseignement approprié à leur condition » (Commission royale d'enquête sur l'enseignement dans la province de Québec, 1965, p. 331).

En 1969, le ministère de l'Éducation crée le Service de l'enfance inadaptée en mettant l'accent sur la responsabilité des commissions scolaires dans l'organisation des services destinés aux élèves en difficulté. On observe également, dans le monde de l'éducation, un intérêt croissant pour les élèves en difficulté. Les universités se dotent de programmes de formation ou de perfectionnement à l'intention des enseignants.

Au cours des années 60 et 70, on assiste à la mise en place d'écoles et de classes spéciales pour les enfants en difficulté. Ces élèves sont généralement regroupés par catégories de difficultés : les élèves ayant une déficience mentale, les élèves ayant des difficultés de comportement ou des troubles d'apprentissage, les élèves présentant une déficience visuelle, auditive ou une autre déficience physique, ou encore les élèves ayant des déficiences multiples (par exemple une déficience intellectuelle accompagnée d'une déficience physique).

Les éducateurs croient alors aux mérites du dépistage précoce et d'une intervention dans des groupes spécialisés. Chez les enfants en bas âge, l'identification des difficultés devrait contribuer à la prévention de problèmes ultérieurs dans la scolarisation. Les classes spéciales comprennent moins d'élèves que les classes ordinaires, et les élèves, croit-on, y reçoivent une plus grande attention individuellement. Ces classes devraient aussi minimiser le sentiment d'échec en évitant la comparaison avec les élèves qui ne présentent pas de difficultés. Par ailleurs, l'enseignement et le matériel devraient être plus spécialisés (Goupil et Boutin, 1983). Au cours de ces années, les enseignants sont encouragés à dépister systématiquement les difficultés chez les élèves. Après l'instauration de ces mesures, la clientèle des élèves en difficulté ne cesse de s'accroître entre 1960 et 1976. Malheureusement, malgré l'aide que l'on désire apporter aux élèves, trop souvent ces derniers entrent dans le secteur spécial pour ne plus en ressortir. Ces mesures spéciales, qui étaient censées mieux répondre aux besoins des élèves, ne semblaient pas toujours donner les résultats prévus.

1.2 L'INFLUENCE AMÉRICAINE

Les Américains connaissent un phénomène analogue, auquel s'ajoute une composante raciale. Les classes spéciales regroupent de plus en plus d'élèves. Des parents revendiquent alors la classe ordinaire, alléguant que leurs enfants sont privés de chances égales de succès dans l'avenir. De plus, des parents d'enfants d'origines ethniques différentes contestent l'évaluation des tests d'intelligence. Ils reprochent à ces instruments d'être culturellement biaisés et, par conséquent, de ne pas révéler le potentiel véritable de l'élève orienté par ceux-ci vers des classes spéciales. Au cours des années 70, aux États-Unis, des parents intentent plusieurs procès aux organismes scolaires, car ils croient que leurs enfants placés dans des classes spéciales n'ont plus les mêmes chances d'avenir. Les principes de la normalisation (Wolfensberger, 1972) sont mis en évidence : tout élève a le droit d'être scolarisé dans le cadre le plus normal possible. Ce principe n'exclut pas le recours à des mesures spéciales, mais il faut prouver que le milieu ordinaire ne peut répondre aux besoins de l'élève et que la classe spéciale est plus appropriée pour ce faire. Désormais, on devra aussi valoriser les capacités d'adaptation et de développement des élèves, et non pas uniquement souligner leurs difficultés. Le Congrès américain recommande d'offrir des services éducatifs qui répondent aux besoins particuliers de ces élèves en difficulté.

Parallèlement à ces actions judiciaires, les chercheurs n'arrivent pas à prouver la supériorité de la classe spéciale dans l'apprentissage des élèves en difficulté (Madden et Slavin, 1983 ; Wang et Baker, 1985-1986). Au cours des années 70 et 80, on a fait de nombreuses comparaisons entre les élèves des classes spéciales et ceux des classes ordinaires. Dès 1968, après avoir lui-même consacré vingt ans de sa vie à l'éducation spéciale, Dunn soulève la nécessité de réfléchir sur la pertinence de ce mode de scolarisation pour les enfants déficients, dans un article majeur pour l'époque qui sera cité à plusieurs reprises dans la documentation scientifique. Aux États-Unis, le débat sur l'intégration s'amorce, et plusieurs publications et expérimentations sont consacrées à ce sujet. Ces études portent, entre autres, sur le rendement scolaire, l'intégration sociale et la description de l'adaptation émotive de l'élève. Les études sur le rendement scolaire sont surtout centrées sur la comparaison du rendement scolaire dans des conditions de scolarisation différentes (la classe ordinaire par opposition à la classe spéciale). Dans l'ensemble, les recherches dans ce secteur n'arrivent pas à démontrer la supériorité de la classe spéciale par rapport à la classe ordinaire. Les études sur le développement social et affectif concernent l'estime de soi, l'acceptation de l'enfant par ses pairs, le sentiment de compétence ou encore le degré de satisfaction de l'élève envers l'école. Blatt (1958) note que l'adaptation des élèves est meilleure dans la classe ordinaire. Budoff et Gottlieb (1976) comparent deux groupes de sujets : l'un dans la classe spéciale et l'autre dans la classe ordinaire. Après une année d'intégration, les élèves dans la classe ordinaire semblent avoir une meilleure maîtrise d'eux-mêmes, des attitudes plus favorables envers l'école et ils sont davantage conscients de leurs comportements. Cependant, Mayer (1966) ne trouve aucune différence entre le concept de soi d'élèves intégrés dans la classe ordinaire et celui d'élèves dans la classe spéciale, alors que Kern et Pfaeffle (1963) constatent une meilleure adaptation sociale chez les élèves des classes spéciales. Toutefois, à partir d'une importante recension des écrits, Madden et Slavin (1983) concluent que lorsque l'intégration dans la classe ordinaire est accompagnée d'un soutien adéquat, le concept de soi, le comportement et les attitudes envers l'école sont meilleurs que dans la classe spéciale.

1.3 LES POLITIQUES POUR UNE SCOLARISATION DANS LE CADRE LE PLUS NORMAL POSSIBLE

En 1975, à la suite de ces diverses actions judiciaires, scientifiques (voir Madden et Slavin, 1983, pour une revue des écrits) et de ces déclarations de principe, la loi 94-142, *The Education for All Handicapped Children Act*, est promulguée. Cette loi stipule que, désormais, les élèves devront être scolarisés dans le cadre le plus normal possible. Elle reconnaît certains droits fondamentaux des élèves handicapés et de leurs parents : le droit à l'éducation, le droit à une éducation gratuite, le droit à une éducation appropriée, c'est-à-dire, entre autres, le droit d'être scolarisés dans un environnement le moins restrictif possible, le droit au *due process*, le droit à la confidentialité de l'information, le droit à une évaluation non discriminatoire et, finalement, le droit à un plan d'intervention personnalisé (Gallaudet College, 1986). Nous verrons sommairement quelques-unes de ces mesures.

Le droit pour les élèves d'être scolarisés dans l'environnement le moins restrictif possible signifie qu'on utilise des mesures spécialisées uniquement lorsqu'il est impossible d'adapter les classes ordinaires pour répondre aux besoins des élèves. Ce principe a donné lieu à la naissance de systèmes intégrés de mesures éducatives. Le système en cascade (que nous verrons à la page 8) en est un exemple. Quant au droit au *due process*, il correspond au droit à un traitement juste et impartial. Ainsi, si l'école et les parents ne s'entendent pas sur les mesures à offrir à un élève, ils peuvent recourir, dans le cadre du *due process*, à des méthodes plus formelles pour en arriver à un accord. La loi met en évidence la nécessité d'avoir une évaluation non discriminatoire. Dans cette optique, les évaluateurs se doivent d'utiliser des tests qui ne soient pas biaisés culturellement ou encore des instruments qui ne portent pas préjudice à des élèves appartenant à des minorités ethniques (Sattler, 1994).

Le plan d'intervention personnalisé devient un outil destiné à mieux répondre aux besoins propres à chaque élève parce qu'il précise le niveau de rendement de ce dernier et les objectifs éducatifs poursuivis avec lui. La loi américaine définit ce plan ainsi :

> Le *Programme éducatif individualisé* est un document rédigé spécialement pour répondre aux besoins précis de chaque enfant en difficulté, lors d'une réunion de concertation. Participent à cette réunion un spécialiste du milieu scolaire habilité à mettre en œuvre et à superviser le plan éducatif personnalisé, l'enseignant, les parents ou le tuteur de l'enfant et, s'il y a lieu, l'enfant lui-même. Ce document doit préciser : *a*) le rendement actuel de l'enfant ; *b*) les buts annuels et les objectifs à court terme ; *c*) les services éducatifs spéciaux qui seront fournis à l'enfant et sa capacité de participer aux programmes ordinaires ; *d*) la date et la durée prévues pour ces services ; *e*) les critères objectifs de réussite ainsi que les dates et les modalités de l'évaluation, qui doit être au moins annuelle (Gouvernement des États-Unis, 1990, p. 491-492 ; traduit par l'auteure).

Désormais, les milieux scolaires devront cerner les besoins des élèves en difficulté et déterminer pour chacun d'eux un programme éducatif destiné à répondre à ses besoins. Selon la loi américaine, ce programme éducatif devra être révisé régulièrement :

> L'agence éducative locale ou l'unité éducative intermédiaire établira ou révisera, selon le cas, le programme éducatif individualisé pour chaque enfant en difficulté au début de chaque année scolaire et reverra, s'il y a lieu, ses spécifications périodiquement, au moins une fois par année (Gouvernement des États-Unis, 1990, p. 514 ; traduit par l'auteure).

De plus, les Américains reconnaissent la nécessité d'établir une autre sorte de plan d'intervention : les plans de transition. En effet, on constate que, pour les élèves en difficulté d'adaptation et d'apprentissage ou pour les élèves handicapés, il importe de prévoir à long terme le passage d'une période de vie à une autre, par exemple le passage de l'école à la vie adulte. La loi fédérale américaine *Individuals with Disabilities Education Act* (loi 101-476, 1990) demande qu'on inclue dans les programmes éducatifs des élèves handicapés des activités nécessaires à une transition harmonieuse.

1.4 Dans le milieu québécois de l'éducation : le rapport COPEX, un pas important vers la normalisation

Parallèlement au mouvement américain en faveur de l'intégration, en 1976, au Québec, paraît le rapport du Comité provincial de l'enfance inadaptée (COPEX). Ce rapport dénonce les augmentations enregistrées du nombre d'élèves en difficulté et critique sérieusement le modèle médical qui préside à la classification des élèves. Ce modèle est appelé « médical » parce qu'à l'instar des approches utilisées en médecine, on précise des difficultés ou des handicaps, on en recherche les causes, puis on s'efforce d'appliquer un traitement visant la guérison (Comité provincial de l'enfance inadaptée, 1976).

Le rapport COPEX désapprouve l'utilisation d'explications de type théorique, où l'on recherche des causes internes et non observables sans se préoccuper suffisamment de décrire des comportements observables et des habiletés spécifiques. Selon ce rapport, les causes que les spécialistes attribuent aux difficultés des élèves sont parfois éloignées de la réalité scolaire. Le spécialiste qui pose un diagnostic ne fournit pas nécessairement des moyens d'intervention à l'enseignant. Le rapport COPEX dénonce la séparation entre l'enseignement régulier et l'enseignement spécial, et l'intolérance de plus en plus grande du milieu scolaire régulier face aux élèves qui diffèrent de la normalité.

L'examen des taux de prévalence selon le sexe montre des différences importantes, beaucoup plus marquées pour les élèves en difficulté mais significatives également dans le cas des élèves handicapés, contrairement peut-être à ce à quoi on se serait attendu dans ce dernier cas. Ainsi, **plus de deux fois plus de garçons que de filles présentent des difficultés au préscolaire et presque deux fois plus au primaire ; cette différence est également présente, mais elle est plutôt de l'ordre d'une fois et demie, dans le cas des élèves handicapés** (Conseil supérieur de l'Éducation, 1996, p. 24 ; Avis à la ministre de l'Éducation ; reproduit avec permission).

À partir de modèles américains, le rapport COPEX recommande un système intégré de mesures éducatives : le système en cascade (voir la figure 1.1).

Dans cette cascade de services, les mesures spéciales sont utilisées uniquement lorsqu'il n'est pas possible de répondre aux besoins de l'élève dans un cadre régulier, car il faut scolariser l'élève dans le cadre le plus normal possible. Au cours des années subséquentes, le ministère de l'Éducation du Québec (1979, 1982a, 1992) publiera des politiques s'inspirant de ces recommandations et offrira aux élèves divers types de regroupements pour leur scolarisation. Le tableau 1.1 présente ces regroupements.

TABLEAU 1.1 Types de regroupements utilisés dans la déclaration des clientèles scolaires

Modalité de scolarisation	Définition
Classe ordinaire	L'élève est dans une classe ordinaire. Le soutien peut être donné à l'enseignant et à l'élève. L'élève peut recevoir les services d'un spécialiste jusqu'à trois heures par semaine individuellement ou dans un petit groupe d'élèves.
Classe ordinaire avec participation à une classe-ressource	L'élève est scolarisé dans la classe ordinaire plus de la moitié du temps. Il reçoit l'enseignement de certaines matières plus de trois heures par semaine dans des groupes ayant des effectifs restreints.
Classe spéciale où les élèves sont identifiés dans une seule catégorie de difficultés	Les élèves sont regroupés en fonction d'une seule difficulté. Ainsi, les élèves en difficulté d'apprentissage sont placés ensemble. Par exemple, une classe réunit uniquement des enfants ayant une déficience auditive.
Classe spéciale où les élèves sont identifiés dans une grande catégorie	Les élèves présentent diverses difficultés. Par exemple, une classe accueille des élèves en difficulté d'apprentissage et des élèves ayant des problèmes graves de comportement.
École spéciale	Scolarisation dans une école où plus de 50 % des élèves sont en difficulté.
Centre d'accueil	Scolarisation dans un centre d'accueil.
Centre hospitalier	Scolarisation dans un centre hospitalier pour une raison autre qu'une incapacité temporaire de se rendre à l'école.
Domicile	Scolarisation à la maison pour une raison autre qu'une incapacité physique temporaire de se rendre à l'école.

Source : Adapté de Ouellet (1995, p. 122).

FIGURE 1.1 Système en cascade : modèle intégré d'organisation des mesures spéciales d'enseignement

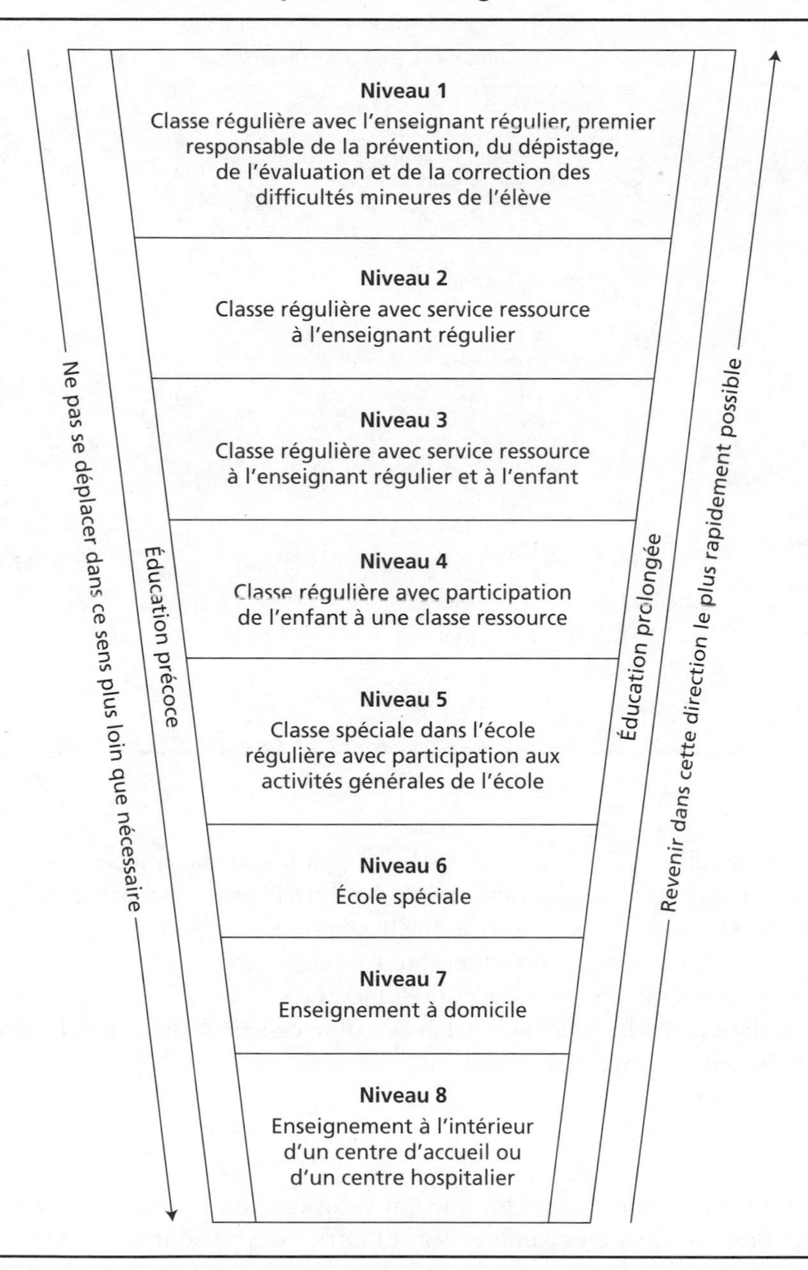

Source : Tiré du Comité provincial de l'enfance inadaptée (1976, p. 637).

Il est à noter également que, pour permettre, entre autres, aux commissions scolaires d'effectuer une planification globale de leurs services éducatifs, le ministère de l'Éducation du Québec a établi des catégories d'élèves handicapés ou en difficulté. Ces catégories définissent les caractéristiques d'élèves présentant une même

TABLEAU 1.2 Effectif des élèves handicapés ou ayant des difficultés d'adaptation ou d'apprentissage

	Préscolaire	Primaire	Secondaire	Total
Élèves présentant un handicap				
Déficience intellectuelle légère	66	1 822	1 791	3 679
Déficience intellectuelle moyenne	177	700	1 045	1 922
Déficience intellectuelle profonde	55	257	446	758
Déficience visuelle	29	225	228	482
Déficience auditive	124	828	715	1 667
Déficience physique	215	1 153	776	2 144
Déficiences multiples	367	3 266	2 724	6 357
Total	1 033	8 251	7 725	17 009
Élèves ayant des difficultés d'adaptation ou d'apprentissage				
Difficulté d'apprentissage légère	177	23 434	19 717	43 328
Difficulté d'apprentissage grave	414	16 825	26 710	43 949
Difficulté d'adaptation	121	11 214	12 840	24 175
Total	712	51 473	59 267	111 452
Nombre total d'élèves dans les écoles publiques	**108 063**	**520 874**	**408 889**	**1 037 826**

Source : Tiré de Ouellet (1996, p. 2, 4).

déficience ou difficulté. Ainsi, le Ministère définit les caractéristiques des élèves en difficulté d'apprentissage, des élèves ayant des difficultés d'ordre comportemental, des élèves ayant une déficience intellectuelle, physique ou sensorielle. À ces groupes d'élèves s'ajoutent ceux qui présentent un trouble sévère du développement ainsi que les élèves qui ont des déficiences multiples. Le tableau 1.2 présente le nombre d'élèves, dans les écoles publiques, selon la nature de leur déficience et l'ordre scolaire (préscolaire, primaire et secondaire).

1.5 L'INFLUENCE DE LA RECONNAISSANCE DES DROITS DES PERSONNES HANDICAPÉES DANS LES MILIEUX ÉDUCATIFS

Il n'y a pas que l'influence américaine qui ait orienté les politiques scolaires. Les associations des personnes handicapées et l'Office des personnes handicapées du Québec jouent un rôle important pour inciter les milieux éducatifs à réviser leurs mesures à l'intention des élèves en difficulté. La reconnaissance des droits des personnes handicapées marque une étape majeure. Les parents d'élèves ayant des déficiences physiques, sensorielles ou intellectuelles sont souvent en contact avec les organismes assurant les services aux personnes handicapées ou avec diverses associations. Ces relations ont eu une influence sur le développement des politiques dans le milieu scolaire.

De nouvelles mesures gouvernementales visent le mieux-être et l'insertion sociale des personnes handicapées. Ainsi, en 1970, le ministère des Affaires sociales est créé. En 1972, la Loi sur la protection du malade mental est approuvée, puis, en 1977, paraît le Livre blanc sur la proposition de politiques à l'égard des personnes handicapées. En 1978, la loi assurant l'exercice des droits des personnes handicapées est promulguée. Cette loi permet la création de l'Office des personnes handicapées du Québec (OPHQ) et modifie un ensemble de lois existantes pour favoriser l'intégration sociale, scolaire et professionnelle des personnes handicapées. L'Office des personnes handicapées du Québec a pour mandat de coordonner les services d'information, de consultation et de promotion des intérêts des personnes handicapées, et de favoriser leur intégration scolaire, professionnelle et sociale. En 1984, cet organisme présente, dans le document *À part... égale*, diverses recommandations pour remplir ce mandat. Les services destinés à une personne handicapée devraient être coordonnés entre eux et adaptés à ses besoins. *À part... égale* décrit les besoins des personnes handicapées et souligne la nécessité d'une concertation entre la personne handicapée et les intervenants. Désormais, la personne handicapée devra être considérée avant tout comme une personne ; autrement dit, la personne devra l'emporter sur le handicap. Pour promouvoir l'application de ce principe, le document propose l'utilisation d'un vocabulaire plus nuancé. On distinguera le handicap de la déficience ou de l'incapacité. Le handicap est d'abord vu comme un désavantage social résultant d'une déficience qui limite ou interdit l'accomplissement de certains rôles sociaux. Le tableau 1.3 (p. 12) présente quelques extraits des termes proposés dans *À part... égale*.

À part... égale privilégie aussi des objectifs d'intégration sociale. Le texte fait des recommandations concrètes et propose divers outils, tels les plans d'intervention et de services personnalisés.

Le plan de services permet de planifier et de coordonner des services. Il peut être décomposé en plusieurs plans d'intervention, qui, eux, seront axés sur un domaine particulier : l'aspect éducatif, la réadaptation, etc. Le document *À part... égale* précise cette notion :

> Un plan de services est un outil de planification et de coordination des services individuels nécessaires à la réalisation et au maintien de l'intégration sociale d'une personne handicapée.
>
> La réalisation et le maintien de l'intégration sociale d'une personne handicapée peuvent nécessiter la coordination et la complémentarité d'interventions et de services provenant de diverses ressources et établissements. La perspective d'ensemble du plan de services donne une cohérence aux interventions, évite les dédoublements d'évaluation, assure les références et les suivis, et vise à donner les réponses les plus personnalisées aux besoins de chacun de manière continue.
>
> Le plan de services peut se décomposer en plans d'intervention dans chacun des domaines où la personne peut avoir besoin de services liés à sa déficience, à ses limites fonctionnelles et aux handicaps auxquels elle fait face (Office des personnes handicapées du Québec, 1984, p. 40 ; reproduit avec l'autorisation des Publications du Québec).

TABLEAU 1.3 Définitions

Causes relatives à la déficience
Les causes pertinentes dans la problématique du handicap sont celles qui provoquent une déficience soit pathologique, congénitale ou acquise, soit traumatique à la suite d'un accident, à cause d'un milieu à risque ou des habitudes de vie.

Déficience
Une déficience est la perte, la malformation ou l'anomalie d'un organe, d'une structure ou d'une fonction mentale, psychologique, physiologique ou anatomique. Elle est le résultat d'un état pathologique objectif, observable et mesurable pouvant faire l'objet d'un diagnostic.

Incapacité ou limitation fonctionnelle
Une incapacité correspond à une réduction (résultant d'une déficience) partielle ou totale de la capacité d'accomplir une activité dans les limites considérées comme normales pour un être humain.

Handicap
Un handicap est un désavantage social pour une personne, qui résulte d'une déficience ou d'une incapacité, et qui limite ou interdit l'accomplissement des rôles sociaux (liés à l'âge, au sexe, aux facteurs socioculturels).

Source : Tiré de l'Office des personnes handicapées du Québec (1984, p. 30-34).

Outre le plan de services, le document *À part… égale* reconnaît l'importance des plans d'intervention. Il formule plusieurs recommandations en ce sens à l'intention des commissions scolaires :

> Que chaque commission scolaire, en collaboration avec le ou les établissements du réseau des affaires sociales de son territoire :
> - adopte un plan d'organisation de services éducatifs qui favorise l'intégration des élèves handicapés ;
> - élabore et applique des plans d'intervention en services éducatifs pour chaque enfant qui en a besoin, si nécessaire, jusqu'à l'âge de 21 ans ;
> - s'assure de l'affectation des ressources financières stables pour rendre opérants ses projets éducatifs ;
> - s'assure de la présence d'un personnel diversifié, qualifié et compétent pour la réalisation de ses plans d'intervention ;
> - établisse des ententes de services avec les établissements du réseau des affaires sociales pour obtenir les ressources complémentaires requises pour la réalisation des plans d'intervention en services éducatifs ;
> - implique les parents d'enfants handicapés dans l'élaboration et la réalisation de ses projets éducatifs (Office des personnes handicapées du Québec, 1984, p. 136 ; reproduit avec l'autorisation des Publications du Québec).

Dans le même document, l'Office des personnes handicapées du Québec précise que le plan d'intervention dans les services éducatifs doit indiquer, en fonction des objectifs fixés pour la personne, le niveau d'intégration souhaitable pour la personne, l'adaptation nécessaire au rythme d'apprentissage et à la pédagogie, les services complémentaires et personnels requis, l'équipement spécialisé nécessaire et les ressources financières requises pour le logement et le transport, s'il y a lieu.

1.6 LA LOI SUR L'INSTRUCTION PUBLIQUE : DES MESURES IMPORTANTES POUR LES ÉLÈVES

La reconnaissance des droits des personnes handicapées et les recommandations de l'Office des personnes handicapées ont eu des suites. Ainsi, en 1988, on a apporté à la Loi sur l'instruction publique plusieurs modifications importantes touchant aux élèves en difficulté ou handicapés. Tel est le cas de l'instauration obligatoire des plans d'intervention. En effet, même si, avant 1988, plusieurs élèves bénéficiaient de plans d'intervention dans les écoles, ce n'est que cette année-là, au Québec, qu'une modification de la Loi sur l'instruction publique a confirmé que les élèves en difficulté auraient droit à un plan d'intervention. L'article 47 présentait cette obligation :

> Le directeur de l'école, avec l'aide des parents d'un élève handicapé ou en difficulté d'adaptation et d'apprentissage, du personnel qui dispense des services à cet élève et de l'élève lui-même, à moins qu'il n'en soit incapable, établit un plan d'intervention adapté aux besoins de l'élève. Ce plan doit respecter les normes prévues par règlement de la commission scolaire. Le directeur voit à la réalisation et à l'évaluation périodique du plan d'intervention (reproduit avec l'autorisation des Publications du Québec).

Cet article souligne le rôle important confié à la direction de l'école en ce qui a trait à la réalisation du plan d'intervention. Il met aussi en évidence le rôle des parents et celui de l'élève dans l'élaboration de ce plan (voir la figure 1.2, p. 14). Toutefois, la Loi sur l'instruction publique apporte peu de précisions sur les modalités de l'élaboration du plan, celui-ci devant, selon l'article 235, respecter les normes prévues par le règlement de la commission scolaire :

> La commission scolaire adopte, par règlement, après consultation du comité consultatif des services aux élèves handicapés et en difficulté d'adaptation ou d'apprentissage, les normes d'organisation des services éducatifs à ces élèves de manière à faciliter leurs apprentissages et leur insertion sociale.
>
> Ce règlement doit notamment prévoir :
>
> 1) les modalités d'évaluation des élèves handicapés et des élèves en difficulté d'adaptation ou d'apprentissage ;
> 2) les modalités d'intégration de ces élèves dans les classes ou les groupes ordinaires et aux autres activités de l'école ainsi que les services d'appui à cette intégration et, s'il y a lieu, la pondération à faire pour déterminer le nombre maximal d'élèves par classe ou par groupe ;
> 3) les modalités de regroupement de ces élèves dans des écoles, des classes ou des groupes spécialisés ;
> 4) les modalités d'élaboration et d'évaluation des plans d'intervention destinés à ces élèves (reproduit avec l'autorisation des Publications du Québec).

En 1992, le ministère de l'Éducation du Québec réitère l'importance de la concertation avec les parents par la publication du *Cadre de référence pour l'établissement des plans d'intervention pour les élèves handicapés et les élèves en difficulté d'adaptation et d'apprentissage*. Ce texte met l'accent sur la démarche que l'équipe-école doit entreprendre avec les parents et l'élève. En effet, il précise ceci :

> L'élaboration d'un plan d'intervention est le fruit d'une démarche de coordination et de planification de l'aide à donner à un élève pour assurer la continuité, la complémentarité, la qualité des réponses apportées aux besoins

multiples et complexes de ce dernier. Cela, en tenant compte du contexte familial et social (1992a, p. 36).

La figure 1.2 présente la démarche fonctionnelle proposée par le Ministère.

FIGURE 1.2 Démarche fonctionnelle du plan d'intervention

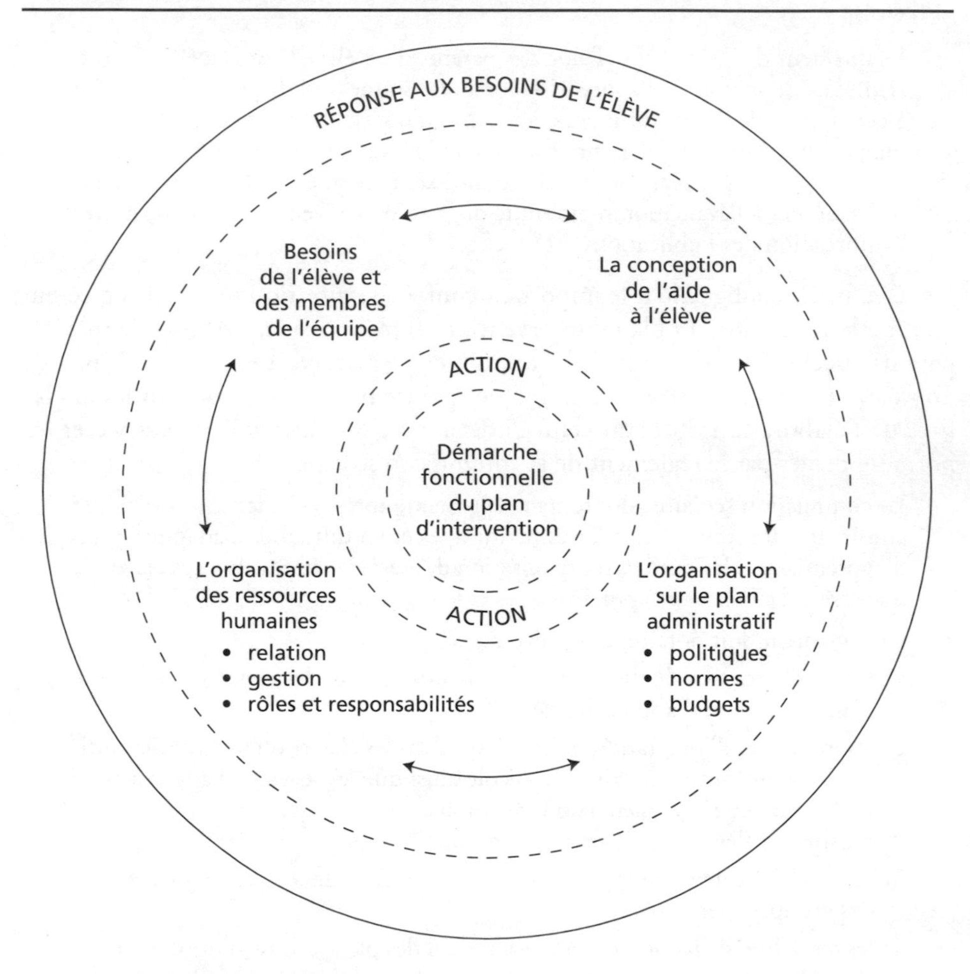

Les buts de la démarche sont :

- la définition des priorités en ce qui concerne les besoins d'insertion sociale et d'apprentissage de l'élève, en fonction de son potentiel ;
- la définition des objectifs de l'intervention, des stratégies et des moyens à prendre pour les atteindre ;
- la définition des responsabilités selon les ressources et les moyens disponibles ;
- la coordination du travail de tous les participants ;
- l'établissement du calendrier et des modalités d'évaluation.

Source : Tiré du ministère de l'Éducation du Québec (1992a, p. 36).

D'autre part, l'article 187 de la Loi sur l'instruction publique stipule que la commission scolaire doit instituer un comité consultatif des services aux élèves handicapés et aux élèves en difficulté d'apprentissage. Ce comité sera composé de représentants des parents des élèves en difficulté, de représentants des enseignants, de membres du personnel non enseignant et du personnel de soutien, de représentants des organismes qui offrent des services aux élèves en difficulté et d'un directeur d'école. Ce comité consultatif a pour fonction, selon cet article, de donner divers avis à la commission scolaire. Ce mandat est ainsi précisé :

> Le comité consultatif des services aux élèves handicapés et aux élèves en difficulté d'adaptation et d'apprentissage a pour fonctions :
>
> 1) de donner son avis à la commission scolaire sur les normes d'organisation des services éducatifs aux élèves handicapés et aux élèves en difficulté d'adaptation et d'apprentissage ;
>
> 2) de donner son avis à la commission scolaire sur l'affectation des ressources financières pour les services à ces élèves.
>
> Le comité peut aussi donner son avis à la commission scolaire sur l'application du plan d'intervention à un élève handicapé ou en difficulté d'adaptation ou d'apprentissage (reproduit avec l'autorisation des Publications du Québec).

1.7 LA RÉVISION DE LA POLITIQUE EN MATIÈRE D'ADAPTATION SCOLAIRE

En 1992, le ministère de l'Éducation du Québec met à jour sa politique en matière d'adaptation scolaire. Il confirme la pertinence de l'objectif général de cette politique, à savoir : « [...] assurer à tous les élèves handicapés ou en difficulté l'accès à des services éducatifs de qualité dans le cadre le plus normal possible » (1992b, p. 4). Pour ce faire, il propose cinq moyens permettant d'atteindre cet objectif :

1. Considérer comme complémentaires l'apprentissage et l'insertion sociale. Le Ministère considère l'apprentissage et l'insertion sociale comme des objectifs complémentaires indissociables et met en valeur l'acquisition d'habiletés sociales par les échanges avec les autres élèves.
2. Privilégier la classe ordinaire comme un moyen de choix d'insertion dans la société. Le ministère de l'Éducation du Québec (1992b) précise : « Cependant, le recours à la classe spéciale ne devrait être envisagé que pour les élèves ayant besoin de services qu'il n'est pas possible ou souhaitable pour l'élève d'organiser dans le cadre de la classe ou de l'école ordinaire. De plus, chaque fois que cela est possible, de telles mesures devraient être considérées comme temporaires ou transitoires, et viser un éventuel retour à la classe ordinaire » (p. 5).

> On sait le virage pris par le Québec dans l'organisation des services offerts à ces élèves au début des années 80 ; aucune évaluation systématique n'a cependant été faite de la mise en œuvre de la politique adoptée alors. Les élèves handicapés ou en difficulté sont de plus en plus nombreux à fréquenter une classe ou une école ordinaire, quoique pas assez aux yeux de certains qui revendiquent l'accès aux classes et aux écoles ordinaires pour **tous** les enfants et ont parfois recours aux tribunaux pour les y faire inscrire. L'intégration de ces élèves aux groupes-classes demeure cependant encore aujourd'hui un défi de taille pour la plupart des enseignantes et des enseignants, et ce défi va même en s'accroissant au fur et à mesure que les services de soutien plafonnent ou sont réduits par les compressions budgétaires et que les besoins des élèves vont en se diversifiant (Conseil supérieur de l'éducation, 1996, p. 1 ; Avis à la ministre de l'Éducation ; reproduit avec permission).

3. Considérer les parents comme des partenaires essentiels.
4. Mettre en place une organisation scolaire axée sur les capacités et les besoins des jeunes.
5. Mettre en place les conditions qui facilitent la réussite scolaire en tenant compte des variables importantes.

1.8 LE CONSTAT DU CONSEIL SUPÉRIEUR DE L'ÉDUCATION

En 1996, le Conseil supérieur de l'éducation publie un avis destiné à la ministre de l'Éducation du Québec sur l'intégration des élèves handicapés et en difficulté. Dans cet avis, le Conseil reconnaît que l'intégration a progressé au cours des dernières années et que des succès réels ont été enregistrés dans plusieurs milieux. Cependant, il reconnaît aussi que des irritants « persistent et même s'aggravent avec le temps » (p. 43). Parmi ces irritants, il relève le manque de soutien, les services insuffisants, une préparation inadéquate du personnel pour réussir avec succès l'intégration, une planification et une évaluation des interventions laissant à désirer, des pratiques et des croyances freinant l'intégration et un mode de financement déficitaire. À la suite de ce constat, le Conseil formule plusieurs recommandations : investir davantage dans la préparation du personnel, mieux planifier les interventions (entre autres, par l'intermédiaire des plans d'intervention), adapter les programmes, l'enseignement, le matériel didactique et d'évaluation, travailler davantage en partenariat. Le Conseil recommande également d'évaluer les résultats des expériences d'intégration et de revoir le mode de financement des services.

Les lois, les politiques et les derniers rapports en matière d'adaptation scolaire contribuent à orienter les actions à l'égard des élèves en difficulté ou handicapés. Toutefois, plusieurs autres influences continuent à modifier les approches. Tel est le cas de l'« inclusion totale », qui soulève actuellement bien des débats dans les milieux éducatifs et dans les écrits scientifiques.

1.9 DES MODES DE SCOLARISATION EN TRANSFORMATION ?

Jusqu'au début des années 90, il est surtout question de scolarisation dans le cadre le plus normal possible (mouvement d'intégration ou *mainstreaming*). Les milieux scolaires doivent offrir à l'élève un continuum de mesures spéciales tel que celui présenté précédemment dans le système en cascade.

Cependant, un nouveau mouvement, celui de l'inclusion totale (*full inclusion*), a pris son essor. Giangreco, Baumgart et Doyle (1995) distinguent ainsi l'« inclusion totale » du mouvement d'intégration. Dans le mouvement d'intégration, l'accent est mis sur l'élève en difficulté et sur les efforts à faire pour le scolariser dans une classe ordinaire. Dans le mouvement de l'inclusion totale, les intervenants tentent de structurer les classes ordinaires de telle sorte que tous les élèves, quelles que soient leurs difficultés, puissent y recevoir une éducation appropriée. Ce mouvement met l'accent sur les modifications à apporter à l'environnement éducatif. Ryndak et Alper (1996) définissent l'inclusion totale de la manière suivante :

> L'inclusion totale est le terme le plus communément attribué aux pratiques d'éducation des élèves présentant des déficiences de modérées à sévères avec leurs pairs du même âge dans des classes ordinaires de l'école de leur quartier

> [...]. L'inclusion totale comprend l'intégration physique, l'intégration sociale et l'accès à l'éducation normale et aux activités sociales et récréatives de l'école (p. 3 ; traduit par l'auteure).

Giangreco et autres (1995) précisent que « l'éducation inclusive est un terme générique d'accès à l'éducation, selon le point de vue de l'équité et de la qualité, et non selon le point de vue de la déficience » (p. 274 ; traduit par l'auteure). Toujours selon ces auteurs, l'inclusion présente six caractéristiques principales : (1) tous les élèves sont les bienvenus dans le système éducatif ordinaire ; (2) la proportion d'élèves en difficulté qu'il y a naturellement dans un milieu donné est respectée ; (3) les élèves participent aux activités communes tout en bénéficiant d'une adaptation individuelle ; (4) les expériences éducatives se déroulent dans des environnements pour personnes non handicapées ; (5) les aspects scolaires, fonctionnels et sociaux de l'apprentissage sont pris en considération ; (6) toutes ces caractéristiques sont observables quotidiennement.

L'inclusion totale suppose toutefois des modifications importantes dans les classes de manière à faciliter la mise en place de ce processus. Divers programmes, tels que le plan d'intervention, le plan de transition, l'équipe de résolution de problèmes et l'équipe de consultation, favorisent l'implantation de l'inclusion totale. Celle-ci est aussi facilitée par l'utilisation de différentes stratégies comme le tutorat, l'apprentissage coopératif, la réduction du nombre d'élèves par classe et les cercles d'amis. Elle suppose également le recours à de nombreuses méthodes et pratiques d'enseignement (Schrag, 1996). Cependant, ce mouvement suscite des résistances, car plusieurs continuent à réclamer un continuum de services pour répondre aux besoins des élèves en difficulté (Division for Learning Disabilities of the Council for Exceptional Children, s. d.).

Si le choix du lieu de scolarisation est encore trop souvent une décision controversée, l'évaluation des besoins et la planification des interventions peuvent aussi entraîner des discussions. C'est alors que les politiques en matière d'adaptation scolaire, le travail en équipe et la concertation des intervenants, des parents et de l'élève en cause revêtent toute leur importance. En effet, l'intervention auprès de l'élève en difficulté ou handicapé exige souvent le travail de plusieurs personnes et une démarche systématique d'intervention. Plusieurs commissions scolaires ont mis au point des processus permettant à l'équipe-école et aux parents de mieux cerner les besoins de l'élève et de mieux planifier des interventions visant à répondre à ces besoins. Dans le prochain chapitre, nous examinerons quelques-unes des démarches facilitant l'évaluation des besoins et des élèves et la concertation entre les différents partenaires dans son éducation.

RÉSUMÉ

Depuis la parution du rapport Parent, les services aux élèves en difficulté et handicapés ont subi de nombreuses transformations. Lors de la création des services pour ces élèves, les éducateurs recommandaient de les scolariser dans des classes et des écoles spéciales, croyant que cette mesure répondrait davantage à leurs besoins. Sous l'influence de la recherche, de la reconnaissance des droits des personnes handicapées et des principes de la normalisation, les politiques éducatives en sont venues à préconiser l'intégration des élèves dans le cadre le plus normal possible. Actuellement, le mouvement de l'inclusion totale recommande la scolarisation de l'ensemble des élèves handicapés dans le même environnement éducatif que leurs pairs non handicapés. Le tableau 1.4 présente quelques-uns des événements qui ont jalonné l'histoire des services aux élèves en difficulté.

QUESTIONS

1. Quelle idée était à la base de la création des classes et des écoles spéciales à l'intention des élèves en difficulté ou handicapés ?
2. Quels événements ont poussé les milieux éducatifs à adopter des politiques en faveur de l'intégration des élèves en difficulté ou handicapés ?
3. Indiquez quelques mesures à l'intention des élèves en difficulté ou handicapés qui sont prévues dans la Loi sur l'instruction publique ?
4. Comment la reconnaissance des droits des personnes handicapées a-t-elle influencé les milieux scolaires quant aux services à offrir aux élèves handicapés ?
5. Qu'est-ce que l'inclusion totale ?

LECTURES SUGGÉRÉES

CONSEIL SUPÉRIEUR DE L'ÉDUCATION (1996). *L'intégration scolaire des élèves handicapés et en difficulté.* Sainte-Foy : Conseil supérieur de l'éducation.

DUVAL, L., TARDIF, M. et GAUTHIER, C. (1995). *Portrait du champ de l'adaptation scolaire au Québec des années trente à nos jours.* Sherbrooke : Éditions du CRP.

MINISTÈRE DE L'ÉDUCATION DU QUÉBEC (1992). *La réussite pour elles et eux aussi.* Québec : Ministère de l'Éducation, Direction de l'adaptation scolaire et des services complémentaires.

TABLEAU 1.4 Quelques événements ayant jalonné l'histoire des services aux élèves en difficulté

Date	Événement
1829	Invention par Louis Braille du système d'écriture des personnes aveugles (le braille)
1876	Invention du téléphone par Alexander Graham Bell, qui tentait de faire entendre des personnes sourdes
1905	Mise au point d'un test d'intelligence par Binet et Simon
1951	Fondation de l'Association de secours aux enfants arriérés
1963	Parution du rapport Parent, donnant à chacun le droit de recevoir une éducation de qualité
1963	Incorporation du Conseil québécois de l'enfance exceptionnelle
1966	Fondation de l'Association québécoise pour les troubles d'apprentissage
1969	Création du Service de l'enfance inadaptée
1970	Création du ministère des Affaires sociales du Québec
1975	Promulgation de la loi 94-142 aux États-Unis
1976	Publication du rapport COPEX dénonçant le modèle médical en éducation et les augmentations enregistrées du nombre d'enfants en difficulté
1977	Promulgation de la Loi de la protection de la jeunesse
1978	Énoncé d'une politique et d'un plan d'action pour l'enfance en difficulté d'adaptation et d'apprentissage
1978	Promulgation d'une loi assurant l'exercice des droits des personnes handicapées; création de l'Office des personnes handicapées du Québec
1982	Publication de *L'école québécoise: une école communautaire et responsable*
1984	Parution d'*À part... égale*
1988	Adoption de la modification de la Loi sur l'instruction publique
1990	Publication de la loi américaine *Individuals with Disabilities Education Act*
1990	Essor du mouvement de l'inclusion totale aux États-Unis
1992	Publication du cadre de référence sur les plans d'intervention
1992	Mise à jour de la politique de l'adaptation scolaire du ministère de l'Éducation du Québec: *La réussite pour elles et eux aussi*
1996	Parution de l'avis du Conseil supérieur de l'éducation: *L'intégration scolaire des élèves handicapés et en difficulté*

Les principes de l'évaluation des besoins des élèves et de la planification des interventions

OBJECTIFS

Après avoir lu ce chapitre, le lecteur devrait pouvoir:

- définir les notions de plan d'intervention, de plan de services, de plan de transition et indiquer les fonctions de chacun de ces plans;
- décrire la démarche globale dans laquelle doit s'insérer l'élaboration du plan d'intervention;
- décrire le processus de référence;
- décrire l'importance de l'évaluation des besoins, des forces et des faiblesses de l'élève pour l'élaboration du plan d'intervention personnalisé;
- décrire diverses sources d'information qu'on peut utiliser dans l'évaluation de l'élève;
- décrire la structure globale d'un plan d'intervention personnalisé;
- formuler un résumé du rendement actuel d'un élève et préciser ses forces et ses besoins;
- définir et formuler correctement les buts et les objectifs d'un plan d'intervention;
- définir les notions de critères et de conditions de réussite, préciser les moyens d'apprentissage, fixer des échéanciers et déterminer des responsables de l'intervention;
- rédiger un plan d'intervention personnalisé.

INTRODUCTION

Dans le milieu scolaire, certains élèves présentent des difficultés de toutes sortes : des problèmes dans l'apprentissage des matières de base, des problèmes de comportement, une déficience physique ou encore une déficience sensorielle. Ces élèves ont aussi des connaissances et des forces sur lesquelles on devra miser pour réussir l'intervention. Dans les écoles, différentes personnes seront appelées à aider les élèves en difficulté : les enseignants, les spécialistes, la direction et même d'autres élèves. La famille représente également une ressource importante. En outre, certains élèves reçoivent des services autres que ceux du milieu scolaire, comme des services provenant de centres de réadaptation, de CLSC ou un suivi dans un bureau privé. Pour mieux répondre aux besoins de ces élèves et pour bien coordonner les interventions, les milieux éducatifs se sont dotés de divers outils, soit d'un plan d'intervention personnalisé, d'un plan de services et, récemment, d'un plan de transition. Dans ce chapitre, nous verrons en quoi consistent ces divers outils de planification qu'on peut utiliser avec différents types d'élèves en difficulté.

Toutefois, avant de planifier une intervention, il faut connaître les forces et les besoins de l'élève. Nous examinerons donc les principes permettant de faire une évaluation de ces besoins et de ces forces. Puis, nous verrons trois outils de planification, soit le plan d'intervention, le plan de services et le plan de transition. Nous nous attarderons davantage sur le plan d'intervention parce qu'il est le plus utilisé dans le milieu scolaire et que plusieurs principes présidant à sa rédaction s'appliquent aussi au plan de services et au plan de transition.

2.1 L'IDENTIFICATION DES BESOINS DE L'ÉLÈVE

Le point central dans la rédaction d'un plan d'intervention, de services ou de transition, c'est l'élève lui-même. Il peut s'agir d'un élève handicapé par une déficience visuelle, auditive, physique ou intellectuelle, d'un élève en difficulté d'apprentissage (légère ou grave), d'un élève ayant des problèmes de comportement ou encore d'un élève handicapé par des troubles sévères du développement. Certaines déficiences ou difficultés sont décelées bien avant que l'enfant entre à l'école. Tel est le cas des déficiences physiques et sensorielles. Les enfants recevront généralement dès l'âge préscolaire des services destinés à faciliter leur apprentissage. Leurs parents participeront, avec le personnel en question, à l'élaboration d'un plan d'intervention ou d'un plan de services. Cependant, pour la grande majorité des élèves en difficulté, ce n'est qu'au moment de la scolarisation que se manifestent certains problèmes, comme les difficultés d'apprentissage en français ou en mathématiques.

En classe, l'enseignant est sans doute la première personne qui observe les forces et les faiblesses de l'élève. Si les problèmes de l'élève requièrent une aide dépassant le cadre des ressources habituelles de la classe, l'enseignant a la responsabilité de rapporter ce fait à la direction de l'école afin qu'il y ait, en cas de nécessité, une étude plus approfondie de la situation. La démarche d'aide se déroule donc par étapes. Nous verrons ces différentes étapes, expliquerons comment le plan d'intervention s'insère dans ce processus et décrirons les outils d'évaluation qui permettent de mieux connaître l'élève avant de procéder à la planification des interventions.

2.1.1 Première étape : l'observation des difficultés de l'élève par l'enseignant

Les enseignants constatent parfois que des élèves éprouvent plus de difficultés à apprendre dans certaines situations. Bien que l'erreur fasse partie intégrante de l'apprentissage, certains problèmes plus graves persistent, nécessitant une intervention planifiée, organisée. La première étape pour aider l'élève en difficulté consiste à observer en classe des situations « naturelles », des comportements, des acquisitions réussies ou des échecs, etc. Cette étape peut indiquer que l'élève éprouve des difficultés passagères et normales dans son développement ; elle peut aussi mettre en évidence des solutions. Il est possible que la première observation, relativement informelle, ne règle qu'une partie du problème ou même laisse le problème entier et révèle qu'une observation plus poussée est nécessaire.

2.1.2 Deuxième étape : une analyse plus poussée de la situation

Si les difficultés persistent, il faut recueillir d'autres renseignements pour compléter l'analyse de la situation. L'enseignant consigne alors plus systématiquement ses évaluations des apprentissages et ses observations du comportement de l'élève (par exemple à l'aide d'un journal de bord). Il peut discuter de la situation avec l'élève, la direction ou les autres enseignants qui rencontrent l'enfant et communiquer avec ses parents. Ces diverses actions peuvent contribuer à régler la situation. Toutefois, il est possible que le problème ne soit réglé que partiellement ou encore qu'il demeure entier. L'enseignant jugera alors de la nécessité d'une évaluation et d'une intervention plus précises.

2.1.3 Troisième étape : la référence[1]

Dans la plupart des écoles, l'enseignant désirant obtenir des services spécialisés, soit pour approfondir l'évaluation des difficultés de l'élève ou pour intervenir auprès de ce dernier, doit s'adresser à la direction. C'est le processus de référence. Plusieurs commissions scolaires ont conçu des formulaires pour faciliter cette démarche. Au moment de la référence, les enseignants remplissent ces documents et les remettent à la direction de l'école. À la suite de la référence, la direction peut appeler les parents ou les rencontrer. Par exemple, pour un élève présentant des problèmes de comportement, la direction peut communiquer avec les parents, l'enseignant et l'élève, discuter de leurs perceptions et des causes du problème, et chercher avec eux diverses solutions. Cette étape peut aussi indiquer qu'une évaluation plus approfondie des difficultés est nécessaire pour mieux connaître les besoins de l'enfant.

---

1. Le mot « référence » n'est pas utilisé ici dans le sens exact qu'en donnent les dictionnaires. Cependant, nous l'employons car il s'agit de l'expression la plus courante dans le milieu scolaire pour décrire la demande faite par l'enseignant en vue d'obtenir une étude de cas ; nous éviterons ainsi la confusion qu'entraînerait l'usage d'un autre terme.

2.1.4 Quatrième étape : l'évaluation des forces et des besoins de l'élève

La connaissance des besoins, des forces et des difficultés de l'élève est nécessaire à la planification de buts et d'objectifs d'apprentissage individualisés. Les données de l'évaluation devront préciser les forces et les difficultés de même que les résultats actuels de l'élève. Selon Schenck (1980), il doit y avoir une relation directe entre les buts fixés dans le plan d'intervention et le degré présent de réussite. Le choix des instruments d'évaluation sera personnalisé et adapté à chaque élève. L'information utilisée pour élaborer le plan d'intervention provient de sources diverses : de formulaires de référence, du dossier de l'élève, d'observations, d'entrevues avec les parents, les enseignants et l'élève, etc.

L'évaluation des besoins de l'élève tiendra compte de la situation de chacun. Selon la situation, divers outils d'évaluation pourront être utilisés. Plusieurs évaluations se réalisent dans le cadre même de la classe : des observations plus ou moins formelles de l'enseignant, l'analyse des productions de l'élève, l'observation et l'analyse des résultats scolaires, la description des méthodes, les interventions effectuées avec l'élève, l'observation de la façon dont l'élève utilise différentes stratégies d'apprentissage, les portfolios, etc. Lorsque cela s'avère nécessaire, des évaluations plus formelles sont faites. Parmi les évaluations formelles, notons l'utilisation de tests standardisés, les évaluations du fonctionnement intellectuel, de la personnalité, les examens du langage, de la vision, de l'audition ou les bilans de santé. Ainsi, pour les élèves en difficulté d'apprentissage, Winzer (1996) regroupe les méthodes d'évaluation en trois catégories principales : (1) les évaluations de type médical (comme les examens de la vision et de l'audition) ; (2) les mesures informelles (les observations, l'analyse des résultats scolaires, les examens préparés par l'enseignant, les portfolios) et (3) les mesures psychoéducatives formelles (par exemple les tests mesurant le quotient intellectuel, les tests de rendement standardisés). En ce qui a trait à l'évaluation des difficultés de comportement, Rosenberg, Wilson, Maheady et Sindeclar (1997) soulignent l'importance de l'observation directe et systématique. Nous reviendrons sur ces mesures lorsqu'il sera question de l'évaluation des besoins des élèves.

Le tableau 2.1 présente quelques sources d'information utilisées couramment dans l'évaluation des élèves en difficulté d'adaptation ou d'apprentissage.

Les instruments d'évaluation seront choisis en fonction des besoins de l'élève et de l'information requise.

Pour Winzer (1996), le but de l'évaluation est d'obtenir et d'analyser suffisamment d'information pour savoir comment enseigner efficacement à l'élève. L'évaluation doit donc porter non seulement sur l'apprentissage réalisé, mais également sur l'ensemble de l'environnement susceptible d'influencer les acquisitions de l'élève. Parmi les variables importantes, mentionnons l'environnement physique, les attitudes des pairs et de l'enseignant, le matériel disponible, les conditions qui motivent l'élève, le degré d'aide nécessaire, les stratégies pédagogiques et de renforcement utilisées de même que les méthodes employées pour enseigner les stratégies d'apprentissage aux élèves. Selon Friend et Bursuck (1996), l'environnement

TABLEAU 2.1 Quelques sources d'information pour l'évaluation d'un élève en difficulté

Source	Description de l'information
Les formulaires utilisés pour la référence	L'enseignant a résumé dans ces formulaires l'ensemble de ses observations.
Le dossier de l'élève	Le dossier de l'élève peut révéler le passé scolaire, les méthodes d'apprentissage utilisées et les interventions déjà réalisées.
Les bulletins	Les bulletins donnent des renseignements sur le rendement scolaire de l'élève. Lorsqu'ils sont critériés, ils permettent de déterminer les objectifs atteints et les objectifs non atteints par l'élève.
Les productions de l'élève	Les travaux exécutés en classe ou les devoirs faits à la maison montrent les forces et les faiblesses de l'élève.
Les examens et les tests scolaires de la commission scolaire (s'il y a lieu)	Ces épreuves permettent de préciser le rendement de l'élève et de le situer par rapport à son groupe d'appartenance et à son niveau.
L'observation de l'élève en classe ou dans d'autres lieux	L'observation est un outil privilégié pour l'étude des comportements de l'élève. Elle permet de noter les événements qui déclenchent certaines réactions, de remarquer le comportement qui s'ensuit et d'établir des relations entre divers événements.
Les entrevues	Les entrevues apportent plusieurs renseignements sur les causes des difficultés scolaires, sur les perceptions qu'en a l'élève et sur les sentiments qu'il entretient par rapport à ces difficultés. Elles peuvent se faire avec l'enseignant, l'élève, les parents ou d'autres intervenants.
Les portfolios*	Un portfolio est une collection des travaux de l'élève permettant de voir ses acquisitions et facilitant sa réflexion.
Des tests spécialisés et des échelles diverses	En fonction de l'évaluation requise, des instruments tels que des tests d'intelligence et de personnalité apportent des renseignements aidant à mieux comprendre la situation. Des échelles, par exemple sur l'hyperactivité, permettent de mieux cerner la situation.
Des examens sur la santé physique	Dans certains cas, il est nécessaire de connaître l'état de santé de l'enfant ou d'obtenir une évaluation de sa vision et de son audition.

* Voir le chapitre 4 pour obtenir plus d'information sur cette forme d'évaluation.

peut également faire l'objet d'évaluations systématiques où l'on détermine le soutien ou les adaptations nécessaires en vue d'augmenter le degré de participation de l'élève.

2.1.5 Cinquième étape : de l'évaluation à l'élaboration du plan d'intervention

Comme nous l'avons vu, le processus d'évaluation doit tenir compte des forces et des faiblesses de l'élève, être fonctionnel et considérer non seulement des caractéristiques personnelles de l'élève, mais aussi des caractéristiques de son environnement, l'élève ayant de constantes interactions avec ce qui l'entoure. La figure 2.1 illustre l'ensemble de cette démarche.

FIGURE 2.1 Rédaction et application du plan d'intervention

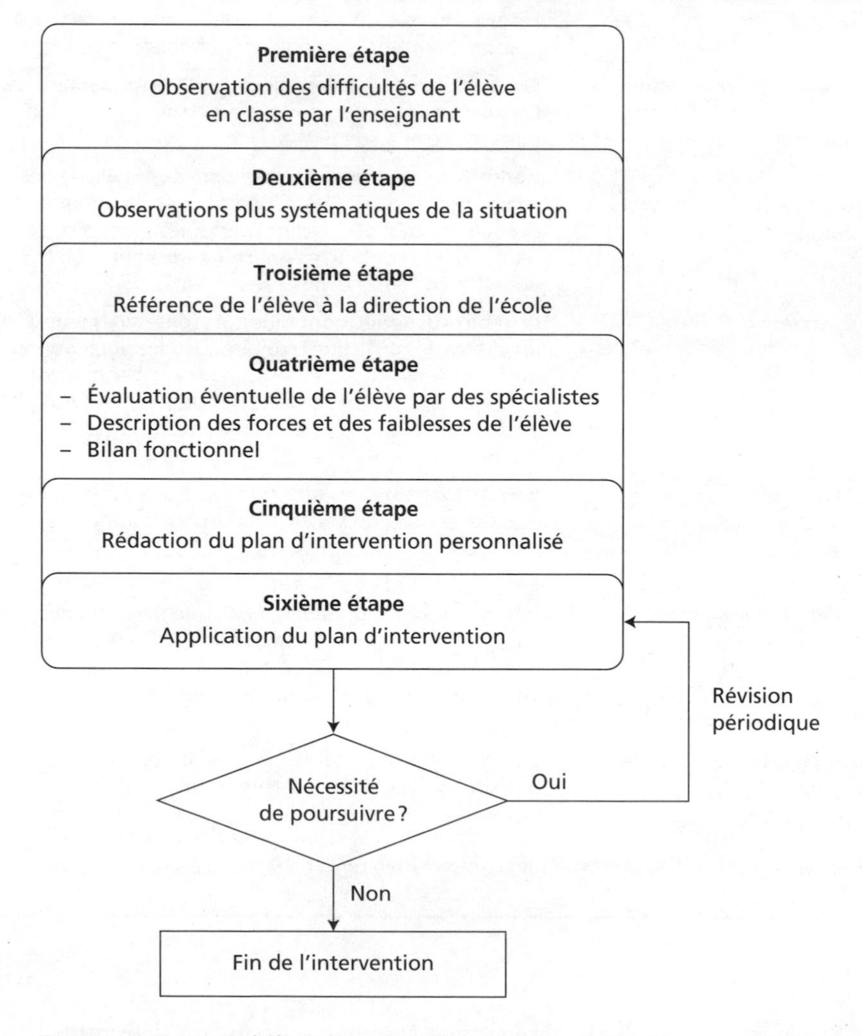

Personnes en cause : l'élève, l'enseignant, les parents, la direction et les autres intervenants auprès de l'élève

2.1.6 Sixième étape : l'application du plan d'intervention

Au cours de la sixième étape, les participants au plan d'intervention réaliseront les interventions prévues. En fonction des besoins de l'élève et de sa progression, les participants feront une révision des résultats de leurs interventions dans un délai plus ou moins long. Conséquemment à cette rétroaction, ils évalueront les résultats de l'intervention et décideront de la suite à donner.

2.2 Le plan d'intervention

L'élaboration d'un plan d'intervention constitue un processus dynamique. À chacune des étapes, il faut prendre diverses décisions. Des solutions concertées peuvent aussi être mises en évidence par les intervenants et par l'élève. Un plan d'intervention utile et fonctionnel est plus qu'un formulaire ou une procédure administrative. Son élaboration doit s'inscrire dans une démarche globale d'aide avec l'élève, ses parents et les intervenants en cause. Landry (1990) précise ainsi cette démarche :

> Bien sûr, le plan d'intervention se traduira en bout de ligne par le texte d'un formulaire bien rempli dont on se servira pour appuyer des décisions, orienter des interventions, etc. Mais le plan d'intervention est d'abord et avant tout une démarche pour connaître l'élève et aviser des mesures éducatives qui lui sont appropriées. Cette démarche nécessite la participation des intervenants scolaires et des parents (p. 9).

Plusieurs auteurs (Côté, Pilon, Dufour et Tremblay, 1989 ; Kurtzig, 1986) soulignent l'importance de tenir compte, tout au long de cette démarche, des forces, des acquis et du potentiel d'apprentissage de la personne. C'est à partir de ces éléments acquis qu'il est possible de définir des objectifs qui aideront l'élève à se développer et à s'épanouir. L'élève est considéré dans sa totalité et non simplement comme une personne ayant des besoins ou des difficultés. Pour le ministère de l'Éducation du Québec (1992a), le modèle proposé pour l'application du plan d'intervention personnalisé suppose un changement de vision. Le Ministère préconise une conception privilégiant « les liens avec l'élève plutôt que l'isolement dans la recherche de la solution ; la responsabilisation plutôt que la passivité dans la mise en œuvre du plan d'intervention » (p. 30).

Dans les pages suivantes, nous examinerons, dans un premier temps, les fonctions du plan d'intervention. Dans un deuxième temps, nous verrons comment on rédige ce document.

2.2.1 Les fonctions du plan d'intervention

Le plan d'intervention est un élément de base dans la planification de l'enseignement pour l'élève en difficulté. L'élaboration du plan d'intervention s'inscrit, comme nous l'avons vu, dans une démarche globale qui commence avec l'évaluation des forces et des besoins de l'élève, se poursuit avec l'échange entre les intervenants sur cette situation et se termine par la rédaction du plan comme tel et le suivi de l'intervention. Landry (1990) indique que cette démarche non seulement

Les visites effectuées par le Conseil dans différents milieux ainsi que les mémoires déposés par différents groupes aux États généraux ont permis de constater **la pratique d'élaborer des plans d'intervention pour tous les élèves qui fréquentent des écoles spéciales**; ces plans sont souvent élaborés conjointement par l'école et les parents et on y associe même l'élève dans certains cas. Cette pratique semble toutefois beaucoup moins systématique lorsque les élèves sont intégrés dans les classes ordinaires et elle ne donne pas partout lieu à une participation aussi active des parents, c'est-à-dire que certains d'entre eux sont informés par l'école du contenu du plan mais sans avoir réellement contribué à son élaboration (Conseil supérieur de l'éducation, 1996, p. 47-48; Avis à la ministre de l'Éducation; reproduit avec permission).

permet d'élaborer une intervention adaptée aux besoins de l'élève, mais fournit un support à l'intervention du personnel scolaire. Toujours selon Landry, cette démarche facilite la communication entre l'équipe-école et les parents, et amène ceux-ci à prendre une place véritable dans le choix des services donnés à leur enfant. On ne se contente plus d'informer les parents, on les consulte et on cherche à fonder un partenariat. Somme toute, le plan d'intervention joue des rôles (1) de planification éducative; (2) de communication; (3) de participation, de concertation, de coordination et (4) de rétroaction. Nous examinerons chacune de ces fonctions.

A. *La planification éducative*

Comme son nom l'indique, le plan d'intervention est un outil de planification. Il aide à fixer les objectifs qu'on veut atteindre avec un enfant et à prévoir les interventions et les ressources nécessaires. Il permet aussi d'établir le calendrier de réalisation des objectifs et de mieux ordonner les priorités d'intervention. En effet, lorsqu'un enfant éprouve des difficultés graves, on ne peut s'attendre à les résoudre toutes du jour au lendemain. Il faut donc procéder par étapes. Le plan d'intervention permet d'énumérer celles-ci et aide ainsi les personnes en cause à les comprendre.

B. *La communication*

Le plan d'intervention est aussi un outil de communication. Au cours de la réunion portant sur le plan d'intervention, la communication se fait autour des besoins de l'élève, de ses forces et des objectifs de l'intervention. L'élève devrait pouvoir exprimer ses perceptions quant à la situation et aux éléments qu'il aimerait modifier. Cet échange permet à chacun d'exprimer ses attentes. S'il peut y avoir consensus dans plusieurs cas, dans d'autres cas il peut y avoir divergence dans les perceptions et dans les attentes, selon les participants à la réunion. Ainsi, les parents d'un enfant trisomique intégré dans une classe de première année pourraient avoir des objectifs prioritaires de développement axés sur la socialisation, alors que l'enseignant pourrait être préoccupé davantage par des objectifs de lecture et d'écriture. La réunion ayant trait au plan d'intervention devrait permettre de dégager ces attentes et d'amener les participants à s'entendre sur les objectifs prioritaires; à la fin de la réunion, les interventions qui seront faites devraient être connues de tous. Cette étape permet aux parents de participer et de mieux comprendre le programme éducatif planifié à l'intention de leur enfant.

C. La participation, la concertation et la coordination

Le plan d'intervention constitue également un outil de participation, de concertation et de coordination. Il facilite la coordination des différentes interventions en faisant en sorte qu'elles n'entrent pas en conflit les unes avec les autres. Le plan permet de noter, par exemple, si, à une certaine période de l'année, il y a trop d'interventions entreprises en même temps ou s'il n'y en a pas assez. Le plan favorise le partage des responsabilités puis des interventions en déterminant les rôles et les responsabilités de chacun. Ce partage des responsabilités est bénéfique pour les divers intervenants et pour l'élève, qui y trouvent alors un soutien appréciable. De plus, les parents et les intervenants peuvent s'entendre sur des attitudes et des comportements communs qui faciliteront l'apprentissage de l'enfant.

D. La rétroaction

Le plan d'intervention facilite le suivi des progrès d'un élève. Il devrait faire l'objet de révisions régulières. En ce sens, il devient un outil de rétroaction. À partir du moment où des objectifs sont fixés et des échéances de travail prévues, le plan d'intervention sert en quelque sorte d'aide-mémoire et de balise aux intervenants, et suscite leur interrogation sur les apprentissages de l'élève. Le fait que les moyens d'intervention y soient indiqués incite à une réflexion sur l'utilité ou la non-utilité de ces ressources. Le plan d'intervention peut donc jouer divers rôles dans l'éducation de l'élève en difficulté et permettre aux intervenants de mieux répondre à ses besoins particuliers.

Au cours d'une réunion portant sur le plan d'intervention, on produit généralement un document qui résume les décisions prises quant aux objectifs à poursuivre avec l'élève. Ce document est important car il permettra aux participants d'effectuer une rétroaction sur les actions entreprises; il servira également de guide pendant l'intervention. Nous verrons maintenant divers éléments qu'on peut inclure dans le document du plan d'intervention. La figure 2.2 (p. 30-32) présente un formulaire de plan d'intervention.

2.2.2 La structure et les composantes du document faisant suite à une réunion sur le plan d'intervention

Le fait que nous consacrions plusieurs pages à la description des composantes du document portant sur le plan d'intervention ne devrait pas faire perdre de vue l'idée que le plan d'intervention est d'abord et avant tout une démarche de concertation. Le Conseil supérieur de l'éducation (1996) écrivait d'ailleurs à ce propos : « L'aspect important de ces plans — que les Français appellent plutôt "projet" — est que l'enseignant, les parents et les autres personnes interviennent pour partager leurs perceptions à son sujet et se concerter sur son action » (p. 76). Nous considérons que le document résultant de la réunion sur le plan d'intervention est en quelque sorte le « procès-verbal » de cette réunion. Par conséquent, ce procès-verbal permettra un meilleur processus de rétroaction lors des réunions subséquentes entre les participants.

FIGURE 2.2 Exemple de formulaire de plan d'intervention

Plan d'intervention personnalisé

(renseignements confidentiels)

Nom de l'élève: Date de naissance:

Classe: École: Code permanent:

Date de la référence: Date de la réunion sur le plan d'intervention:

Personnes présentes:

Nom	Fonction	Nom	Fonction

Nom du coordonnateur du plan d'intervention:

SYNTHÈSE DE LA SITUATION DE L'ÉLÈVE

Secteurs de référence: ☐ Lecture ☐ Écriture ☐ Français oral

☐ Mathématiques ☐ Comportement social ou développement affectif

☐ Autres (précisez):

Motifs de la référence:

Résumé des besoins, des forces et des faiblesses:

BUTS DU PLAN D'INTERVENTION

1.

2.

3.

4.

PLAN D'INTERVENTION

OBJECTIFS D'INTERVENTION		Moyens, stratégies, ressources	Intervenants	Échéances	Résultats obtenus, commentaires
Comportements à réaliser à la suite des apprentissages	Évaluation (s'il y a lieu, critères et conditions de réussite)				

FIGURE 2.2 Exemple de formulaire de plan d'intervention (suite)

Recommandations particulières:

Regroupement fréquenté (classe ordinaire, classe-ressource, etc.) et pourcentage du temps passé dans une classe ordinaire:

MISE EN APPLICATION

Période de mise en application du plan: de à

Date prévue pour l'évaluation du plan:

Recommandations à la suite de l'évaluation du plan:

Objectifs à poursuivre:

Nouveaux objectifs à déterminer:

Fin du plan:

SIGNATURES

Parents ______________

Élève (si possible) ______________

Direction de l'école ______________

Enseignant ______________

Autres participants ______________

Nous croyons, cependant, qu'il faut accorder de l'importance à la rédaction de ce document. En effet, la rédaction du plan est l'occasion privilégiée pour l'équipe de préciser les attentes de chacun, les buts et les objectifs de l'intervention. Une attention particulière apportée à la définition des objectifs permet à chacun de savoir ce que visent l'intervention et ses critères de réussite. En effet, lorsqu'un plan d'intervention est élaboré, il y a un risque d'en rester à des généralités telles que « l'élève améliorera son comportement ». Bien sûr, tous seront d'accord avec un tel énoncé, mais quels sont, dans les faits, les comportements attendus de l'élève (arriver à l'heure, étudier au moins une heure tous les soirs) ? Ce dernier est-il d'accord avec ce qu'on attend de lui ? Faut-il prévoir une progression graduelle ? En définissant des objectifs suffisamment opérationnels, on évite que chacun ne projette dans un énoncé flou ses propres perceptions et que chacun n'intervienne dans une direction différente. De plus, cela permet aux parents et à l'élève de s'engager davantage comme partenaires dans les décisions, les interventions et leur évaluation. S'il ne faut pas ramener le plan d'intervention à un formulaire, celui-ci, s'il est bien adapté aux besoins du milieu, peut néanmoins favoriser une démarche plus systématique et faciliter le retour sur les interventions.

Le plan d'intervention inclut les composantes suivantes : la description de la situation de l'élève, la description de ses forces et de ses besoins, et la planification des interventions.

A. La description de la situation de l'élève

Le formulaire présente d'abord les renseignements de base, comme le nom de l'élève, sa date de naissance, sa classe, son école et la date de la référence. La date à laquelle l'élève a été référé permet d'évaluer le temps qui s'est écoulé entre la réunion portant sur le plan d'intervention et le moment où l'enseignant a référé l'élève. Il convient d'indiquer la date de la rencontre où les intervenants rédigent le plan d'intervention personnalisé. On note le nom des personnes présentes à la réunion de même que les fonctions de ces personnes. Dans la même section, on précise dans quels secteurs l'élève semble avoir besoin d'aide : en français, en mathématiques, dans son adaptation sociale, etc. Une brève description des motifs de la référence indique pourquoi un plan d'intervention est destiné à l'élève.

B. La description des forces et des besoins de l'élève

Une description précise des forces et des besoins de l'élève facilite l'élaboration des buts et des objectifs de l'intervention. Cette description est un préalable à la planification des apprentissages. Il est important de bien repérer les forces de l'élève, car c'est à partir de celles-ci qu'il est possible de prévoir de nouveaux apprentissages. Quant aux besoins, ils constituent les secteurs où l'élève n'atteint pas les objectifs d'intervention demandés, ou encore les éléments qui lui créent des difficultés dans ses apprentissages.

C. *La planification des interventions*

Une fois qu'on a décrit la situation de l'élève de même que ses forces et ses besoins, il faut planifier les interventions. Cette planification s'effectue par étapes. D'abord, l'équipe définit les buts et les objectifs du plan d'intervention ; puis, elle détermine les critères et les conditions de réussite ; par la suite, elle spécifie les moyens, les stratégies et les ressources utilisés pour y parvenir ; puis, elle désigne les intervenants responsables ; ensuite, elle précise les échéances ; enfin, elle indique les résultats obtenus. Ces éléments sont consignés dans la deuxième page du formulaire du plan d'intervention. Nous décrirons maintenant ces différentes étapes.

Les buts et les objectifs du plan d'intervention

Le plan d'intervention peut contenir un ou plusieurs buts, selon les besoins de l'élève. Le but fait état de l'orientation à long terme (par exemple annuelle) du plan d'intervention, alors que l'objectif précise le comportement attendu de l'élève une fois l'intervention terminée (Côté et autres, 1989). L'Indiana State Department of Education (1987) indique que les buts annuels décrivent ce qu'un élève accomplira à la fin de l'année scolaire et qu'ils sont fixés en fonction de l'évaluation. Ces buts reflètent les résultats obtenus antérieurement de même que les secteurs d'intervention prioritaires. Ils peuvent inclure des interventions tant dans le domaine cognitif que dans le domaine psychomoteur et dans le domaine affectif.

Après avoir déterminé les buts du plan, les intervenants procèdent à la définition des objectifs d'intervention. Les objectifs décrivent, sous forme de comportements, ce que l'élève sera capable de réaliser à la suite des apprentissages. Cette définition des objectifs fait partie d'un processus séquentiel, et il y a une relation directe entre la nature d'un but et les objectifs qui en sont issus. Aussi, d'un seul but peuvent découler divers objectifs. Les caractéristiques des objectifs sont les suivantes : (1) ils sont définis en fonction de l'élève ; (2) ils sont décrits sous forme de comportements ; (3) ils sont indiqués en termes clairs.

Les critères et les conditions de réussite

S'il y a lieu, les objectifs sont suivis des critères utilisés pour évaluer la réalisation de ces objectifs et des conditions dans lesquelles doivent se manifester les comportements. Les critères de réussite servent à l'évaluation des comportements. Ils indiquent le niveau minimal permettant de juger que les objectifs ont été réalisés et précisent la qualité de l'apprentissage. Voici quelques exemples de critères de réussite : avec au moins 90 % ; sans faire d'erreur ; trois problèmes réussis sur quatre ; en moins de dix minutes. Il peut aussi être utile (mais pas toujours nécessaire) de préciser les conditions dans lesquelles se produira le comportement. Ces conditions sont en quelque sorte les circonstances où l'on vérifiera si l'élève a bien atteint l'objectif (par exemple à la maison et à l'école, avec ou sans l'aide du dictionnaire).

Les moyens, les stratégies et les ressources

Le plan d'intervention précise les moyens, les stratégies et les ressources qui aideront l'élève à atteindre des objectifs. Ces éléments peuvent être de divers ordres :

des stratégies d'apprentissage, des méthodes pédagogiques, l'aide d'un intervenant, et ainsi de suite.

Les intervenants

Il est utile de préciser, dans le plan d'intervention personnalisé, les intervenants et les responsables de l'intervention. Les intervenants sont les personnes qui, par leurs actions, favorisent la réalisation des divers objectifs ; ce peuvent être les parents, l'enfant lui-même, le titulaire, d'autres élèves, etc. Les intervenants peuvent aussi être les personnes chargées d'évaluer les résultats et de s'assurer que les enseignants disposent du matériel nécessaire. Par exemple, l'orthopédagogue pourrait être responsable d'un programme de tutorat entre élèves et veiller régulièrement à ce que tout se déroule bien.

Les échéances

Le plan d'intervention doit préciser les échéances en ce qui concerne le début de l'intervention et l'évaluation des résultats. Dans ce calendrier, on pourrait ajouter diverses dates utiles, comme le moment où commence un service ou une intervention, le moment où commence un programme de tutorat ou les dates de rencontres de l'élève avec un spécialiste.

S'il y a lieu, le plan d'intervention se termine par des recommandations particulières, des précisions sur les modalités de scolarisation de l'élève et les signatures des personnes en cause. À la fin, on peut réserver un espace pour les dates des prochaines évaluations du plan et de son application générale.

Les résultats obtenus

Il s'agit des résultats obtenus à la suite des interventions.

Le tableau 2.2 présente une synthèse de la terminologie utilisée.

TABLEAU 2.2 Terminologie utilisée pour les plans d'intervention

Élément	Définition	Question	Phrase clé	Exemples
Buts du plan d'intervention	Orientation annuelle définie en fonction de l'élève	Pour atteindre quoi ?	Le plan d'intervention vise à…	Améliorer la qualité de l'orthographe
Objectifs du plan d'intervention	Apprentissages que l'élève réalisera, sous forme de comportements, déterminés en fonction du rendement actuel	Pour obtenir quel comportement à court terme ?	Être capable de…	– Compter jusqu'à 10 – Mettre son chandail – Arriver à l'heure

→

TABLEAU 2.2 Terminologie utilisée pour les plans d'intervention (suite)

Élément	Définition	Question	Phrase clé	Exemples
Critères de réussite	Normes de qualité et de quantité liées aux comportements qui seront appris	Quel est le rendement permettant de décider que l'objectif est atteint ?	Avec quel seuil de réussite (fréquence, durée, conformité, etc.) ?	– 20 problèmes sur 25 sans erreur – Au moins une heure – Chaque fois
Conditions de réussite	Circonstances, contexte où l'on jugera de la réalisation des objectifs	Quand ? Où ?	Selon quelles modalités ?	– Dans un test – À la maison et l'école – En groupe
Moyens, stratégies et ressources	Ce qui aide l'élève ou ce qui sert à réaliser les apprentissages	Avec l'aide de qui ou de quoi ?	À l'aide de ressources et de stratégies	– Grâce à un programme de tutorat – Matériel didactique – Rencontres avec un spécialiste
Intervenant	Personne qui aide l'élève	Qui ?	Avec la collaboration ou l'aide du...	– Titulaire – Tuteur – Parent
Échéances	Calendrier des interventions et de l'évaluation	Quand ?	À la date du...	– Date du début de l'intervention – Date de l'évaluation
Résultats obtenus	Conséquences des apprentissages	Ont donné quoi ?	Ont eu pour effet...	– L'élève a atteint l'objectif – L'enfant arrive quatre matins sur cinq à l'heure

2.3 LE PLAN DE SERVICES

Le plan d'intervention, comme nous l'avons vu, indique les objectifs à atteindre avec l'élève. Certains élèves ont cependant besoin d'interventions touchant à des secteurs diversifiés : des interventions en français ou en mathématiques, en orthophonie, en relation avec le comportement, etc. Il est donc possible que ces élèves aient besoin de plusieurs plans d'intervention différents auxquels participeront plusieurs intervenants. Ces personnes doivent alors se coordonner entre elles. Il arrive également que des élèves en difficulté ou handicapés reçoivent des services de plusieurs établissements. Le plan de services est un outil qui permet de réaliser cette coordination, tout en facilitant l'intégration des plans d'intervention. On définit le plan de services comme suit :

> Le plan de services est un mécanisme assurant la planification et la coordination des services et des ressources dans le but de satisfaire aux besoins de la personne en favorisant le développement de son autonomie et son intégration dans la communauté. De plus, il permet de s'assurer que les interventions sont cohérentes, complémentaires et centrées sur les besoins de la personne et de son environnement.

Le plan de services individualisé comporte différentes fonctions :

- *De planification*

  La planification consiste à préciser les services, les programmes ou les interventions nécessaires à la personne, à sa famille ou à son environnement à moyen et à long terme.

- *De coordination*

  La coordination consiste à disposer des services et des ressources nécessaires dans un ordre approprié afin d'atteindre l'objectif ou les objectifs fixés en réponse aux besoins identifiés et elle exige la collaboration de tous les intervenants.

- *De sauvegarde des droits*

  La sauvegarde comprend, d'une part, des éléments pour la défense et la promotion des droits ou de l'intérêt des personnes et, d'autre part, des éléments assurant une plus grande qualité de services (Ministère de la Santé et des Services sociaux du Québec, 1988, p. 21).

L'Office des personnes handicapées du Québec définit le plan de services comme un outil de planification visant la complémentarité et la qualité des services. Ce processus devrait être continu et révisé régulièrement afin de mieux répondre aux besoins de la personne et assurer ainsi une cohérence dans les interventions. Le plan de services, toujours selon l'OPHQ, constitue une autre façon de penser, en ce sens qu'il devrait permettre l'expression des besoins et des attentes, et aider à diminuer les obstacles qu'on peut rencontrer. Le plan de services devrait également permettre de considérer la présence de la famille et de l'entourage de l'élève.

> Lorsque je suis en réunion avec des intervenants pour le plan de services de mon enfant et qu'on me demande de parler de ses besoins, je ne sais pas toujours ce qu'il faut répondre. Non pas que mon enfant n'ait aucun besoin mais le plus souvent c'est que je ne sais pas par où commencer, sans compter que je ne suis pas toujours à l'aise d'en parler devant tant de monde. Lorsque je reviens à la maison et que je repense à tout cela, c'est souvent à ce moment-là que je découvre tout ce que je n'ai pas dit et que j'aurais dû dire (témoignage extrait de l'Office des personnes handicapées du Québec, 1993, s. p.).

Qu'il s'adresse à un adulte ou à un enfant, le plan de services se déroule selon les étapes suivantes : l'accueil et la référence, l'évaluation globale des besoins, l'élaboration proprement dite du plan, sa réalisation et son suivi (Office des personnes handicapées du Québec, 1993). Le plan de services s'élabore au cours d'une réunion comprenant les intervenants, la personne handicapée, les parents, etc. Pendant la rencontre, la personne handicapée (ou ses représentants, comme les parents) exprime ses attentes, établit la liste de ses forces et de ses besoins, détermine des priorités et définit des buts et des objectifs. Le plan de services permet d'accorder la priorité aux besoins, de définir des buts, des services, des programmes et des interventions. Il permet aussi de déterminer les responsabilités de chacun et d'établir un échéancier.

Généralement, la réunion portant sur le plan de services est animée par un coordonnateur. Le rôle du coordonnateur est très important, car il assure un contact continu entre les partenaires. Il est chargé de rassembler la documentation et les évaluations nécessaires pour bien connaître les besoins de l'élève en difficulté. Par son animation, il facilite les échanges.

Le plan de services est une autre démarche favorisant les interventions. Le plan d'intervention et le plan de services ont plusieurs éléments en commun : la recherche d'une réponse aux besoins de l'élève, la continuité dans les services et la valorisation de la personne. Cependant, pour obtenir une planification à plus long terme, certains milieux éducatifs se sont dotés d'une nouvelle forme de plan, soit le plan de transition.

2.4 LE PLAN DE TRANSITION

Chaque année, de nombreux élèves quittent l'école secondaire pour entrer dans la vie adulte. Pour les élèves en difficulté ou handicapés, cette période représente un nouveau défi. Ces jeunes adultes font alors face au monde du travail et doivent apprendre à organiser leurs loisirs et à assumer différentes responsabilités. Toutefois, la gestion de ces nouvelles responsabilités exige souvent un apprentissage à long terme qui doit avoir été prévu lors de la période de scolarisation.

Afin de faciliter ce passage d'une période de vie à une autre, les milieux éducatifs américains ont élaboré une nouvelle forme de planification : le plan de transition. En effet, la loi fédérale *Individuals with Disabilities Education Act* (loi 101-476, 1990) demande qu'on inclue dans le programme éducatif des élèves handicapés des activités et une planification de transition, c'est-à-dire un processus de collaboration (entre la famille et l'école, les centres de réadaptation, etc.), pour que l'élève ait une meilleure qualité de vie lorsqu'il quittera l'école. Ce plan contient des buts dans les secteurs où l'élève évoluera après avoir quitté le secondaire : dans le monde du travail ou dans la poursuite de la scolarisation, dans le choix d'un lieu de résidence ou dans l'accès aux services communautaires et aux loisirs. La Division of Career Development and Transition définit ainsi ce processus :

> Le terme « transition » fait référence au changement du statut d'élève pour un statut d'adulte dans la communauté. Assumer un statut d'adulte suppose plusieurs rôles dans la communauté : dans l'emploi, dans l'éducation postsecondaire, dans l'entretien de son domicile, dans la participation active à la vie de la communauté et dans l'expérience de relations personnelles et sociales satisfaisantes. Une transition harmonieuse implique la participation à des programmes scolaires, de santé et de services sociaux et à des soutiens naturels de la communauté de même que leur coordination. On doit établir les éléments de base de la transition pendant la période de scolarisation au primaire et au début du secondaire en s'inspirant des grands principes de la planification de carrière. La planification de la transition doit se faire avant que les élèves aient 14 ans, et ceux-ci doivent être encouragés, dans la mesure de leur plein potentiel, à assumer une responsabilité maximale lors de cette planification (Halpern, 1994, p. 117 ; traduit par l'auteure).

Aux États-Unis, on a élaboré divers modèles en vue d'effectuer une telle planification. En général, ces modèles incluent :

1) des programmes destinés à préparer la personne à la vie et au travail dans la communauté ;
2) des services postsecondaires qui permettent à chaque individu d'agir selon ses goûts et ses choix ;

3) un système de coordination visant la concertation entre les milieux éducatifs et communautaires de façon que chaque élève puisse atteindre ses buts reliés à la vie après l'école secondaire (McDonnell, Mathot-Buckner et Ferguson, 1996).

Cependant, la transition est aussi conçue dans un sens plus large qu'uniquement de l'école secondaire à la vie adulte. Il pourra y avoir une transition entre la période préscolaire et la période scolaire, entre le primaire et le secondaire ou à différentes périodes de la vie adulte. Les transitions pourront être effectuées entre différentes périodes de vie (par exemple entre le secondaire et la vie adulte). Blalock et Patton (1996) qualifient ces transitions d'une période de vie à l'autre de transitions verticales. Il peut aussi y avoir des transitions dans une même période de vie, comme dans le cas d'un élève qui effectue une transition, dans son cours primaire, entre une école spéciale et l'école ordinaire de son quartier. Pour Blalock et Patton, il est alors question d'une transition horizontale. Il faut aussi considérer que le processus de transition peut être planifié pour différents groupes d'élèves : les élèves ayant des difficultés d'apprentissage, ceux ayant des problèmes de comportement, etc.

Le plan de transition requiert l'utilisation concertée des ressources du milieu scolaire et de la communauté. Il a des points communs avec le plan d'intervention, mais il s'en distingue sous plusieurs aspects. Tout comme le plan d'intervention, il contient des buts, des objectifs, des moyens, des ressources et un échéancier. Toutefois, il s'agit d'une planification à plus long terme visant à faciliter le passage d'une période de vie à une autre.

RÉSUMÉ

Afin de faciliter la concertation entre les divers participants et une meilleure réponse aux besoins de l'élève, les milieux éducatifs et de réadaptation se sont dotés de divers moyens de planification, soit d'un plan d'intervention personnalisé, d'un plan de services et d'un plan de transition.

L'élaboration d'un plan d'intervention s'insère dans une démarche globale d'aide aux élèves en difficulté. Dans cette démarche, l'évaluation des besoins, des forces et des faiblesses de l'élève revêt une importance capitale, car c'est à partir de la situation de l'élève qu'il sera possible d'élaborer un véritable plan personnalisé. Le plan décrit d'abord les buts fixés, soit les grandes orientations. Puis, il précise les comportements qui suivront l'apprentissage : ce sont les objectifs. Ces comportements peuvent être précisés à l'aide de critères et de conditions de réussite. Le plan décrit aussi les moyens, les stratégies et les ressources qui seront utilisés ; il détermine les responsables de l'intervention et fixe les échéances.

Le plan de services permet la coordination des intervenants ou des établissements quant aux services offerts à la personne en difficulté. Quant au plan de transition, il favorise une planification à plus long terme en facilitant aux jeunes adultes le passage de l'école secondaire à la communauté.

QUESTIONS

1. Qu'est-ce que le plan d'intervention personnalisé, le plan de services et le plan de transition ? Quelles sont leurs fonctions ?
2. Donnez deux exemples de forces et de difficultés chez un élève.
3. Donnez deux exemples d'expression de besoins chez vos élèves.
4. À partir de votre expérience, indiquez deux buts que poursuit un plan d'intervention.
5. Parmi les phrases suivantes, lesquelles présentent des comportements et lesquelles présentent des jugements ?
   - Jacques est agressif.
   - Karina range sa chambre.
   - Pierre écrit son nom.
   - Pauline ne comprend pas.
   - Jacques écrit une majuscule au début du nom « Marie ».
   - Isabelle est constamment dans l'erreur.
6. En fonction de votre expérience, indiquez deux buts d'un plan d'intervention et deux objectifs découlant logiquement de ces buts.
7. Parmi les phrases suivantes, lesquelles présentent des buts d'un plan d'intervention et lesquelles présentent des objectifs ?
   - Éric améliorera sa communication orale et écrite.
   - Édouard sera capable d'utiliser correctement la ponctuation dans des textes.
   - Jacques deviendra plus autonome et participera à l'ensemble des activités de l'école.
   - Pauline s'intégrera dans la vie sociale de l'école.
   - Évelyne sera capable d'effectuer correctement 9 fois sur 10 les additions à 2 chiffres sans retenue.
8. Énumérez une série de 10 comportements et, pour chacun d'entre eux, indiquez une caractéristique qui permettrait d'en fixer des critères de réussite. Exemple : écouter la télévision (comportement) une heure (critère basé sur la durée).
9. À partir d'une situation problématique que vous imaginerez (par exemple, un enfant qui arrive toujours dix minutes en retard et oublie d'apporter son matériel scolaire), déterminez un but d'un programme d'intervention et deux objectifs avec critères et conditions de réussite. Complétez ce travail en précisant des moyens d'intervention, les intervenants en cause et des échéances. Structurez ce travail dans la section du formulaire du plan d'intervention personnalisé intitulée « Buts du plan d'intervention » (voir la figure 2.2, p. 31).

MISES EN SITUATION

Voici deux cas types d'élèves en difficulté. Après avoir lu ces cas, indiquez quelles étapes il faudrait suivre pour chacun d'eux.

Première situation

Alexandra : 8 ans.
Date d'anniversaire : 28 septembre.
Niveau scolaire : troisième année.
Date de la référence : 25 février de l'année scolaire en cours.

Le cas d'Alexandra est soumis à la direction pour que celle-ci demande à l'orthopédagogue d'évaluer l'élève. Alexandra présente des difficultés sérieuses en français écrit. Ses travaux révèlent qu'elle n'atteint pas tous les objectifs de la première année. Entre autres, ses lettres sont mal formées, elle n'utilise pas le point à la fin des phrases ni la majuscule au début de chacune d'elles. Par ailleurs, ses mots sont truffés de fautes d'orthographe ; seuls les plus simples en sont exempts. À peu près systématiquement, elle oublie de mettre un *s* aux noms pluriels.

Pourtant, en lecture, son rendement est bon, elle comprend bien les textes et répond avec facilité aux questions de compréhension. En mathématiques, ses résultats sont excellents. En classe, Alexandra se comporte bien, respectant la discipline. Elle a de nombreux amis à la récréation. Elle s'exprime au bon moment. L'enseignante a rencontré ses parents lors de la remise du bulletin. Ceux-ci semblent intéressés à collaborer.

L'enseignante de la deuxième année (la titulaire d'Alexandra l'an dernier) a été rencontrée. Alexandra présentait alors des difficultés d'écriture, mais l'enseignante a préféré ne pas soumettre immédiatement son cas à la direction, croyant que les choses s'arrangeraient. Elle hésite d'ailleurs beaucoup à référer les enfants de son groupe. Selon elle, à partir du moment où l'enfant se croit en difficulté, il se sent moins bon, et cette perception a pour effet d'aggraver ses problèmes.

Questions

1. Selon vous, quelles évaluations serait-il nécessaire d'effectuer pour Alexandra ?
2. Quelles démarches devrait-on entreprendre ?

Deuxième situation

Jacques : 11 ans.
Date d'anniversaire : 28 mars.
Niveau scolaire : cinquième année.
Date de la référence : 22 novembre de l'année scolaire en cours.

Jacques est référé par son enseignante parce qu'il dérange les autres élèves. Ce garçon réclame constamment de l'attention. Cette attitude est particulièrement marquée pendant les exercices écrits qui durent plus de trente minutes. Jacques a beaucoup de difficulté à entreprendre l'exercice demandé, à s'organiser et à planifier son travail. Si l'enseignante ne lui donne pas un soutien continuel, il abandonne très rapidement la tâche pour se distraire et, surtout, distraire les autres. Il essaie alors de converser avec ses camarades sur tout sauf sur le travail exigé!

Jacques a un autre problème: il a l'habitude d'oublier à la maison une grande partie du matériel nécessaire en classe. Régulièrement, il emprunte les crayons des autres et leurs gommes à effacer. Ces emprunts surviennent surtout lorsque ses camarades utilisent ce matériel. Par conséquent, il s'ensuit des disputes et de nombreuses protestations de la part des enfants. Naturellement, ce scénario perturbe le bon fonctionnement de la classe. De plus, Jacques laisse souvent son matériel scolaire dans sa case au lieu de le déposer dans son pupitre. Cette négligence lui donne un excellent prétexte pour sortir de la classe, généralement sans demander l'autorisation. Lorsque l'enseignante donne des explications, Jacques fait autre chose: il fouille dans son bureau, laisse tomber des choses par terre, se lève pour les ramasser, parfois se promène d'un pupitre à l'autre.

Jacques a doublé sa quatrième année. Son dernier bulletin révèle qu'il n'a pas atteint tous les objectifs prévus au cours de la première étape. L'enseignante croit que si les résultats de Jacques sont aussi faibles, ce n'est pas parce qu'il manque de potentiel ou qu'il a des difficultés graves d'apprentissage, mais parce qu'il s'applique beaucoup plus à attirer l'attention des autres qu'à effectuer son travail. Au cours des minutes de récupération, il arrive à l'occasion que l'enseignante travaille seule avec Jacques. Il comprend alors facilement les explications et, guidé pas à pas, il réussit les exercices proposés. Mais dès que l'encadrement est moins structuré, Jacques ne termine pas ses exercices. Il aggrave actuellement son retard scolaire. S'il continue de la sorte, confie son enseignante, il devra être inscrit au secondaire dans un cheminement particulier.

Toujours selon son enseignante, plusieurs problèmes de Jacques sont liés à sa situation familiale. Jacques vit seul avec sa mère. À la remise du bulletin, celle-ci ne s'est pas présentée. Elle occupe plusieurs emplois à temps partiel comme serveuse dans des restaurants et vendeuse dans des magasins. Jacques raconte que, lorsqu'il rentre le soir à la maison, sa mère est trop souvent absente. Elle rentre en général vers 20 h ou 21 h, quand ce n'est pas plus tard. Dans ces circonstances, elle est toujours très fatiguée et n'a pas le temps de vérifier les devoirs et les leçons de son fils. Le matin, la plupart du temps elle dort encore au moment du départ de Jacques pour l'école. De plus, Jacques arrive en classe avec une bonne demi-heure de retard au moins trois ou quatre fois par mois. L'enseignante croit qu'il se couche très tard, car il raconte régulièrement le contenu d'émissions de télévision diffusées après 22 h. Par ailleurs, Jacques s'est confié un jour à son enseignante. Il lui a dit que sa mère l'aimait beaucoup, il parlait d'elle avec beaucoup d'affection, précisant qu'elle faisait tout son possible pour qu'ils vivent convenablement, mais que, malheureusement, elle était trop souvent débordée ou fatiguée. Selon lui, tous ces problèmes sont imputables à son père, qui les a quittés trois ans auparavant.

En résumé, l'enseignante croit qu'il faut apporter de l'aide à Jacques. Elle-même désire être aidée pour pouvoir maîtriser le comportement de cet élève qui perturbe de plus en plus le fonctionnement normal de la classe.

Questions

1. Selon vous, quelles démarches faudrait-il entreprendre dans cette situation ?
2. Y a-t-il des évaluations à proposer pour mieux connaître les besoins de Jacques ?
3. Dans l'affirmative, lesquelles ?

LECTURES SUGGÉRÉES

Sur le plan d'intervention personnalisé :

MINISTÈRE DE L'ÉDUCATION DU QUÉBEC (1992a). *Cadre de référence pour l'établissement des plans d'intervention.* Québec : Ministère de l'Éducation.

Sur la définition des objectifs d'apprentissage :

FONTAINE, F. (1989). *Les objectifs d'apprentissage.* Montréal : Université de Montréal, Service pédagogique.

Sur la planification et la mesure des objectifs d'apprentissage dans les plans d'intervention et dans les plans de services :

CÔTÉ, R., PILON, W., DUFOUR, C. et TREMBLAY, M. (1989). *Guide d'élaboration des plans de services et d'interventions.* Québec : Groupe de recherche et d'étude en déficience du développement inc.

OFFICE DES PERSONNES HANDICAPÉES DU QUÉBEC (1989). *Le plan de services de la personne.* Québec : Office des personnes handicapées du Québec.

OFFICE DES PERSONNES HANDICAPÉES DU QUÉBEC (1993). *Je commence mon plan de services.* Drummondville : Office des personnes handicapées du Québec.

SECTION

LES ÉLÈVES EN DIFFICULTÉ D'APPRENTISSAGE

3

Les difficultés d'apprentissage : manifestations, définitions et conceptions

OBJECTIFS

Après avoir lu ce chapitre, le lecteur devrait pouvoir :

- décrire les principales manifestations des difficultés d'apprentissage qui attirent l'attention des éducateurs à l'école ;
- définir les termes suivants : « difficulté d'apprentissage », « dyslexie », « dysorthographie », « dyscalculie » et « dysgraphie » ;
- établir la distinction, à partir des définitions du ministère de l'Éducation du Québec, entre un élève ayant une difficulté légère d'apprentissage et un élève ayant une difficulté grave d'apprentissage ;
- décrire différentes façons de concevoir les difficultés d'apprentissage ;
- décrire comment les conceptions à la base des programmes d'études actuels orientent la perspective au regard des difficultés d'apprentissage ;
- indiquer comment les facteurs affectifs peuvent être reliés aux difficultés d'apprentissage ;
- indiquer comment notre conception des difficultés d'apprentissage peut influencer notre mode d'évaluation et d'intervention.

Comment se sent-on lorsqu'on
a des difficultés d'apprentissage à l'école ?
On se sent… On se sent normal. Sauf qu'on
sent qu'on n'aura pas envie de montrer son
bulletin à la fin de l'année.
J.S., 10 ans

Introduction

De nombreux élèves éprouvent des difficultés à l'école, que celles-ci se manifestent par un retard scolaire important ou par l'échec aux examens. Certains connaissent des difficultés passagères qui peuvent être facilement surmontées avec l'aide appropriée. Cependant, d'autres accusent un retard qui les handicapera tout au long de leur vie scolaire. Ce chapitre présente les manifestations des difficultés d'apprentissage, les principaux termes utilisés pour décrire cette réalité et quelques modèles explicatifs ayant marqué nos conceptions des difficultés d'apprentissage.

3.1 Les manifestations des difficultés d'apprentissage

Les difficultés d'apprentissage peuvent être observées dans différentes matières et diverses habiletés. Certains élèves ont de la difficulté à orthographier ou à lire. D'autres sont malhabiles dans les activités manuelles ou physiques. Des élèves éprouvent des difficultés en sciences, en anglais ou encore en arts plastiques. Bien que toutes ces matières soient importantes pour le développement, dans le milieu scolaire, les interventions spécifiques sont surtout centrées sur les difficultés d'apprentissage en français et en mathématiques.

Selon Gearheart et Weishahn (1980, cités dans Glover et Bruning, 1987), les difficultés d'apprentissage peuvent se présenter en lecture, en écriture, en épellation, en arithmétique, dans la parole, dans la pensée ou dans l'écoute. Les définitions du ministère de l'Éducation du Québec mettent surtout l'accent sur un rendement inférieur, par rapport au potentiel de l'élève, dans la langue d'enseignement et en mathématiques. Mollen (1985) indique que les difficultés d'apprentissage peuvent être regroupées en cinq secteurs : le langage oral (incluant l'écoute et la parole), la lecture, le langage écrit, les mathématiques et le raisonnement. Nous examinerons quelques manifestations des difficultés d'apprentissage dans ces différents secteurs.

3.1.1 Les difficultés en langage oral

Les difficultés en langage oral peuvent se manifester dans le domaine de la parole ou dans celui du langage. La parole est la réalisation du langage. Quant aux troubles du langage, ils concernent l'organisation du discours dans la pensée. Il va sans dire que le langage oral est une base importante pour les autres acquisitions à l'école.

> Ainsi, les apprentissages scolaires comme tels, les explications, les vérifications de connaissances, les consignes, la formation sociale, enfin tout le vécu scolaire, reposent pour une bonne part sur la communication verbale. Par conséquent, la capacité de communiquer, particulièrement facilitée par l'intégrité

> d'aptitudes langagières bien développées, influe tant sur le cheminement personnel des élèves que sur leur cheminement scolaire. En contrepartie, tout déficit au plan langagier a un impact à la fois au plan des relations interpersonnelles et à celui des apprentissages scolaires (Ministère de l'Éducation du Québec, 1987, p. 12).

Ces déficits peuvent se présenter au sujet de la réception (écoute) ou de l'émission dans le processus de communication. Un vocabulaire pauvre et des difficultés de prononciation importantes entraînent des problèmes quant à la compréhension du vocabulaire et des textes utilisés à l'école. Malheureusement, plusieurs enfants arrivent à l'école en éprouvant des difficultés de langage ou de parole.

> De fait, selon une récente étude réalisée au Québec, l'incidence des troubles de la parole et du langage chez une population scolaire de première et de deuxième année du primaire serait de 15 % (± 2 %), ces troubles ayant trait par ordre d'importance à l'articulation, au langage, à la déficience auditive, au bégaiement, à la dysarthrie et autres (Ministère de l'Éducation du Québec, 1987, p. 13).

Pour plusieurs (Borel-Maisonny, 1973 ; De Maistre, 1970), ces lacunes linguistiques seraient l'une des principales causes des problèmes ultérieurs en lecture. Ces difficultés sont souvent accentuées du fait que certains mots présentés dans les livres scolaires ou par l'enseignant n'ont jamais été utilisés par l'élève. La culture de l'école n'est pas toujours la même que celle du quartier où elle est située.

Le développement adéquat de la parole et du langage repose sur de nombreuses conditions, dont des mécanismes oraux et auditifs appropriés, un climat affectif sain, une bonne relation avec les parents et un milieu stimulant. Cependant, tous les élèves ne jouissent pas de toutes ces conditions et l'école ne tient pas toujours compte des différences culturelles qui la séparent de ses élèves. Il peut donc exister des variations importantes dans le langage des élèves. Les difficultés éprouvées alors ne seront pas sans conséquences pour les autres acquisitions.

3.1.2 Les difficultés en lecture

Ce sont les difficultés en lecture qui ont, jusqu'à ce jour, principalement attiré l'attention des orthopédagogues et des enseignants. En effet, des difficultés d'apprentissage sérieuses en lecture entraînent de graves conséquences pour l'ensemble de la scolarité d'un élève. La plupart des matières utilisent ce support pour transmettre l'information : les problèmes écrits en mathématiques, les livres de sciences ou de géographie, etc. Des problèmes graves en lecture occasionnent des difficultés importantes en orthographe (De Maistre, 1970).

Pour bien saisir la nature des difficultés en lecture, il importe d'en connaître les composantes. Complexe, la lecture suppose la connaissance du système écrit, les mouvements des yeux et leur fixation appropriés, l'attention du lecteur, l'extraction de l'information du texte (*information-processing model*), le décodage et la compréhension de l'information (Glover et Bruning, 1987). Somme toute, c'est un processus dynamique et interactif. De nombreuses variables entrent en jeu dans la lecture : les connaissances antérieures, le contenu lu, les buts poursuivis et le contexte de l'activité de lecture (Glover et Bruning, 1987, p. 189).

Les difficultés en lecture ont donné naissance à plusieurs modèles explicatifs. Certains auteurs (Cruickshank, 1977) attribuent ces problèmes surtout à des dysfonctions neurologiques mineures. D'autres les associent à un manque de préalables (Frostig, 1976) ou à des lacunes du langage (Borel-Maisonny, 1973 ; De Maistre, 1970). D'autres encore (Gaudreau, 1980) remettent en question les programmes et les approches utilisés à l'école. Les écrits récents expliquent les difficultés d'apprentissage en relation avec des déficits dans l'utilisation de stratégies appropriées (Saint-Laurent, Giasson, Simard, Dionne, Royer et autres, 1995 ; Van Grunderbeeck, 1994). Enfin, certains autres auteurs, tels Lipson et Wixson (1986), y voient une interaction de plusieurs facteurs : les difficultés propres à l'enfant, les caractéristiques des tâches d'apprentissage demandées et le contexte pédagogique.

Il existe différentes écoles de pensée ; par conséquent, des méthodes variées d'évaluation et d'intervention ont vu le jour. Par ailleurs, les difficultés en lecture peuvent avoir de multiples causes, comme un retard de langage, des problèmes visuels ou auditifs ou des changements fréquents d'école.

3.1.3 Les difficultés à orthographier et à calligraphier

Plusieurs élèves éprouvent des difficultés en orthographe, en écriture ou encore dans les deux domaines à la fois. Comme nous l'avons déjà vu, la plupart du temps, l'élève qui connaît des difficultés en lecture a aussi des problèmes en orthographe, mais l'inverse n'est pas nécessairement vrai. De bons lecteurs peuvent éprouver des problèmes à orthographier correctement.

Certains élèves ont également des difficultés à calligraphier correctement les textes demandés : l'écriture est pénible, malhabile. L'élève éprouve dans cette activité des problèmes de coordination oculomanuelle. Les problèmes d'orthographe et de calligraphie apparaissent souvent simultanément. En effet, l'élève qui a des problèmes sérieux en orthographe risque d'être perturbé émotivement par cette situation. Il est plus contracté et cette réaction se reflète dans son écriture. L'élève doit concentrer son attention à la fois sur l'orthographe et sur la calligraphie. L'une et l'autre s'en ressentent. La tâche n'est pas facile ! Orthographe et calligraphie demeurent des préoccupations importantes dans l'intervention de plusieurs éducateurs. Espérons qu'au cours des prochaines années le micro-ordinateur viendra résoudre une partie de ces problèmes de calligraphie.

3.1.4 Les difficultés en mathématiques

Le document intitulé *Formule d'aide à l'élève qui rencontre des difficultés • Bilan fonctionnel et plan d'action* du ministère de l'Éducation du Québec (1982b) définit de la façon suivante les mathématiques :

> Toute la mathématique se ramène à la découverte de relations et de structures (modèles) de transformation touchant principalement les aspects quantitatifs,

spatiaux et temporels. L'enfant est appelé à découvrir que la mathématique est une façon de penser et de traiter la réalité.

Ces découvertes se font généralement par une action (réelle ou intériorisée) exercée sur des objets (réels ou symbolisés).

Ce type d'action provoque des modifications (transformations) qui doivent être :

- observées (activité d'assimilation et d'accommodation),
- notées (langage mathématique, symboles),
- schématisées (dessin, graphique),
- communiquées (socialisation) (s. p.).

Les mathématiques peuvent se définir comme une façon de penser, d'organiser une preuve logique (Fleischner et Garnett, 1980). Bien que les mathématiques soient l'une des deux matières principales au programme, elles n'ont pas donné naissance à autant d'écrits que le français sur les difficultés d'apprentissage qui y sont reliées (Pellegrino et Goldman, 1987). Cela s'explique en grande partie par le fait que, lorsque l'élève éprouve des difficultés d'apprentissage dans les deux matières fondamentales, les éducateurs privilégient l'intervention en français.

Néanmoins, les difficultés en mathématiques sont aussi expliquées par de nombreux modèles. Comme dans le cas des difficultés en lecture, les uns (Cruickshank, 1977) évoquent un dysfonctionnement cérébral, d'autres mettent l'accent sur l'absence de préalables, d'autres encore établissent une corrélation avec le quotient intellectuel. Certains auteurs interprètent ces difficultés en fonction de la manière dont l'élève traite l'information (Hutchison, 1993 ; Miller et Mercer, 1993b ; Montague, Applegate et Marquard, 1993). Somme toute, plusieurs de ces modèles explicatifs entraînent aussi l'élaboration de diverses méthodes d'évaluation et d'intervention.

3.1.5 Les autres difficultés d'ordre cognitif

L'élève peut aussi éprouver des difficultés de raisonnement qui entravent la résolution des tâches d'apprentissage. Ces difficultés se présentent de diverses manières. L'élève peut avoir du mal à organiser ou à structurer les étapes nécessaires à la réalisation d'une tâche, d'un problème. Les difficultés peuvent se manifester sur le plan de la généralisation ou sur celui de la discrimination. Certains élèves présentent aussi des problèmes de mémoire à court ou à long terme. Ces divers problèmes peuvent nuire au rendement de l'élève à l'école.

3.2 LES DÉFINITIONS

3.2.1 La controverse entourant la définition des élèves en difficulté d'apprentissage

Comme nous venons de le voir, les difficultés d'apprentissage touchent de nombreux élèves et se manifestent de manières variées. Cependant, même si ces élèves représentent, au point de vue statistique, la population la plus importante (parmi celle des élèves en difficulté), il n'est pas simple pour autant de définir les difficultés d'apprentissage (Adelman, 1992; Hammill, 1990; Keogh, 1990). Il est encore plus périlleux de tenter d'en cerner les causes exactes. En est la preuve le nombre de termes, de définitions et de modèles explicatifs qu'utilisent les commissions scolaires, les auteurs et les chercheurs pour qualifier ou analyser ce problème: dyslexie, dysorthographie, dyscalculie, acalculie, dommage cérébral minime, trouble ou difficulté d'apprentissage, mauvais lecteur, mauvais scripteur, etc. Et ce ne sont là que quelques-uns des termes formant la terminologie employée! En général, la catégorie des élèves dits en difficulté d'apprentissage regroupe des élèves qui présentent des difficultés diverses, qu'on ne peut expliquer par une déficience intellectuelle, physique ou sensorielle. Ainsi, un élève qui ne peut apprendre à lire ou à compter en raison d'une déficience intellectuelle profonde ne sera pas inclus dans la catégorie des élèves en difficulté d'apprentissage. Là semble s'arrêter le consensus!

3.2.2 Les définitions américaines

Nos conceptions éducatives au sujet des élèves en difficulté ont fortement été influencées par les Américains. Aux États-Unis, ce domaine des difficultés d'apprentissage est caractérisé dans les écrits scientifiques par de nombreuses controverses, les auteurs arrivant difficilement à recueillir un consensus sur la définition de ce problème. En effet, de nombreuses disciplines, comme la médecine, la psychologie et la pédagogie pour n'en nommer que quelques-unes, se sont intéressées aux difficultés d'apprentissage, et celles-ci recouvrent une variété de difficultés qu'il est souvent difficile de mesurer. Dès 1962, Samuel Kirk s'est efforcé d'amener les parents, le gouvernement américain et les professionnels à mieux circonscrire, dans une définition valide, les difficultés d'apprentissage. Voici cette définition:

> Une difficulté d'apprentissage fait référence à un retard, un désordre ou un retard de développement dans un ou plusieurs processus de la parole, du langage, de la lecture, de l'écriture, de l'arithmétique ou dans d'autres matières scolaires, résultant d'un handicap psychologique susceptible d'être causé par une dysfonction cérébrale ou par des problèmes émotifs ou comportementaux. Ce n'est pas la résultante d'un retard mental, d'une déficience sensorielle ou de facteurs culturels ou éducatifs (Kirk, 1962, p. 263; traduit par l'auteure).

Le débat sur la définition des élèves en difficulté d'apprentissage a fait couler beaucoup d'encre. Après avoir analysé les 11 définitions les plus en usage aux États-Unis, Hammill (1990) croit que la définition du National Joint Committee on Learning Disabilities serait la plus susceptible de créer un consensus. Cette définition est la suivante:

> Les difficultés d'apprentissage sont un terme générique qui renvoie à un groupe hétérogène de problèmes se manifestant par des difficultés significatives dans l'acquisition et l'utilisation de l'écoute, de la parole, de la lecture, de l'écriture, du raisonnement et des mathématiques. Ces problèmes sont intrinsèques à l'individu et dus probablement à une dysfonction du système nerveux central. Même si une difficulté d'apprentissage peut se présenter de manière concomitante avec d'autres conditions de handicap (comme une déficience

sensorielle, un retard mental, un problème social ou émotif) ou des influences de l'environnement (comme des différences culturelles, une éducation insuffisante ou inappropriée, des facteurs psychogénétiques), elle n'est pas la résultante de ces conditions (Hammill, Leigh, McNutt et Larsen, 1981, p. 336 ; traduit par l'auteure).

À la lecture de ces deux définitions, on constate la présence d'éléments communs. Ainsi, les définitions évoquent les manifestations des difficultés dans l'apprentissage des matières scolaires. De même, elles font mention de facteurs d'exclusion des élèves dont les difficultés seraient dues principalement à une autre cause, telle la déficience intellectuelle. Elles laissent aussi entendre que les difficultés d'apprentissage seraient attribuables à des problèmes d'ordre neurologique. Cependant, compte tenu du grand nombre d'élèves en difficulté d'apprentissage, plusieurs auteurs remettent ce facteur en question (Adelman, 1992).

3.2.3 La définition du ministère de l'Éducation du Québec et le taux de prévalence au Québec

A. *La définition*

Le ministère de l'Éducation du Québec présente une définition centrée sur le degré de retard pédagogique de l'élève compte tenu de son potentiel et de son groupe d'appartenance. Tout comme dans les définitions précédentes, les difficultés d'apprentissage ne sont pas dues essentiellement à une déficience intellectuelle, physique ou sensorielle. Le tableau 3.1 présente la définition des élèves en difficulté d'apprentissage selon le ministère de l'Éducation.

TABLEAU 3.1 Définition des élèves en difficulté d'apprentissage selon le ministère de l'Éducation du Québec *

Cette catégorie recouvre des jeunes ayant des difficultés apparemment diverses. Toutes et tous ont cependant les caractéristiques communes suivantes :

- elles et ils ne présentent pas de déficience persistante et significative sur les plans intellectuel, physique ou sensoriel ;
- elles et ils éprouvent des difficultés sur le plan des apprentissages scolaires et préscolaires.

Les élèves requérant des services éducatifs particuliers en raison de difficultés d'apprentissage sont déclarés dans l'une ou l'autre des sous-catégories suivantes :

Difficultés légères d'apprentissage (retard scolaire mineur)

L'élève ayant des difficultés légères d'apprentissage est celle ou celui dont l'évaluation pédagogique de type sommatif, fondée sur les programmes d'études en langue d'enseignement ou en mathématique, révèle un retard significatif en regard des attentes à son endroit, compte tenu de ses capacités et du cadre de référence que constitue la majorité des élèves du même âge à la commission scolaire.

→

* Il est à noter que l'instruction a été reconduite pour 1996-1997.

TABLEAU 3.1 Définition des élèves en difficulté d'apprentissage selon le ministère de l'Éducation du Québec (suite)

Difficultés légères d'apprentissage (retard scolaire mineur)

Un retard de plus d'un an dans l'une ou l'autre de ces matières peut être jugé significatif au primaire. Au secondaire, un retard de plus d'un an dans les deux matières peut être jugé significatif.

Difficultés graves d'apprentissage

L'élève ayant des difficultés graves d'apprentissage est celle ou celui…

- dont l'évaluation pédagogique de type sommatif, fondée sur les programmes d'études en langue d'enseignement ou en mathématique, révèle un retard de deux ans ou plus dans l'une ou l'autre de ces matières, en regard des attentes à son endroit, compte tenu de ses capacités et du cadre de référence que constitue la majorité des élèves de même âge à la commission scolaire (retard scolaire important);
- ou dont l'évaluation réalisée par un personnel qualifié, à l'aide notamment d'une observation prolongée, révèle des troubles spécifiques d'apprentissage se manifestant par des retards de développement, en particulier sur le plan des habiletés de communication, suffisamment importants pour provoquer un retard scolaire en l'absence d'intervention appropriée.

Source: Ministère de l'Éducation du Québec (1993, p. 32-33).

B. Le taux de prévalence

Parmi tous les élèves en difficulté, ceux ayant des difficultés d'apprentissage constituent le groupe le plus important en ce qui concerne le taux de prévalence. Le tableau 3.2 présente l'évolution de ce groupe selon les statistiques du ministère de l'Éducation.

TABLEAU 3.2 Évolution de la population des élèves en difficulté d'apprentissage au préscolaire, au primaire et au secondaire dans les écoles publiques

	1991-1992	1992-1993	1993-1994	1994-1995	1995-1996
Nombre total d'élèves du réseau public	1 034 622 (100 %)	1 039 989 (100 %)	1 033 544 (100 %)	1 034 421 (100 %)	1 037 826 (100 %)
Élèves ayant des difficultés légères (DLA)	70 193 (6,78 %)	54 667 (5,2 %)	49 684 (4,8 %)	47 452 (4,6 %)	43 328 (4,2 %)
Élèves ayant des difficultés graves (DGA)	41 315 (4,0 %)	43 784 (4,2 %)	44 327 (4,3 %)	44 046 (4,3 %)	43 949 (4,2 %)

Source: Adapté de Ouellet (1996, p. 5).

3.2.4 La dyslexie, la dysorthographie et la dyscalculie

Au cours des années 60 et 70 et même de nos jours, certaines difficultés d'apprentissage ont été identifiées par un vocabulaire particulier où la racine grecque *dys-* (signifiant « difficulté ») sert de préfixe. La deuxième partie du mot détermine le secteur du problème rencontré. La difficulté d'apprentissage en lecture est nommée « dyslexie », celle en orthographe, « dysorthographie », celle en mathématiques, « dyscalculie », etc. (voir le tableau 3.3).

TABLEAU 3.3 Quelques termes utilisés

Préfixe	Deuxième partie du mot	Signification
dys-	lexie	Difficulté en lecture
	orthographie	Difficulté en orthographe
	graphie	Difficulté à écrire
	calculie	Difficulté en mathématiques
	phasie	Difficulté à parler

Cependant, les critères d'identification d'un élève dyslexique, dyscalculique ou dysorthographique sont loin de faire l'unanimité. Ainsi, la définition de la dyslexie ne recueille pas le consensus chez les chercheurs et les intervenants. Selon Galaburda (1987), aux États-Unis, la dyslexie fait référence seulement à des désordres du développement dans l'apprentissage de la lecture, alors qu'en Europe ce terme concerne une variété de difficultés en lecture associées au développement ou encore acquises ultérieurement. Hynd et Cohen (1983) distinguent la dyslexie primaire et la dyslexie secondaire. La dyslexie primaire relève d'un échec en lecture d'origine congénitale reliée à des anomalies dans le développement neurologique. Quant à la dyslexie secondaire, elle est le résultat d'autres facteurs : un milieu socioéconomique défavorisé, des influences socioculturelles et des facteurs environnementaux.

3.2.5 Le concept d'élèves à risque

Récemment, un nouveau concept est apparu dans les écrits, soit celui d'élèves à risque. Saint-Laurent et autres (1995) décrivent ainsi l'élève à risque :

> Est considéré comme à risque un élève qui présente une ou plusieurs de ces quatre caractéristiques :
>
> 1) Il est identifié comme étant en difficulté par sa commission scolaire ; 2) il est considéré comme faible ou en difficulté par son enseignante ; 3) il double son année ; 4) il présente un faible rendement dans une ou des matières de base, qu'il s'agisse de la lecture, de l'écriture ou des mathématiques (p. XIII).

Ce concept est beaucoup plus large que celui d'élèves en difficulté et concerne par conséquent un nombre beaucoup plus élevé d'élèves. Ainsi, ces mêmes auteurs précisent que si le ministère de l'Éducation du Québec établit à 10 % environ le pourcentage des élèves en difficulté d'apprentissage, une proportion beaucoup plus élevée, soit 20 %, serait à risque d'échec scolaire. Il est à noter aussi que divers auteurs parlent d'élèves à risque non seulement pour ce qui est des difficultés d'apprentissage, mais aussi pour ce qui est des problèmes d'ordre affectif ou comportemental (Lewis et Doorlag, 1991).

3.3 LES CAUSES ET LES CONCEPTIONS DES DIFFICULTÉS D'APPRENTISSAGE

L'influence américaine, l'influence française et l'élaboration de nos propres programmes d'enseignement ont fait en sorte que le vocabulaire utilisé et les modèles expliquant les causes des difficultés d'apprentissage sont fort variés. Les interventions auprès des élèves ont alors épousé plusieurs formes ou courants de pensée. Nous présenterons quelques-unes de ces approches qui ont inspiré les éducateurs d'ici. Parallèlement, des chercheurs étudient comment l'élève procède pour faire ses apprentissages et s'interrogent sur les causes de l'échec. Les uns adoptent surtout des approches cognitives, d'autres privilégient le langage, le développement d'habiletés ou encore le rôle du renforcement. Ces orientations donnent naissance, au fil des ans, à de multiples conceptions des difficultés scolaires.

Dans les pages qui suivent, nous examinerons quelques-unes de ces approches qu'on utilise pour comprendre et évaluer l'élève en difficulté d'apprentissage et pour intervenir auprès de lui. Nous verrons d'abord le modèle médical dans sa forme originale, qui tend à expliquer les difficultés par des déficiences neurophysiologiques. Puis nous nous pencherons sur une approche très populaire au cours des années 70 : les difficultés d'apprentissage expliquées par des troubles « instrumentaux » et des déficiences diverses chez l'élève. Il sera alors question de la perception visuelle, des préalables et des troubles instrumentaux. Encore aujourd'hui, cette approche influence l'évaluation et l'intervention de plusieurs éducateurs. Par la suite, nous verrons comment les théories récentes du traitement de l'information ont modifié notre conception des difficultés d'apprentissage. L'affectivité agit sur notre vie quotidienne et sur la plupart de nos gestes. Nous soulignerons donc l'importance de ce facteur dans l'étiologie des difficultés d'apprentissage. Enfin, nous soulignerons l'importance des conceptions fondées sur l'interaction.

3.3.1 Les approches de type neurologique et médical

Plusieurs recherches sur les difficultés d'apprentissage ont trouvé leur origine dans le milieu hospitalier. Certains patients, à la suite de lésions cérébrales, se présentent dans les hôpitaux avec une perte importante, voire totale, du langage (aphasie), de la lecture (alexie) ou des mathématiques (acalculie). Ces observations amènent des intervenants à postuler des dommages cérébraux minimes chez les élèves qui ne peuvent apprendre la lecture ou les mathématiques. Les premières études sur les difficultés d'apprentissage ont été effectuées par des spécialistes du domaine de la médecine (Lipson et Wixson, 1986). Ainsi, les travaux de Morgan (1896, cité dans Lipson et Wixson, 1986) attribuent les causes de l'insuccès de l'apprentissage de la lecture à une cécité verbale congénitale (*congenital word-blindness*). Hinshelwood (1917, cité dans Lipson et Wixson, 1986) étudie le rôle du cerveau dans l'échec de la lecture. Pour expliquer la dyslexie, Orton (1925, cité dans Lipson et Wixson, 1986) introduit la notion de déséquilibre entre les deux hémisphères du cerveau. Des chercheurs évaluent aussi les difficultés d'apprentissage en mathématiques chez des adultes souffrant de lésions ou de traumatismes cérébraux (Sharma et Loveless, 1986).

D'autres auteurs (Drew, 1956 ; Hallgren, 1950, tous deux cités dans Gibson et Levin, 1976) se penchent aussi sur l'hérédité comme facteur prédisposant aux difficultés d'apprentissage. Au début, le modèle médical correspond à un modèle appliqué dans le milieu hospitalier où le diagnostic prédomine. Par extension, l'expression « modèle médical » est par la suite utilisée dans le milieu de l'enseignement pour qualifier les approches centrées sur le diagnostic des déficits par analogie avec l'approche utilisée en médecine.

De nombreux efforts visent alors à comprendre la raison pour laquelle des élèves n'arrivent pas à apprendre à lire ou à compter malgré une intelligence apparemment normale et l'aide de leurs éducateurs. Les dysfonctions du système nerveux central offrent ainsi des hypothèses explicatives séduisantes qui généreront de nombreux travaux de recherche (Hynd et Cohen, 1983). La perception, phase essentielle dans les activités d'apprentissage de la lecture et des mathématiques, ne repose-t-elle pas sur des bases neurologiques ? Comme l'indique Cruickshank (1977) :

> Les difficultés d'apprentissage sont le résultat de quelque chose. Dans la perspective de l'auteur, la difficulté d'apprentissage est le résultat direct d'un déficit du processus perceptuel (DPP). La perception et le processus perceptuel relèvent de l'activité neurologique (p. 7 ; traduit par l'auteure).

Des dommages cérébraux mineurs (*minimal brain damages*) qu'il est possible de diagnostiquer ou non à l'aide d'un électro-encéphalogramme (EEG) peuvent alors être associés aux difficultés d'apprentissage. Les dommages cérébraux mineurs concernent de petites anomalies dans le fonctionnement du système nerveux central. Ces écarts de fonctionnement seraient dus, par exemple, à des irrégularités biochimiques ou à un traumatisme à la naissance ou durant la période critique du développement du système nerveux central. L'hyperactivité, une déficience de l'attention ou de la perception ainsi que des incoordinations motrices seraient des symptômes associés fréquemment au dommage cérébral mineur. Cette conception « médicale » des difficultés d'apprentissage a joui d'une grande popularité, particulièrement aux États-Unis.

Plusieurs chercheurs mettent alors au point des approches dans le but de corriger les difficultés d'apprentissage ou pour y remédier. L'approche psycholinguistique, les entraînements perceptuels et l'approche neuropsychologique sont envisagés comme des moyens d'aider l'élève en difficulté d'apprentissage. À titre d'exemple, nous verrons sommairement l'approche neuropsychologique.

Hynd et Cohen (1983) précisent que, dans le traitement de la dyslexie, l'approche neuropsychologique obéit à des étapes précises. La première étape repose sur le diagnostic et l'évaluation des forces et des faiblesses neuropsychologiques de chaque enfant. Ce diagnostic peut être établi de manière qualitative, à l'aide de batteries de tests psychométriques ou psychoéducatifs (par exemple le Kaufman Assessment Battery for Children). La deuxième étape consiste à associer les forces neuropsychologiques et cognitives de l'élève à une méthode de travail orientée en fonction de celles-ci. Enfin, la troisième étape de cette approche consiste à consolider la motivation et la confiance de l'élève. Hynd et Cohen (1983) soulignent les résultats positifs obtenus par plusieurs chercheurs (Hartlage et autres; Mattis; Myklebust et Johnson, tous cités dans Hynd et Cohen, 1983) ayant utilisé cette approche.

Cependant, plusieurs auteurs émettent des réserves quant à l'application d'un modèle de type médical et au recours à des explications purement neurologiques dans l'évaluation et l'intervention auprès de tous les élèves en difficulté d'apprentissage: « Même s'il y a peu de doute que des dysfonctions neurologiques jouent un rôle dans certains cas de difficulté d'apprentissage de la lecture, le pourcentage de cas qui peuvent être explicables par un modèle médical apparaît comme extrêmement petit », écrivent Lipson et Wixson (1986, p. 112; traduit par l'auteure). Une étude d'Owen, Adams, Forrest, Soltz et Fisher (1971, cités dans Gibson et Levin, 1976), menée auprès de 304 enfants dyslexiques, révèle que seulement quatre d'entre eux peuvent sans aucun doute être considérés comme ayant des dommages cérébraux. Même si plusieurs recherches sur les difficultés d'apprentissage en mathématiques ont été effectuées auprès d'adultes, il faut être prudent avant d'appliquer ces conclusions aux enfants, soulignent Bohlen et Mabee (1981). L'abus et l'usage imprudent d'explications neurologiques ont également suscité des critiques acerbes:

> Tout comme la notion de débilité mentale légère repose sur des bases étiologiques très fragiles, de même en est-il de celle de « dysfonction cérébrale légère » (*minimal brain damage*). Dans les années 1960, l'échec scolaire spécifique, et notamment les dyslexies d'évolution caractérisée, renvoyait presque invariablement à une explication neurologique aussi vague que passe-partout. Lorsque la neurologie infantile a constaté que, chez les retardés scolaires, on ne pouvait mettre en évidence clinique la majorité des signes classiques de neuropathologie adulte (pour les réflexes, les nerfs crâniens, la motricité, le fond de l'œil, etc.), on imagina de toutes pièces un stratagème diagnostique certes ingénieux, mais dénué de toute confirmation scientifique sur le plan organique. Bien que l'anamnèse ne révélât chez l'enfant aucun accident crânien ou cérébral, que l'EEG ou autre examen ne mît en évidence aucune anomalie précise, on n'en continuait pas moins de présumer d'une telle dysfonction diffuse et indifférenciée; les enfants maladroits (*clumsy*) ont eu le dos large! (Gaudreau, 1980, p. 113-114)

Même si l'on ne peut nier le rôle des processus neurophysiologiques dans l'apprentissage, il semble qu'il faille être extrêmement prudent avant de poser un tel diagnostic.

3.3.2 Les approches relevant de déficiences liées au développement intellectuel

A. *Les déficiences diverses responsables des difficultés*

Qu'elles soient attribuées à des imperfections dans l'organisation neurobiologique, à un dommage cérébral mineur, à un manque de maturation ou de stimulation ou à une éducation dans un milieu très défavorisé, des déficiences diverses ont été considérées comme facteurs des difficultés d'apprentissage.

À la fin des années 60, plusieurs auteurs (Limbosch, Luminet-Jasinski et Dierkens-Dopchie, 1968) expliquent les difficultés d'apprentissage par des « troubles instrumentaux ». Ces « instruments » correspondent à différentes fonctions. Ces dernières permettent de percevoir les stimulations internes (par exemple le degré de contraction des muscles) ou externes (par exemple la position d'un objet par rapport à un autre). Liés au développement de l'intelligence, les facteurs instrumentaux regroupent des éléments tels que la mémoire, le langage, la perception visuelle ou auditive, la perception du temps ou le schéma corporel. Le tableau 3.4 les présente. Pour mieux saisir le rôle attribué à ces facteurs, les lignes qui suivent proposent quelques exemples de leur utilisation dans l'explication des difficultés d'apprentissage.

TABLEAU 3.4 Préalables ou facteurs instrumentaux

Préalable ou facteur instrumental	Définition
Schéma corporel	• Position des membres du corps les uns par rapport aux autres • Conscience du corps pour une utilisation fonctionnelle
Image corporelle	• Image que l'enfant a de son corps • Appréciation subjective qu'il s'en fait
Concept corporel	• Capacité de nommer ou de reconnaître chaque partie du corps
Perception visuelle (Frostig, 1976, en décrit les dimensions principales) :	
– Coordination oculomanuelle	Coordination de l'œil et de la main pour diverses tâches : dessin, découpage, etc.
– Perception figure-fond	Possibilité de reconnaître une figure sur un fond plus ou moins chargé
– Conservation de la forme	Capacité de reconnaître la même forme malgré ses variations
– Perception de la position spatiale	Capacité de reconnaître une position et de discriminer des objets en fonction de positions différentes (*b* et *d*, par exemple)

→

TABLEAU 3.4 Préalables ou facteurs instrumentaux (suite)

Préalable ou facteur instrumental	Définition
– Perception des relations spatiales	Possibilité de distinguer les relations spatiales d'un objet par rapport à un autre
Orientation gauche-droite	Capacité de s'orienter par rapport à la gauche et à la droite en fonction de soi, des autres et des objets
Structuration temporelle	Capacité de respecter et de reconnaître diverses structures temporelles
Discrimination auditive	Capacité de discriminer des sons et des bruits
Mémoire visuelle	Capacité de reconnaître des formes ou des objets connus
Mémoire auditive	Capacité de se souvenir de sons et de les reproduire correctement

Ainsi, pour De Maistre (1970), l'inaptitude à la lecture relève surtout de deux types d'incapacités : l'incapacité de différenciation des sons du langage et celle, plus ou moins marquée, de structuration de l'espace et du temps. Les difficultés d'orthographe peuvent être liées à des problèmes de perception auditive et à des retards dans la compréhension du langage. Selon Borel-Maisonny (1973), les enfants dyslexiques présentent des troubles de l'orientation, de la perception auditive et des lacunes linguistiques. Des difficultés en mathématiques sont associées à des problèmes de perception visuelle et d'orientation spatiale (Bohlen et Mabee, 1981).

B. Le dépistage et l'intervention précoces

Dans une optique de prévention, plusieurs auteurs (Frostig, 1976 ; Limbosch, et autres, 1968) soulignent l'importance d'un dépistage précoce pour évaluer les habiletés préalables à l'apprentissage. Ce dépistage permet de venir en aide aux élèves avant qu'ils connaissent un échec scolaire. Ce mouvement a aussitôt une grande influence dans les écoles. Dès la maternelle, les intervenants observent ces préalables[1] et les jardinières consacrent de nombreuses heures au développement de ces habiletés. Les commissions scolaires mettent sur pied des « classes d'attente », c'est-à-dire des classes intermédiaires entre la maternelle et la première année, destinées aux élèves qui ont de grandes difficultés à la maternelle et qui sont signalés aux épreuves de dépistage. Les préalables à l'apprentissage occupent une place importante dans l'horaire de ces classes d'attente.

1. Les préalables sont aussi connus sous le terme « prérequis ». Cependant, ce terme est un anglicisme dans le sens de « qualifications préalables, préalable ». Voir Marie-Éva de Villers, *Multidictionnaire des difficultés de la langue française*, Montréal, Québec/Amérique, 1992, p. 997.

À la même époque, lorsqu'en classe l'élève éprouve des difficultés, les facteurs instrumentaux sont fréquemment l'objet d'une évaluation parce qu'on juge qu'ils sont une base importante de l'apprentissage scolaire. Cette évaluation se fait par différentes épreuves. La structuration temporelle, par exemple, est estimée à l'aide des épreuves de rythme de Mira Stamback (citée dans Zazzo, 1979) et l'orientation gauche-droite, avec la batterie de tests de Piaget et Head (cités dans Zazzo, 1979).

Au même moment, des orthopédagogues consacrent une partie du temps de rééducation à consolider ou à développer ces préalables, dans lesquels on reconnaît une base essentielle pour l'apprentissage scolaire. C'est aussi l'âge d'or de la psychomotricité dans les écoles. L'accent est mis sur le dépistage et les préalables, jusqu'à ce que diverses recherches et critiques (Lewis, 1983) les remettent en question. En 1980, dans un document intitulé *Réflexion sur les préalables aux apprentissages scolaires,* le ministère de l'Éducation du Québec fait le point :

> En se référant au contexte scolaire, ne serait-il pas plus juste de parler d'habiletés de base à travailler pour elles-mêmes à l'intérieur d'objectifs de développement avec les enfants qui en ont besoin, sans en faire une étape essentielle aux apprentissages scolaires ? Par exemple, il est important que l'enfant de 5, 6, 7 ou 8 ans qui n'aurait pas apparemment développé un bon schéma corporel, une dominance latérale, ou une maîtrise suffisante des notions spatiales, soit amené à un meilleur niveau de développement à cet égard pour ce que ces acquisitions représentent en elles-mêmes, et non en fonction de bénéfices hypothétiques à en tirer directement pour la lecture. Dans le même ordre d'idées, on évitera d'attribuer l'échec éventuel à l'absence de maîtrise de ces habiletés (p. 12).

Divers chercheurs ont contesté l'importance de ces préalables pour l'apprentissage direct de la lecture, de l'orthographe et des mathématiques. Stanovich (1982, cité dans Lewis, 1983) conclut, à partir d'une revue de la recherche, que les bons et les mauvais lecteurs ne diffèrent pas quant à la façon de traiter l'information visuelle, et que si une telle différence existe, elle compte pour un pourcentage infime de la variance. En outre, Lewis (1983) indique que les fameuses inversions (*b* pour *d*) et transpositions (« rac » pour « car ») sont de pauvres indices de difficultés, et que même de bons lecteurs font de telles erreurs au début de leur apprentissage.

Que penser de tout cela ? « De façon générale, pourquoi ne pas développer ces habiletés préalables au moyen d'un matériel directement relié à l'habileté qu'on veut développer, c'est-à-dire la lecture de mots et de textes signifiants ? » demande le ministère de l'Éducation du Québec (1980, p. 13). Cependant, personne ne niera que le langage est une base importante pour la lecture et qu'il faut une certaine coordination oculomanuelle pour utiliser un crayon ! Toutefois, l'ensemble de ces recherches nous mettent en garde contre le fait d'effectuer une intervention qui soit trop éloignée des objectifs réels de l'apprentissage et qui en retarde la réalisation.

3.3.3 Les approches basées sur le traitement de l'information

Au cours des dernières années, les théories du traitement de l'information ont pris un essor considérable dans les milieux scolaires (Tardif, 1992). Ces théories essaient de décrire comment la mémoire recueille, traite et emmagasine la nouvelle information (Goupil et Lusignan, 1993). En effet, faire des acquisitions consiste à organiser et à structurer de nouvelles connaissances dans sa mémoire.

Les théories du traitement de l'information reconnaissent qu'un apprentissage efficace dépend des capacités que nous avons d'interpréter ce qui nous entoure et de lui donner un sens (Gearheart et Gearheart, 1989). Plusieurs auteurs (Miller et Mercer, 1993a; Swanson, 1994a, 1994b) reconnaissent que les élèves en difficulté d'apprentissage ont des déficits quant à leur capacité de traiter et de mémoriser l'information. Ces élèves auraient, entre autres, des difficultés à mémoriser l'information nécessaire à leur réussite scolaire (Fulk, 1994). Avant de voir comment ces théories influencent la conception des difficultés d'apprentissage, nous ferons un résumé du processus général par lequel on traite l'information.

Le traitement de l'information se déroule par étapes. D'abord, les stimuli qui nous entourent sont perçus par nos sens et sont transmis à notre registre sensoriel, où ils sont conservés durant une très courte période. Si nous portons attention à ces stimuli, l'information est ensuite transmise à la mémoire à court terme. Cependant, cette mémoire a une capacité de rétention réduite (plus ou moins sept items). À la dernière étape, l'information est transmise à la mémoire à long terme, d'où, en cas de besoin, elle peut être retirée pour être de nouveau utilisée.

La mémoire à long terme conserve l'information que nous accumulons jour après jour. La plupart des auteurs distinguent, dans la mémoire à long terme, la mémoire procédurale, qui concerne le savoir-faire, la mémoire sémantique, qui est reliée au langage et à l'organisation des concepts, et la mémoire épisodique, qui retient les souvenirs d'événements, comme une fête de Noël.

Dans la mémoire, les connaissances seraient organisées et reliées entre elles. La mémoire jouant un rôle central dans l'apprentissage, l'utilisation des connaissances antérieures et l'organisation des nouvelles connaissances deviennent primordiales dans ce processus. Plusieurs auteurs se sont donc intéressés aux stratégies qui pourraient faciliter chez les élèves le traitement de l'information. Par stratégies, on entend les façons dont un élève procédera pour percevoir, sélectionner et organiser l'information qui lui est présentée.

Les stratégies facilitent le traitement de l'information ou influent sur l'état affectif et motivationnel de l'élève. Certaines stratégies favorisent la lecture, l'écriture ou encore la réalisation d'opérations mathématiques.

On distingue les stratégies cognitives et les stratégies métacognitives. Les stratégies cognitives facilitent l'acquisition, l'emmagasinage ou l'utilisation de l'information. Ces stratégies sont multiples. Certaines stratégies permettent de mieux mémoriser des séries d'informations, d'autres permettent d'établir de meilleurs liens, d'autres encore permettent de faire des catégories, etc. Pour leur part, les stratégies métacognitives relèvent de la métacognition, c'est-à-dire de la capacité pour un individu de gérer, d'ajuster et de réguler ses actions cognitives dans un apprentissage (Swanson, Christie et Rubadeau, 1993).

Les théories du traitement de l'information jouissent actuellement d'une grande popularité. En effet, de plus en plus d'auteurs reconnaissent que les élèves présentant des difficultés d'apprentissage ont du mal à traiter l'information présentée. Ainsi, selon Gearheart et Gearheart (1989) :

> Les élèves en difficulté d'apprentissage ont des difficultés dans les composantes suivantes reliées à la cognition :
>
> 1. Reconnaître que les stimuli environnementaux peuvent être reliés et qu'ils offrent des indices pour comprendre l'environnement.
> 2. Établir les significations des stimuli en se basant sur la reconnaissance des patrons, les mots, les relations syntaxiques et sémantiques et les situations sociales.
> 3. Associer les signifiants à d'autres, c'est-à-dire organiser, analyser et synthétiser l'information comme préalable à la résolution de problèmes.
> 4. Faire des inférences et décrire les nouvelles significations derrière celles qui sont connues ou associer les stimuli pertinents, c'est-à-dire inférer ce qui détermine la causalité, les conséquences, la création de solutions à des problèmes et prédire les effets de nos comportements sur l'environnement (p. 123 ; traduit par l'auteure).

Saint-Laurent et autres (1995) indiquent que les élèves faibles présentent des stratégies cognitives ou métacognitives déficientes ou inadéquates. Swanson (1994b) postule que les élèves ayant des difficultés d'apprentissage présentent des déficits dans la réalisation de tâches cognitives parce qu'« ils ont moins d'informations disponibles pouvant être intégrées, emmagasinées ou évaluées dans la mémoire de travail » (p. 190 ; traduit par l'auteure).

Stratégies utilisées par le lecteur habile

Avant la lecture

- Je détermine le but de ma lecture.
- Je me demande ce que j'aimerais savoir sur cette histoire.
- Je regarde les images, le titre, les sous-titres.
- En regardant les images et les sous-titres, j'essaie de deviner ce qui pourrait arriver, se passer.
- J'utilise mes questions et mes prédictions comme raisons pour lire l'histoire.
- Je pense à ce à quoi les personnages peuvent bien ressembler.
- Je pense au lieu où se passe l'histoire.

Pendant la lecture

- Je cherche les idées importantes.
- Je m'arrête pour me redire les principaux points que j'ai compris.
- Je prédis ce qui arrivera en repensant aux images et aux titres.
- Je décris les images dans ma tête lorsque c'est vague (embrouillé).
- Je pense à voix haute pour être sûr de bien comprendre.
- Je me pose souvent la question : « Qu'est-ce qui arrivera après ? »
- Je réponds aux questions que je me pose.
- Lorsque je m'aperçois que je comprends mal, je relis quelques parties pour comprendre. Je me dis : « Il vaut mieux que je relise. »
- Je me dis tout haut ce qui est difficile, ce qui n'a pas de bon sens.
- Je vais lire plus loin pour clarifier la partie confuse, peut-être que ça m'aidera.
- Je me redis ce qui est arrivé jusqu'ici pour vérifier si l'histoire a du sens pour moi.
- Je pense à ce que je connais déjà au sujet de… pour m'aider à décider ce qui arrivera après. « C'est comme… Ça ressemble à… »
- Je vérifie si je peux répondre aux questions que je me posais en partant.
- Je vérifie si mes prédictions sont vraies ou fausses. Je me dis : « C'est comme je pensais ! » ou « Ce n'est pas comme je pensais ! »
- Avec des renseignements nouveaux, je me dis : « Il est préférable que je change mon image dans ma tête. »
- Je me dis : « Tiens, c'est un mot nouveau pour moi ! » et je cherche à comprendre le sens, soit en regardant dans le mot pour trouver un petit mot, soit en me référant au contexte, soit en demandant de l'aide à quelqu'un.
- J'utilise la carte sémantique (qui peut remplacer les notes, les soulignés).

Après la lecture

- Je vérifie si j'ai atteint le but que je m'étais fixé.
- Je me redis tous les points importants de l'histoire complète afin de vérifier si j'ai bien compris le tout.
- Je repense à ce qui m'a fait formuler de bonnes ou de mauvaises prédictions.
- Je pense à comment j'aurais agi si j'avais été le personnage principal.

Source : Tiré de Tardif et Couturier (1993, p. 38).

Ce courant de pensée a actuellement une influence importante sur les façons d'évaluer les élèves en difficulté d'apprentissage ou encore d'intervenir auprès d'eux.

3.3.4 Les approches basées sur l'affectivité

L'affectivité est présente dans chacun de nos gestes. Il ne faut donc pas s'étonner que plusieurs auteurs (Bender, 1992; Mannoni, 1986; Mercer, 1991) soulignent l'importance de ce facteur dans l'apparition ou l'évolution des difficultés d'apprentissage. Ainsi, Nimier (1976) indique une relation étroite entre la réussite en mathématiques et l'affectivité. Pour cet auteur, plusieurs échecs en mathématiques ont des causes purement affectives. Fisher, Allen et Kose (1996) rapportent un niveau d'anxiété plus élevé chez les élèves ayant des difficultés d'apprentissage. D'autres auteurs soulignent les problèmes d'estime de soi des élèves ou les problèmes de motivation associés à l'échec scolaire. Si les difficultés d'apprentissage entraînent des réactions affectives chez l'élève, elles ne laissent pas les autres indifférents. Ainsi, les parents peuvent devenir plus tendus à la suite des échecs de leur enfant, les autres élèves sont susceptibles de ne pas vouloir participer avec lui aux travaux scolaires. Et les réactions des autres auront aussi un effet sur l'élève en difficulté... La situation est fort complexe, de sorte qu'il est souvent difficile de déterminer ce qui est la cause et ce qui est l'effet; par exemple, est-ce une motivation déficiente qui entraîne l'échec ou est-ce l'échec qui démotive l'élève? Le débat peut être long. Cependant, on ne peut nier que ces éléments sont reliés entre eux. Nous examinerons ici les liens entre l'échec et les réponses émotives de l'élève, sa motivation et les interactions sociales avec les autres.

A. L'échec: une situation désagréable entraînant des réactions émotives

De manière plus ou moins marquée, les difficultés d'apprentissage nuisent à l'estime de soi. Bender (1992) précise: «[...] la recherche est passablement cohérente lorsqu'elle démontre que les jeunes élèves ayant des difficultés d'apprentissage ont un concept d'eux-mêmes moins bon que celui des autres élèves» (p. 144; traduit par l'auteure). Le concept de soi est l'ensemble des perceptions qu'un individu entretient sur lui-même. Il faut dire ici que plusieurs chercheurs (Avazian, 1987; Rubin, 1978) ont déjà observé une relation significative entre le rendement scolaire et le concept de soi. Cependant, d'autres auteurs (Kohn; Lewis; William et Cole, tous cités dans Fagan, 1980) précisent que la nature de cette relation n'est pas tout à fait claire. De plus, Bender (1992) indique que la situation se modifierait avec l'adolescence, période où les élèves développeraient une meilleure opinion d'eux-mêmes dans les secteurs qui ne sont pas liés aux tâches scolaires.

Pour mieux comprendre les réactions de l'élève en difficulté d'apprentissage, on pourrait comparer l'échec scolaire à une sorte de punition, c'est-à-dire à une forme de stimulation désagréable reçue par l'élève. Or la punition, surtout si elle est répétitive, engendre «normalement» trois réactions négatives principales: la fuite, la colère ou la passivité.

L'élève qui est dans une situation d'échec ne s'absentera pas nécessairement de l'école, mais il pourra trouver toutes sortes de dérivatifs pour fuir cette situation désagréable : faire autre chose que ce qui est demandé, attirer l'attention de ses pairs, etc. Plusieurs élèves démissionnent : « À quoi ça sert… De toute façon, mon bulletin, y est jamais beau ! » nous confiera l'un d'eux. Il faut considérer certaines réactions émotives comme « normales », compte tenu de la situation d'échec dans laquelle se trouve l'élève. Certains élèves éprouvent même, à la suite d'échecs répétés, un blocage face à l'apprentissage. C'est pourquoi il devient si important de miser sur leurs forces et de déterminer avec eux des acquisitions graduées où ils pourront connaître le succès.

B. L'échec : une situation influençant la motivation de l'élève

Selon Archambault et Chouinard (1996), les variables reliées à la motivation exercent une influence déterminante dans l'apprentissage. « Ainsi, plus sont positives les perceptions de l'élève quant à sa capacité à apprendre et quant à la pertinence de l'apprentissage scolaire, plus il s'y engage activement, exerce un contrôle sur son activité cognitive, persiste devant les difficultés et maîtrise ses effets » (p. 118). Cependant, les élèves en difficulté d'apprentissage ont souvent connu de nombreux échecs, ce qui les incite à avoir des croyances négatives quant à leurs capacités. Par conséquent, ils risquent de vouloir éviter certaines tâches ou de croire qu'ils n'ont pas les habiletés nécessaires pour les réussir. Selon Archambault et Chouinard (1996) :

> Cet état d'esprit accroît leurs chances de subir des échecs, renforce l'autoévaluation négative et provoque une détérioration graduelle de l'estime de soi. Il en résulte une augmentation de leurs difficultés scolaires et une altération encore plus grande de leurs systèmes métacognitif et affectif (p. 121).

Ces conceptions des difficultés d'apprentissage ont une incidence sur l'évaluation et sur l'intervention. Ainsi, plusieurs auteurs (Martin, 1994 ; Tardif, 1992) soulignent l'importance de tenir compte des facteurs motivationnels dans l'intervention auprès des élèves.

C. Les réactions émotives de l'élève face aux attitudes de ses pairs et de l'enseignant

L'échec entraîne une dynamique dans le milieu familial, par rapport à soi, de même que par rapport à ses pairs et à l'enseignant. Une recension exhaustive de la recherche (Gresham, 1982) montre que les élèves en difficulté d'apprentissage sont moins souvent choisis par leurs pairs. En effet, les élèves ont tendance à rejeter ceux qui réussissent moins bien ; ils hésitent fréquemment à les accepter dans leur équipe de travail.

Par ailleurs, l'enseignant manifeste aussi des réactions face à l'élève, réactions positives et parfois négatives. Ces réactions sont souvent transmises par des attitudes que l'élève interprétera par rapport à l'image qu'il se fait de lui-même. La situation peut devenir tendue, surtout lorsque les problèmes de comportement s'associent aux difficultés d'apprentissage.

Les situations vécues par l'élève ont souvent un effet les unes sur les autres. Un élève peut vivre dans un foyer où différentes tensions (des querelles entre les parents, des relations parents-enfants difficiles, un contexte de séparation ou de divorce, etc.) le prédisposent moins à l'apprentissage à l'école. L'élève est préoccupé, ses énergies sont mobilisées par les conflits familiaux. Des difficultés peuvent alors apparaître à l'école. Cependant, les difficultés scolaires auront elles-mêmes un effet sur la vie familiale. Mannoni (1979) illustre bien cette dynamique :

> Et, en fait, les désordres scolaires ne sont souvent que la mise en lumière, au niveau de l'école, de difficultés d'ordre affectif constituées antérieurement et ailleurs. Or, le premier milieu d'évolution est la famille. Dans ce face à face parents-enfants, la situation évolue parfois en tensions diverses (dont certaines peuvent être relativement normales), en oppositions plus ou moins heurtées, et prend quelquefois des allures de véritables drames. Surtout lorsque la désadaptation scolaire, consécutive à la dégradation de la situation, s'intègre dans la dialectique du conflit intra-familial et la renforce (p. 12).

3.3.5 Les approches fondées sur l'interaction

Une perspective fondée sur l'interaction devrait inclure diverses dimensions et tenir compte de plusieurs causes comme facteurs pouvant générer des difficultés d'apprentissage. Lorsque les difficultés d'apprentissage sont considérées dans une telle optique, il devient difficile et probablement inutile, selon Lipson et Wixson (1986), de les attribuer à une seule cause.

Plusieurs experts (Adelman, 1992 ; Keogh, 1990) précisent qu'il n'existe pas une cause unique aux difficultés d'apprentissage. Jodoin (1980) a souligné quatre grands ensembles de facteurs responsables : les causes physiques, celles liées au développement intellectuel et émotif, l'inadaptation de l'école et, finalement, le niveau culturel et socioéconomique de la famille. Dans un questionnaire destiné à aider les enseignants à cerner leurs conceptions des difficultés en lecture, Gaouette et Tardif (1986a) proposent aux enseignants d'analyser leur conception des difficultés en lecture selon trois groupes de causes principales : les causes liées au milieu familial, celles concernant l'enfant (les aspects cognitifs et affectifs) et celles relatives au milieu scolaire et à ses aspects pédagogiques. Nous ferons une synthèse des divers ensembles de facteurs qui peuvent, sans être mutuellement exclusifs, influencer l'apparition des difficultés d'apprentissage.

A. Les causes physiques

Les causes physiques peuvent relever de problèmes neurologiques, visuels ou auditifs. Elles peuvent être associées à l'apparition d'un nombre relativement restreint de difficultés d'apprentissage (voir la section 3.3.1). À ces éléments, il faut ajouter l'« état physique » dans lequel est l'élève lorsqu'il arrive le matin à l'école. Celui qui a écouté le dernier film à la télévision, qui a été empêché par le bruit de dormir durant la nuit ou encore qui n'a pas déjeuné est peu prédisposé aux apprentissages scolaires. Dans certains milieux défavorisés, parfois les problèmes ne sont pas reliés

FIGURE 3.1 Pyramide des besoins de Maslow *

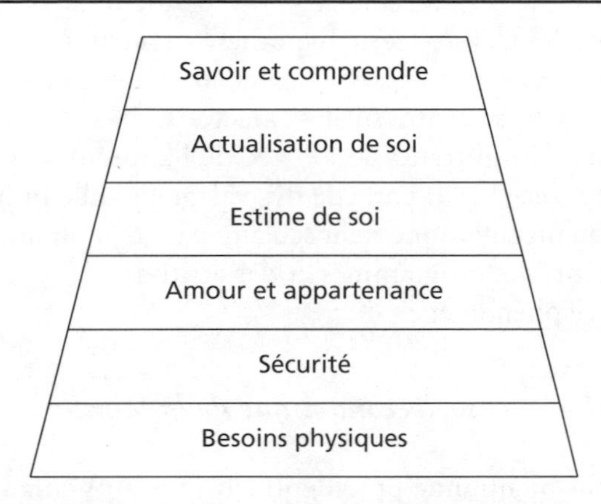

* Abraham Maslow a publié plusieurs articles et volumes sur son système hiérarchique des besoins. Cette pyramide est élaborée à partir d'un important article paru en 1943 dans *The Psychological Review*. Par la suite, Maslow a ajouté d'autres besoins à ce système hiérarchique, comme les besoins esthétiques.

à la motivation à l'apprentissage, mais tout simplement à la faim, les cris de l'estomac attirant davantage l'attention que les explications au tableau. La satisfaction des besoins primaires est essentielle au développement des motivations supérieures. Il s'agit simplement de rappeler ici la célèbre pyramide des besoins de Maslow (voir la figure 3.1).

B. Le développement intellectuel et émotif

Le deuxième ensemble de facteurs comprend les facteurs reliés au développement intellectuel et émotif de l'élève. Plusieurs éléments peuvent être considérés : la mémoire, l'attention, les stratégies cognitives, etc. L'affectivité et l'importance des stratégies en lecture ont déjà fait l'objet de descriptions dans les pages précédentes. Nous invitons le lecteur à les consulter. De plus, celui-ci pourra trouver des renseignements supplémentaires sur les problèmes affectifs dans la troisième section de ce livre.

C. L'école et l'enseignement

Dans une perspective fondée sur l'interaction, on devrait également s'interroger sur le rôle de l'école dans l'étiologie des difficultés. Comment, entre autres, l'école répond-elle aux différences individuelles et jusqu'à quel point l'enseignement est-il collectif? S'adapte-t-elle à la culture des élèves ou adapte-t-elle les élèves à sa culture? Voilà autant de questions qui peuvent faire l'objet d'une réflexion. Il importe aussi de considérer le type de tâche proposée (par exemple son degré de signification) et le type d'enseignement offert par l'école.

« L'échec scolaire est peut-être l'échec de l'école d'abord et avant tout », écrit Jean Gaudreau (1980, p. 99). L'école et sa pédagogie seraient-elles aussi responsables des difficultés des élèves ? Cette hypothèse permettant d'expliquer les difficultés d'apprentissage et l'échec scolaire (Engleman, Granzin et Severson, cités dans Lipson et Wixson, 1986) se centre sur les caractéristiques de l'école et de la pédagogie comme facteurs importants de l'échec de l'apprentissage. Rapportant les termes de Lloyd, Winzer (1993) parle de dyspédagogie. Elle indique que plusieurs chercheurs notent qu'un environnement scolaire pauvre, notamment aux points de vue de l'enseignement, des programmes et des attitudes des parents et des professionnels, engendre ce phénomène.

D. Le niveau culturel et socioéconomique de la famille

Comme nous l'avons mentionné précédemment, certains enfants vivent dans des conditions difficiles qui ne favorisent pas l'entière satisfaction des besoins physiques. Par ailleurs, des enfants bénéficient d'une moins bonne préparation à la culture scolaire que d'autres enfants de milieux plus favorisés. Certains enfants présentent des difficultés importantes de langage, d'autres souffrent d'un contact déficient avec les livres et la lecture sous toutes ses formes. Ces facteurs environnementaux jouent aussi un rôle dans l'étiologie des difficultés.

3.3.6 Une synthèse des différentes approches

Nous avons vu, dans ce chapitre, quelques-unes des principales conceptions proposées pour expliquer les difficultés d'apprentissage. De fait, chacune de ces approches met l'accent sur des facteurs explicatifs plus ou moins différents. Ces facteurs ne sont pas nécessairement en opposition ou mutuellement exclusifs. Le tableau 3.5 présente une synthèse de ces différentes approches.

TABLEAU 3.5 Modèles explicatifs des difficultés d'apprentissage

Approches	Caractéristiques
De type neurologique et médical	Accent mis sur les processus neurophysiologiques et sur le diagnostic
Relevant de déficiences liées au développement intellectuel	Accent mis sur les déficits de l'élève en ce qui concerne les préalables et sur les symptômes de ces déficits
Basées sur le traitement de l'information	Accent mis sur l'interprétation de l'information en relation avec l'apprentissage
Basées sur l'affectivité	Accent mis sur les problèmes émotifs en relation avec les troubles d'apprentissage
Fondées sur l'interaction	Accent mis sur des facteurs multiples en interaction : l'élève, la tâche, l'école et l'enseignement

RÉSUMÉ

Dans le milieu scolaire, divers types de difficultés d'apprentissage attirent l'attention des éducateurs : en langage oral, en lecture, en orthographe et en calligraphie, en mathématiques et d'autres difficultés d'ordre cognitif. Les difficultés en lecture sont particulièrement prises en considération, puisque la lecture sert de base à l'apprentissage de plusieurs autres matières. L'étude des difficultés d'apprentissage a donné lieu, au cours des dernières années, à de nombreux travaux de recherche et à l'élaboration de plusieurs modèles explicatifs. Cette diversité se traduit, dans les milieux éducatifs, par l'utilisation de plusieurs termes différents pour désigner les enfants en difficulté d'apprentissage et par l'application de méthodes variées d'évaluation et d'intervention. De fait, chacune de ces approches met l'accent sur des facteurs explicatifs plus ou moins différents. Ces facteurs, à notre avis, ne sont pas nécessairement en opposition ou mutuellement exclusifs.

QUESTIONS

1. Quelles sont les principales manifestations des difficultés d'apprentissage dans le milieu scolaire ?
2. Comment le ministère de l'Éducation du Québec définit-il un élève ayant une difficulté légère d'apprentissage et un élève ayant une difficulté grave d'apprentissage ?
3. Quelle est l'étymologie des mots suivants : « dyslexie », « dysorthographie », « dyscalculie » et « dysgraphie » ?
4. Comment les approches basées sur le traitement de l'information ont-elles modifié nos conceptions des difficultés d'apprentissage ?
5. Comment les approches fondées sur l'interaction de diverses causes définissent-elles les difficultés d'apprentissage ?

LECTURE SUGGÉRÉE

MERCER, C.D. (1991). *Students with Learning Disabilities* (4e éd.). New York : Macmillan Publishing Company.

L'évaluation des difficultés d'apprentissage

OBJECTIFS

Après avoir lu ce chapitre, le lecteur devrait pouvoir:

- indiquer comment notre conception des difficultés d'apprentissage peut influencer le mode d'évaluation et d'intervention;
- dire quelle est l'utilité d'observer l'élève en difficulté;
- décrire divers outils d'évaluation qu'on peut utiliser avec l'élève en difficulté d'apprentissage;
- décrire comment l'observation des productions d'un élève peut renseigner sur ses acquisitions et sur ses difficultés;
- décrire différentes façons d'analyser les erreurs ou les méprises d'un élève;
- dire quelle est l'utilité du portfolio dans l'évaluation de l'élève en difficulté d'apprentissage;
- décrire quelques évaluations que des professionnels peuvent réaliser auprès de l'élève en difficulté d'apprentissage.

INTRODUCTION

Ce chapitre présente divers modes d'évaluation des difficultés d'apprentissage. Il existe de nombreuses façons d'évaluer les élèves afin, entre autres, d'établir un plan d'intervention personnalisé. De plus, « en vertu des articles 206 et 207 du règlement du régime pédagogique, les commissions scolaires doivent déterminer le niveau de retard (un an ou deux ans) des élèves qui ont des difficultés d'apprentissage légères ou graves » (GRICS, 1991, p. 6).

Dans ce chapitre, nous verrons d'abord qu'il existe de nombreuses façons d'évaluer l'élève en difficulté d'apprentissage. Puis, nous présenterons divers outils d'évaluation — l'observation, les rencontres et les entrevues avec les parents et les élèves, les examens et les tests — qu'on utilise quotidiennement dans les écoles. Ces instruments permettent de cerner divers aspects de la situation, soit les difficultés propres à l'élève, à l'environnement et à la tâche d'apprentissage. Leur utilisation n'est pas réservée uniquement aux élèves en difficulté ; là-dessus, le ministère de l'Éducation du Québec (1984b) précise ceci :

> L'évaluation de l'élève qui éprouve des difficultés en communication écrite ne se fait pas différemment de l'évaluation des autres élèves. Elle doit simplement se faire plus attentivement, de façon plus fréquente et dans des situations variées.
>
> Lorsque la difficulté est plus persistante et s'étend à d'autres apprentissages et au comportement global de l'élève, une évaluation plus complète et plus approfondie peut s'avérer nécessaire.
>
> Il ne faudrait pas par ailleurs négliger l'évaluation de l'environnement scolaire proposé à l'élève, afin que cet environnement ait toujours un effet positif sur ses apprentissages et sur ses comportements (p. 71).

4.1 DES OUTILS D'ÉVALUATION VARIÉS

Au chapitre 3, nous avons vu qu'il existe de nombreuses conceptions relatives aux difficultés d'apprentissage. Les modes d'évaluation des élèves sont également nombreux. Le tableau 4.1 présente quelques outils suggérés par divers auteurs pour évaluer les élèves en difficulté d'apprentissage.

Ce tableau indique qu'il existe de multiples façons d'évaluer les élèves en difficulté. Les méthodes et leur classement varient en fonction des auteurs. Le choix des méthodes peut aussi être influencé par l'objectif de l'évaluation. Ainsi, Bender (1992) indique que, lors d'une discussion sur la situation d'un élève, l'enseignant peut se préparer à cette rencontre en utilisant quelques-uns des outils suivants : des tests de rendement normatifs, des tests critériés sur les comportements à maîtriser, une analyse des principales erreurs commises dans l'apprentissage de la lecture, de l'écriture ou des mathématiques, des exemples des productions de l'élève illustrant ses principales difficultés, des observations des problèmes de comportement, les messages transmis aux parents de l'élève, une information sociométrique, les rapports des autres enseignants sur l'élève, des graphiques de rendement, les objectifs à l'étude, etc. En plus de ces éléments, il ne faudrait pas oublier la description des forces de l'élève.

Dans le cadre de ce chapitre, nous présenterons quelques méthodes d'évaluation qui sont utilisées couramment. D'abord, nous décrirons les méthodes d'évaluation basées sur l'observation, puisqu'il s'agit très souvent de la première étape

TABLEAU 4.1 Outils suggérés par divers auteurs pour évaluer les élèves en difficulté d'apprentissage

Auteur	Mode d'évaluation	Contenu
Winzer (1996)	Médical	– Observation – Examen physique – Évaluation de l'audition – Évaluation de la vision
	Informel	– Observation – Entrevues – Examen du dossier scolaire – Histoire de cas – Inventaires – Échelles – Examens de l'enseignant – Portfolios
	Formel-psychoéducatif	– Mesures du Q.I. – Tests de rendement – Évaluation du fonctionnement auditif-moteur et sensorimoteur – Tests de diagnostic – Mesures du langage
Bender (1992). Cet auteur décrit des méthodes d'évaluation afin d'aider les enseignants à planifier leur enseignement	Tests de rendement normatifs	Comparaison du rendement de l'élève à celui des autres élèves du même âge et de la même année scolaire
	Tests critériés	Comparaison du rendement de l'élève à une liste d'objectifs décrivant les comportements à maîtriser pour acquérir différentes habiletés scolaires
	Curriculum-Based Assessment	Apparenté au mode précédent, mais d'un emploi beaucoup plus fréquent : quotidien ou deux fois par semaine
	Évaluations faites en classe	Analyse de tâche et analyse des erreurs
Barkley (cité dans Sattler, 1994)	Évaluation des processus cognitifs et développementaux	Évaluation des habiletés verbales et linguistiques, des capacités de planification, etc.
	Évaluation des habiletés dans les matières scolaires	Évaluation des habiletés en lecture, en écriture, en mathématiques, etc.
	Demandes de l'environnement	Demandes faites à l'enfant par l'école et la famille
	Réactions des autres	Réactions des enseignants, des parents et des pairs aux échecs de l'élève
	Effets de l'interaction	Interaction de tous ces facteurs
Chouinard et Pion (1995)	Évaluation par des tests	– Tests normatifs : tests d'intelligence, tests d'habiletés générales – Tests critériés
	Entrevues	– Avec l'enseignant – Avec l'élève – Avec les parents
	Observation	– Observation directe en classe – Observation des productions – Auto-observation

permettant à l'enseignant de découvrir les difficultés d'un élève. Par la suite, compte tenu de la fréquence de leur utilisation au Québec, nous présenterons les tests sommatifs des commissions scolaires. Ensuite, nous examinerons certains outils dont dispose l'enseignant et que l'on trouve fréquemment dans les écrits scientifiques sur les élèves en difficulté d'apprentissage, soit le Curriculum-Based Assessment et le portfolio. Puis nous verrons comment l'entrevue avec les parents et l'élève permet à l'enseignant d'obtenir différents renseignements qui lui feront mieux comprendre la situation de l'élève. Enfin, nous nous pencherons sur des évaluations généralement faites par des spécialistes et utilisées couramment avec les élèves en difficulté d'apprentissage, soit les évaluations du fonctionnement intellectuel et les évaluations physiques et sensorielles.

4.2 L'OBSERVATION : UN OUTIL DE BASE

Face à des difficultés d'apprentissage, l'enseignant a le choix parmi de nombreux outils d'évaluation: les examens de la commission scolaire, les divers tests, les grilles de vérification, etc. De tous ces outils, l'observation représente sans doute l'instrument d'évaluation le plus « naturel ». Omniprésente dans le travail de l'enseignant, l'observation guide les gestes quotidiens. Nous examinerons donc les possibilités qu'offre ce moyen pour évaluer les difficultés d'apprentissage.

En général, lorsqu'un enseignant identifie un élève en difficulté, c'est parce qu'il a observé diverses manifestations directement en classe. Nous illustrerons ce fait par deux exemples: celui de Paul en quatrième année et celui de Marie en première année. L'enseignante s'inquiète de la situation de Paul, tout particulièrement en mathématiques. En effet, elle a recueilli plusieurs observations laissant croire que Paul éprouve de sérieuses difficultés dans cette matière. À cette étape de l'année scolaire, selon le bulletin descriptif, Paul devrait maîtriser les tables de multiplication et de division. Il devrait aussi, au moyen de techniques de calcul, pouvoir effectuer les quatre opérations. Or, Paul ne connaît que partiellement l'ensemble des tables. Dans les exercices et les tests, il rate la plupart des multiplications et des divisions. C'est donc à partir de comportements observables et mesurables que l'enseignante découvre les difficultés de Paul. Ces observations sont mises en relation avec l'apprentissage prescrit par le programme d'études et avec les acquisitions de l'ensemble des autres élèves de la classe.

En ce qui concerne Marie, tout au long de l'année, celle-ci a éprouvé des difficultés importantes en français. À la

Témoignages d'élèves ayant vécu des difficultés

Les filles, il me semble qu'elles ont... je ne sais pas. On dirait qu'à l'école, elles ont plus d'expérience que les gars.

*

Moi je suis hyperactif et si je ne bouge pas, il faut que je parle. Et si je bouge, je ne parlerai pas.

*

Tu es dans ta classe, tu es assis, tu te dis je ne parlerai pas, je ne parlerai pas. Mais tu vas t'asseoir tout croche, tu vas te mettre à genoux sur ta chaise.

*

Des fois les élèves te disent: tu ne sais pas lire, va-t'en.

*

Moi, je n'aime pas écrire parce que j'ai mal aux doigts.

*

On étudie super gros et t'arrives en classe et tu hésites comment écrire le mot. Tu te dis: ce n'est pas comme ça. Il est bien écrit et là, tu l'effaces, tu écris un autre mot et lui, il est mal écrit.

Source: Témoignages tirés de Goupil et Comeau (1993, p. 17-18).

fin de l'année scolaire, l'enseignante note que Marie ne marque pas ses phrases d'une majuscule et d'un point. Dans ses textes, elle ne respecte pas l'espace entre les mots. La plupart du temps, elle ne reconnaît pas les mots vus fréquemment (par exemple « bébé », « maman », « papa »). Son écriture est difficilement lisible. Toutes ces observations, jointes à d'autres données et à leur mise en parallèle avec le programme en vigueur, amènent l'enseignante à juger que Marie éprouve des difficultés. Ces dernières sont décelées, en outre, à partir des évaluations et des résultats aux exercices et aux tests effectués en classe.

Dans ces deux exemples, les difficultés sont signalées par rapport à des références précises: le contenu des programmes, la réalisation des objectifs évaluée dans les bulletins et les acquisitions que fait normalement l'ensemble des élèves.

4.2.1 La mise en rapport des observations avec les programmes d'études

Les points de référence que nous venons de mentionner représentent les premiers outils de travail qu'on peut utiliser avec l'élève en difficulté : l'observation en classe et la connaissance opérationnelle des programmes d'études. Deux élèves de sixième année, chez lesquels on a constaté un retard d'un an en mathématiques, peuvent présenter des profils d'apprentissage fort différents. La connaissance des programmes est essentielle pour bien juger des compétences et des divers objectifs d'apprentissage atteints ou non par chaque élève. Cette démarche facilite une évaluation et une intervention plus personnalisées. De plus, depuis plusieurs années, de nombreuses commissions scolaires utilisent le bulletin descriptif. Ce dernier présente une liste d'objectifs d'apprentissage que les élèves doivent atteindre au cours de l'année scolaire. Cette évaluation ne transmet plus seulement une note en pourcentage, mais elle donne des indications sur les objectifs atteints par les élèves.

> Les paramètres inscrits au bulletin descriptif sont des indicateurs d'apprentissage en ce sens qu'ils permettent de situer l'élève à certains points de l'itinéraire scolaire. Ils servent de points de repère aux parents, à l'élève et à l'enseignant. Dans un tel contexte, l'élève n'est plus comparé à son groupe mais est évalué en regard de son développement. Une note globale portant sur une séquence d'apprentissage limitée dans le temps et spécifique à certains aspects d'un programme présente peu d'intérêt à ce stade. On remplace ce résultat global par une information rapide à rédiger pour l'enseignant et facile à comprendre pour les parents, mais plus riche et plus complète que celle qui apparaît généralement sur un bulletin scolaire traditionnel (Lussier, 1984, p. 58).

Les figures 4.1 et 4.2 (p. 76 et 77) présentent deux exemples de bulletins descriptifs, l'un en français pour la première année et l'autre en mathématiques pour la quatrième année. Ces bulletins comportent divers objectifs. Le titulaire évalue chacun des objectifs en fonction d'une échelle (voir la légende des bulletins) indiquant le seuil de réussite atteint durant l'étape évaluée. Ce bulletin permet de suivre l'évolution de l'élève en classe. Bien que cet outil soit conçu pour l'ensemble des élèves, il s'avère fort utile pour suivre la progression d'un élève en difficulté.

FIGURE 4.1 Bulletin descriptif en français, 1re année

Commission scolaire Jacques-Cartier

13, rue Saint-Laurent Est, Longueuil (Québec) J4H 4B7
Tél.: (514) 670-0730 Téléc.: (514) 670-0250

ANNÉE SCOLAIRE ___________

BULLETIN SCOLAIRE
Première année du primaire

NOM DE L'ÉLÈVE
PRÉNOM
CODE PERMANENT GROUPE-REPÈRE
DATE DE NAISSANCE TÉLÉPHONE
ADRESSE

ÉCOLE
ADRESSE

TÉLÉPHONE
DIRECTRICE, DIRECTEUR
ENSEIGNANTE, ENSEIGNANT

☐ PÈRE ☐ MÈRE ☐ TUTRICE, TUTEUR ☐ AUTRES
NOM
TÉLÉPHONE
ADRESSE

FRANÇAIS

	Étape 1re	2e	3e	4e
▲ **En situation d'écriture, votre enfant:**	___	___	___	___
1. reproduit des mots et des phrases d'après un modèle;	___	___	___	___
2. produit des phrases qui sont liées au sujet;	___	___	___	___
3. rédige des phrases bien construites;	___	___	___	___
4. respecte l'orthographe d'usage des mots qu'il écrit fréquemment;	___	___	___	___
5. écrit lisiblement.	___	___	___	___
▲ **En situation de lecture, votre enfant:**	___	___	___	___
6. utilise différents moyens pour lire des mots;	___	___	___	___
7. démontre sa compréhension.	___	___	___	___
▲ **En situation de communication orale, votre enfant:**	___	___	___	___
8. communique ses idées et comprend celles des autres.	___	___	___	___

ÉVALUATION SOMMATIVE: **Écriture :** M+ ☐ M ☐ NM ☐ **Lecture :** M+ ☐ M ☐ NM ☐

M+ maîtrise très bien les habiletés visées;
M maîtrise les habiletés visées;
NM ne maîtrise pas les habiletés visées.

Source: Commission scolaire Jacques-Cartier. Reproduit avec permission.

FIGURE 4.2 Bulletin descriptif en mathématiques, 4e année

Commission scolaire Jacques-Cartier
13, rue Saint-Laurent Est, Longueuil (Québec) J4H 4B7
Tél.: (514) 670-0730 Téléc.: (514) 670-0250

ANNÉE SCOLAIRE ____________

BULLETIN SCOLAIRE
Quatrième année du primaire

NOM DE L'ÉLÈVE
PRÉNOM
CODE PERMANENT — GROUPE-REPÈRE
DATE DE NAISSANCE — TÉLÉPHONE
ADRESSE

ÉCOLE
ADRESSE
TÉLÉPHONE
DIRECTRICE, DIRECTEUR
ENSEIGNANTE, ENSEIGNANT

◯ PÈRE ◯ MÈRE ◯ TUTRICE, TUTEUR ◯ AUTRES
NOM
TÉLÉPHONE
ADRESSE

MATHÉMATIQUE

	Étape 1re	2e	3e	4e
▲ **À partir de situations variées, votre enfant développe des habiletés mathématiques.**				
1. Il apprend **à résoudre des problèmes** dans les domaines du nombre, de la géométrie et de la mesure.				
2. Il apprend à **structurer, opérer, mathématiser** dans les domaines				
2.1 du **nombre:** – il compose et décompose un nombre; – il effectue des opérations;				
2.2 des **fractions:** – il aborde la notion de fraction;				
2.3 de la **géométrie** et de la **mesure:** – il décrit certaines caractéristiques des solides et des figures planes; – il mesure des longueurs, des surfaces et des volumes, construit des figures et effectue des transformations géométriques; – il établit des relations entre les différentes unités du système métrique.				

ÉVALUATION SOMMATIVE: M^+ ◯ M ◯ NM ◯

M^+ maîtrise très bien les habiletés visées;
M maîtrise les habiletés visées;
NM ne maîtrise pas les habiletés visées.

Source: Commission scolaire Jacques-Cartier. Reproduit avec permission.

4.2.2 La mise en contexte des observations

L'élève en difficulté d'apprentissage vit une situation où de nombreuses composantes entrent en jeu : les situations d'apprentissage planifiées par l'enseignant, les exigences pédagogiques et les aspects sociaux à l'intérieur de la classe. L'élève réagit non seulement à la situation d'apprentissage proposée, mais aussi à l'environnement pédagogique, de même qu'au comportement de l'enseignant et de ses pairs. C'est donc dire que l'observation de l'élève ne saurait se limiter à ses réactions immédiates ; elle doit également tenir compte du contexte dans lequel ces dernières se produisent. Saint-Laurent et autres (1995) recommandent d'observer l'élève dans des situations d'apprentissage authentiques, dans divers contextes et à différents moments. La mise en relation de tous ces éléments permet d'élaborer des solutions plus réalistes. Par exemple, l'enseignant peut noter les comportements de l'élève en fonction de la modalité de travail (seul ou en équipe). Il peut établir des liens entre la qualité de l'attention et la longueur de la tâche présentée. L'observation de la tâche d'apprentissage est aussi un élément important : l'opération qu'exige cette tâche (faire un résumé, répondre à des questions, etc.), les choses que doit faire l'élève pour l'accomplir. De multiples éléments peuvent faire l'objet d'observations.

Lorsqu'on entreprend l'observation d'une situation, il est souvent utile de recourir à des questions-guides qui permettront de mieux rendre compte de l'ensemble des faits qui se déroulent. Diverses questions peuvent alors faciliter la collecte de l'information. Ainsi, l'enseignant pourra noter la façon dont l'élève commence un travail. A-t-il besoin de consignes ou d'explications répétées ? Est-il distrait au moindre bruit ? De même, l'enseignant pourra consigner les exercices suscitant le plus d'intérêt.

Lorsqu'on veut intervenir auprès d'un élève qui a des difficultés, il est important de recueillir des renseignements sur ses méthodes de travail dans des situations réelles. Les écrits scientifiques présentent de nombreuses grilles destinées à observer l'élève dans une tâche spécifique : la lecture, l'écriture, la résolution de problèmes, etc. Vu l'importance qu'on accorde actuellement aux stratégies d'apprentissage, plusieurs de ces grilles incluent l'observation des façons de procéder de l'élève. Par exemple, pour recueillir des renseignements sur le processus d'écriture, la Société de gestion du réseau informatique des commissions scolaires (GRICS) a élaboré plusieurs grilles d'observation. La figure 4.3 offre un exemple de ces grilles.

En écriture ou en mathématiques, il est donc possible de réaliser différentes observations qui permettront de mieux comprendre les stratégies qu'utilise l'élève.

4.2.3 L'observation des productions et leur analyse

A. *La mise en contexte des productions*

Lorsque l'élève fait un exercice, qu'il s'agisse d'un travail à propos d'un texte en français ou de la résolution de problèmes en mathématiques, il en résulte une production qui demeure. En classe, il arrive que l'enseignant soit fortement sollicité par l'ensemble des élèves. Il n'a pas toujours la disponibilité nécessaire pour se consacrer

FIGURE 4.3 Processus d'écriture : observation de l'élève en classe

SYNTHÈSE DES RENSEIGNEMENTS

Nom : **Classe :**

Situation	Date	Intention	Lecteur ou lectrice	Soutien
1.				
2.				
3.				
4.				

Étapes	Stratégies pertinentes	Stratégies non pertinentes
Mise en situation	L'élève… … écoute l'enseignant ou l'enseignante ou les autres élèves. … émet une opinion. … fait des suggestions. … pose des questions.	L'élève… … commence la rédaction de son texte. … s'amuse pendant cette étape. … note les consignes ou les mots qui sont au tableau pendant que les autres discutent.
Planification	L'élève… … note ses idées de lui-même ou d'elle-même. ou … utilise l'outil de planification que l'enseignant ou l'enseignante lui a remis. ou … se concentre sur la recherche d'idées sans les noter. … se réfère ou à un livre ou à d'autres sources d'information pour trouver des idées.	L'élève… … commence à rédiger son texte immédiatement après la mise en situation. … s'amuse pendant cette étape. … consulte un dictionnaire.
Rédaction du brouillon	L'élève… … relit son texte. … relit le projet ou les consignes. … relit ce qu'il ou elle a noté au moment de la planification. … ajoute un mot ou une phrase. … raye un mot ou une phrase.	L'élève… … efface souvent. … consulte un dictionnaire. … compte ses mots.
Révision	L'élève… … lit la grille de révision. … relit son texte plusieurs fois. … consulte le dictionnaire ou la grammaire. … corrige son texte. … consulte ses outils de référence personnels (cahiers, affiches, etc.). … demande de l'aide pour orthographier correctement un mot difficile. … avant de modifier son texte, demande l'avis d'un ami ou d'une amie.	L'élève… … n'utilise pas la grille de révision. … relit son texte une seule fois.

Source : GRICS (1995a, s. p.).

à de longues observations. Les productions de l'élève deviennent alors une source importante d'information, car elles peuvent se prêter à une observation et à une analyse après que la classe est terminée.

Cependant, avant de procéder à l'analyse de la production, il importe de déterminer la nature de la tâche qui a été demandée à l'élève. Quelle a été la mise en situation ? Cette tâche a-t-elle suscité de l'intérêt ? Quelles en étaient les exigences ? Ces données préliminaires sont souvent essentielles lors de l'analyse et de l'interprétation des productions. Il existe d'ailleurs plusieurs façons d'analyser celles-ci.

Les observations devront être réalisées à partir de quelques productions. Ainsi, en ce qui concerne les difficultés en écriture, la GRICS suggère d'analyser au moins

FIGURE 4.4 Analyse des textes de l'élève : déterminer les acquis et les difficultés

GRILLE, CLASSES DE 5e ET 6e ANNÉE

Nom : Classe :

Situation	Date	Intention	Lecteur ou lectrice	Soutien
1.				
2.				
3.				
4.				

Éléments	Acquis	Difficultés
1. Le texte respecte l'intention d'écriture, le sujet et le lecteur ou la lectrice.		
2. Le texte est structuré de façon cohérente.		
3. Les phrases sont bien construites (ordre des mots, mots de relation).		
4. Les phrases sont ponctuées adéquatement. (M . ? ! , : « » –)		
5. Les expressions et les mots sont appropriés, variés et corrects.		
6. Les mots usuels sont écrits correctement.		
7. Les déterminants, les noms, les adjectifs, les participes passés sans auxiliaire, les pronoms et les attributs sont écrits correctement.		
8. Les verbes sont écrits correctement.		
Objectifs :	Activités prévues :	

Source : GRICS (1995b, p. 12).

trois textes afin d'obtenir des données fiables. Cet organisme a élaboré différentes grilles pour analyser les textes des élèves. La figure 4.4 illustre l'une de ces grilles, soit la grille élaborée pour des classes de cinquième et de sixième année.

B. *L'analyse des erreurs ou des méprises*

L'analyse des erreurs peut nous renseigner sur les types de stratégies et les façons de procéder des élèves au cours de leur apprentissage. Au fil des ans et en fonction de leurs conceptions des difficultés, des spécialistes en français ou en mathématiques ont proposé diverses façons de classifier les erreurs. Pour l'orthographe, Farid (1983) suggère une typologie où l'on trouve les catégories d'erreurs suivantes : (1) les erreurs de phonétique ou d'acoustique ; (2) les erreurs liées aux signes auxiliaires (les accents, la cédille, le trait d'union, etc.) ; (3) les erreurs d'usage ou lexicales (« doner » au lieu de « donner ») ; (4) les erreurs de grammaire (un accord incorrect, par exemple) ; (5) les erreurs de sémantique (l'élève remplace l'expression sonore par une autre qui s'en rapproche) ; (6) les erreurs d'écriture (des lettres mal formées) ; (7) les erreurs d'interférence de la situation orale avec la situation d'écriture ; (8) les erreurs de confusion de la langue parlée avec la langue écrite (l'élève prononce « ma mére » et l'écrit ainsi) ; (9) les erreurs sémantico-grammaticales (l'élève écrit « beaucoup de mondes » parce que « beaucoup » lui suggère la marque du pluriel). Le tableau 4.2 présente les catégories utilisées par cet auteur. Nous vous invitons à observer ce mode de classification.

Pour ce qui est de l'analyse des erreurs en lecture, Giasson (1995) propose de choisir un texte correspondant au niveau de lecture de l'élève ou légèrement difficile pour lui. Ainsi, elle écrit :

TABLEAU 4.2 Classification des erreurs selon Farid

Catégories utilisées	Exemples
1. Erreurs phonétiques ou acoustiques	« sien » au lieu de « chien »
2. Erreurs liées aux signes auxiliaires	Erreurs liées aux accents
3. Erreurs d'usage ou lexicales	« chente » au lieu de « chante »
4. Erreurs de grammaire	« les chat » pour « les chats »
5. Erreurs sémantiques	L'élève écrit « fer » au lieu de « faire »
6. Erreurs d'écriture	Lettres mal formées
7. Erreurs d'interférence de la situation orale avec la situation d'écriture	L'élève écrit « Pierre m'écoutes » au lieu de « Pierre m'écoute » parce qu'il pense « Pierre, tu m'écoutes »
8. Erreurs de confusion de la langue parlée avec la langue écrite	L'élève prononce « bége » au lieu de « beige »
9. Erreurs sémantico-grammaticales	« il y a beaucoup de mondes » au lieu de « il y a beaucoup de monde »

Source : Inspiré de Farid (1983).

> L'analyse des méprises permet de voir comment le lecteur utilise dans ses lectures les indices sémantiques, syntaxiques et visuels. Les méprises révèlent quel poids le lecteur accorde à chacun de ces indices. Par exemple, un lecteur qui lit « Il était une fois » au lieu de « Il y avait une fois » montre qu'il a compris le sens de la phrase. Par contre, un lecteur qui lit « Il a une belle montrer » au lieu de « Il a une belle montre » manifeste qu'il se préoccupe plus des indices visuels que du sens de la phrase. L'analyse des méprises permet aussi de constater quelles sont les capacités d'autocorrection du lecteur (p. 306).

La façon de procéder peut être, par exemple, la suivante. L'enseignant demande à l'élève de lire un texte. Sur une copie de ce texte, l'enseignant indique si le mot est lu correctement ou quelle est l'erreur commise. Après la lecture, l'enseignant demande à l'élève ce qu'il se rappelle du texte en lui posant des questions sur l'histoire. Giasson (1995) propose d'utiliser une grille d'analyse de ces méprises. Elle suggère également des grilles pour analyser quantitativement et qualitativement le rappel de l'histoire. La figure 4.5 présente un exemple de grille proposée par Giasson.

En mathématiques, l'analyse des erreurs ou des méprises peut aussi se révéler importante. Ainsi :

> [Dans] la plupart des cas, l'erreur n'est pas gratuite, mais plutôt le produit logique et cohérent de la pensée du sujet, de son bagage de connaissances qui n'est pas encore adapté à une situation nouvelle. Dans cette perspective, on a tout intérêt à reconnaître dans l'erreur une source précieuse de renseignements sur les processus de pensée du sujet qui apprend, source dont on peut profiter pour mieux comprendre ces processus (Simard, dans Saint-Laurent et autres, 1995, p. 194).

Les éléments corrects et les erreurs informent l'enseignant sur les objectifs d'apprentissage atteints ou non par un élève. Il est important non seulement de relever les erreurs, mais aussi d'essayer de trouver dans chaque production ce qui est correct. En effet, l'élève en difficulté a encore plus besoin que les autres d'être encouragé. C'est à partir de ce qui est positif qu'il est possible de le faire. Une analyse détaillée des productions, mise en relation avec les caractéristiques de la tâche demandée et le contexte dans lequel elle a été réalisée, permet d'obtenir de l'information sur ce qui est acquis ou non et facilite ainsi la planification de l'intervention. De plus, Pike et Salend (1995) indiquent qu'il est important de faire participer les élèves à ce processus d'analyse. Ces auteurs suggèrent qu'à la suite de l'analyse des erreurs on interroge les élèves sur les stratégies qu'ils ont utilisées. Puis, Pike et Salend proposent, si cela s'avère nécessaire, de montrer à l'élève une nouvelle stratégie et d'en évaluer les effets.

4.3 Les tests des commissions scolaires et les instruments de la GRICS

Les commissions scolaires utilisent des épreuves de type sommatif pour déterminer le retard des élèves en lecture, en écriture ou en mathématiques. L'étude de Goupil, Comeau, Doré et Filion (1995) révèle que les instruments que les orthopédagogues québécois utilisent le plus souvent lors de l'évaluation des élèves sont des épreuves construites par les commissions scolaires. L'étude de Doyon (1994) confirme ces données. De plus, une étude de la Société de gestion du réseau informatique des commissions scolaires (GRICS, 1991) indique que les épreuves utilisées pour

FIGURE 4.5 Grille d'analyse des méprises

Nom : ____________________ **Date :** ____________________

Niveau scolaire : ____________________ **Enseignant :** ____________________

Texte lu : ____

____

1. Quel est le pourcentage des phrases qui ont du sens telles qu'elles sont lues ?

   Nombre de phrases acceptables sur le plan sémantique ____________

   Nombre de phrases inacceptables sur le plan sémantique ____________

   $$\text{Pourcentage de compréhension} = \frac{\text{nombre de phrases acceptables sur le plan sémantique}}{\text{nombre total de phrases lues}} \times 100$$

   Total ________

	Jamais	Parfois	Souvent	Très souvent	Toujours
2. De quelle façon le lecteur construit-il la signification du texte ?					
A) Il s'aperçoit qu'une méprise a changé le sens de la phrase.	1	2	3	4	5
B) Il fait des substitutions logiques.	1	2	3	4	5
C) Il corrige spontanément les méprises qui changent le sens.	1	2	3	4	5
D) Il utilise les illustrations et les autres indices visuels.	1	2	3	4	5
3. De quelle façon le lecteur modifie-t-il le sens ?					
A) Il fait des substitutions qui n'ont pas de sens.	1	2	3	4	5
B) Il fait des omissions qui modifient le sens de la phrase.	1	2	3	4	5
C) Il se fie trop aux indices graphiques.	1	2	3	4	5

	Non	En partie	Oui
4. Dans les textes narratifs, le lecteur décrit les éléments suivants :			
A) Personnages	1	2	3
B) Lieu ou temps	1	2	3
C) Événement déclencheur	1	2	3
D) Tentatives des personnages	1	2	3
E) Résolution du problème	1	2	3
F) Ensemble de l'histoire	1	2	3
Dans les textes informatifs, le lecteur donne les éléments suivants :			
A) Concepts importants	1	2	3
B) Généralisations	1	2	3
C) Informations particulières	1	2	3
D) Structure logique	1	2	3
E) Ensemble du texte	1	2	3

Source : Adapté de Rhodes (1990) et tiré de Giasson (1995, p. 308).

mesurer le degré de retard pédagogique sont extrêmement variées. Ainsi, les résultats de cette étude montrent que plus de 158 épreuves sont utilisées dans 43 commissions scolaires pour juger du degré de retard des élèves qui ont des difficultés graves ou légères d'apprentissage.

Afin de permettre un meilleur accès aux épreuves élaborées par les commissions scolaires, depuis quelques années, plusieurs d'entre elles ont participé à la création d'une Banque d'instruments de mesure (BIM). Ce projet a vu le jour à la Direction de l'évaluation pédagogique du ministère de l'Éducation. La BIM, actuellement gérée par la Société de gestion du réseau informatique des commissions scolaires, est accessible par informatique aux organismes qui y sont abonnés. Cette banque propose un contenu réparti selon des items et des instruments de mesure pour le primaire et pour le secondaire dans diverses matières (français, mathématiques, anglais langue seconde, écologie, géographie, etc.).

> Les items se répartissent en deux grandes catégories selon qu'ils portent sur les objectifs terminaux ou intermédiaires. Les items portant sur les objectifs terminaux se rapportent surtout aux orientations des programmes d'études. Ils servent habituellement à dresser le bilan des apprentissages à la fin d'une étape ou d'une année. Les items se rattachant aux objectifs intermédiaires ont davantage un rôle diagnostique. Ils servent à cerner les difficultés que peut rencontrer un élève en cours d'apprentissage (Fréchette et Juneau, 1986, p. 41).

Les instruments incluent des examens-synthèses et des instruments d'observation. Le contenu de la banque, qui est conforme aux programmes, a été soumis à une validation de contenu, à une vérification docimologique et à des expérimentations auprès d'élèves pour déterminer la valeur métrologique des instruments. Le recours à cette banque permet la sélection d'items pertinents susceptibles de faciliter l'évaluation des acquisitions des élèves. En 1995, la GRICS a mis au point une série d'outils pour évaluer les compétences en écriture chez les élèves faibles en expression écrite. On trouve des instruments d'évaluation pour établir le profil d'un scripteur et déterminer si l'élève a besoin de services en matière d'adaptation scolaire. D'autres outils permettent de cerner les forces et les faiblesses de l'élève en écriture, d'évaluer sa motivation face à la tâche d'écriture et ses stratégies d'écriture. Il existe aussi des guides pour l'observation de l'élève en classe, des entrevues et l'analyse des textes.

4.4 LE CURRICULUM-BASED ASSESSMENT

Le Curriculum-Based Assessment (CBA) est une méthode qui permet de comparer, au moyen de mesures fréquentes, le degré de maîtrise de l'élève au contenu d'un programme scolaire. Selon Lerner (1993), le CBA offre une solution de rechange à l'évaluation normative, car cette méthode d'évaluation, qui est basée sur les programmes scolaires, est reliée directement à l'enseignement. Cette forme d'évaluation peut facilement être associée aux objectifs que poursuit le plan d'intervention. Elle requiert cependant des mesures fréquentes. Ainsi, certains auteurs recommandent d'utiliser cette forme d'évaluation quotidiennement ou encore deux fois par semaine (Bender, 1992).

Le matériel utilisé dans cette forme d'évaluation provient du matériel utilisé en classe pour réaliser l'enseignement (Lerner, 1993). Par exemple, si l'élève apprend à épeler certains mots, ce sera son rendement quant à ce contenu qui sera évalué. Les résultats de l'évaluation sont, en général, portés sur des graphiques qui permettent de suivre la progression de l'élève.

4.5 Le portfolio

4.5.1 Origine et définition du portfolio

Les artistes, les architectes et les mannequins consignent dans une pochette ou un dossier des photographies, des échantillons de plans, des exemples de leurs œuvres afin de sensibiliser leurs employeurs à leurs réalisations et à leur potentiel. On appelle ce document « portfolio ». Les milieux scolaires ont repris cette idée afin de permettre aux élèves de recueillir leurs productions et d'en faire par la suite l'évaluation.

Tierney, Carter et Desai (1991) définissent ainsi le portfolio :

> Les portfolios sont des collections systématiques réalisées par les élèves et les enseignants. Ils servent de base pour examiner l'effort, l'amélioration des processus et le rendement aussi bien que pour se conformer aux demandes habituellement effectuées par des normes plus formelles d'évaluation (p. 41 ; traduit par l'auteure).

4.5.2 Les principes d'évaluation à la base du portfolio

Pour Paris et Ayres (1994), l'apprentissage doit être autorégulé. Par conséquent, l'évaluation doit être centrée sur l'élève qui apprend. Elle doit mettre en relief des acquisitions significatives pour l'élève, susciter sa motivation et démontrer sa progression sur le plan individuel. L'évaluation doit aussi être appropriée au programme enseigné dans la classe et refléter les progrès de l'élève dans ce programme. De plus, elle doit rendre compte non seulement des connaissances de l'élève, mais aussi de ses attitudes et de ses réactions face aux acquisitions. Le portfolio semble pouvoir rejoindre plusieurs de ces principes qui permettent de mieux cerner l'évaluation de chaque élève.

Selon Carpenter, Ray et Bloom (1995), le portfolio devrait permettre de recueillir de l'information à la fois sur le développement affectif et cognitif de l'élève. Il devrait encourager la réflexion de celui-ci sur son travail scolaire et faciliter les échanges entre l'enseignant et lui.

4.5.3 Utilisation et contenu du portfolio

On peut utiliser le portfolio de la maternelle à l'université. Son contenu peut aussi être fort diversifié ; on peut y trouver des travaux scolaires, des réflexions sur ces travaux, des évaluations de la part des enseignants ou des parents, des échantillons des meilleurs travaux de l'élève, des autoévaluations, des observations, des résumés de lectures, des entrevues métacognitives[1], des bandes audio ou vidéo, etc. (Carpenter et autres, 1995).

Voici quelques exemples d'éléments que Wesson et King (1996) incluent dans un portfolio concernant l'enseignement de la langue : une bande audio donnant un échantillon de lecture orale de l'élève, une liste de vérification des habiletés maîtrisées, une description des livres lus durant l'année avec l'appréciation de l'élève sur chacun de ces livres, des compositions de l'élève (pouvant comprendre les divers brouillons ou versions de ces compositions), des photos de la réalisation d'un projet, des bandes vidéo, les commentaires ou les observations de l'enseignant, un graphique illustrant les progrès de l'élève, et ainsi de suite.

4.5.4 Le rôle de l'enseignant

Le portfolio n'est pas un amas de travaux divers inclus dans une pochette au fur et à mesure qu'ils sont réalisés. L'enseignant a un rôle extrêmement important à jouer pour orienter les élèves dans l'élaboration de leurs portfolios. Wesson et King (1996) proposent certains principes d'organisation du portfolio. Premièrement, l'enseignant et l'élève doivent participer ensemble à l'élaboration du portfolio et toutes les productions faites en classe ne doivent pas être automatiquement incluses dans ce document. Deuxièmement, il faut utiliser plusieurs sources d'information afin de bien refléter le rendement et le développement de l'élève. Troisièmement, le portfolio doit être structuré par domaines (par exemple le français, les mathématiques, les habiletés sociales, etc.) et en fonction du déroulement des activités. Enfin, le portfolio doit être facilement accessible aux enseignants et aux élèves.

Le portfolio permet également d'élargir le champ de l'apprentissage au lieu de faire porter l'évaluation sur une partie restreinte des acquisitions. Il présente toutefois quelques difficultés : le temps requis pour son élaboration et le choix des critères utilisés lors de l'évaluation. De plus, les enseignants doivent mettre au point un système d'enregistrement des données recueillies.

4.5.5 Le rôle des élèves

Selon Goupil et Lusignan (1993), la constitution d'un portfolio suppose de la part des élèves de la réflexion, des comparaisons, une autoappréciation, du jugement et des décisions. Pour Paris et Ayres (1994), les élèves ont d'abord la responsabilité de décider de ce qu'ils incluront dans le portfolio. Sélectionner ses productions oblige l'élève à considérer son travail dans une nouvelle perspective et à procéder nécessairement à un

1. Giasson (citée dans Saint-Laurent et autres, 1995) définit ainsi l'entrevue métacognitive : « L'entrevue métacognitive est utile pour connaître la conception que l'élève se fait de la lecture ainsi que de ses forces et ses faiblesses. Les connaissances métacognitives s'évaluent habituellement à l'aide d'une entrevue ou d'un questionnaire » (p. 117).

processus d'évaluation. Cependant, toujours selon Paris et Ayres, il faut souvent guider l'élève en lui fournissant entre autres des feuilles-guides qui l'aideront à opérer cette sélection. Le portfolio étant organisé selon la chronologie, il amène l'élève à réviser ses progrès. Cette révision peut se faire avec les parents, avec l'enseignant ou même avec d'autres élèves. De même, après avoir révisé l'ensemble de son portfolio, l'élève peut résumer ses réactions. Les autres personnes peuvent faire la même chose. Des feuilles-guides facilitent ce travail.

4.5.6 Les avantages pour les élèves en difficulté

Selon Wesson et King (1996), le portfolio présente de nombreux avantages pour les élèves en difficulté. Il permet de suivre les progrès d'un élève tout au long de l'année scolaire. Il est centré sur l'évaluation formative et donne à l'élève une occasion unique de juger de ses progrès et d'assurer sa responsabilisation au cours de son apprentissage.

Afin de mieux établir les liens entre le portfolio et le plan d'intervention, Swicegood (1994) suggère d'abord à l'enseignant de s'assurer que les objectifs du plan d'intervention sont observables et mesurables, et qu'ils incluent des objectifs portant autant sur les contenus d'apprentissage que sur les stratégies ou les processus affectifs et cognitifs. L'auteur recommande qu'avec les membres de l'équipe d'intervention l'enseignant recueille des productions qui illustreront la progression de l'élève. Il propose également de laisser l'élève se responsabiliser lors de l'élaboration de son portfolio et de maximiser le plus possible les rencontres avec l'élève. En outre, Swicegood suggère que l'élève écrive régulièrement un résumé d'une page sur le contenu du portfolio afin de réfléchir sur ce contenu et de faciliter les échanges de l'élève avec ses parents.

4.6 LES ENTREVUES

4.6.1 L'entrevue avec l'élève

L'élève est le premier intéressé par ses difficultés ; ses parents sont également préoccupés par ce qui lui arrive. Lorsqu'un élève présente des problèmes, il est souhaitable de le rencontrer pour connaître sa perception de la situation et obtenir des renseignements sur les stratégies qu'il utilise au cours de son apprentissage. Il est important de placer cette rencontre dans le cadre d'une relation positive.

Dans un guide d'entrevue avec l'élève, le ministère de l'Éducation du Québec (1982b) recommande d'aborder les sujets suivants : les aspects positifs de la situation de l'élève, l'existence des difficultés et les moyens d'améliorer sa situation. La conversation avec l'élève doit se faire d'après les données les plus concrètes possible. Les jugements et les opinions doivent être évités. Par ailleurs, il faut tenter de connaître la perception de l'élève au regard de ses difficultés, de sa situation et des exigences scolaires. Pike et Salend (1995) proposent des questions qui permettent de mieux cerner les difficultés de l'élève. Par exemple, avec un élève ayant des difficultés en lecture, les auteurs suggèrent les questions suivantes :

« Quelles sont les choses que tu fais bien lorsque tu lis ?

Est-ce qu'il y a des choses en lecture qui te posent des problèmes ?

Comment ta lecture s'améliore-t-elle ?

Qu'est-ce que tu aimerais améliorer en lecture ? » (p. 17 ; traduit par l'auteure)

Pike et Salend proposent aussi d'utiliser la réflexion parlée ou verbalisée (*think-aloud*), une méthode d'évaluation basée sur la verbalisation des pensées d'un élève au sujet de la façon dont il réalise une tâche scolaire. Cette méthode permet à l'élève de prendre mieux conscience de ses stratégies alors qu'elle permet à l'enseignant d'obtenir plus d'information pour intervenir auprès de l'élève. Cependant, cette méthode requiert un entraînement car les élèves ne l'emploient pas spontanément. Il est alors souhaitable que l'enseignant recoure au modelage, c'est-à-dire qu'il se donne en exemple en utilisant lui-même la réflexion parlée (Pike et Salend, 1995). L'entrevue avec l'élève est, pour l'enseignant, un moment important qui lui permet de mieux comprendre ses attitudes, sa motivation ou encore ses intérêts face à l'apprentissage.

4.6.2 L'entrevue avec les parents de l'élève

L'entrevue avec les parents est aussi importante. Les parents ont une influence sur le rendement de leur enfant à l'école et ils représentent une ressource majeure (Noel Dowds, Hess et Nickels, 1996). Lorsque les parents sont convoqués, il faut éviter de les culpabiliser en leur donnant l'impression qu'ils sont responsables des difficultés de leur enfant. Il est bon d'amorcer la conversation en faisant état des aspects positifs de la situation de leur enfant. De plus, il s'avère important de fixer clairement les objectifs de cette entrevue, d'être positif et de discuter des points forts et des points faibles de l'enfant à partir de situations concrètes. Les jugements sont parfois très culpabilisants et risquent de susciter des images éloignées de la réalité. Afin de mieux illustrer la situation de leur enfant, il peut être bon de recourir à des exemples à l'aide de ses productions. Les parents peuvent d'ailleurs apporter à la maison un échantillon du travail de leur enfant ; cela permet de poursuivre la discussion en ayant recours à un élément concret. Lors de cette rencontre, il peut être bon de voir avec les parents (en usant de tout le tact nécessaire) si l'élève vit une situation plus difficile que d'habitude : un stress, une maladie, un événement pénible, etc. Les années de scolarité antérieures peuvent aussi apporter des éléments éclairant la situation : les types d'écoles ou de classes fréquentés, l'aide reçue, les déménagements, etc.

Les devoirs et les leçons peuvent être un sujet difficile entre l'élève en difficulté d'apprentissage et ses parents. Une étude de Goupil, Comeau, Coallier et Doré (1996) indique que plusieurs parents d'élèves en difficulté d'apprentissage se disent préoccupés par cette question. Lors de l'entrevue avec les parents, il peut être souhaitable de leur demander s'ils désirent parler de cette question. S'il y a des problèmes, il peut être utile de voir quels sont les besoins des parents et quelles suggestions leur viendraient en aide. Il existe d'ailleurs des guides (Doyon et Archambault, 1988 ; Hébert et Potvin, 1993) pouvant donner une information utile aux parents.

Le point central de l'entrevue avec les parents demeure la recherche d'objectifs d'intervention et de solutions qui répondent le mieux aux besoins de l'élève. Par la suite, lorsque l'élève s'améliore, il importe de souligner ce fait aux parents. Sinon, ces derniers risquent d'avoir l'impression que l'école communique avec eux uniquement lorsque les choses vont mal. Un mot d'encouragement permet de soutenir les parents et l'élève dans leurs efforts. Le chapitre 13 présente différentes stratégies d'entrevues avec les parents.

4.7 Autres évaluations utiles

Les moyens que nous venons d'examiner peuvent être utilisés par l'enseignant ou l'orthopédagogue. Toutefois, comme nous l'avons vu au chapitre 3, la situation de l'élève en difficulté est parfois très complexe. De plus, certains élèves connaissent des conditions très difficiles. Dans certaines situations, il peut s'avérer nécessaire ou urgent de recourir à d'autres évaluations beaucoup plus spécialisées. Certains élèves ont besoin d'une aide psychologique ou médicale et certaines familles requièrent une aide sociale. L'évaluation doit donc, à l'occasion, être complétée par d'autres spécialistes qui travailleront, lorsqu'il le faudra, en collaboration avec l'enseignant. Nous verrons maintenant deux types d'évaluation plus spécialisés.

4.7.1 Les évaluations cognitives

A. *L'évaluation du quotient intellectuel à l'aide des échelles de Wechsler*

Plusieurs élèves qui ont des difficultés d'apprentissage sont soumis à des tests d'intelligence qui permettent de mieux connaître leur fonctionnement cognitif. Les psychologues font passer ces tests, puis ils transmettent leurs conclusions aux personnes intéressées (par exemple les parents, l'élève et l'enseignant). Parmi les tests en usage au Québec, citons les échelles de Wechsler, les épreuves individuelles d'habileté mentale de Chevrier et le Stanford-Binet. Cependant, les tests les plus utilisés semblent être les échelles de Wechsler (Coutu, Goupil et Ouellet, 1993). Nous donnerons ici un aperçu de ce type d'instrument en décrivant l'une de ces échelles, soit l'échelle d'intelligence pour enfant de Wechsler ou WISC III[2].

Le WISC III, qu'un psychologue fait généralement passer lors d'une entrevue individuelle, s'adresse aux jeunes âgés entre 6 ans et 16 ans 11 mois 30 jours. Cette échelle permet d'obtenir le quotient intellectuel de l'individu. La moyenne de la population se situe à 100 avec un écart type de 15. Le quotient intellectuel global obtenu avec le WISC III repose sur deux mesures : une échelle verbale et une échelle non verbale. Ces deux échelles sont elles-mêmes constituées de différents sous-tests. Le tableau 4.3 (p. 90) présente la structure du WISC III.

---

2. WISC III : Wechsler Intelligence Scale for Children — Third Edition.

TABLEAU 4.3 Description des sous-tests inclus dans le WISC III

Échelle	Sous-test	Fonction
Verbale	Connaissances	Évalue les connaissances générales grâce à des questions d'information sur divers sujets
	Similitudes	Mesure la formation de concepts verbaux en demandant au sujet d'expliquer les ressemblances, dans des paires, entre deux items
	Arithmétique	Évalue la capacité de suivre des consignes verbales, la concentration et la maîtrise des opérations arithmétiques en demandant au sujet de résoudre divers problèmes arithmétiques
	Vocabulaire	Permet de mesurer la connaissance des mots, le développement du langage, la richesse de l'expression et l'information en demandant au sujet de définir des mots placés dans un ordre croissant de difficulté
	Compréhension	Permet d'évaluer la connaissance des relations interpersonnelles et sociales en demandant au sujet ce qu'il ferait dans diverses circonstances ou quelle est sa compréhension de différentes situations sociales
	Séquences de chiffres	Évalue la mémoire auditive à court terme et l'attention en demandant au sujet de répéter, dans l'ordre direct ou indirect, des séquences de chiffres placées dans un ordre croissant de difficulté
Performance (non verbale)	Images à compléter	Évalue la discrimination visuelle, la capacité de reconnaître les parties essentielles d'une image par rapport à celles qui ne le sont pas en demandant au sujet de reconnaître sur des images incomplètes la partie manquante
	Arrangement d'images	Évalue la capacité d'anticipation, l'organisation visuelle et la capacité de reconstituer une séquence temporelle en demandant au sujet de replacer selon un ordre logique des images représentant une histoire qui lui sont présentées en désordre
	Dessins avec des blocs	Permet d'évaluer l'organisation visuelle, les relations spatiales et logiques de même que la coordination oculomotrice en demandant au sujet de reproduire à l'aide de blocs des modèles présentés sur des cartes
	Assemblage d'objets	Sous-test centré sur la perception et l'organisation visuelle et la coordination oculomotrice, qui demande au sujet d'assembler les pièces de divers casse-tête
	Code	Mesure la vitesse d'exécution, la précision et la coordination oculomotrice en demandant au sujet de reproduire des symboles
	Labyrinthes	Mesure des habiletés de planification, la coordination oculomotrice et la vitesse d'exécution en demandant au sujet de trouver son chemin grâce à des traits qu'il fait avec un crayon dans divers labyrinthes
	Repérage de symboles	Mesure la concentration, l'attention et la vitesse d'exécution; le sujet doit reconnaître dans des séries de symboles si un symbole est présent

Source: Inspiré de Sattler (1994) et de Wechsler (1991).

B. *L'utilisation du Kaufman Assessment Battery for Children*

Le Kaufman Assessment Battery for Children (K-ABC) est une mesure de l'intelligence et du rendement qui s'adresse à des enfants âgés de 2 ans 6 mois à 12 ans 5 mois. Selon les auteurs de ce test, l'intelligence peut se définir comme l'efficacité dans les habiletés de traitement de l'information et de résolution de problèmes. Le K-ABC inclut quatre échelles:

1. Une échelle de processus séquentiels (*sequential processing scale*), qui mesure la capacité de résoudre des problèmes où les stimuli sont séquentiels ou ordonnés.
2. Une échelle de processus simultanés (*simultaneous processing scale*), qui mesure les habiletés à résoudre des problèmes d'organisation spatiale, analogiques ou organisationnels requérant le traitement de l'information de plusieurs stimuli à la fois.
3. Une échelle de connaissances (*achievement scale*), qui mesure des connaissances et des habiletés.
4. Une échelle non verbale, qui contient des sous-tests des échelles 1 et 2, où l'examinateur transforme ses consignes verbales en gestes.

Sattler (1994) précise que ce test ne doit pas constituer le premier instrument de mesure du fonctionnement intellectuel d'un élève. Il doit être complété par un autre. Toutefois, le K-ABC donne une information permettant de mieux connaître le fonctionnement cognitif et non verbal d'un élève.

4.7.2 Les évaluations physiques et sensorielles

Lorsqu'un élève présente des difficultés d'apprentissage, il est bon de s'assurer qu'il n'a pas un déficit physique ou sensoriel: entend-il bien? voit-il correctement? En classe, diverses manifestations permettent de soupçonner un problème visuel ou auditif. Si l'élève a souvent les yeux rouges ou qui coulent, s'il doit constamment se rapprocher du matériel ou encore s'il se plaint de ne pas voir au tableau, il peut être indiqué de pousser plus loin l'investigation en communiquant avec ses parents ou en faisant appel, par exemple, à l'infirmière de l'école. Il en est de même pour l'audition. Si l'élève confond régulièrement divers sons ou réagit peu aux stimuli auditifs, un examen plus poussé peut s'avérer nécessaire. De plus, il est parfois souhaitable de discuter avec les parents des habitudes de vie de l'élève: celui qui se couche trop tard et part le matin sans avoir déjeuné est beaucoup moins prédisposé à apprendre. Ce sont des détails élémentaires, mais qui méritent d'être considérés.

RÉSUMÉ

Chez un élève ayant des difficultés d'apprentissage, plusieurs éléments peuvent faire l'objet d'une évaluation: le rendement scolaire, les stratégies d'apprentissage utilisées par l'élève, les méthodes et l'environnement pédagogiques ainsi que les tâches proposées. À ces éléments s'ajoutent les comportements et les attitudes face à l'apprentissage. Il existe de nombreux instruments pour évaluer l'élève et sa situation: l'observation, divers examens ou tests, des entrevues avec l'élève ou ses parents, etc. Parmi ces instruments, l'observation occupe une place primordiale. Elle permet de noter et d'évaluer comment l'élève effectue ses acquisitions et quel en est le résultat. Les méthodes d'évaluation sont variées, mais leur choix est conditionné par la conception de l'intervenant sur la nature même des difficultés d'apprentissage.

QUESTIONS

1. Quels sont les principaux outils à la disposition des enseignants pour évaluer les difficultés d'apprentissage de l'élève?
2. Quels sont les principes à respecter pour effectuer une bonne observation?
3. Quelle est l'utilité de l'observation et de l'analyse des productions d'un élève?
4. Qu'est-ce que le portfolio et en quoi peut-il être utile aux élèves en difficulté d'apprentissage?
5. Quels sont les principes à respecter lorsqu'on rencontre les parents d'élèves en difficulté?

EXERCICE

La figure 4.6 présente le texte d'un élève de sixième année. À partir de vos observations, quels éléments en retirez-vous? Vous pouvez effectuer cette analyse à l'aide d'une grille de classification des erreurs et du programme d'études en français.

LECTURES SUGGÉRÉES

VAN GRUNDERBEECK, N. (1994). *Les difficultés en lecture. Diagnostic et pistes d'intervention.* Boucherville: Gaëtan Morin Éditeur.

SAINT-LAURENT, L., GIASSON, J., SIMARD, C., DIONNE, J.-J., ROYER, E. et autres (1995). *Programme d'intervention auprès des élèves à risque. Une nouvelle option éducative.* Boucherville: Gaëtan Morin Éditeur.

FIGURE 4.6 Texte d'un élève de sixième année

Mardi le 14 février 1997 ♡

1. Aujourd'hui jaimerais avoir un grand amour et de coud de foudre.

2. jai acheter des bonbon et des fleur à ma Valentine préférer

3. jai écrie un poème a ma chere Valentine que jaime

4. Cupidon lance des flèche à ceux qui s'aimepas et ses joie revrëne

L'intervention et l'élève en difficulté d'apprentissage

OBJECTIFS

Après avoir lu ce chapitre, le lecteur devrait pouvoir :

- décrire différentes conditions qui facilitent l'apprentissage des élèves en difficulté et des autres élèves ;
- décrire différentes façons d'intervenir dans les stratégies d'apprentissage ;
- indiquer les différentes formules de travail utilisées par les orthopédagogues ;
- décrire les conditions qui maximisent l'efficacité des services visant l'apprentissage des élèves ;
- décrire l'apprentissage coopératif ;
- décrire les étapes de l'implantation d'un programme de tutorat ;
- décrire les effets possibles du redoublement.

INTRODUCTION

Au chapitre 4, nous avons examiné divers outils permettant d'évaluer la situation de l'élève en difficulté d'apprentissage : l'observation, l'analyse des productions, les différents tests, etc. Cette évaluation vise une meilleure connaissance de l'élève et la planification d'une intervention appropriée.

Dans ce chapitre, nous soulignerons d'abord l'importance, à partir des résultats de l'évaluation, de planifier une intervention personnalisée pour l'élève en difficulté d'apprentissage. Puis, nous présenterons des stratégies et des moyens d'intervention en classe. Nous verrons alors des principes cherchant à faciliter l'apprentissage de l'élève en difficulté et des autres élèves. Nous nous pencherons ensuite sur les théories du traitement de l'information et sur l'utilisation des stratégies d'apprentissage, lesquelles prennent une place importante actuellement dans les écrits scientifiques sur les élèves en difficulté d'apprentissage. Puis, nous aborderons l'importance de l'intervention quant aux aspects affectif et motivationnel. Par ailleurs, nous examinerons les diverses ressources permettant d'aider l'élève en difficulté d'apprentissage. Comme, dans le cadre d'un tel ouvrage, il est impossible de décrire toutes les ressources utilisées dans le milieu scolaire, nous avons choisi de mettre l'accent sur trois d'entre elles : les services offerts par les orthopédagogues, les groupes d'apprentissage coopératif et le tutorat. Enfin, nous traiterons d'une pratique couramment utilisée dans le milieu scolaire avec les élèves présentant des retards pédagogiques : le redoublement.

5.1 L'ANALYSE DES DONNÉES DE L'ÉVALUATION ET LA PLANIFICATION D'UNE INTERVENTION PERSONNALISÉE

L'évaluation a permis d'obtenir plusieurs données au sujet de l'élève, de la classe, de la pédagogie et des stratégies utilisées. L'analyse et la synthèse de cette évaluation devraient permettre d'esquisser un portrait de la situation de l'élève en difficulté d'apprentissage. Quels sont les objectifs terminaux maîtrisés par l'élève ? Lesquels ne le sont pas ? Quelle est la place hiérarchique de ces objectifs dans la séquence logique des acquisitions proposées ? Du point de vue de la classe, de la relation avec l'enseignant ou avec les pairs, quels sont les points positifs et négatifs ? Des solutions peuvent-elles être apportées immédiatement à l'environnement pédagogique ? Quelles sont les situations et les stratégies qui facilitent l'apprentissage de l'élève ou lui nuisent ? Quelles sont les exigences de l'apprentissage demandé ? Quelles sont les attentes des éducateurs (l'enseignant, les parents) et de l'enfant ?

Le tableau 5.1 résume les principales étapes de l'évaluation et de l'analyse qui doit l'accompagner. Ces étapes terminées, il faut planifier l'intervention. Dans certains cas, l'observation et l'évaluation mettent en évidence des solutions ou encore indiquent que l'élève éprouve des difficultés passagères, « normales » dans son apprentissage. Dans d'autres cas, l'évaluation soulève la nécessité de passer à une intervention plus systématique et personnalisée. Cette intervention devra être planifiée ; elle exigera la concertation de tous les intervenants. Il s'agit du plan d'intervention personnalisé.

L'intervention est planifiée à partir de l'analyse et de la synthèse des données obtenues lors de l'évaluation. Par la suite, l'intervention peut être consignée dans un

TABLEAU 5.1 Analyse et synthèse de l'évaluation

- Déterminer les besoins de l'enfant et les attentes des intervenants (l'école, la famille).
- Préciser les connaissances de l'enfant, ses forces et ses faiblesses avec l'aide du programme, des observations ou d'autres outils d'évaluation.
- Faire ressortir les comportements et les attitudes de l'enfant face à l'apprentissage.
- Déterminer les caractéristiques des acquisitions demandées.
- Identifier dans l'environnement pédagogique et social de la classe les éléments qui nuisent à l'apprentissage ou qui le facilitent.
- Vérifier si un élément important (par exemple un problème visuel ou une situation familiale difficile) n'accentue pas les difficultés.

plan personnalisé. Comme nous l'avons vu au chapitre 2, ce plan décrit les buts et les objectifs visés, les moyens, les ressources et les stratégies proposés. Il détermine les intervenants et précise les échéanciers de travail et d'évaluation. Une fois que le plan d'intervention est élaboré, la question centrale est la suivante : comment peut-on atteindre les objectifs sélectionnés dans le cadre d'une classe qui, s'il s'agit d'une classe ordinaire, peut regrouper entre 25 et 30 élèves ? Le défi est de taille, d'autant plus qu'il peut y avoir dans la même classe plusieurs élèves en difficulté auxquels s'ajouteront sans doute des élèves surdoués !

Relever un tel défi suppose une planification et une préparation soignées à divers points de vue. Bien sûr, la plupart des intervenants diront que, pour faciliter la progression de l'élève en difficulté, il convient de respecter le rythme individuel. Cependant, là où le bât blesse, c'est lorsqu'il s'agit de déterminer la façon de procéder dans une structure où les examens et les programmes s'appliquent à tous les élèves. Sans avoir la prétention de régler ici l'ensemble de ces problèmes, nous examinerons quelques principes qui peuvent faciliter l'apprentissage des élèves en difficulté.

5.2 Les conditions facilitant l'apprentissage des élèves en difficulté et des autres élèves

Pour Lewis (1983), la première recommandation à faire aux enseignants face aux élèves en difficulté est de leur « enseigner ». Par ailleurs, Slavin (1988) indique qu'un bon enseignement pour les élèves en difficulté d'apprentissage ressemble à plusieurs points de vue à un bon enseignement pour des élèves sans difficulté. Cependant, un bon enseignement dépend de nombreuses conditions. Archambault, Gagné et Ouellet (1986) précisent 35 facteurs centraux liés à l'apprentissage. Selon eux, l'application de ces facteurs est de nature à améliorer le rendement scolaire. Ces facteurs sont répartis en quatre groupes : (1) la préparation et la planification des cours ; (2) l'organisation des activités en classe ; (3) la responsabilisation des élèves face à leur apprentissage et (4) l'évaluation. En partant de ces quatre catégories, nous tenterons de voir comment l'application de ces facteurs peut s'effectuer auprès d'élèves en difficulté d'apprentissage.

5.2.1 La préparation et la planification des cours

Le premier groupe de facteurs liés à l'apprentissage concerne le fonctionnement des programmes, c'est-à-dire la détermination des objectifs et des comportements à réaliser. Une telle démarche facilite la rédaction du plan d'intervention personnalisé. En effet, les programmes d'études présentent des balises facilitant le choix des objectifs d'apprentissage. Ces programmes permettent, entre autres, de noter la séquence d'apprentissage ainsi que les objectifs terminaux et intermédiaires. De tels éléments facilitent la sélection des priorités indiquées dans le plan d'intervention personnalisé.

5.2.2 L'organisation des activités en classe

Ce groupe de facteurs touche l'organisation et la planification des activités en classe. Un enseignement adapté aux différences et au rythme individuels maximise l'apprentissage. Les approches pédagogiques doivent alors être variées. Consécutivement au rendement, la rétroaction et le renforcement sont utilisés efficacement (Archambault et autres, 1986).

A. L'adaptation de l'enseignement aux différences individuelles

Lorsqu'un élève a des difficultés d'apprentissage, bien souvent il n'arrive pas à comprendre entièrement un enseignement préparé pour l'élève « moyen » où tout le monde doit être évalué selon les mêmes critères. Et ce, particulièrement si la formule utilisée repose en grande partie sur l'enseignement magistral.

Le respect des différences et du rythme individuels est fondé sur une bonne connaissance des élèves : son niveau scolaire, ses goûts, etc. Il est aussi facilité par un enseignement adapté. Saint-Laurent et autres (1995) décrivent ainsi l'adaptation de l'enseignement :

> Adapter l'enseignement signifie prévoir, lors de la planification de l'enseignement pour tout le groupe, des modifications ou des interventions particulières pour certains élèves en fonction d'objectifs préalablement établis. La perspective pour l'enseignement est de s'adapter aux caractéristiques des élèves [...]. Voici les composantes principales de ce qu'on entend généralement par enseignement adapté :
>
> – entraînement aux stratégies cognitives ;
> – amélioration des méthodes de travail ;
> – acquisition d'une image de soi positive ;
> – variations des regroupements ;
> – aménagements de l'environnement et du temps ;
> – modification du matériel ;
> – individualisation des objectifs ;
> – évaluation fréquente des progrès.

> Toute adaptation de l'enseignement doit s'inscrire dans une démarche pédagogique centrée sur les stratégies d'apprentissage (p. 47).

B. *La variété des activités et l'organisation fonctionnelle de la classe*

Un des problèmes importants pour l'élève en difficulté d'apprentissage trouve sa source dans des activités qui sont les mêmes pour tous, où les critères d'évaluation sont normatifs et où l'élève est comparé à ses pairs. Des activités ouvertes peuvent faciliter l'apprentissage. Ces activités, qui permettent des choix, peuvent être réalisées par des élèves de niveaux différents. L'organisation fonctionnelle de la classe, les ressources humaines et matérielles favorisent la mise en place d'activités ouvertes ; un soutien matériel approprié aura un effet positif sur l'auto-apprentissage et sur l'autocorrection. L'aménagement de la classe, l'institution des règles, la gestion du temps, le rôle des élèves et de l'enseignant sont autant d'éléments à considérer dans une organisation fonctionnelle de la classe adaptée aux élèves (Leroy-Meinier et Ouellet, 1986).

C. *Le recours aux ressources des pairs*

Il ne faut pas confondre individualisation, respect du rythme individuel et apprentissage « solitaire ». Le rythme d'un élève peut très bien être respecté lorsqu'il travaille avec ses pairs. Si les situations pédagogiques sont bien adaptées, les pairs peuvent devenir une ressource importante (Bourneuf et Paré, 1975). D'ailleurs, l'organisation d'ateliers de même que l'utilisation de l'apprentissage coopératif et de sous-groupes de travail offrent des possibilités intéressantes en ce qui a trait au respect du rythme des élèves. Dans l'organisation de telles formules de travail, il est souvent utile de recourir à diverses ressources. Ainsi, dans une classe, l'orthopédagogue pourra se charger de certains ateliers. Ces ateliers peuvent aussi être animés par des parents ou des bénévoles. Souvent, les enfants en difficulté d'apprentissage sont moins choisis que d'autres enfants ou sont même rejetés par leurs pairs (Gresham, 1982) ; il est parfois nécessaire de planifier diverses approches pour faciliter leur intégration sociale. Dans ce sens, il faut signaler les travaux de Johnson et Johnson (1981, 1983) sur la coopération entre enfants. Selon ces auteurs, l'apprentissage coopératif donne des résultats supérieurs à ceux de l'apprentissage individuel ou compétitif. Ces résultats sont observés au sujet des notes scolaires, de l'intégration sociale et de l'estime de soi des élèves en difficulté. Nous verrons un peu plus loin dans ce chapitre comment on peut utiliser avec les élèves l'apprentissage coopératif et le tutorat.

D. *Une rétroaction et un renforcement efficaces et personnalisés*

La rétroaction constitue un geste fréquent lorsqu'on enseigne. Par leurs remarques verbales et leurs commentaires dans les cahiers, les enseignants donnent constamment une rétroaction : « Bravo ! Tu as réussi huit problèmes » ; « Ta recherche est excellente, elle présente bien les habitudes de vie des mésanges ! » Une observation

Canevas pour les interventions au cours des phases de rétroaction

Objectif

Donner des méthodes, des techniques, des procédures qui vont permettre à l'élève de produire et de réussir.

Ces points de référence accroissent les chances de réussir. L'élève peut s'autocontrôler.

Retour avec l'élève

- Reconnaître ce qu'il a fait :

  « Comment as-tu fait... ? »

  « Quels indices t'aident... ? »

- Lui permettre de repérer ce qu'il fait pour réussir, afin qu'il soit conscient des méthodes utilisées et qu'il puisse les adapter à d'autres moments difficiles.
- Tirer profit de l'erreur tout de suite ; l'associer à des réussites. Si l'on met l'accent sur trois erreurs, donner autant de remarques positives :

  3E ⟷ 3R

Source : Tiré de Tardif et Couturier (1993, p. 40).

sommaire révèle que la rétroaction est un des comportements les plus fréquents de l'enseignant, que ce soit pour féliciter l'enfant ou pour l'aider à rajuster son action.

Toutefois, il ne suffit pas de faire une remarque pour que la rétroaction soit automatiquement appropriée. L'utilisation de la rétroaction requiert le respect de certains principes. Ainsi, pour être plus efficace, la rétroaction doit être précise, immédiate et fréquente. Elle doit concerner de petites unités d'apprentissage et être suivie de périodes d'entraînement. Lorsqu'il y a erreur, la rétroaction doit s'accompagner de suggestions pour faciliter la correction (Doyon et Archambault, 1986a).

Le renforcement doit aussi être personnalisé. Les caractéristiques suivantes en augmentent l'efficacité (Brophy, 1981) : il faut souligner la réalisation d'un rendement donné, décrire les particularités de cette réalisation, renforcer l'amélioration de l'élève en fonction de lui-même et non par comparaison avec ses pairs.

5.2.3 La responsabilisation des élèves face à leur apprentissage

Dans le troisième groupe de facteurs liés à l'apprentissage, soit la responsabilisation des élèves face à leur apprentissage, il est question du rôle actif que jouent les élèves, de l'évaluation et de la planification qu'ils peuvent effectuer. Pour ce faire, on peut apprendre aux élèves en difficulté différentes méthodes de travail : la planification et l'utilisation d'un agenda ou d'un horaire, la planification du temps d'étude, etc. Dans un guide intitulé *Apprendre ça s'apprend*, Doyon et Archambault (1988) décrivent à l'intention des enseignants et des élèves du secondaire des moyens d'apprendre ces techniques de travail.

Il est aussi possible d'apprendre à mieux planifier ses devoirs et ses leçons. Ces exercices peuvent effectivement avoir une incidence sur le rendement de l'élève (Featherstone, 1985 ; Turvey, 1986). À partir d'une étude menée auprès de 45 élèves en difficulté d'apprentissage âgés entre 8 et 17 ans, Polloway, Foley et Esptein (1992) indiquent que ces élèves ont plus de difficulté dans la réalisation des devoirs et des leçons à la maison. Ces auteurs soulignent l'importance pour les élèves en difficulté d'apprendre à faire ces travaux personnels de manière autonome. Ils indiquent aussi l'intérêt de prévoir un lieu et un horaire à cet effet. Ils relèvent également les rôles des parents et des enseignants dans cet apprentissage. Ces auteurs suggèrent d'utiliser différents moyens pour aider les élèves dans cette tâche : le tutorat, la pratique et le monitorat débutant dès le début de l'année scolaire, l'établissement d'une procédure pour le recueil des devoirs et leur correction.

5.2.4 L'évaluation

Idéalement, l'évaluation devrait être formative et de type critérié ; les critères sont fixés à partir des objectifs visés. Pour les élèves en difficulté, le plan d'intervention personnalisé facilite l'évaluation. En effet, les objectifs d'apprentissage et leurs critères de réussite y sont précisés. Ces conditions, ajoutées à celles qui précèdent, peuvent faciliter l'apprentissage non seulement des élèves en difficulté, mais aussi des autres élèves.

5.3 L'INTERVENTION DANS LES STRATÉGIES D'APPRENTISSAGE

5.3.1 Définition et variété des stratégies d'apprentissage

Comme nous l'avons vu au chapitre 3, les auteurs accordent une grande importance actuellement aux stratégies d'apprentissage. Les élèves qui ont des difficultés d'apprentissage peuvent améliorer leur rendement si on les aide à adopter de meilleures stratégies ou encore à utiliser plus efficacement celles qu'ils possèdent. Dans cette section, nous verrons ce qu'est une stratégie d'apprentissage, la diversité des stratégies et quelques exemples appliqués à la lecture, à l'écriture et aux mathématiques.

Rappelons qu'une stratégie influence le comportement et les pensées d'un élève pendant l'apprentissage ainsi que le processus d'encodage de l'information (Goupil et Lusignan, 1993). Elle peut avoir un effet sur la motivation de l'apprenant ou sur la façon dont il traite l'information. Les stratégies d'apprentissage sont multiples ; on les subdivise généralement en deux catégories : les stratégies cognitives et les stratégies métacognitives. Les stratégies cognitives facilitent l'acquisition, l'emmagasinage et l'utilisation de l'information. Certaines stratégies permettent de mémoriser plus facilement l'information et de catégoriser des séries d'informations. D'autres favorisent l'établissement de liens entre les renseignements. Quant aux stratégies métacognitives, elles relèvent de la métacognition, c'est-à-dire de la capacité pour un individu de gérer, d'ajuster et de réguler ses actions cognitives dans un apprentissage (Swanson et autres, 1993).

Le tableau 5.2 (p. 102) présente une classification des stratégies d'apprentissage. À la lecture du tableau, on constate que plusieurs stratégies facilitent la mémorisation et l'organisation des connaissances. Certaines s'appliquent à la lecture, d'autres à la résolution de problèmes en mathématiques ou encore à l'écriture de textes. Certaines favorisent l'étude de textes ou encore la prise de notes lors d'une leçon magistrale donnée par l'enseignant.

La réflexion que mènent les chercheurs sur les stratégies cognitives et métacognitives a actuellement une grande influence sur les façons d'intervenir auprès des élèves, particulièrement auprès des élèves à risque (Saint-Laurent et autres, 1995).

TABLEAU 5.2 Classification des stratégies d'apprentissage selon McKeachie et autres (1988)

1. Stratégies cognitives	**Tâches de base**	**Tâches complémentaires**
A- *Stratégies de révision (réciter et nommer)*—aide, attention, encodage	(ex.: liste à mémoriser) réciter la liste	(ex.: apprendre pour un examen) dire tout haut, copier, prendre des notes, souligner
B- *Stratégies d'élaboration*—gardent l'information dans la mémoire à long terme en faisant des liens	méthodes des mots clés, images mentales mnémotechniques	paraphraser, résumer, créer des analogies, prendre des notes, question et réponse
C- *Stratégies organisationnelles*—permettent de sélectionner l'information et de construire des liens	regroupement de mots selon leurs caractères communs mnémotechniques	sélectionner des idées principales en soulignant, en créant des réseaux et des diagrammes
2. Stratégies métacognitives	**Toutes les tâches**	
A- *Stratégies de planification*—planifient l'usage des stratégies et le traitement de l'information	fixer des buts, survoler, formuler des questions	
B- *Stratégies de contrôle*—pour comprendre la matière et l'intégrer à la connaissance antérieure	faire un auto-examen, focaliser l'attention, utiliser des stratégies d'examen	
C- *Stratégies de régulation*—reliées au contrôle; elles augmentent la performance car elles permettent de vérifier et de corriger le comportement	ajuster la vitesse de lecture, relire, réviser, utiliser des stratégies d'examen	
3. Stratégies de gestion des ressources (pour adapter l'environnement ou s'adapter à lui)		
A- *Organisation du temps*	horaire, buts	
B- *Organisation de l'environnement d'étude*	endroit défini, calme, organisé	
C- *Gestion de l'effort*	attribution du succès à l'effort, état d'esprit, dialogue intérieur persévérant et renforçant	
D- *Soutien des autres*	aide du professeur, des pairs, apprentissage en groupe, tutorat	

Source: Tiré de Langevin (1992, p. 41).

Nous verrons maintenant quelques exemples de stratégies appliqués à l'apprentissage de la lecture, de l'écriture et des mathématiques.

5.3.2 Les stratégies en lecture

Différentes stratégies peuvent faciliter la compréhension des élèves dans le domaine de la lecture. Par exemple, avant la lecture, les élèves peuvent survoler l'ensemble du texte; l'enseignant peut les aider à activer leurs connaissances antérieures. Les élèves peuvent apprendre à utiliser des indices tels les titres et les sous-titres, se donner des intentions de lecture, faire des prédictions, etc. Pendant la lecture, d'autres stratégies peuvent être utiles: faire appel au contexte pour trouver le sens d'un mot, résumer les idées importantes, noter des questions, et ainsi de suite. Après la lecture, les élèves peuvent notamment organiser les connaissances sous forme de schémas, faire des synthèses ou reformuler l'information (Giasson, 1995; Robillard, 1994).

Giasson (1995) propose de présenter d'abord les stratégies aux élèves. Pour cette auteure, il faut par la suite que les élèves apprennent à gérer leur compréhension; il faut aussi les sensibiliser à être actifs avant d'entreprendre la lecture d'un texte. Les élèves doivent également apprendre à utiliser le contexte pour arriver à donner un sens à des mots nouveaux. Bos et Vaughn (1994) proposent plusieurs moyens pour favoriser la compréhension en lecture. Elles suggèrent d'activer les connaissances antérieures des élèves, d'utiliser des schémas des stratégies de questionnement. Les stratégies comme le KWL +, les organisateurs graphiques et l'enseignement réciproque facilitent l'organisation des connaissances. Nous en ferons ici une brève description.

A. Le KWL +

Le KWL + est une technique élaborée par Carr et Ogle (1989). Dans l'expression KWL +, K signifie *Known*, W signifie *Want to know* et L signifie *Learned;* le « + » est ajouté lorsqu'on additionne à cette séquence un organisateur graphique. Dans cette stratégie de questionnement, on demande d'abord à l'élève de dire ce qu'il sait sur un sujet. C'est le *Known.* Cette étape permet, avant la lecture sur un sujet, d'activer les connaissances antérieures. Par la suite, l'élève indique ce qu'il veut apprendre sur le sujet: C'est le *Want to know.* Finalement, l'élève indique ce que la lecture lui a appris, soit le *Learned.* Quant au « + », il s'agit d'ajouter à cette démarche en trois parties un organisateur graphique. Le tableau 5.3 présente la structure suggérée.

TABLEAU 5.3 Structure du KWL +*

Known	*Want to know*	*Learned*

* (+): création d'un organisateur graphique

B. Les organisateurs graphiques

Un organisateur graphique consiste dans la représentation visuelle d'un texte. Les élèves en difficulté d'apprentissage ont souvent du mal à maîtriser et à organiser l'information d'un sujet donné. Ce problème devient particulièrement important au secondaire (Crank et Bulgren, 1993). L'utilisation d'organisateurs ou de structures graphiques permet de mieux organiser l'information de façon qu'elle soit plus facile à retenir. Les structures susceptibles d'être utilisées sont multiples et varient en fonction des textes à l'étude. Certaines structures peuvent être hiérarchiques, d'autres centrales, etc. Les figures 5.1 et 5.2 (p. 104 et 105) offrent deux exemples, l'un d'une structure hiérarchique, l'autre d'une structure centrale.

FIGURE 5.1 Exemple de structure hiérarchique

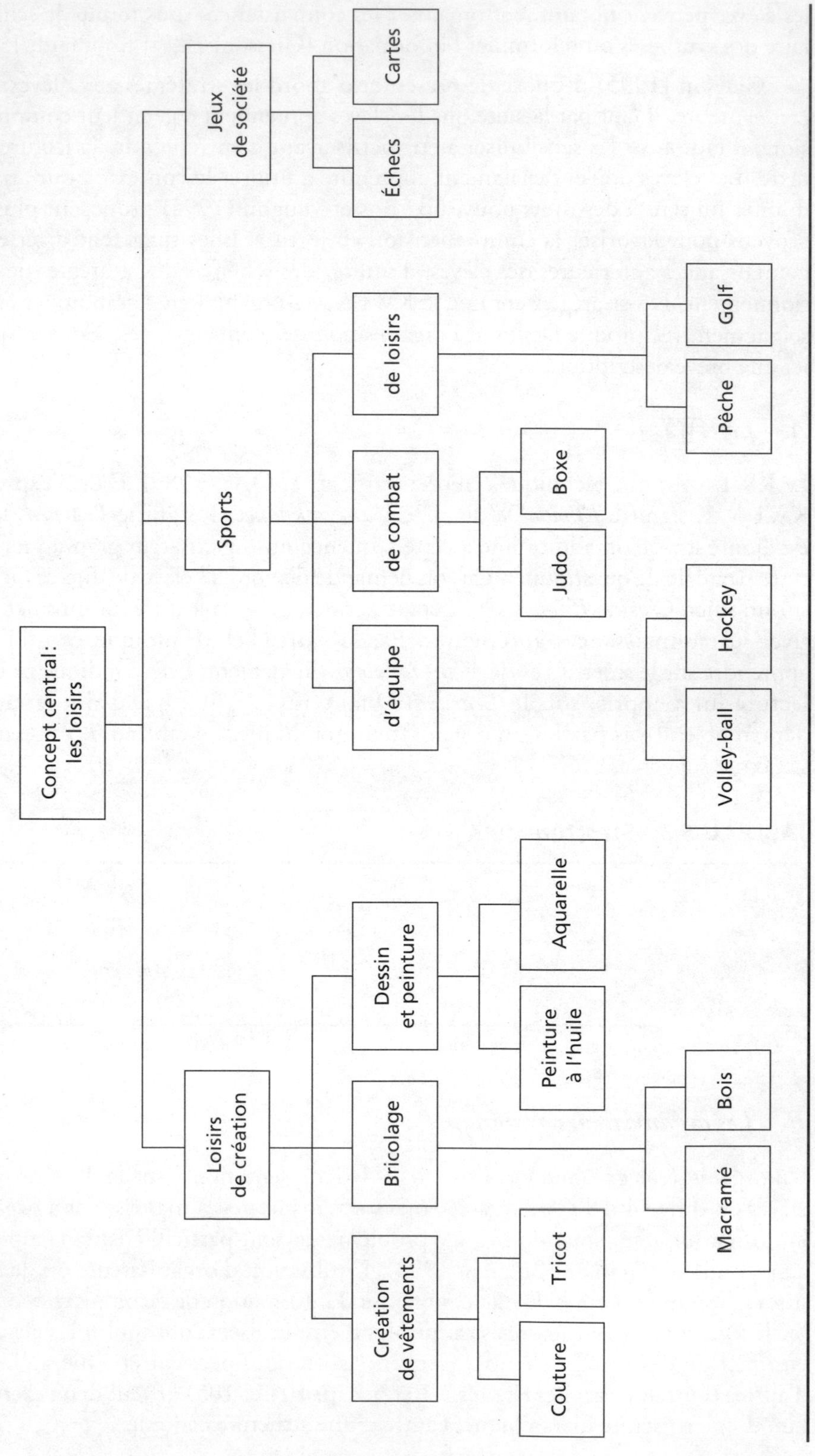

- Concept central: les loisirs
  - Loisirs de création
    - Création de vêtements
      - Couture
      - Tricot
    - Bricolage
      - Macramé
      - Bois
    - Dessin et peinture
      - Peinture à l'huile
      - Aquarelle
  - Sports
    - d'équipe
      - Volley-ball
      - Hockey
    - de combat
      - Judo
      - Boxe
    - de loisirs
      - Pêche
      - Golf
  - Jeux de société
    - Échecs
    - Cartes

FIGURE 5.2 Exemple de structure centrale

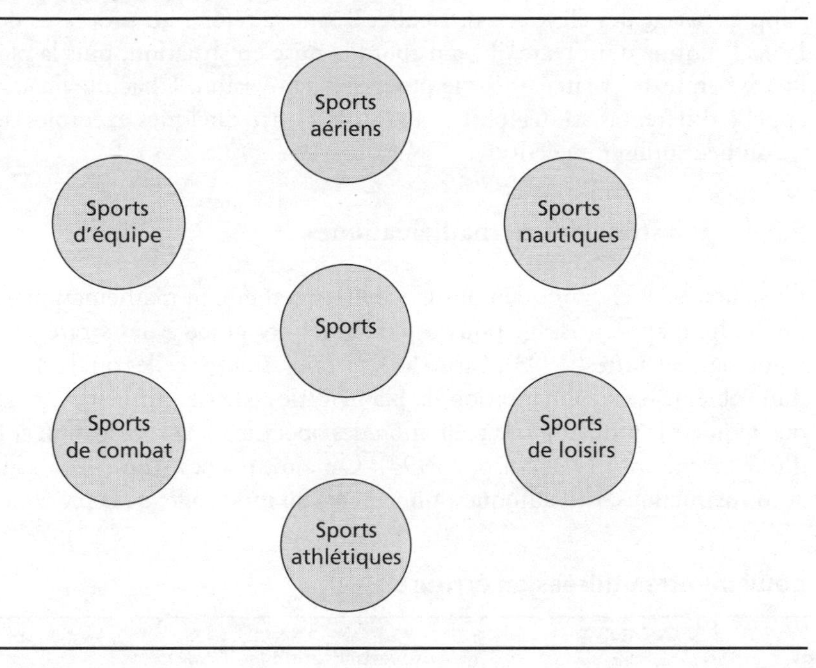

C. L'enseignement réciproque

La stratégie de l'enseignement réciproque a été élaborée dans les années 80 par Palinscar et Brown (1984) afin de venir en aide à des élèves du primaire qui avaient des difficultés en lecture. L'enseignement réciproque se déroule en quatre étapes :

1. Poser des questions sur le texte.
2. Clarifier les ambiguïtés.
3. Faire des prédictions sur le texte.
4. Vérifier ces prédictions.

Au départ, l'enseignant et l'élève lisent le texte. Puis, l'enseignant pose des questions à l'élève sur le texte qui vient d'être lu ; en cas de besoin, ils clarifient les ambiguïtés. L'enseignant demande ensuite à l'élève de faire une prédiction sur la suite de l'histoire. Cette prédiction sera vérifiée à la lecture du passage suivant. Au début, le rôle de l'enseignant est joué par celui-ci, mais peu à peu il délègue ce rôle aux élèves eux-mêmes.

5.3.3 Les stratégies en écriture

Pour les élèves en difficulté d'apprentissage, l'écriture représente un défi intimidant (Hallenbeck, 1996). Plusieurs élèves qui connaissent des échecs en viennent à avoir de l'aversion pour l'écriture. Or, la recherche montre que les bons scripteurs se sont dotés de plusieurs stratégies reliées au processus de l'écriture.

Afin de mieux comprendre comment différentes stratégies peuvent faciliter l'apprentissage des élèves en difficulté, il faut se référer au processus de l'écriture. Dans l'écriture d'un texte, il y a d'abord la mise en situation, puis la planification, la mise en texte et finalement le processus de révision. Chacune de ces étapes fait appel à différentes stratégies. Le tableau 5.4 offre quelques exemples de stratégies qu'on peut utiliser en écriture.

5.3.4 Les stratégies en mathématiques

Plusieurs recherches ont démontré que le rendement en mathématiques d'élèves en difficulté d'apprentissage pouvait être amélioré grâce à des stratégies cognitives (Montague et autres, 1993). Parmi les stratégies, notons celles qui incluent la lecture du problème, sa schématisation, la planification (la détermination des opérations que requiert le problème), la réalisation des opérations, la vérification et l'utilisation d'une calculatrice (Hutchison, 1993). On ajoute à ces stratégies l'utilisation des auto-instructions, de l'autoquestionnement, du modelage, de la pratique guidée, de

TABLEAU 5.4 Stratégies pouvant être utilisées en écriture

Sous-processus	Stratégies	Autoverbalisation (*self-talk*)
Planification	– Identifier le lecteur – Déterminer le but du texte – Activer les connaissances antérieures – Utiliser le remue-méninges	– J'écris pour qui ? – Pourquoi j'écris cela ? – Qu'est-ce que je connais ? – Qu'est-ce que mon lecteur a besoin de connaître ? – Comment puis-je me rappeler mes idées ?
Organisation	– Préciser les catégories d'idées reliées au sujet – Préciser les idées reliées entre elles – Trouver les nouvelles catégories et les détails – Ordonner les idées	– Comment puis-je regrouper mes idées ? – Comment puis-je appeler chaque groupe d'idées ? – Est-ce qu'il me manque des catégories ou des détails ? – Comment puis-je faire de l'ordre ? – Qu'est-ce qui arrive en premier ?
Rédaction	– Transformer le plan en un texte – Comparer le texte au plan – Ajouter des indices pour favoriser la compréhension et l'organisation	– Lorsque j'écris ceci, je peux dire… – Est-ce que j'ai inclus toutes mes catégories ? – Quel mot de relation puis-je utiliser pour dire à mon lecteur ce que cette idée vient faire avec les autres idées?
Révision	– Gérer sa compréhension – Vérifier de nouveau le plan – Réviser le texte en cas de besoin – Vérifier le texte en fonction de la perspective du lecteur	– Est-ce que tout a du sens ? – Est-ce que j'ai inclus toutes les idées de mon plan ? – Est-ce que je dois insérer, éliminer ou déplacer des idées ? – Est-ce que j'ai répondu à toutes les questions de mon lecteur ? – Est-ce que mon texte est intéressant ?

Source : Adapté de Stevens et Englert (1993, p. 36). © The Council for Exceptional Children. Reproduit avec permission.

la pratique indépendante et de la maîtrise des critères de réussite (Hutchison, 1993). Le tableau 5.5 montre l'utilisation d'une stratégie en mathématiques.

TABLEAU 5.5 Exemple d'une stratégie en mathématiques

Lire (pour comprendre)	
Dire :	Lire le problème. Si je ne le comprends pas, le lire encore.
Demander :	Est-ce que j'ai lu et compris le problème ?
Vérifier :	Pour comprendre lorsque je résoudrai le problème.
Reformuler (dans ses propres mots)	
Dire :	Mettre le problème dans mes propres mots. Souligner l'information importante.
Demander :	Est-ce que j'ai souligné l'information importante ? Quelle est la question ? Qu'est-ce que je cherche ?
Vérifier :	Est-ce que l'information correspond à la question ?
Visualiser (avec une image ou un diagramme)	
Dire :	Faire un dessin ou un diagramme.
Demander :	Est-ce que l'image correspond au problème ?
Vérifier :	Comparer l'image à l'information contenue dans le problème.
Faire une hypothèse (un plan pour résoudre le problème)	
Dire :	Choisir le nombre d'étapes et d'opérations nécessaires. Écrire les symboles des opérations (+, −, ×, ÷)
Demander :	Si je... qu'est-ce que j'obtiens ? Si je... qu'est-ce que je devrai faire après ? Combien d'étapes sont nécessaires ?
Vérifier :	Ce plan a-t-il du sens ?
Estimer (prédire la réponse)	
Dire :	Arrondir les chiffres, faire le problème dans ma tête et écrire l'estimation.
Demander :	Est-ce que j'arrondis vers le haut ou vers le bas ? Est-ce que j'ai écrit l'estimation ?
Vérifier :	Est-ce que j'ai utilisé l'information importante ?
Calculer (faire les calculs arithmétiques)	
Dire :	Je fais les opérations dans le bon ordre.
Demander :	Comment se compare ma réponse avec l'estimation ? Est-ce que ma réponse a du sens ? Est-ce que les décimales ou les signes d'argent sont aux bons endroits ?
Vérifier :	Est-ce que toutes les opérations ont été faites dans le bon ordre ?
Vérifier (être sûr que tout est correct)	
Dire :	Vérifier les calculs.
Demander :	Est-ce que j'ai vérifié chaque étape ? Est-ce que j'ai vérifié les calculs ? Est-ce que ma réponse est correcte ?
Vérifier :	Est-ce que tout est correct ? Si tout n'est pas correct, revenir en arrière. Demander de l'aide si j'en ai besoin.

Source : Adapté de Montague, Applegate et Marquard (1993, p. 226). Reproduit avec la permission de Lawrence Erlbaum Associates, Inc.

Miller et Mercer (1993c) utilisent avec des élèves en difficulté d'apprentissage des stratégies axées sur le recours à des moyens mnémotechniques et représentées par leurs acronymes. Ils présentent, par exemple, la stratégie DRAW (1. *Discover the sign.* 2. *Read the problem.* 3. *Answer or draw and check.* 4. *Write the answer*). Ces auteurs suggèrent d'utiliser différents acronymes en fonction des problèmes et des tâches à réaliser. Cependant, Dionne (1995) nous met en garde contre l'utilisation de stratégies comme des recettes :

> Si on parle d'enseigner des stratégies comme des recettes, il faut avoir beaucoup de réticences. Parce que l'on s'adresse à la mémoire, que celle-ci est oh ! combien faillible et que de telles recettes, si elles s'avèrent pratiques et souvent efficaces, ne permettent pas toujours l'adaptation à des situations nouvelles que l'on rencontre si souvent dans la résolution de problèmes bien comprise (p. 234).

Il propose plutôt l'utilisation de stratégies qui n'ont rien de linéaire et dans lesquelles il est possible de se déplacer. Tel est le cas, selon Dionne, du modèle Réflecto proposé par le psychologue Pierre-Paul Gagné :

> « [...] on s'y occupe de comprendre le problème, de planifier des solutions possibles, d'exécuter ces plans, puis de vérifier ce que l'on obtient. Le dernier temps sera celui où l'on se préoccupera de communiquer la démarche et la réponse » (Dionne, 1995, p. 235).

5.3.5 Autres stratégies

Il existe plusieurs autres stratégies susceptibles d'aider les élèves en difficulté d'apprentissage. Ces stratégies peuvent s'appliquer à l'étude de textes dans différentes matières ou encore lors de la prise de notes dans les cours.

5.4 L'INTERVENTION QUANT AUX ASPECTS AFFECTIF ET MOTIVATIONNEL

Les difficultés des élèves en difficulté d'apprentissage peuvent être dues à un problème de traitement de l'information ou à une mauvaise utilisation des stratégies d'apprentissage. Cependant, plusieurs auteurs associent également leurs difficultés à une faible motivation pour les tâches scolaires (Fulk, 1994). Martin (1994) définit ainsi la motivation scolaire :

> La motivation scolaire correspond à l'ensemble des forces internes et externes qui poussent l'élève à s'engager dans l'apprentissage ou dans les activités proposées, à y participer activement, à faire des efforts raisonnables pour choisir les moyens (stratégies, connaissances...) les plus appropriés et à persévérer devant les difficultés. La motivation intervient donc à tout moment de la réalisation d'une activité ou à toutes les étapes de la démarche d'apprentissage (p. 31).

Reprenant les travaux de Feather (1992), Martin (1994) indique que « la motivation est fonction des attentes de succès et de la valeur accordée à la tâche, au succès ou à ses conséquences » (p. 33). Plusieurs variables sont associées à la motivation : les attributions causales des réussites ou des échecs, le sentiment de compétence, le sentiment d'auto-efficacité, l'orientation de l'apprentissage (la maîtrise de l'apprentissage ou le rendement) et l'intérêt face à la tâche. Le tableau 5.6, construit

TABLEAU 5.6 Variables associées à la motivation

- Attributions causales : inférences utilisées par les élèves pour tenter d'expliquer ce qui leur arrive.
- Sentiment de compétence : jugement global que l'élève porte sur lui-même en relation avec différentes activités.
- Sentiment d'auto-efficacité : sentiment d'efficacité par rapport à une tâche particulière.
- Orientation de l'apprentissage : apprentissage orienté vers la maîtrise ou le rendement.
- Intérêt face à la tâche : état psychologique caractérisé par l'attention, la concentration, la satisfaction de l'effort et la motivation à apprendre.

Source : Inspiré d'Archambault et Chouinard (1996).

à partir d'Archambault et Chouinard (1996), présente quelques variables associées à la motivation.

Une des principales explications de la motivation de ces élèves est la théorie de l'attribution de Weiner. Cette théorie démontre que les élèves cherchent des raisons pour comprendre leurs succès ou leurs échecs. Ces explications individuelles sont connues sous le terme « attributions ». Archambault et Chouinard (1996) précisent ainsi l'importance de ces attributions pour les élèves : « C'est sur la base de ces inférences, faites sur leur rendement, qu'ils établissent leurs attentes relativement à leur rendement futur et qu'ils déterminent leur niveau d'engagement dans les tâches scolaires ainsi que leur niveau d'autorégulation consciente, leur persistance et l'intensité de leurs efforts » (p. 109).

Les attributions sont variées. Les élèves peuvent attribuer leurs succès ou leurs échecs à de multiples causes, les unes internes, les autres externes : ce peut être la chance (« J'ai réussi parce que j'ai été chanceux »), l'aide reçue (« Si j'ai échoué, c'est parce que le professeur ne m'a pas suffisamment aidé »), l'intelligence, etc. Fulk (1994) indique que les élèves qui expliquent leurs échecs par un manque de talent peuvent manifester une motivation réduite. Leur efficacité s'en trouve ainsi affectée. Les élèves en difficulté d'apprentissage ont souvent des attributions (croyances) nuisant à leurs acquisitions (Fulk, 1994).

La figure 5.3 (p. 110) résume les facteurs qui influencent la motivation. Dans la première colonne, vous noterez que différentes croyances peuvent influer sur les jugements et, par la suite, la motivation.

Les élèves en difficulté d'apprentissage ont généralement vécu de nombreux échecs ; leurs attentes face au succès peuvent alors être faibles. Ainsi, ils peuvent attribuer leurs échecs à des causes indépendantes d'eux-mêmes comme la chance ou la difficulté de la tâche. Selon Martin (1994), il est possible pour l'enseignant d'intervenir sur le plan des croyances de ses élèves. Celui-ci peut, en effet, aider les élèves à se fixer des objectifs qu'ils sont capables d'atteindre, leur proposer des activités

FIGURE 5.3 Facteurs influençant la motivation

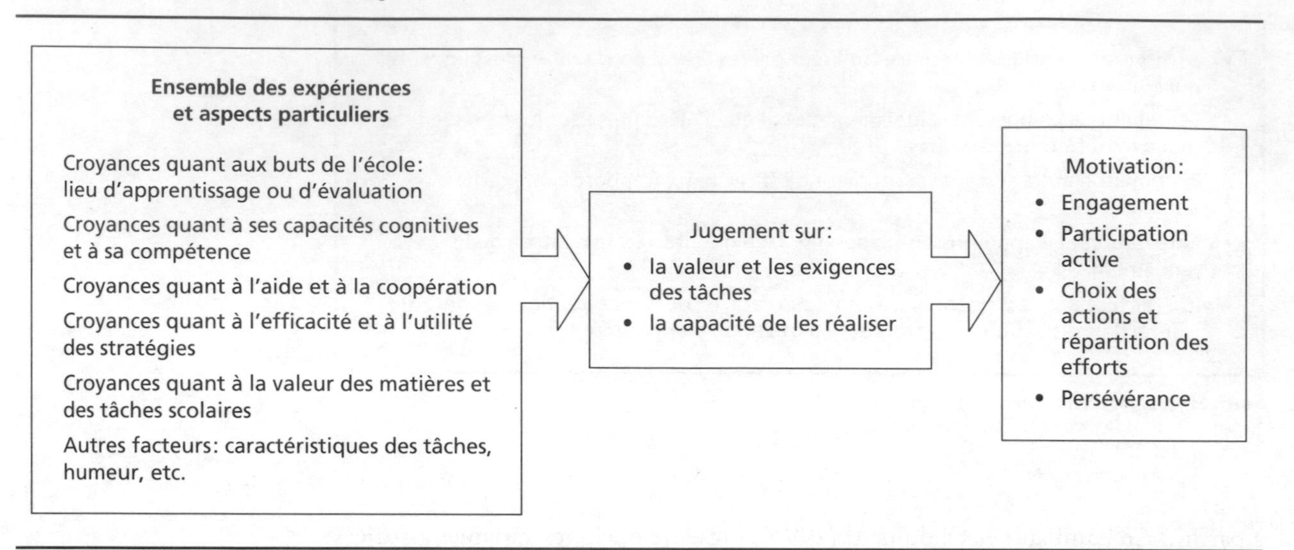

Source: Tiré de Martin (1994, p. 36).

qu'ils peuvent réussir, les soutenir dans leurs progrès, etc. L'enseignant choisira des activités qui facilitent à la fois l'apprentissage et la motivation. Ses interventions s'effectueront alors à différents moments de son action pédagogique : lors de la planification des activités, de même qu'avant, pendant et après leur réalisation par les élèves. Par exemple, l'enseignant planifiera une activité à laquelle les élèves accordent de la valeur. Avant l'exécution de cette activité, il donnera de l'information aux élèves, tiendra compte de leurs jugements sur l'activité, proposera des défis raisonnables, etc. Pendant et après l'activité, il aidera les élèves à attribuer leurs progrès à des facteurs appropriés.

Nous avons vu précédemment divers moyens que l'enseignant peut utiliser dans la classe. Nous verrons maintenant différentes ressources qui peuvent aider les élèves en difficulté, en particulier les services d'orthopédagogie.

5.5 LES RESSOURCES DESTINÉES À L'ÉLÈVE EN DIFFICULTÉ D'APPRENTISSAGE

Outre le titulaire de la classe, divers intervenants peuvent aider l'élève en difficulté, comme le psychologue et le travailleur social. Toutefois, lorsqu'il est question de difficulté d'apprentissage, c'est l'orthopédagogue qui, par tradition, est le plus souvent appelé à intervenir directement. Les écoles mettent aussi en place des mesures et des projets pour aider l'élève en difficulté d'apprentissage : des ateliers, le recours à des personnes bénévoles, des projets de tutorat. Parmi ces projets, le tutorat est l'un des moyens les plus répandus. Nous examinerons ici quelques-unes de ces ressources.

5.5.1 Les services

Conformément au modèle en cascade (Comité provincial de l'enfance inadaptée, 1976), les services peuvent être offerts selon différentes formules : des services avant la référence, un service de consultation pour l'enseignant, une intervention directe dans la classe ordinaire, le dénombrement flottant, etc.

A. Les services avant la référence et les équipes de résolution de problèmes

Certaines écoles ont établi des équipes de résolution de problèmes ou d'intervention avant la référence. Ces équipes interviennent de manière plus ou moins formelle avant qu'un enfant soit déclaré officiellement en difficulté. Elles utilisent des processus de résolution de problèmes.

B. Les modèles de consultation

Au sujet de la consultation, l'orthopédagogue aide l'enseignant en discutant avec lui des problèmes rencontrés, en lui adressant des suggestions ou en lui présentant du matériel et des services pour aider l'élève en difficulté. Les modèles basés sur la consultation présentent plusieurs avantages, dont le maintien de l'élève en difficulté dans la classe ordinaire, la possibilité de ne pas identifier l'élève en difficulté, la possibilité pour cet élève de bénéficier de l'aide de ses pairs qui ne sont pas en difficulté. Ces modèles permettent également au titulaire et à l'orthopédagogue d'échanger sur leurs méthodes de travail et d'intervention et par conséquent de bénéficier mutuellement de leurs compétences. L'enseignant consultant sera toutefois appelé à répondre à de multiples demandes. Ces modèles requièrent également l'application de plusieurs conditions pour être efficaces. Il faut considérer le nombre d'élèves suivis et le modèle de consultation choisi doit être planifié. L'équipe-école doit en effet considérer les objectifs d'intervention, les horaires et le nombre d'élèves en difficulté. De plus, le directeur d'école doit être associé de près à cette planification. Par ailleurs, le consultant doit posséder de bonnes habiletés, que ce soit dans l'évaluation des difficultés ou dans la résolution de problèmes (Haight, 1984).

C. L'intervention directe dans la classe ordinaire

L'orthopédagogue peut aussi intervenir directement dans la classe. Son intervention peut alors prendre la forme d'un travail auprès d'un seul élève ou auprès d'un groupe d'élèves. Lorsque le titulaire enseigne, l'orthopédagogue peut, par exemple, circuler dans les allées et offrir son aide aux élèves qui manifestent les besoins les plus importants. Ce dernier peut aussi enseigner à toute la classe alors que le titulaire observe et intervient auprès des élèves ayant le plus de problèmes. Une telle approche suppose de nombreuses rencontres entre l'orthopédagogue et le titulaire, et nécessite une entente sur les objectifs d'intervention et sur la pédagogie privilégiée. Il doit aussi y avoir une concertation sur les réactions à adopter vis-à-vis des élèves.

D. *Les modèles basés sur la consultation et les services directs aux élèves*

Certains modèles combinent la consultation offerte à l'enseignant avec l'intervention directe dans la classe ordinaire. Un bon exemple de ces modèles est le modèle élaboré par Saint-Laurent et autres (1995) dans le projet PIER (Programme d'intervention auprès des élèves à risque) auprès des élèves à risque. Dans ce modèle, il y a une consultation basée sur la collaboration. Les auteurs définissent ainsi cette consultation: « Dans la consultation collaborative, l'enseignante et l'orthopédagogue partagent leurs connaissances, leur expertise, leurs expériences et leurs qualités affectives au profit des élèves à risque » (p. 23). Pour ces auteurs, la consultation présente de nombreux avantages:

- mise en commun des connaissances et habiletés;
- élimination de l'isolement;
- participation à part entière des intervenantes;
- ajustement des interventions pédagogiques;
- cohérence des interventions;
- transfert et généralisation des apprentissages;
- intervention adaptée pendant tout le temps en classe;
- connaissance accrue des élèves en difficulté pour l'enseignante;
- connaissance plus grande de la classe ordinaire pour l'orthopédagogue;
- intervention en classe plus pertinente (p. 23).

De plus, l'orthopédagogue et l'enseignant titulaire partagent des tâches d'enseignement. Ainsi, tous deux assurent la coordination des activités et assistent les élèves.

E. *La classe-ressource et le dénombrement flottant*

Une façon courante d'intervenir consiste pour l'orthopédagogue à rencontrer un élève ou un groupe d'élèves dans un local différent de la classe ordinaire quelques périodes par semaine. L'orthopédagogue fait alors faire aux élèves diverses activités, principalement en français et en mathématiques. C'est ce que le milieu éducatif appelle « dénombrement flottant ». Ce modèle de services est celui qui est le plus utilisé au Québec (Goupil, Comeau et Doré, 1994). Le ministère de l'Éducation du Québec (cité dans Archambault, 1992) définit ainsi cette expression: « [...] regroupe les services donnés à l'extérieur de la classe ordinaire, par groupes incluant un nombre variable d'élèves et pour des périodes déterminées en fonction des besoins des élèves et des ressources disponibles » (p. 11).

Dans certaines écoles, les orthopédagogues donnent des services aux élèves en difficulté d'apprentissage dans des classes-ressources où ils suivent toutes les périodes de français ou de mathématiques. Les modalités de travail sont donc fort diversifiées. L'encadré suivant présente le témoignage d'une orthopédagogue qui illustre les nombreuses facettes de ce travail.

Un travail aux multiples facettes

Marlene Veillette travaille comme orthopédagogue à la commission scolaire de Jacques-Cartier, dans une école de 600 élèves au deuxième cycle de l'élémentaire. Son rôle d'orthopédagogue s'exerce à plusieurs points de vue: dépistage, rééducation et prévention. Tout d'abord, elle situe son rôle à l'intérieur d'un travail qui respecte les possibilités et les limites de l'enfant.

Le travail de l'orthopédagogue inclut de multiples facettes: les activités directes en classe avec le titulaire et les élèves, le travail avec de petits groupes d'élèves à l'extérieur de la classe (dénombrement flottant), le dépistage et l'évaluation des difficultés des élèves, la gestion ou la supervision de projets spéciaux, les rencontres avec les parents, etc. À cela s'ajoutent les diverses réunions avec les titulaires, la direction ou les stagiaires universitaires. Dans une école, les besoins étant nombreux, les priorités doivent être établies de concert avec la direction.

Le travail direct en classe occupe environ les deux tiers de son temps. Il s'agit principalement d'aider les élèves en difficulté, de donner des explications et de faciliter la compréhension de la matière. Ce travail exige une confiance partagée et une bonne entente avec le titulaire en question. Cette modalité d'intervention demande beaucoup de disponibilité. Pour une bonne coordination, il est nécessaire de se rencontrer régulièrement. On discute alors des approches à privilégier, mais également du comportement des élèves.

Le dénombrement flottant occupe aussi une part importante de la tâche d'une orthopédagogue. De petits groupes d'élèves se rendent dans un local spécialement aménagé pour des activités de français ou de mathématiques. Près des deux tiers de ces activités sont réservées au français: « La lecture est une base très importante. En mathématiques, beaucoup de problèmes logiques sont présentés par écrit. Si l'enfant ne comprend pas ce qu'il lit, il ne peut résoudre les problèmes », dira Mme Veillette. Le matériel utilisé n'est pas conçu « spécialement » pour les enfants en difficulté. L'orthopédagogue adapte le matériel présent ou les activités déjà prévues dans les classes. Elle utilise, entre autres, les banques de textes des commissions scolaires. Elle cherche surtout des activités signifiantes qui ont un but. De plus, la motivation des élèves est capitale.

Les projets permettent de multiplier son action. Cette année, deux projets ont retenu son attention: un projet de lecture et un autre de tutorat. Les communications avec les parents occupent aussi une place de choix. Les parents veulent connaître des moyens, des façons d'aider leur enfant: « Je recommande aux parents de lire avec l'enfant, de lui poser des questions sur cette lecture, indique Mme Veillette. Il faut faciliter la compréhension du texte par l'élève. Même si l'enfant doit apprendre à travailler par lui-même, il faut qu'il ait le soutien de ses parents et que ceux-ci s'intéressent à ce qui se passe en classe. »

Les journées d'une orthopédagogue sont fort chargées, partagées entre toutes ces activités. Un métier, somme toute, où le quotidien révèle sans cesse des aspects nouveaux de ce travail!

Il est à noter que notre vocabulaire est légèrement différent de celui utilisé aux États-Unis. Ce que nous appelons « dénombrement flottant » se dit *resource room* aux États-Unis[1].

Ces programmes présentent des avantages. Ainsi, les élèves sont intégrés avec leurs pairs dans des classes ordinaires pour les autres activités. De plus, l'orthopédagogue travaille lui-même avec l'élève en difficulté ; il peut donc partager ses observations avec l'enseignant titulaire et ses interventions peuvent être plus individualisées que dans la classe ordinaire. Toutefois, ce modèle présente certains inconvénients : les élèves ont moins de temps pour réaliser les tâches de la classe ordinaire, l'élève en difficulté est identifié lorsqu'il sort de la classe, il y a une possibilité de discontinuité entre les acquisitions faites dans la classe ordinaire et celles réalisées dans le local de l'orthopédagogue, et le programme d'enseignement risque d'être fragmenté.

Lors de la planification des services de dénombrement flottant, plusieurs éléments doivent être pris en considération : l'horaire, l'évaluation, la rétroaction donnée aux élèves, le ratio, etc. Ces conditions peuvent avoir une influence sur l'apprentissage des enfants (Jenkins et Mayhall, 1976).

Prenons, par exemple, l'horaire. En général, outre qu'ils se coordonnent, les intervenants s'assurent que l'élève sera présent aux périodes de musique ou d'éducation physique. Mais d'autres éléments liés à l'horaire peuvent avoir une influence non seulement sur la possibilité pour l'élève de recevoir de l'aide, mais aussi sur la qualité et la quantité des acquisitions réalisées. Ainsi, Mayhall et Jenkins (1977) précisent qu'il est souhaitable que les services soient quotidiens. Ces auteurs comparent le rendement de deux groupes d'élèves au sujet des interventions en lecture et en mathématiques. Le premier groupe bénéficie d'une intervention quotidienne ; le second groupe est rencontré deux fois par semaine. Il est à noter que la durée totale de l'intervention est la même pour les deux groupes ; c'est la répartition de ce temps (premier groupe : cinq fois par semaine ; second groupe : deux fois par semaine) qui diffère. La comparaison du rendement en lecture et en mathématiques indique que l'intervention quotidienne est nettement supérieure.

Jenkins et Mayhall (1976) ont aussi étudié l'effet de l'auto-enregistrement des résultats par les élèves. Une rétroaction enregistrée à chaque séance de travail modifie le taux d'acquisitions : les élèves notant leurs résultats font plus de progrès que ceux qui ne le font pas. Ces données mettent en évidence la nécessité de tenir compte de la recherche et d'effectuer une planification soignée des services offerts aux élèves. Le tableau 5.7 résume les principaux modèles de services.

Les débats sur le modèle à privilégier sont nombreux. Wiederholt et Chamberlain (1989) effectuent une importante recension des études comparatives entre les services donnés directement dans la classe ordinaire et ceux offerts à l'extérieur. Ils citent des études comparant les classes ordinaires aux classes-ressources au

---

1. Chez les Américains, si les élèves suivent l'ensemble de leur période d'enseignement de la langue maternelle ou des mathématiques dans la même classe, il sera alors question de « classe spéciale à temps partiel ».

TABLEAU 5.7 Principaux modèles de services utilisés avec les élèves en difficulté d'apprentissage

Service	Définition
Intervention avant la référence	Axée sur des modifications dans l'enseignement ou la gestion de la classe afin d'aider les enfants en difficulté à apprendre (Fuchs, Fuchs, Bahr, Fernstrom et Stecher, 1990)
Modèles basés sur la consultation	Axés sur la collaboration entre enseignants spécialisés (ex. : orthopédagogues), professionnels, titulaires et parents pour planifier, implanter et évaluer l'enseignement dans les classes ordinaires auprès d'élèves à risque (Huefner, 1988, p. 403)
Équipe de résolution de problèmes	Une équipe utilisant la résolution de problèmes pour assister les enseignants dans la production de stratégies d'intervention. Cette équipe peut inclure la direction d'école, les parents, des enseignants spécialisés (Chalfant et Pysh, 1989, p. 50)
Programmes-ressources	Dans ces programmes, un enseignant spécialisé (ex. : orthopédagogue) a la responsabilité de donner un support éducatif aux élèves à risque d'être en échec. Cet enseignant fournit des services d'évaluation, d'enseignement direct et de consultation (Wiederholt et Chamberlain, 1989, p. 15)
Classe-ressource	Lieu où les élèves se rendent, selon un horaire régulier, pour recevoir un enseignement spécialisé. Ces élèves fréquentent la classe ordinaire pour la majorité du temps. Ils peuvent être ou non identifiés officiellement en difficulté. La classe-ressource est une composante importante d'un programme-ressource (Wiederholt et Chamberlain, 1989)
Classe spéciale à temps partiel	Classe spéciale dont les élèves ne sont intégrés en classe ordinaire que pour certaines activités telles que les arts ou la musique (Wiederholt et Chamberlain, 1989)

Source : Tiré de Filion et Goupil (1995, p. 227). Reproduit avec permission.

point de vue du rendement scolaire. Les auteurs concluent à des résultats contradictoires et font ressortir les écueils méthodologiques dans ce secteur de recherche.

5.5.2 Les pairs : une ressource à ne pas négliger

L'orthopédagogue n'est pas le seul intervenant qui ait la possibilité d'apporter de l'aide aux élèves en difficulté ; le titulaire, les parents, les bénévoles et même les autres élèves peuvent aussi le faire. Dans les pages suivantes, nous verrons comment, grâce à l'apprentissage coopératif et au tutorat, les pairs peuvent apporter leur aide.

A. L'apprentissage coopératif

Doyon (1991) définit ainsi l'apprentissage coopératif :

> [...] une organisation de l'enseignement qui met à contribution le soutien et l'entraide des élèves, grâce à la création de petits groupes hétérogènes réunis autour d'un objectif commun et travaillant selon des procédures établies,

assurant la participation de tous et toutes à la réalisation d'une tâche scolaire (p. 126).

L'apprentissage coopératif repose sur plusieurs principes : l'interdépendance positive, c'est-à-dire le fait d'avoir conscience des autres face au travail à réaliser ; l'hétérogénéité des groupes ; une structure des activités propre à faciliter l'apprentissage en groupe ; l'apprentissage des habiletés nécessaires à la coopération ; la responsabilité individuelle, où chaque membre du groupe a une tâche particulière ; une organisation de la classe permettant les activités en petits groupes (Goor et Schwenn, 1993 ; Goupil et Lusignan, 1993). En ce qui concerne l'hétérogénéité des groupes, l'enseignant s'assure que chaque groupe comprend des élèves de différents niveaux (fort, moyen et faible), que les groupes sont hétérogènes quant au sexe et à l'appartenance ethnique des élèves. Bien qu'il ait en commun avec le travail en équipe le fait de réunir des élèves pour accomplir une tâche, l'apprentissage coopératif s'en distingue. Le tableau 5.8 présente les différences entre ces deux modes.

Les écrits sur les groupes coopératifs présentent de multiples façons d'utiliser la coopération et des structures déjà définies pour l'organisation des activités : Co-op, Jig Saw, Stad, etc. L'utilisation de la coopération requiert une excellente planification. Il est important de bien préparer les élèves. Dans un groupe, chaque élève pourra jouer un rôle, par exemple de secrétaire, de contrôleur du niveau de bruit, d'animateur ou de présentateur de l'activité. L'enseignant entraîne les élèves à jouer ces rôles en leur donnant différentes stratégies. Il établit avec ses élèves des règles de conduite qui faciliteront la bonne marche des activités. Ces règles peuvent être affichées dans la classe.

TABLEAU 5.8 Distinctions entre le travail en équipe et l'apprentissage coopératif

Travail en équipe	Apprentissage coopératif
– Groupe d'élèves formé spontanément	– Groupe hétérogène planifié
– Aucun rôle planifié	– Rôles individuels complémentaires planifiés
– Pas d'interdépendance structurée	– Interdépendance structurée
– Habiletés cognitives et sociales utilisées spontanément	– Apprentissage planifié d'habiletés cognitives et sociales

Source : Goupil et Lusignan (1995). Reproduit avec la permission de l'UQAM, Service de l'audiovisuel.

B. Le tutorat par les pairs

Le tutorat est le recours à une autre personne (le tuteur) pour aider un élève (le tuteuré) individuellement au cours de son apprentissage. Le tutorat est utilisé dans différents secteurs : en lecture, en écriture, en mathématiques. Les tuteurs sont généralement d'autres élèves, mais des parents et des bénévoles peuvent aussi jouer ce rôle. Le tutorat permet à l'élève de recevoir de l'attention d'une manière individuelle au cours de son apprentissage; de plus, il rend possible une relation de confiance privilégiée avec un autre élève:

> Nous sommes persuadés que le contact d'un jeune enfant avec un élève plus avancé dans des apprentissages et qui souvent « est passé par là » peut être fructueux parce que le modèle d'identification que représente le grand est plus accessible que celui d'un enseignant adulte, et parce que les blocages dus aux difficultés de communication risquent moins de se produire (Finkelsztein, 1986, p. 19-20).

Il existe deux formes principales de tutorat: le tutorat structuré et le tutorat ouvert. Le tutorat structuré est particulièrement utilisé avec les élèves en difficulté. Ce tutorat s'appuie sur des objectifs fixés à l'avance. Le matériel est généralement microgradué. Au cours de l'application du programme, les contrôles sont effectués régulièrement. Par ailleurs, le tutorat ouvert est beaucoup plus souple; on y fait appel à l'intérieur des programmes réguliers pour favoriser l'individualisation de l'enseignement (Goulet, 1985). Dans les pages suivantes, nous décrirons les conditions d'implantation d'un programme de tutorat structuré et nous en présenterons un exemple.

L'implantation d'un programme de tutorat

Un programme de tutorat ne s'improvise pas; une planification soignée et une étroite supervision sont requises. Diverses étapes président à son implantation. Il faut d'abord définir les besoins à combler et les buts du programme: Veut-on aider des petits de première année à consolider leur apprentissage en lecture? Veut-on faciliter l'acquisition de notions de mathématiques chez des jeunes de 1re secondaire? Les programmes de tutorat ne sont pas considérés comme des méthodes de base d'apprentissage. Ils sont utilisés à titre complémentaire avec les programmes ordinaires en classe.

Une fois les besoins définis, il est nécessaire de fixer des objectifs précis, de choisir le responsable du programme (généralement le titulaire ou l'orthopédagogue) et d'effectuer le choix du matériel. Selon Goulet (1985), le matériel utilisé sera hiérarchisé, cumulatif (permettant une révision systématique des stimuli appris), construit avec des exercices stéréotypés et des consignes simples et claires.

Il faut ensuite déterminer le rôle exact des tuteurs. Quelle sera leur tâche: faire exécuter des exercices, faire lire des fiches, tracer des graphiques pour enregistrer les progrès du tuteuré? Les contraintes pratiques sont alors fixées: l'horaire, le local, le nombre d'élèves. Dans le choix de l'horaire, l'intervenant tient compte des résultats de la recherche: l'intervention est plus efficace lorsqu'elle est quotidienne (Jenkins et Mayhall, 1976). D'ailleurs, il est souhaitable que les séances de tutorat aient lieu au moins trois fois par semaine (Goulet, 1985). En général, ces séances sont assez courtes (entre cinq et quinze minutes).

L'étape suivante consiste à recruter et à choisir les tuteurs. Dans ce choix, de nombreuses variables doivent être considérées, dont la collaboration des titulaires des classes et le désir des tuteurs de s'engager dans le programme en sachant ce qu'il implique (la durée et le nombre de séances, les obligations, le travail à faire).

Conseils de base aux tuteurs

- S'asseoir près de son tuteuré et non en face.
- Prendre le temps de faire connaissance avec ce dernier.
- Être ponctuel, c'est-à-dire commencer et terminer les séances à temps et inciter son tuteuré à faire de même.
- Être patient face aux difficultés que pourrait éprouver le tuteuré.
- Posséder tout le matériel nécessaire.
- Faire preuve de discrétion face à la situation d'apprentissage du tuteuré ; en d'autres termes, éviter de parler des difficultés de ce dernier en dehors des rencontres de supervision prévues.
- Éviter la compétition. Il ne s'agit pas d'une course où le premier qui termine est déclaré vainqueur. Le tuteuré doit évoluer à son propre rythme et non pas en fonction des progrès de son voisin.

L'aspect relationnel devient une variable importante dans l'appariement des élèves.

Par la suite, le responsable informe les parents de la participation de leur enfant. Il demande leur accord. En général, les parents sont fiers de cette responsabilité confiée aux tuteurs ; ils deviennent de ce fait une source importante d'encouragement. Un dernier détail concernant le choix des tuteurs : il peut être utile de prévoir l'engagement de tuteurs suppléants. Ainsi, lorsque le tuteur est absent, le suppléant prend la relève.

De nombreux auteurs (Loranger, 1984 ; Paine, Radicchi, Rosellini, Deutchman et Darch, 1983) ont souligné l'importance de la formation des tuteurs. Cette formation concerne la familiarisation avec le matériel et les objectifs du programme, l'apprentissage du renforcement et la correction des erreurs (Levasseur et Goupil, 1990).

Quand les tuteurs sont formés, le programme peut débuter. Tout au long de son déroulement, le responsable exerce une supervision étroite. Il offre à intervalles réguliers (par exemple une fois par semaine) des séances au cours desquelles une discussion porte sur les problèmes rencontrés. Le responsable profite de cette occasion pour renforcer les tuteurs et les encourager à jouer leur rôle. Le programme se termine par une évaluation globale. En général, ce cycle de travail dure entre cinq et huit semaines (Goulet, 1985).

5.6 Le redoublement

5.6.1 Définition et taux d'incidence

On utilise couramment la pratique du redoublement pour venir en aide aux élèves qui ont des difficultés ou un retard scolaire. « Loin d'avoir trouvé grâce aux yeux des recherches qui ont été menées sur son compte, la pratique du redoublement est malgré cela répandue au Québec et touche annuellement entre 4 et 5 p. cent des élèves de l'école primaire, incluant l'effectif de la maternelle 5-ans » (Brais, 1994b, p. 3).

Le terme « redoublement » est utilisé lorsque des enfants sont scolarisés dans une classe du même niveau que l'année précédente et qu'ils y sont instruits avec le même programme et le même matériel pédagogique. On emploie aussi ce terme lorsque, étant scolarisés dans une classe du même niveau que l'année précédente, les élèves utilisent un matériel pédagogique, des méthodes ou un programme scolaire différents (Garves, 1990). Paradis et Potvin (1993) indiquent que les termes « doubler » et « redoubler » sont équivalents.

Au Québec, on estime le nombre d'élèves qui redoublent une année à partir du nombre d'élèves qui entrent au secondaire après l'âge de 12 ans (Brais, 1994a). En effet, le primaire devrait, si l'élève ne redouble pas, avoir une durée de six ans. L'élève qui est admis au secondaire à l'âge de 13 ans a donc pris une année de plus que normalement. S'appuyant sur cette forme d'évaluation, un rapport du ministère de l'Éducation du Québec (1996c) estime que 36 % des élèves auront redoublé à l'âge de 14 ans.

Incidence du redoublement au primaire au Québec

Globalement

Les indicateurs officiels du MEQ nous apprennent que 4,6 % des élèves du primaire, secteurs public et privé, ont redoublé en 1994-1995. Cette proportion était aussi élevée que 5,7 % en 1990-1991 et aussi faible que 4,2 % en 1985-1986.

Sexe

Les indicateurs nous confirment aussi : « Quelles que soient l'année scolaire et la classe, le redoublement touche toujours plus les garçons. Les proportions de garçons qui redoublent une classe sont au moins une fois et demie plus élevées que les proportions de filles dans la même situation. »

Classe

Au primaire comme au secondaire, c'est toujours la première année qui est la plus difficile à passer.

Mois de naissance

Les élèves les plus jeunes dans leur groupe d'âge, c'est-à-dire les élèves nés au cours de l'été ou en septembre, se retrouvent plus souvent que les autres parmi les doubleurs.

Langue d'enseignement

Avant 1988, la pratique du redoublement au primaire était plus répandue dans les milieux anglophones que dans les milieux francophones ; c'est l'inverse depuis 1988.

Source : Tiré du ministère de l'Éducation du Québec (1996c, p. 9).

5.6.2 Une pratique controversée

La pratique du redoublement est cependant controversée. En 1991, Brais écrivait : « Les doubleurs du primaire présentent un risque nettement plus élevé d'abandon scolaire que les autres élèves » (p. 39). Par ailleurs, « plus l'élève a redoublé tôt, plus il risque d'abandonner ses études » (p. 14).

De nombreuses recherches ont été effectuées sur le redoublement. Comme beaucoup d'études réalisées dans le milieu scolaire, ces travaux se heurtent à des problèmes méthodologiques tels que l'équivalence des groupes d'élèves comparés (équivalence aux points de vue du quotient intellectuel, du milieu socio-économique, des variables motivationnelles, etc.). Il faut donc être prudent au cours de l'interprétation des données.

Dans l'ensemble, les conclusions des recensions des écrits sur le redoublement indiquent son inefficacité à long terme. Si plusieurs élèves montrent une amélioration de leur rendement au cours de l'année redoublée, les progrès ne se maintiennent pas à long terme. Après avoir analysé plusieurs recensions des écrits, Paradis et Potvin (1993) concluent :

> La plupart des recherches traitant de l'effet du redoublement sur le rendement scolaire montrent peu d'inférences valides ; elles ne permettent pas non plus de se prononcer sur le meilleur choix entre le redoublement et le passage dans la classe supérieure d'élèves faibles ou éprouvant des difficultés d'apprentissage (Jackson, 1975). Généralement, pour les élèves, le redoublement a des effets négatifs sur le rendement scolaire (Holmes et Mathews, 1984). Shepard et Smith (1989) montrent que, dans certaines études, l'amélioration constatée chez les élèves n'est pas persistante malgré le fait que les élèves doublent tôt dans leur cheminement scolaire (p. 46).

De plus, Leblanc (1996) écrit: « J'ai analysé plus de trente-six recherches faites sur le redoublement. Ces analyses m'incitent à croire que dans la plupart des cas, le redoublement ne profite pas à l'enfant » (p. 8).

Si, au point de vue du rendement scolaire, cette mesure semble à long terme peu profitable à l'élève, on peut se demander quels sont ses effets sur les plans affectif et motivationnel. Là encore, les études se heurtent à plusieurs problèmes méthodologiques et épistémologiques. Les questions mêmes de recherche sont difficiles à poser: par exemple, face à l'estime de soi, on peut se demander si c'est une bonne estime de soi qui conduit à la réussite scolaire ou si c'est le succès à l'école qui permet de développer une estime de soi positive. Après avoir analysé plusieurs recherches sur les effets du redoublement sur cette question, Leblanc (1991) conclut « qu'à long terme cette mesure pourrait nuire à l'élève » (p. 30).

5.6.3 Pourquoi, alors, faire redoubler?

Parmi les facteurs expliquant pourquoi le milieu scolaire recourt autant au redoublement, Paradis et Potvin (1993) citent les croyances des enseignants. Au nombre de ces croyances, il y a celle selon laquelle l'élève se développera davantage si on lui donne plus de temps. Des auteurs (Laudignon, 1988; Leblanc, 1996) indiquent que l'immaturité est aussi évoquée, par plusieurs, comme l'un des motifs du redoublement. Paradoxalement, Leblanc (1996) écrit: « Il serait préférable que l'élève peu mature soit promu plutôt que lui faire redoubler une année car il se retrouverait alors avec des enfants ayant un an plus jeune que lui » (p. 8). Rapportant les travaux de Byrnmes et Yamamoto, Paradis et Potvin (1993) indiquent que des enseignants peuvent aussi craindre le jugement de leurs collègues lorsqu'un élève n'a pas fait les acquisitions prévues au programme. La nature de l'information accessible sur le redoublement et ses effets influencent aussi les choix: plusieurs croient qu'à long terme cette mesure est efficace.

Les taux de redoublement fluctuent d'un milieu à l'autre. Selon Paradis et Potvin (1993), des études révèlent que « les écoles qui ont un taux élevé de redoublement sont de tendance plus bureaucratique et que leurs enseignants semblent travailler plus isolément » (p. 45). De multiples facteurs entrent donc en jeu lorsque les milieux scolaires adoptent cette pratique.

5.6.4 Les solutions possibles

Alors, si on ne fait pas redoubler l'élève, que fait-on? Différentes pratiques sont suggérées: un moins grand nombre d'élèves dans les classes, des périodes d'étude après la classe, le tutorat, la pédagogie de la maîtrise, des relations d'aide entre l'école et la maison, un plus grand nombre d'interventions individualisées, des politiques claires pour prévenir le redoublement, un suivi et une évaluation régulière de l'élève, des communications hebdomadaires et mensuelles avec les parents, des techniques de motivation, des cours d'été, etc. (Leblanc, 1996; Paradis et Potvin, 1993).

Pour les cas où les éducateurs optent malgré tout pour le redoublement, Leblanc (1996) précise deux conditions essentielles : l'élève ne devrait pas faire le même parcours que l'année précédente (il faudrait modifier les activités, le programme, changer d'enseignant, etc.) et les parents devraient être entièrement d'accord avec cette décision du redoublement. De plus, le redoublement ne doit pas être perçu par l'élève comme une mesure punitive. Enfin, il est souhaitable d'accompagner le redoublement d'un programme d'aide individualisée.

Somme toute, le redoublement est un sujet où il y a encore place pour la recherche. Paradis et Potvin (1993) recommandent à cet égard :

> Les recherches actuelles ne permettent pas de se prononcer avec certitude sur les effets bénéfiques du redoublement. Elles donnent par ailleurs des indices de grande prudence quant à l'utilisation de cette pratique afin de venir en aide aux élèves faibles ou à ceux qui ont des difficultés d'apprentissage. Sans rejeter cette pratique du revers de la main, il faudrait l'assortir de conditions qui limitent ses effets sur l'enfant (p. 44).

RÉSUMÉ

Dans ce chapitre sur l'intervention, nous avons mis l'accent sur la nécessité de planifier des conditions facilitant l'apprentissage de l'élève en difficulté. Lorsque cet élève présente des difficultés sérieuses, il peut être nécessaire de planifier plus systématiquement l'intervention à l'intérieur d'un plan personnalisé. L'intervention touchera bien sûr les apprentissages scolaires, mais les aspects émotifs et motivationnels ne doivent pas, pour autant, être oubliés. Dans ce processus d'intervention, le titulaire pourra avoir recours à diverses ressources. L'orthopédagogue et les pairs en sont deux exemples.

La planification et l'application de l'intervention ainsi que l'utilisation des ressources doivent s'effectuer dans un processus dynamique.

QUESTIONS

1. Comment l'évaluation sert-elle de point de départ à la planification de l'intervention ?
2. Quelle est l'utilité d'un plan d'intervention personnalisé pour un élève en difficulté d'apprentissage ?
3. À partir du texte de l'élève présenté à la figure 4.6 (p. 93), élaborez deux objectifs d'apprentissage.
4. Quelles sont les différentes formules de travail que peut utiliser un orthopédagogue dans une école ?

5. Qu'est-ce que le tutorat ?
6. Outre l'aide sur le plan strictement scolaire, quels sont, selon vous, les avantages de faire appel à des élèves comme tuteurs d'élèves en difficulté ? Y voyez-vous des désavantages ?

LECTURES SUGGÉRÉES

Sur l'intervention auprès des élèves :

SAINT-LAURENT, L., GIASSON, J., SIMARD, C., DIONNE, J.-J., ROYER, E. et autres (1995). *Programme d'intervention auprès des élèves à risque. Une nouvelle option éducative.* Boucherville : Gaëtan Morin Éditeur.

Sur le tutorat :

GOULET, M. (1985). *Le tutorat.* Montréal : CECM, Bureau des ressources en développement pédagogique et consultation personnelle.

Sur la motivation :

MARTIN, L. (1994). *La motivation à apprendre : plus qu'une simple question d'intérêt.* Montréal : CECM, Service de la formation générale.

SECTION

LES ÉLÈVES EN DIFFICULTÉ D'ADAPTATION ET DE COMPORTEMENT

Les définitions, les classifications et les causes des difficultés d'adaptation et de comportement

OBJECTIFS

Après avoir lu ce chapitre, le lecteur devrait pouvoir :

- expliquer pourquoi il est difficile de définir précisément les difficultés d'ordre comportemental ;
- indiquer quelle définition utilise le ministère de l'Éducation du Québec pour les élèves ayant des difficultés d'ordre comportemental ;
- décrire le rôle des normes sur l'acceptation ou la non-acceptation des comportements ;
- décrire les rôles de la famille et de l'école dans l'apparition de comportements agressifs ;
- décrire les divers facteurs en cause dans l'apparition des problèmes de comportement et indiquer comment ces facteurs interagissent les uns avec les autres ;
- décrire différentes classifications des difficultés de comportement ;
- décrire les manifestations de divers problèmes : le trouble oppositionnel avec provocation, le déficit de l'attention et l'hyperactivité ainsi que la dépression.

INTRODUCTION

S'il y a un domaine où il est difficile d'établir des critères d'inclusion et d'exclusion, c'est bien celui des problèmes de comportement. Tandis que certains élèves présentant des problèmes de comportement ne sont jamais identifiés, d'autres sont classés comme ayant des difficultés d'ordre comportemental. Plusieurs facteurs reliés entre eux peuvent déterminer cette identification : la gravité des problèmes de l'élève, le seuil de tolérance des milieux intéressés, l'engagement des parents, la capacité de l'école d'accepter les différences individuelles, etc.

Dans ce chapitre, nous examinerons les problèmes soulevés par l'identification des élèves ayant des difficultés d'ordre comportemental. Par la suite, nous présenterons la définition qu'utilise le ministère de l'Éducation du Québec. Nous nous pencherons ensuite sur les multiples facteurs pouvant expliquer l'apparition des problèmes de comportement. Puis, nous présenterons quelques classifications : la classification du DSM IV (*Manuel diagnostique et statistique des troubles mentaux*, American Psychiatric Association, 1996), celle de Quay et celle de Kauffman. Enfin, nous verrons différentes manifestations des problèmes de comportement en décrivant certains troubles et désordres de la conduite.

6.1 DES CRITÈRES DIFFICILES À CERNER

Brown (1985) indique que la catégorie des élèves ayant des difficultés d'ordre comportemental est sans doute la plus difficile à cerner. Selon cet auteur, le problème de définition a plusieurs origines :

1. Le manque d'instruments qui évaluent la personnalité, l'équilibre ou d'autres dimensions avec précision, ou avec suffisamment de validité pour fournir une base solide à la définition des problèmes émotifs.
2. La grande variété de modèles conceptuels qui existent en éducation et en psychologie.
3. L'inclusion de plusieurs problèmes ou déficits. À l'inverse des autres catégories d'enfants en difficulté qui reçoivent des services spéciaux soit parce qu'ils sont au-dessous des normes (par exemple l'enfant déficient visuel) ou au-dessus (par exemple le surdoué) sur quelques dimensions, les comportements couvrent un vaste champ qui présente des variétés et des combinaisons presque infinies.
4. Les attentes de comportements appropriés qui varient dans différents groupes sociaux et culturels et d'un environnement à l'autre, de sorte qu'il est difficile de juger si le comportement d'un enfant est oui ou non perturbé.
5. La nature transitoire des problèmes de comportement et les manifestations des mêmes comportements par les enfants « normaux » à un moment quelconque de leur développement.
6. La grande variété d'organismes sociaux qui s'occupent des problèmes émotifs, chacun utilisant une définition spécifique précise pour déterminer les critères d'admission à ses services, ce qui complique l'établissement de définitions qui pourraient être utiles à tous (par exemple aux tribunaux, aux cliniques, aux écoles, aux familles) (p. 116-117 ; traduit par l'auteure ; © The Council for Exceptional Children ; reproduit avec permission).

Slavin (1988) présente l'élève ayant des difficultés d'ordre comportemental comme celui dont l'apprentissage est profondément perturbé durant une période prolongée, dans une ou plusieurs de ces situations : des difficultés d'apprentissage, des difficultés à établir des relations satisfaisantes, des comportements ou des sentiments inappropriés dans des circonstances normales. Selon cet auteur, à ces difficultés peuvent s'ajouter un état persistant de mauvaise humeur ou de dépression et une tendance à développer des symptômes physiques et des peurs à la suite des problèmes vécus.

En règle générale, à l'école, l'élève est diagnostiqué comme ayant des difficultés d'ordre comportemental parce qu'il perturbe sérieusement le fonctionnement de la classe par des comportements non adaptés à la situation scolaire (Knoblock, 1976). À cela s'ajoute souvent le fait de ne pas retirer de l'enseignement un apprentissage suffisant dont une autre cause (par exemple une déficience intellectuelle) permettrait d'expliquer les lacunes. Si les difficultés de comportement peuvent être attribuées à des carences affectives graves et à l'absence de satisfaction des besoins fondamentaux, peut-on aller jusqu'à affirmer que l'élève que l'on ne peut classer dans une autre catégorie ou qui est incapable de s'adapter à la classe ordinaire peut recevoir cette étiquette ?

Dans le milieu scolaire, lorsqu'un élève est identifié comme étant en difficulté de comportement, il présente en général des comportements perturbateurs ou non conformes aux normes établies ; ces comportements sont plus ou moins nombreux et leur effet est plus ou moins important. Bien que des élèves posent des actes graves (par exemple blesser un autre élève), la plupart du temps, c'est l'accumulation de comportements anodins non tolérés qui dérange l'enseignant et la classe. Des élèves font des bruits inutiles, jouent avec des objets qui ne se rapportent pas à la tâche, ne terminent pas les exercices, répondent aux questions sans lever la main (Slate et Saudergas, 1986 ; Winet et Winkler, 1974). Slate et Saudergas (1986) constatent que les élèves ayant des difficultés d'ordre comportemental émettent environ trois fois plus de commentaires et interagissent environ quatre fois plus avec l'enseignant que les autres élèves. L'acceptation ou la non-acceptation de ces comportements fluctue en fonction de l'enseignant, de l'activité (un cours magistral ou un travail en équipe, par exemple), du groupe et du contexte. Ainsi, dans certaines classes, les élèves sont relativement libres de se lever quand bon leur semble. Dans d'autres, l'enseignant exige qu'ils demeurent à leur place. Un comportement n'est pas déviant ou approprié en soi, il l'est par rapport aux normes établies par le milieu. D'ailleurs, Henley, Ramsey et Algozzine (1993) se demandent si, lorsqu'un élève dérange la classe, cela veut nécessairement dire qu'il est en difficulté. Ces auteurs posent la question suivante : « Dérangés ou dérangeants ? » (« *Disturbed or disturbing?* »)

Toutefois, qu'il s'agisse de comportements multiples non tolérés ou de comportements sous-réactifs, les normes et les valeurs du milieu éducatif fixent les balises de l'acceptation. Les manifestations sont variées et les problèmes de définitions, complexes. Néanmoins, des organismes ont dû adopter des critères d'identification et formuler des définitions. Ainsi, à des fins de classification des élèves et pour pouvoir servir cette clientèle, le ministère de l'Éducation du Québec a publié, au cours des années, diverses définitions. Nous verrons ici celle utilisée dans l'instruction 1995-1996.

6.2 La définition du ministère de l'Éducation du Québec

Le ministère de l'Éducation du Québec subdivise sa définition en deux parties : les élèves ayant des troubles de comportement et les élèves ayant des troubles graves de comportement associés à une déficience psychosociale. Le tableau 6.1 présente cette définition.

TABLEAU 6.1 Définition du ministère de l'Éducation du Québec des élèves ayant des difficultés d'ordre comportemental

Élèves ayant des troubles de comportement

L'élève ayant des troubles de conduite ou de comportement est celle ou celui dont l'évaluation psychosociale, réalisée en collaboration par un personnel qualifié et par les personnes concernées, avec des techniques d'observation ou d'analyse systématique, révèle un déficit important de la capacité d'adaptation se manifestant par des difficultés significatives d'interaction avec un ou plusieurs éléments de l'environnement scolaire, social et familial.

Il peut s'agir :

- de comportements surréactifs en regard des stimuli de l'environnement (paroles et actes injustifiés d'agression, d'intimidation, de destruction, refus persistant d'un encadrement justifié...) ;
- de comportements sous-réactifs en regard des stimuli de l'environnement (manifestations de peur excessive des personnes et des situations nouvelles, comportements anormaux de passivité, de dépendance, de retrait...).

Les difficultés d'interaction avec l'environnement sont considérées comme significatives, c'est-à-dire comme requérant des services éducatifs particuliers dans la mesure où elles nuisent au développement du jeune en cause ou à celui d'autrui en dépit des mesures d'encadrement habituelles prises à son endroit.

L'élève ayant des troubles de conduite ou de comportement présente fréquemment des difficultés d'apprentissage, en raison d'une faible persistance face à la tâche ou d'une capacité d'attention et de concentration réduite.

Élèves ayant des troubles graves de comportement associés à une déficience psychosociale

L'élève ayant des troubles graves de comportement associés à une déficience psychosociale est celle ou celui dont l'évaluation du fonctionnement global, réalisée par une équipe multidisciplinaire, dont une professionnelle ou un professionnel de la santé mentale, à l'aide de techniques d'observation systématique et d'outils standardisés d'évaluation, conduit à l'un ou l'autre des diagnostics suivants :

- ***Délinquance :*** comportements agressifs ou destructeurs de nature antisociale dont la fréquence élevée depuis plusieurs années requiert un encadrement systématique.

  L'élève en cause est bénéficiaire de services liés à l'application de la Loi sur la protection de la jeunesse ou de la Loi sur les jeunes contrevenants.

En pratique, l'élève visé par une entente entre le ministère de l'Éducation et de la Science et celui de la Santé et des Services sociaux, en raison de problèmes de comportement, se retrouve dans cette catégorie :

→

TABLEAU 6.1 Définition du ministère de l'Éducation du Québec des élèves ayant des difficultés d'ordre comportemental (suite)

Élèves ayant des troubles graves de comportement associés à une déficience psychosociale (suite)

- ***Désordre majeur du comportement:*** comportements répétitifs et persistants qui violent significativement les droits des autres élèves ou les normes sociales appropriées à un groupe d'âge et qui prennent la forme d'agressions verbales ou physiques, d'irresponsabilité et de défi constant de l'autorité. L'intensité et la fréquence de ces comportements sont telles qu'un enseignement en groupe restreint et un encadrement systématique sont nécessaires. Cette ou cet élève, lors d'une évaluation sur une échelle de comportement standardisée, s'écarte d'au moins deux écarts types de la moyenne des jeunes de son groupe d'âge.

  Les troubles de comportement en cause sont sévères au point d'empêcher l'accomplissement des activités normales de cette ou cet élève et de rendre obligatoire, aux fins de services éducatifs, la présence de personnel d'encadrement ou de réadaptation lors de la majeure partie de la présence à l'école.

Source: Tiré du ministère de l'Éducation du Québec (1993, p. 33-34). Instruction reconduite pour 1996-1997.

6.3 La prévalence

Certains milieux préfèrent considérer les élèves sur une base non catégorielle; par contre, d'autres continuent à identifier les élèves. Ainsi, au Québec, les statistiques du ministère de l'Éducation indiquent, en date du 15 mai 1996, 20 578 élèves présentant des difficultés d'ordre comportemental au préscolaire, au primaire et au secondaire réunis. Néanmoins, qu'il y ait identification ou non, il est impossible de nier les problèmes affectifs graves vécus par plusieurs élèves. De plus, les problèmes de discipline et les problèmes de comportement se trouvent au haut de la liste des difficultés vécues dans les écoles.

6.4 Les causes et les facteurs de risque des problèmes de comportement et d'adaptation

En classe, bien des manifestations peuvent être qualifiées de problèmes de comportement et d'adaptation: l'agressivité, la suractivité, les devoirs non remis, les travaux non faits ou mal faits, les comportements excessifs pour attirer l'attention des autres élèves, l'absentéisme, le rejet social, etc. Nous nous pencherons sur des facteurs généraux qu'on peut évoquer face à l'apparition des problèmes de comportement et d'adaptation. Plusieurs facteurs et aspects peuvent être considérés en ce qui concerne l'apparition de ces problèmes. Ces éléments sont reliés à l'élève de même qu'à l'environnement social et scolaire, aux attentes de l'élève, à ses normes d'exigences et aux réponses apportées à ses besoins. La problématique est complexe. Les écarts ou les problèmes de comportement ne peuvent être évalués uniquement en fonction des caractéristiques des élèves, mais doivent aussi être définis en tenant compte de leur contexte d'apparition:

> Les écologistes étudiant l'être humain ont commencé à remettre en question l'opinion des praticiens plus traditionnels qui adhèrent à des approches psychodynamiques ou comportementales. Dans leur optique, l'enfant perturbé est

> considéré comme une victime en rupture avec son environnement, comme le supposent quelques behavioristes… La classe devient alors un écosystème où différents types d'enfants, potentiellement, manifestent divers degrés de discordance entre leur comportement, les attentes de l'enseignant, des pairs et des parents (Forness, 1981, p. 59; traduit par l'auteure).

L'élève a une interaction continuelle avec son environnement. Les normes fixées par l'école contribuent à déterminer le seuil critique des comportements, et force est d'admettre que le seuil de tolérance des intervenants concourt à établir ces critères au-delà desquels apparaissent des difficultés que l'on définit comme étant d'ordre comportemental. En discutant avec des enseignants et des directions d'écoles, il est possible d'entendre des témoignages tels ceux-ci: « C'est étrange, l'année dernière, Paul n'a pas cessé de nous poser des problèmes, mais cette année, depuis qu'il est dans la classe de Mme Leblanc, on n'en entend plus parler! »; « Quand Éric a vécu le divorce de ses parents, il n'était plus tenable, on arrivait à peine à attirer son attention »; « Ah, si Jean ne se tenait pas avec ce groupe d'amis, il me semble qu'il aurait moins de problèmes! » Il s'agit là de données empiriques, mais qui témoignent de la diversité des facteurs qu'on évoque spontanément pour expliquer des difficultés de comportement.

Lorsqu'un élève présente des problèmes graves de comportement, les éducateurs centrent leur attention d'abord sur lui. Cependant, il ne faut pas négliger le cadre dans lequel se produisent ces comportements de même que les diverses influences subies par l'élève. Ce dernier interagit constamment avec son milieu, soit sa classe, son école, sa famille et son environnement social (par exemple le quartier, les voisins). Nous examinerons ici sommairement quelques-uns de ces aspects.

6.4.1 Les causes et les facteurs de risque liés à l'élève

A. *La personnalité et les facteurs biologiques*

On mentionne souvent certains traits de caractère ou encore la structure de la personnalité pour expliquer les problèmes de comportement. Le tempérament est évoqué par plusieurs (Kauffman, 1997; Kirk, Gallagher et Anastasiow, 1993) comme étant la cause de certains problèmes de comportement. Celui-ci s'exprime par des différences individuelles quant au taux d'activités, à la socialisation et aux émotions (Fortin et Bigras, 1996). Dans la même famille, certains enfants sont plus faciles à éduquer que d'autres. Les parents qui ont plusieurs enfants connaissent bien ces différences qui se manifestent dès les premiers jours de la vie.

Des facteurs biologiques peuvent aussi être reliés à certains problèmes de comportement ou émotifs: un traumatisme, la malnutrition, etc. La consommation de substances telles que l'alcool ou les drogues par la mère en cours de grossesse ou dans la famille peut également avoir une influence importante sur le développement de l'enfant. Toutefois, comme le soulignent Hallahan et Kauffman (1994), il est souvent difficile de connaître dans quelle mesure ces facteurs ont un effet déterminant sur les comportements de l'élève.

B. *Le sexe des élèves*

Parmi toutes les caractéristiques personnelles de l'élève, le sexe semble une variable à considérer. Les élèves en difficulté de comportement sont en majorité des garçons. Au Québec, pour ce qui est du primaire, au moins trois garçons pour une fille sont identifiés comme ayant des difficultés d'ordre comportemental (données obtenues par des communications personnelles auprès des commissions scolaires). Aux États-Unis, ce phénomène se produit également (statistiques du National Center for Educational Statistics, 1985, cité dans Slavin, 1988). Ces différences entre les garçons et les filles apparaîtraient très tôt ; on les observerait même à la garderie (Goupil, Comeau et Chagnon, 1985).

> On reconnaît unanimement en psychologie que les garçons et les filles se conduisent de manière différente, et que cette différenciation se construit entre autres sous l'influence de facteurs physiques (Hutt, 1978) et en cours du développement, du fait que les jeunes sont attirés vers les activités de personnes de même sexe et vers les modèles de même sexe (Huston, 1983) (Loranger, 1988, p. 94).

Jusqu'à ce jour, on a exploré plusieurs modèles explicatifs pour déterminer les différences entre les filles et les garçons : la présence de différences génétiques, la différence des modèles culturels offerts aux garçons et aux filles, le milieu éducatif (Drapeau, 1981 ; Maccoby et Jacklin, 1974 ; Patterson, 1982). Mais pourquoi y a-t-il plus de garçons que de filles en difficulté de comportement ? Les variables biologiques pourraient déterminer en partie ces différences entre les garçons et les filles (Patterson, 1982). Les garçons expriment leur agressivité différemment des filles ; les filles utilisent davantage les attaques verbales, alors que les garçons se servent des contacts physiques (Patterson, 1982). Dans le milieu scolaire, il est évident que l'agression physique perturbe plus que l'agression verbale. Ces différences entre les sexes s'expliquent aussi, en partie, par des conditionnements socioculturels. Le garçon défend ses droits physiquement ; la fille est dissuadée, dès le bas âge, d'utiliser ce moyen. Les éducateurs et les parents répriment les gestes agressifs des filles ; les garçons sont parfois encouragés à recourir à ceux-ci (Patterson, 1982). Brophy (1985) indique que les enseignants critiquent et punissent davantage les garçons que les filles pour des comportements non appropriés, et qu'ils contrôlent davantage les tâches des garçons. Lindow, Marrett et Wilkinson (1985) précisent que si certaines recherches montrent que les enseignants donnent plus d'attention aux garçons, d'autres prouvent le contraire…

C. *L'interaction de différents facteurs*

Les caractéristiques personnelles des élèves peuvent aussi être mises en relation les unes avec les autres. Les élèves ayant des problèmes de comportement présentent des difficultés d'apprentissage ou un rendement faible en classe (voir la définition du ministère de l'Éducation du Québec, 1993, instruction 1996-1997, p. 128). Le rendement scolaire influence le comportement social. Kauffman, Cullinan et Epstein (1987) observent, auprès d'un groupe de 249 enfants ayant des problèmes de comportement âgés entre 7 et 19 ans, des relations significatives entre un

TABLEAU 6.2 Interactions des facteurs

1. L'élève n'est pas bien disposé face à l'apprentissage ; il s'ensuit un rendement faible.
2. Des problèmes émotifs perturbent la concentration de l'élève et mobilisent son attention.
3. Ce rendement faible a un effet sur le concept de soi et sur l'image que les parents et les enseignants ont de l'enfant.

rendement pauvre en lecture et les comportements agressifs de ces élèves. Les diverses expériences de l'élève interagissent les unes avec les autres. Le tableau 6.2 présente ces interactions.

Qu'il s'agisse du sexe, de déficiences neurologiques (comme dans certains cas d'hyperactivité), de traits de caractère, de types de personnalité ou d'un rendement faible à l'école, les caractéristiques personnelles de l'élève sont souvent associées à l'apparition des problèmes de comportement. Toutefois, certaines de ces caractéristiques personnelles (en particulier celles qui relèvent des traits de personnalité ou d'un rendement faible) sont, dans l'esprit des éducateurs, fortement reliées à l'éducation reçue dans le milieu familial.

6.4.2 Les causes et les facteurs de risque liés à la famille

Rutter et autres (cités dans Patterson, 1982) dénombrent, au sujet de la famille, six variables associées aux problèmes psychiatriques chez les enfants : (1) des problèmes graves de discorde dans le mariage ; (2) un milieu socioéconomique défavorisé ; (3) une grande famille ; (4) le passé criminel du père ; (5) des troubles antécédents psychiatriques chez la mère ; (6) l'admission à des soins par les services publics. Kirk et autres (1993) établissent les facteurs suivants : une histoire de violence dans la famille, des revenus sous le seuil de la pauvreté, le divorce des parents naturels, la consommation de drogues ou l'alcoolisme, l'influence négative des pairs, des problèmes de santé mentale et les familles ayant plus de trois enfants. Une étude menée par Hetherington et autres (1976, cités dans Patterson, 1982) auprès de familles dont les parents sont divorcés indique que l'absence du père est associée à une augmentation des comportements antisociaux, spécialement chez les garçons. De plus, Fortin et Bigras (1996) soulignent que la qualité des rapports entre l'enfant et ses parents a une influence sur ses comportements et le développement de sa compétence sociale.

Parmi les autres éléments susceptibles d'être liés à la famille se trouvent les situations où les enfants sont négligés ou maltraités. Aux États-Unis, au-delà de deux millions d'enfants seraient maltraités ou négligés (Slavin, 1988). Il va sans dire que ces situations influencent le comportement des enfants à l'école. Les enseignants évoquent souvent le type d'éducation offert par les parents comme étant à l'origine des problèmes de comportement (Gaudreau, 1980). Il ne s'agit cependant que d'un aspect de la réalité, lequel ne devrait pas empêcher les intervenants de se pencher sur leurs propres pratiques.

6.4.3 Les causes et les facteurs de risque liés au milieu scolaire

Dans certaines écoles ou classes, on rencontre plus de problèmes de comportement ou d'indiscipline que dans d'autres. Les élèves plus « fragiles » réagissent alors davantage. Il est bien sûr possible d'évoquer le milieu socioéconomique, puis d'évacuer le problème en se disant qu'il s'agit d'un milieu difficile autant pour les parents que pour les enfants ! On peut aussi se pencher sur les caractéristiques que présentent la classe et l'école.

Wayson (1982) a effectué une synthèse des principaux problèmes rapportés par des écoles comme source d'indiscipline. Il propose ainsi une liste d'événements reconnus comme tels. Ces événements sont regroupés autour des thèmes suivants : les modes de communication, les modes de résolution de problèmes, les modes de prise de décisions, les relations avec la direction, l'appartenance des élèves à leur classe et à leur école, et les procédés pour préparer ou implanter les règles de discipline. À ces éléments s'ajoutent les pratiques pédagogiques, les moyens utilisés pour régler les problèmes personnels, l'organisation de l'environnement physique et les relations avec les parents et les ressources communautaires.

Nous examinerons ici, à titre d'exemple, l'un de ces thèmes, soit les procédés pour préparer ou implanter les règles de discipline. Certains problèmes de comportement surviennent lorsque les règles, dans la classe ou dans l'école, ne sont pas clairement définies et que les élèves ne sont pas engagés dans la planification de ces règles. Des règlements trop nombreux ou impossibles à appliquer, des punitions données de manière non systématique ou sans motif réel sont autant de sources de conflits avec les élèves qui engendrent des problèmes de comportement. Dans le chapitre 7 sur l'évaluation des difficultés de comportement, nous aborderons des dimensions au sujet desquelles il est possible de réfléchir lorsque, dans une école, de nombreux élèves présentent des problèmes de comportement.

Diverses conditions, en classe, peuvent faciliter l'épanouissement de l'élève ou, au contraire, susciter l'émergence de difficultés. À partir d'une recension exhaustive des écrits scientifiques, Weinstein (1979) conclut que, de toute évidence, l'environnement de la classe peut influencer les comportements et les attitudes liés à un rendement déficient. Par exemple, des classes trop densément peuplées auraient un effet sur l'insatisfaction des élèves, sur une baisse des interactions sociales et sur une augmentation de l'agressivité (Weinstein, 1979). Moos et Moos (1978) trouvent des relations significatives entre l'absentéisme des élèves et le climat de la classe. Les classes ayant un taux élevé d'absentéisme sont perçues par les élèves comme compétitives, très contrôlées par l'enseignant et bénéficiant peu de son soutien.

D'ailleurs, les attitudes de l'enseignant peuvent avoir une influence sur le rendement et les comportements de l'élève (Brophy, 1983). Rappelons ici le célèbre effet Pygmalion ! La présence d'attentes chez l'enseignant augmente la probabilité que le rendement de l'élève s'oriente dans le sens de ces prévisions et non dans le sens contraire (Brophy, 1983).

Il existe une dynamique entre les problèmes de comportement et les réponses des intervenants. Rapportant les travaux de Cooper, Brophy (1983) indique que la présence persistante de problèmes de comportement fait obstacle aux besoins de contrôle de l'enseignant. Celui-ci a alors tendance à orienter davantage ses interactions vers le thème de la conduite plutôt que vers l'apprentissage scolaire. Ces élèves en difficulté de comportement reçoivent un moins grand renforcement positif pour leurs travaux que d'autres élèves, non identifiés, n'en reçoivent pour un rendement semblable. Or, il est reconnu que l'attention des enseignants est un puissant agent de changement des comportements (O'Leary et O'Leary, 1976). Par ailleurs, la relation entre l'enseignant et l'élève revêt une grande importance :

> La relation entre l'enseignant et l'élève est encore plus importante que la fréquence générale des comportements déviants. Brophy et autres (1981) constatent que des enseignants ont des contacts neutres et positifs avec certains élèves qui présentent fréquemment des comportements inappropriés parce que ces problèmes ne sont pas reçus sur un plan personnel et parce que ces élèves et ces enseignants semblent s'aimer. Au contraire, des enseignants ont des relations très négatives avec certains élèves, incluant des élèves qui ne présentent pas ou qui présentent peu de problèmes de comportement. La clé de ces relations négatives est une aversion mutuelle. Les élèves en question manifestent leur aversion en évitant ces enseignants, en n'ayant aucune réaction lorsque ces derniers essaient de les encourager ou de les renforcer et en adoptant une attitude maussade ou défiante lorsque les enseignants essaient de les critiquer ou de les discipliner. Du côté des enseignants, ces relations négatives s'expriment non seulement par un bas niveau d'interaction en public, mais aussi par un niveau élevé de critiques, et une tendance à citer en classe ces élèves comme de mauvais exemples, par le refus des demandes de ces élèves et par la communication non verbale fréquente de leur impatience ou d'attitudes négatives (p. 652 ; traduit par l'auteure).

Ces quelques recherches indiquent que les caractéristiques de l'école et de la classe peuvent avoir une influence sur la genèse et le maintien des problèmes de comportement.

6.4.4 Les causes et les facteurs de risque liés à l'environnement social

Le quartier et le groupe d'amis sont d'autres facteurs influençant l'apparition des problèmes de comportement, et ce spécialement à l'adolescence. Des problèmes de comportement, tels les actes délinquants, sont particulièrement associés à la présence de « la gang » (Goldstein, 1991). Dans certaines écoles, les jeunes font partie de groupes relativement bien structurés qui s'affrontent à l'occasion, ce qui génère des conflits dont la violence est souvent marquée. Dans l'étiologie des problèmes de comportement, il est impossible de nier l'influence de ces facteurs.

Les difficultés d'ordre comportemental ont de nombreuses causes ; elles peuvent aussi se manifester sous des formes extrêmement diversifiées. Afin de mieux nous orienter dans ce domaine complexe, différents auteurs ou organismes ont proposé des classifications. Nous verrons maintenant quelques-unes d'entre elles.

6.5 Diverses classifications des problèmes de comportement

6.5.1 Le DSM IV

Le *Manuel diagnostique et statistique des troubles mentaux* (American Psychiatric Association, 1996) présente une classification utilisée surtout par les psychologues, les médecins et les psychiatres. Cette classification est connue sous l'abréviation DSM IV (*Diagnostic and Statistical Manual of Mental Disorders*, 4e édition). Si la plupart des catégories décrites dans ce manuel concernent surtout les intervenants en santé mentale, certaines peuvent donner des balises intéressantes. Nous verrons sommairement l'ensemble des troubles apparaissant durant l'enfance ou l'adolescence et nous nous attarderons sur quelques descriptions données par le DSM IV.

La classification du DSM IV présente 10 catégories de troubles : (1) le retard mental ; (2) les troubles des apprentissages ; (3) le trouble des habiletés motrices ; (4) les troubles de la communication ; (5) les troubles envahissants du développement (comme l'autisme et le syndrome de Rett) ; (6) le déficit de l'attention et le comportement perturbateur ; (7) les troubles de l'alimentation et les troubles des conduites alimentaires (par exemple l'anorexie mentale et la boulimie) ; (8) les troubles liés aux tics (comme le syndrome Gilles de la Tourette) ; (9) les troubles du contrôle sphinctérien et (10) une catégorie liée à d'autres troubles de la première enfance, de la deuxième enfance ou de l'adolescence (telle l'angoisse de séparation). Certaines de ces catégories, comme le retard mental, touchent d'autres groupes que celui des élèves faisant l'objet du présent chapitre. D'autres catégories, bien que faisant référence à des problèmes de comportement, sont surtout utiles aux milieux cliniques ; tel est le cas des troubles de l'alimentation. La cinquième catégorie, le déficit de l'attention et le comportement perturbateur, est une catégorie susceptible d'intéresser des intervenants dans le milieu scolaire.

Le déficit de l'attention et le comportement perturbateur

La catégorie « déficit de l'attention et comportement perturbateur » inclut (1) le déficit de l'attention et l'hyperactivité ; (2) les troubles de la conduite ; (3) le trouble oppositionnel avec provocation ; (4) le comportement perturbateur non spécifié.

Le tableau 6.3 (p. 136-137) présente les critères diagnostiques des troubles de la conduite et du trouble oppositionnel avec provocation. Nous reviendrons plus loin sur le déficit de l'attention avec hyperactivité. Quant au comportement perturbateur non spécifié, il désigne les comportements qui ne correspondent pas entièrement aux critères des autres catégories, mais qui sont suffisamment importants pour justifier une appellation.

Comme nous l'avons mentionné précédemment, le DSM IV est surtout utilisé dans les milieux cliniques. Cependant, plusieurs auteurs ont formulé des classifications à l'intention des milieux éducatifs. Nous verrons ici deux de celles-ci, soit la

TABLEAU 6.3 Critères diagnostiques des troubles de la conduite

A. Ensemble de conduites, répétitives et persistantes, dans lequel sont bafoués les droits fondamentaux d'autrui ou les normes et règles sociales correspondant à l'âge du sujet, comme en témoigne la présence de trois des critères suivants (ou plus) au cours des 12 derniers mois, et d'au moins un de ces critères au cours des 6 derniers mois :

Agressions envers des personnes ou des animaux

(1) brutalise, menace ou intimide souvent d'autres personnes

(2) commence souvent les bagarres

(3) a utilisé une arme pouvant blesser sérieusement autrui (p. ex., un bâton, une brique, une bouteille cassée, un couteau, une arme à feu)

(4) a fait preuve de cruauté physique envers des personnes

(5) a fait preuve de cruauté physique envers des animaux

(6) a commis un vol en affrontant la victime (p. ex., agression, vol de sac à main, extorsion d'argent, vol à main armée)

(7) a contraint quelqu'un à avoir des relations sexuelles

Destruction de biens matériels

(8) a délibérément mis le feu avec l'intention de provoquer des dégâts importants

(9) a délibérément détruit le bien d'autrui (autrement qu'en y mettant le feu)

Fraude ou vol

(10) a pénétré par effraction dans une maison, un bâtiment ou une voiture appartenant à autrui

(11) ment souvent pour obtenir des biens ou des faveurs ou pour échapper à des obligations (p. ex., « arnaque » les autres)

(12) a volé des objets d'une certaine valeur sans affronter la victime (p. ex., vol à l'étalage sans destruction ou effraction ; contrefaçon)

Violations graves de règles établies

(13) reste dehors tard la nuit en dépit des interdictions de ses parents, et cela a commencé avant l'âge de 13 ans

(14) a fugué et passé la nuit dehors au moins à deux reprises alors qu'il vivait avec ses parents ou en placement familial (ou a fugué une seule fois sans rentrer à la maison pendant une longue période)

(15) fait souvent l'école buissonnière, et cela a commencé avant l'âge de 13 ans

B. La perturbation du comportement entraîne une altération cliniquement significative du fonctionnement social, scolaire ou professionnel.

C. Si le sujet est âgé de 18 ans ou plus, le trouble ne répond pas aux critères de la Personnalité antisociale.

Critères diagnostiques du Trouble oppositionnel avec provocation

A. Ensemble de comportements négativistes, hostiles ou provocateurs, persistant pendant au moins 6 mois durant lesquels sont présentes quatre des manifestations suivantes (ou plus) :

(1) se met souvent en colère

(2) conteste souvent ce que disent les adultes

(3) s'oppose souvent activement ou refuse de se plier aux demandes ou aux règles des adultes

⟶

TABLEAU 6.3 Critères diagnostiques des troubles de la conduite (suite)

Critères diagnostiques du Trouble oppositionnel avec provocation (suite)

(4) embête souvent les autres délibérément

(5) fait souvent porter à autrui la responsabilité de ses erreurs ou de sa mauvaise conduite

(6) est souvent susceptible ou facilement agacé par les autres

(7) est souvent fâché et plein de ressentiment

(8) se montre souvent méchant ou vindicatif

N.B. : On ne considère qu'un critère est rempli que si le comportement survient plus fréquemment qu'on ne l'observe habituellement chez des sujets d'âge et de niveau de développement comparables.

B. La perturbation des conduites entraîne une altération cliniquement significative du fonctionnement social, scolaire ou professionnel.

C. Les comportements décrits en A ne surviennent pas exclusivement au cours d'un Trouble psychotique ou d'un Trouble de l'humeur.

D. Le trouble ne répond pas aux critères du Trouble des conduites ni, si le sujet est âgé de 18 ans ou plus, à ceux de la Personnalité antisociale.

Source : American Psychiatric Association (1996, p. 107-108, 111-112). Reproduit avec permission.

classification de Quay et celle de Kauffman (1997[1]) reprise par le ministère de l'Éducation du Québec dans quelques guides à l'intention des enseignants.

6.5.2 La classification de Quay

Quay (1979) définit quatre catégories de problèmes de comportement. La première catégorie concerne les désordres de la conduite. Les problèmes observés peuvent être de l'ordre de l'agressivité, de l'irresponsabilité, du défi de l'autorité, de la désorganisation en classe. La deuxième catégorie concerne l'anxiété et le retrait, l'isolement. Il s'agit de comportements où l'élève se retire de l'environnement social. La troisième catégorie concerne l'immaturité. Ce sont des comportements qui ne favorisent pas le développement de l'enfant, comme le manque d'attention et la passivité. La quatrième catégorie concerne l'agression sociale. Il s'agit d'activités de gang, de la participation à des groupes délinquants.

6.5.3 La classification de Kauffman

L'ouvrage de Kauffman (1997) est une publication majeure dans le domaine des difficultés d'ordre comportemental. Depuis 1977, cet ouvrage a été réédité à

1. L'ouvrage de Kauffman a été publié pour la première fois en 1977. La parution de 1997 constitue la sixième édition.

plusieurs reprises et il est devenu un classique dans le domaine des problèmes émotifs et de comportement chez les enfants et les adolescents. La classification de Kauffman inclut sept catégories de problèmes de comportement ou d'adaptation :

1) les désordres liés à l'activité et à l'attention ;
2) les désordres de la conduite : l'agressivité ouverte ;
3) les désordres de la conduite : le comportement antisocial couvert ;
4) la délinquance, l'abus de substances et l'activité sexuelle précoce ; l'activité sexuelle précoce est incluse dans cette catégorie par Kauffman à cause des risques de grossesse, de maladies transmises sexuellement et de problèmes de santé physique ou mentale qui peuvent y être associés ;
5) l'anxiété et les désordres qui y sont reliés ;
6) la dépression et le comportement suicidaire ;
7) les désordres liés à la schizophrénie et aux troubles envahissants du développement ; cette catégorie inclut, pour Kauffman, les troubles autistiques.

Il est à noter que les troubles de la septième catégorie sont décrits, entre autres, par le ministère de l'Éducation du Québec non dans la catégorie des difficultés de comportement, mais dans celle des troubles sévères du développement. Nous reviendrons sur cette catégorie du Ministère au chapitre 11.

Afin de mieux comprendre les manifestations des problèmes de comportement, nous reprendrons plusieurs des difficultés de la catégorisation de Kauffman, en voyant comment divers auteurs les décrivent. Nous examinerons donc (1) les désordres de l'attention et l'activité ; (2) les désordres de la conduite ; (3) la délinquance juvénile et les problèmes de toxicomanie ; (4) les difficultés liées à l'anxiété, à l'isolement et à la dépression.

6.6 Les manifestations des problèmes de comportement

6.6.1 Les désordres de l'attention et l'activité

Dans cette première catégorie, le déficit de l'attention et l'hyperactivité occupent une place importante. Le diagnostic du déficit de l'attention et de l'hyperactivité est difficile à poser et la détermination de ses causes est encore moins simple. De plus, historiquement, l'hyperactivité a été attribuée à de nombreux facteurs, comme les dommages cérébraux mineurs, la présence d'additifs alimentaires (Feingold, 1976), la consommation de sucre (Prenz, Robert et Hartman, cités dans Pescara-Kovach et Alexander, 1994), les produits irritants dans l'environnement ou encore des manques dans l'éducation familiale ou scolaire. Dubé (1992) précise parmi les causes possibles l'atteinte cérébrale (par exemple par des complications périnatales), des facteurs toxiques (par exemple la consommation d'alcool pendant la grossesse de la mère), les retards de maturation, les dysfonctions cérébrales, des facteurs génétiques ou héréditaires et des déterminants psychosociaux. Le sexe des enfants entrerait aussi en considération. La multiplicité de ces hypothèses explicatives rend donc la situation complexe, que ce soit sur le plan du diagnostic ou sur celui de l'intervention.

A. *La prévalence*

Le taux de prévalence de ces problèmes varie de 5 % à 20 % selon les populations étudiées (Reid, Maag et Vasa, 1994). Le DSM IV estime qu'il se situe entre 3 % et 5 % des enfants d'âge scolaire, précisant qu'il est difficile d'établir des données pour les adolescents et les adultes. Le DSM IV indique aussi qu'il y a plus de garçons que de filles qui présentent ce problème : entre quatre et neuf fois plus de garçons, le taux fluctuant selon les études. Le diagnostic demeure délicat à poser (Reid et Maag, 1994). En effet, comme toute difficulté de comportement, l'hyperactivité ne peut être comprise qu'en fonction des normes qualifiant l'activité motrice normale d'un enfant. La prévalence dans la population fluctuerait en fonction des méthodes et des critères utilisés pour le diagnostic (Trites, Dugas, Lynch et Ferguson, 1979). Le diagnostic exige qu'on recueille le plus de renseignements possible auprès de plusieurs intervenants (les parents, les enseignants, etc.). Il faut, en outre, utiliser des instruments dont les qualités de mesure sont reconnues (Reid et Maag, 1994).

B. *La nature de l'hyperactivité*

Selon Dubé (1992), quatre conceptions majeures ont tenté d'éclairer la nature de l'hyperactivité. Ces conceptions se sont succédé dans le temps ou se sont chevauchées.

La notion d'**atteinte cérébrale** (*brain damage*) a été étudiée par Still en 1902, par Tredgold en 1914 et par Hohman et Ebaugh dans les années 20. Les enfants atteints d'hyperactivité le seraient en raison d'un dommage au cerveau. Il est à noter que les chercheurs étudiant cette hypothèse travaillent surtout auprès d'enfants qui séjournent dans un établissement et qui présentent des déficits importants justifiant ce placement. Dubé précise qu'on ne peut étendre les conclusions de ces recherches à une population générale.

Une **atteinte cérébrale légère** (*minimal brain damage*) expliquerait l'apparition de l'hyperactivité avec un déficit de l'attention. Ce dommage pourrait être ou non repéré à l'aide de l'électro-encéphalogramme (EEG). Cette hypothèse a été étudiée par de nombreux chercheurs, dont Bradley dans les années 40, Bax et MacKeith dans les années 60. L'hypothèse vient d'observations chez des enfants dont l'examen neurologique conventionnel était normal, mais qui présentaient des symptômes semblables, par exemple, à ceux de personnes ayant subi un traumatisme crânien. On a alors postulé que les enfants hyperactifs avaient une atteinte cérébrale légère. Cette hypothèse a eu une grande influence sur les conceptions de l'hyperactivité. Dubé (1992) résume ainsi la question :

> L'entité atteinte cérébrale légère comporte sa part de vérité et il existe probablement des enfants à qui elle s'applique avec justesse. Mais il est impossible actuellement de distinguer ceux-ci parmi tous ceux qui présentent des symptômes similaires. De plus, l'hyperactivité ne semble pas être le symptôme le plus caractéristique d'une atteinte cérébrale même légère. En fin de compte, le problème ne vient pas du fait que la notion soit fausse, mais de l'utilisation souvent abusive que l'on en fait pour classifier des enfants manifestant des problèmes divers (p. 14).

De plus, soulignons qu'en 1941 Bradley, dans l'une de ses études, mentionne que les stimulants ont un effet calmant pour plusieurs enfants hyperactifs. L'utilisation de ces médicaments (comme le Ritalin) est encore fort populaire aujourd'hui dans le traitement de l'hyperactivité. Forness, Sweeney et Toy (1996) soutiennent qu'approximativement 2 % des élèves américains consomment des stimulants pour le déficit de l'attention et l'hyperactivité.

Le nombre de termes pour désigner les enfants s'étant multiplié au cours des années, Clements a proposé, en 1966, la notion de **dysfonction cérébrale minime** (*minimal brain dysfunction*). Ce terme s'applique :

> [...] à des enfants d'intelligence normale qui présentent des problèmes de comportement ou d'apprentissage d'intensité variable et associés à des dérèglements du système nerveux central, dérèglements qui se manifestent par des difficultés de perception, d'abstraction, de langage, de mémoire, d'attention et de contrôle de la motricité (Dubé, 1992, p. 15).

Pour ce qui est, enfin, de la notion de **déficit de l'attention**, Douglas disait, en 1972, que le problème fondamental des enfants hyperactifs serait l'incapacité de s'arrêter, de regarder et d'écouter. L'hyperactivité était alors associée à des problèmes de l'attention. Dans le DSM III, en 1980, on trouve une catégorie de troubles déficitaires de l'attention avec ou sans hyperactivité :

> Cette entité supplante la dysfonction cérébrale minime à laquelle on reprochait son caractère à la fois trop restrictif (la cause du problème relevait seulement du domaine neurologique) et trop large (c'était un diagnostic fourre-tout applicable à une population hétérogène d'enfants) (Dubé, 1992, p. 18).

Le DSM III fut par la suite révisé.

Le tableau 6.4 présente les critères diagnostiques du déficit de l'attention / hyperactivité du DSM IV.

TABLEAU 6.4 Critères diagnostiques du déficit de l'attention / hyperactivité

Critères diagnostiques du Trouble : Déficit de l'attention / hyperactivité

A. Présence soit de (1), soit de (2) :

(1) six des symptômes suivants d'**inattention** (ou plus) ont persisté pendant au moins 6 mois, à un degré qui est inadapté et ne correspond pas au niveau de développement de l'enfant :

Inattention

(a) souvent, ne parvient pas à prêter attention aux détails, ou fait des fautes d'étourderie dans les devoirs scolaires, le travail ou d'autres activités

(b) a souvent du mal à soutenir son attention au travail ou dans les jeux

(c) semble souvent ne pas écouter quand on lui parle personnellement

→

TABLEAU 6.4 Critères diagnostiques du déficit de l'attention / hyperactivité (suite)

Critères diagnostiques du Trouble : Déficit de l'attention / hyperactivité

Inattention (suite)

(d) souvent, ne se conforme pas aux consignes et ne parvient pas à mener à terme ses devoirs scolaires, ses tâches domestiques ou ses obligations professionnelles (cela n'est pas dû à un comportement d'opposition, ni à une incapacité à comprendre les consignes)

(e) a souvent du mal à organiser ses travaux ou ses activités

(f) souvent, évite, a en aversion, ou fait à contrecœur les tâches qui nécessitent un effort mental soutenu (comme le travail scolaire ou les devoirs à la maison)

(g) perd souvent les objets nécessaires à son travail ou à ses activités (p. ex., jouets, cahiers de devoirs, crayons, livres ou outils)

(h) souvent, se laisse facilement distraire par des stimulus externes

(i) a des oublis fréquents dans la vie quotidienne

(2) six des symptômes suivants d'**hyperactivité-impulsivité** (ou plus) ont persisté pendant au moins 6 mois, à un degré qui est inadapté et ne correspond pas au niveau de développement de l'enfant :

Hyperactivité

(a) remue souvent les mains ou les pieds, ou se tortille sur son siège

(b) se lève souvent en classe ou dans d'autres situations où il est supposé rester assis

(c) souvent, court ou grimpe partout, dans des situations où cela est inapproprié (chez les adolescents ou les adultes, ce symptôme peut se limiter à un sentiment subjectif d'impatience motrice)

(d) a souvent du mal à se tenir tranquille dans les jeux ou les activités de loisir

(e) est souvent « sur la brèche » ou agit souvent comme s'il était « monté sur ressorts »

(f) parle souvent trop

Impulsivité

(g) laisse souvent échapper la réponse à une question qui n'est pas encore entièrement posée

(h) a souvent du mal à attendre son tour

(i) interrompt souvent les autres ou impose sa présence (p. ex., fait irruption dans les conversations ou dans les jeux)

B. Certains des symptômes d'hyperactivité-impulsivité ou d'inattention ayant provoqué une gêne fonctionnelle étaient présents avant l'âge de 7 ans.

C. Présence d'un certain degré de gêne fonctionnelle liée aux symptômes dans deux, ou plus, de deux types d'environnement différents (p. ex., à l'école — ou au travail — et à la maison).

D. On doit mettre clairement en évidence une altération cliniquement significative du fonctionnement social, scolaire ou professionnel.

E. Les symptômes ne surviennent pas exclusivement au cours d'un Trouble envahissant du développement, d'une Schizophrénie ou d'un autre Trouble psychotique, et ils ne sont pas mieux expliqués par un autre trouble mental (p. ex., Trouble thymique, Trouble anxieux, Trouble dissociatif ou Trouble de la personnalité).

Source : American Psychiatric Association (1996, p. 100-101). Reproduit avec permission.

6.6.2 Les désordres de la conduite

A. Le trouble ouvert de la conduite

Tremblay et Royer (1992) définissent ainsi le trouble ouvert de la conduite :

> Le trouble ouvert de la conduite se caractérise par un comportement antisocial persistant qui nuit sérieusement au fonctionnement du jeune dans sa vie de tous les jours, ou qui a pour conséquence que les adultes le traitent comme intraitable. Le trouble de la conduite est ouvert lorsqu'il s'exprime par des comportements ouvertement agressifs ou hostiles, comme faire mal aux autres ou défier directement l'autorité de l'enseignant (p. 20).

L'agressivité constitue une réaction devant laquelle l'intervenant est trop souvent désarmé. Que faire face à l'élève en crise, qui se bat dans la cour de récréation ou qui détruit les objets qui l'entourent ? L'élève agressif est celui qui se comporte intentionnellement (soit physiquement ou verbalement) de manière à faire mal et à entrer en conflit avec un autre élève (Smith et Green, 1975). Il y a agression lorsqu'une personne inflige de la douleur à une autre (Patterson, 1982). L'agressivité est habituellement définie et reconnue à l'aide de ces manifestations comportementales. Ainsi, Patterson, Reid, Jones et Conger (1975) proposent une série de 14 comportements apparaissant avec une fréquence plus élevée chez des garçons identifiés comme étant agressifs : des cris, des attaques physiques envers d'autres personnes, la destruction d'objets, des comportements d'humiliation, etc.

En majorité de sexe masculin, les enfants agressifs sont en général rejetés par leurs pairs. Leurs résultats scolaires sont faibles. Ils proviennent de familles où tous les membres démontrent, eux aussi, un taux élevé de comportements agressifs (Patterson et autres, 1975). De plus, ils sont davantage punis, et ce même lorsqu'ils agissent correctement (Patterson et autres, 1975). Ces injustices entretiennent chez eux un sentiment de rejet. L'enfant agressif serait à la fois la victime et l'architecte de ce système coercitif (Patterson et autres, 1975). Les membres de la famille entrent en interaction par des comportements agressifs, les comportements des uns déclenchant les comportements des autres. Par exemple, un enfant agressif demande un service à ses parents en criant ; ceux-ci lui répondent en haussant le ton, et l'enfant réplique par un autre cri. L'escalade de comportements agressifs marque ce régime coercitif.

Plusieurs mécanismes différents entrent en ligne de compte lors de l'acquisition de ces réactions : des modèles instinctifs, l'apprentissage par modelage et le renforcement (Patterson et autres, 1975). Les études en éthologie permettent de reconnaître diverses réponses presque immédiatement après la naissance. Le nouveau-né crie et pleure spontanément pour obtenir sa nourriture. Des comportements peuvent aussi être appris par imitation, par l'observation des membres de la famille et de l'entourage. De jeunes enfants à la garderie n'ont-ils pas tendance à reproduire, avec leurs poupées, les réactions parentales ?

Si nombre d'auteurs et d'éducateurs voient l'origine de l'agressivité dans la cellule familiale, d'autres (Gaudreau, 1980) n'excluent pas le rôle de l'école à ce sujet.

> L'agressivité, lorsqu'elle se manifeste à l'école, ou lorsqu'elle se manifeste surtout à l'école, pourrait bien originer de la situation scolaire elle-même. Mais, pour considérer cette explication comme plausible, il faut d'abord oser accepter, au moins comme hypothèse à vérifier, que l'école soit, elle-même et peut-être en elle-même, génératrice puis porteuse de violence pour bon nombre d'écoliers. Il est bien possible que les seules structures de l'école actuelle ou ses principales fonctions ne puissent rendre compte que d'une partie de la variance, et que l'apparition de l'agressivité ouverte et régulière dépende de l'effet conjugué de facteurs scolaires et familiaux, par exemple (p. 157).
>
> Pour appuyer cette affirmation, Gaudreau cite un passage de Horth (1979):
>
> Lorsqu'on a huit ans, la violence à l'école, c'est entre autres:
>
> L'isolement dans le corridor;
> Être en retenue après la classe;
> « Réfléchir » près du bureau de la directrice;
> Réintégrer l'école avec ses parents;
> Être mis en salle de détention;
> Être suspendu de l'école;
> Être renvoyé de l'école (Horth, 1979, p. 98, cité dans Gaudreau, 1980, p. 157).

Dans l'apparition de l'agressivité, particulièrement à l'adolescence, il ne faudrait pas ignorer le rôle des pairs et de l'environnement social de l'élève. La participation à des gangs s'adonnant à la violence favorise l'émergence de la violence chez certains élèves. La violence véhiculée par les médias n'est peut-être pas étrangère aux comportements adoptés par bien des jeunes: « Les dessins animés du samedi matin présentent 25 actes violents par heure. À l'âge de 16 ans, l'adolescent moyen qui voit environ 35 heures de programmation à la télévision par semaine aura vu 200 000 actes de violence, dont 33 000 meurtres ou tentatives de meurtre » (Goldstein, 1991, p. 29; traduit par l'auteure).

B. *Le trouble couvert de la conduite*

Audet, Lavoie et Royer (1993), à partir des travaux de Kauffman, placent dans cette catégorie des problèmes tels que le vol, le mensonge et le refus de se conformer à la norme. Ils incluent aussi des problèmes plus scolaires comme l'absentéisme, l'expulsion de l'école et l'indiscipline.

6.6.3 La délinquance juvénile et les problèmes de toxicomanie

« La délinquance caractérise une conduite antisociale exprimant de l'inadaptation d'un individu à une société » (*Grand dictionnaire de la psychologie*, 1991, p. 195). La délinquance se manifeste dans des infractions contre l'État, les biens, les personnes ou les mœurs. Plusieurs facteurs ont été mis en évidence à propos de son apparition: des facteurs sociaux (les lacunes du milieu familial, l'appartenance à des gangs, la violence dans les médias, etc.), économiques, politiques et individuels. Vitaro, Dobkin, Gagnon et Le Blanc (1994) précisent des facteurs de risque liés à la société, à la communauté, à l'école, à la famille et à l'individu. Parmi les facteurs liés à la société, ces auteurs relèvent les inégalités économiques, l'inaccessibilité de l'éducation, l'hétérogénéité ethnique et l'insuffisance des services sociaux et de santé. À ces facteurs s'ajoutent la présentation de modèles déviants par les médias et le manque de protection des biens ou du milieu physique. Parmi les facteurs liés à la communauté, Vitaro et autres indiquent les ghettos, la désorganisation sociale ou la présence de milieux criminels florissants. En ce qui a trait à l'école, les auteurs mentionnent le manque de préparation à la scolarisation de certains élèves provenant de milieux défavorisés ou encore des déficiences de l'école sur le plan organisationnel, par exemple. Les auteurs signalent aussi que beaucoup de jeunes délinquants ont des difficultés d'apprentissage et que plusieurs quittent l'école avant d'avoir obtenu un diplôme.

En ce qui concerne les facteurs liés à la famille, le fait de vivre dans une famille brisée constitue un facteur de risque important ; la présence de la criminalité dans la famille et la violence familiale sont également des facteurs de risque. Au sujet de la famille, Vitaro et autres (1994) écrivent : « Toutefois, il a été établi que le fait de vivre dans une famille reconstituée au moment de l'adolescence est un facteur de risque supérieur au fait d'appartenir à une famille monoparentale, et en particulier à une famille dirigée par la mère » (p. 124). Il y a enfin des facteurs de risque chez l'individu : ses capacités biologiques (par exemple des déficiences neurologiques), une cognition déficiente ou encore un tempérament difficile.

Selon Genaux, Morgan et Friedman (1995), les élèves identifiés comme ayant des difficultés de comportement, qu'ils soient dans un milieu spécialisé ou ordinaire, ont des taux de consommation de drogue plus élevés que leurs pairs qui n'ont pas de difficulté. Face à cette situation, ces auteurs soulignent la nécessité d'instaurer des programmes de prévention qui pourront être utilisés par les enseignants œuvrant auprès de ces élèves.

Vitaro et autres (1994) indiquent que les données concernant l'usage de psychotropes chez les jeunes au Québec sont plutôt dispersées. De plus, les données ne sont pas simples à établir, car il faut pouvoir distinguer, par exemple, les expérimentateurs des consommateurs abusifs. Le tableau 6.5 présente en pourcentage l'utilisation de substances psychotropes chez les jeunes.

6.6.4 Les difficultés liées à l'anxiété, à l'isolement et à la dépression

Voici ce que constate le ministère de l'Éducation du Québec en ce qui concerne les problèmes d'introversion, c'est-à-dire principalement l'anxiété et l'isolement :

> Les divers problèmes d'introversion ne sont pas bien définis. Les comportements associés à l'anxiété ou à l'isolement (sentiments d'infériorité, préoccupation exagérée de sa personne, timidité, peurs et hypersensibilité, par exemple) sont en général plus passagers que ceux liés aux troubles d'extraversion, et ils semblent comporter moins de risques de mener à une éventuelle maladie psychiatrique à l'âge adulte. L'anxiété ou l'isolement caractérise peut-être de 2 à 5 p. 100 de la population infantile et de 20 à 30 p. 100 des jeunes recommandés pour être vus en clinique pour un trouble du comportement (Tremblay et Royer, 1992, p. 21).

TABLEAU 6.5 Pourcentage des jeunes ayant expérimenté des substances psychotropes au Canada

Substance, catégorie d'usage et catégorie d'utilisateurs	Filles	Garçons	Total
Cigarettes			
– *Occasionnellement*			
10-12 ans (1-2×)[a]	—	6,5	—
12-13 ans[b]	18,4	14,7	—
14-16 ans[b]	45,6	31,1	—
Élèves du secondaire[c]	12,1	8,2	10,6
– *Régulièrement*			
11 ans[d]	4,8	8,4	—
13 ans[d]	21,8	19,8	—
12-13 ans[b]	4,0	3,0	—
14-16 ans[b]	23,4	15,8	—
Élèves du secondaire[c]	11,0	7,4	9,1
– *Au moins une fois*			
Élèves du secondaire[e]	—	—	29,7
Élèves du secondaire[f]	21,9	21,5	21,7
Élèves du secondaire[c]	—	—	36,8
Alcool			
– *Occasionnellement*			
10-11 ans (1-2×)[a]	—	13,0	—
10-11 ans (3-5×)[b]	—	4,3	—
10 ans (1-3×)[g]	—	31,5	—
12 ans (1-3×)[g]	—	27,3	—
12-13 ans[b]	11,7	15,9	—
14-16 ans[b]	48,8	32,5	—
Élèves du secondaire[c]	23,9	31,2	53,9
– *Régulièrement*			
12-13 ans[b]	1,3	1,3	—
14-16 ans[b]	15,9	10,6	—
Élèves du secondaire[c]	2,9	4,8	3,7
15-19 ans (1-×/mois et plus)[d]	70,0	79,0	—
– *Au moins une fois*			
Élèves du secondaire[c]	—	—	42,7
Élèves du secondaire[f]	59,4	58,1	58,7
Élèves du secondaire[c]	67,3	63,8	65,7
Cannabis			
– *Occasionnellement*			
10 ans (1-2×)[g]	—	1,5	—
12 ans (1-2×)[g]	—	7,0	—
– *Au cours du dernier mois*			
12-14 ans[d]	—	—	2,0
12-13 ans[b]	—	—	2,9
14-16 ans[b]	—	—	13,3
15-17 ans[d]	—	—	9,0
18-19 ans[d]	—	—	16,0
Élèves du secondaire[f]	5,3	9,1	7,3

→

TABLEAU 6.5 Pourcentage des jeunes ayant expérimenté des substances psychotropes au Canada (suite)

Substance, catégorie d'usage et catégorie d'utilisateurs	Filles	Garçons	Total
Cannabis (suite)			
– *Au moins une fois*			
Élèves du secondaire[c]	—	—	15,0
Élèves du secondaire[c]	—	—	16,8
Élèves du secondaire[f]	9,9	13,2	11,7
Solvants et colle			
– *Au moins une fois*			
12-13 ans[b]	9,6	8,3	—
14-16 ans[b]	4,5	3,8	—
Élèves du secondaire[e]	—	—	0,8
Élèves du secondaire[c]	—	—	2,5
Élèves du secondaire[f]	1,1	1,1	1,1
Médicaments non prescrits			
– *Au moins une fois*			
Élèves du secondaire[e]	—	—	3,8
Élèves du secondaire[c]	4,5	2,0	3,3
Élèves du secondaire[f]	—	—	3,0
Hallucinogènes			
– *Au moins une fois*			
Élèves du secondaire[f]	3,4	5,1	4,3
Cocaïne (incluant le CRACK)			
– *Au moins une fois*			
Élèves du secondaire[e]	—	—	3,8
Élèves du secondaire[c]	—	—	2,8
Élèves du secondaire[f]	1,2	2,0	1,6
Drogues « dures » (incluant l'HÉROÏNE)			
– *Au moins une fois*			
12-13 ans[b]	1,3	1,0	—
14-16 ans[b]	7,5	5,3	—
Élèves du secondaire[f]	0,9	1,2	1,0

Les × indiquent le nombre de fois que la substance a été utilisée.

a. Pihl *et al.* (1993), données recueillies à Montréal.
b. Boyle et Offord (1986), données recueillies en Ontario.
c. Cloutier et Legault (1991), données recueillies à travers le Québec.
d. Santé et Bien-être social, données recueillies à travers le Canada.
e. Beauchesne (1985), données recueillies à Montréal.
f. Smart et Adlaf (1991), données recueillies en Ontario.
g. Le Blanc *et al.* (1991), données recueillies auprès de garçons de milieux défavorisés à Montréal.

Source : Tiré de Vitaro, Dobkin, Gagnon et Le Blanc (1994, p. 154-155). Reproduit avec permission.

Les élèves présentant des difficultés d'ordre comportemental seraient, socialement, moins choisis que les autres élèves (Gresham, 1982; Sabornie et Kauffman, 1985). Plusieurs de ces jeunes sont isolés, négligés ou carrément rejetés par leurs pairs. Or, les relations avec les autres sont un indice important de l'épanouissement futur de l'enfant (Ladd et Asher, 1985; Schloss, Schloss, Wood et Kiehl, 1986): les enfants isolés socialement sont plus susceptibles de présenter des problèmes d'acceptation sociale, d'abandon scolaire de même que des problèmes de santé mentale à l'âge adulte (Gresham et Nagle, 1980). Par ailleurs, Cowen et autres (1973, cités dans Ladd et Asher, 1985) trouvent que le rejet par les pairs est le meilleur indice de l'utilisation des services psychiatriques à l'âge adulte. Le suicide et l'alcoolisme sont reliés au rejet et à l'isolement sociaux durant l'enfance et l'adolescence (Ladd et Asher, 1985).

Dans cette catégorie, on regroupe également les problèmes de phobies, les troubles de l'alimentation et d'autres troubles divers. Toutefois, ce genre de problèmes, malgré sa gravité, concerne davantage l'intervention clinique que scolaire, même si des répercussions peuvent se faire sentir à l'école et même si souvent des intervenants peuvent accorder du soutien à l'élève.

De plus en plus, les spécialistes admettent que la dépression peut se produire chez les enfants (Wright-Strawderman, Lindsey, Navarette et Flippo, 1996). Selon Cullinan et autres (1987), divers critères ont été sélectionnés pour identifier cet état dépressif: l'évidence d'un état récent de tristesse, des changements dans le comportement, une détérioration des relations sociales. À ces éléments s'ajoute, entre autres, la présence de deux ou plus de ces symptômes: les perturbations dans le sommeil et dans l'appétit, des expressions de dépréciation de soi, des menaces ou des comportements suicidaires, de l'irritabilité, des plaintes psychosomatiques, des comportements de vagabondage, etc. Wright-Strawderman et autres (1996) indiquent que les personnes dépressives manquent de motivation et d'intérêt, ont une mauvaise humeur persistante, une mauvaise estime d'elles-mêmes et des difficultés dans leurs relations interpersonnelles. Le tableau 6.6 (p. 148) présente les signes et les symptômes de la dépression chez les enfants et les adolescents.

Les facteurs de risque de la dépression sont les problèmes de santé mentale dans la famille, des pertes importantes (comme le deuil et le divorce), des changements importants ou des stress marqués dans la famille, un stress chronique dans la famille et des abus subis sur les plans physique, sexuel ou émotif.

Cullinan et autres (1987) soulignent les interactions possibles des comportements déviants en classe avec l'état dépressif: ces comportements servent-ils à masquer la dépression ou bien la dépression serait-elle une conséquence de ces comportements déviants? Rappelons que ces actions inappropriées créent un rejet social et peuvent contribuer à susciter des sentiments de solitude, de manque de maîtrise de soi ou de désintérêt chronique. Bower (1982) constate d'ailleurs chez 207 élèves ayant des troubles de la conduite et du comportement qu'ils ont une moins bonne image d'eux-mêmes. Voilà autant d'éléments auxquels les éducateurs doivent être sensibilisés.

TABLEAU 6.6 Signes et symptômes de la dépression chez les enfants et les adolescents

Humeur dépressive
- Semble triste la plupart du temps
- Se plaint de se sentir triste, mauvais ou fatigué
- Pleure facilement
- Est très anxieux
- A des changements d'humeur soudains

Retrait
- Est très calme
- Perd de l'intérêt pour les activités
- Reste dans sa chambre la plupart du temps

Faible concentration
- Oublie des choses
- A un faible rendement scolaire, de la difficulté à terminer des travaux routiniers ou ses devoirs et ses leçons
- Est enclin à avoir des accidents

Changements dans l'appétit
- Perd ou gagne du poids
- A un faible appétit
- Est affamé la plupart du temps
- Arrête de grandir

Augmentation ou diminution de l'énergie
- Semble vivre au ralenti ou en accéléré
- Se fatigue vite
- Se réveille la nuit ou très tôt le matin
- Se plaint de ne pas dormir
- Dort tout le temps
- Ne veut pas sortir du lit

Aspects suicidaires
- Parle de la mort
- N'a pas de projets d'avenir

Changements significatifs chez l'enfant et l'adolescent
- A des maux de tête ou des douleurs
- Agit de manière enfantine
- Utilise des drogues
- Multiplie les partenaires sexuels

Faible estime de soi
- Est incapable de tolérer les compliments
- Fait des commentaires négatifs sur lui-même
- Ne peut pas tolérer ses imperfections
- Achète des amis

Source : Adapté de Wright-Strawderman, Lindsey, Navarette et Flippo (1996, p. 263). © 1996 Pro-Ed Inc. Reproduit avec permission.

RÉSUMÉ

La définition des problèmes de comportement est souvent ardue, car de nombreux éléments doivent être considérés : la nature et la persistance des problèmes rencontrés, les attentes et le seuil de tolérance des milieux intéressés, la qualité de l'évaluation et des modèles conceptuels sous-jacents à l'évaluation. Il faut examiner plusieurs facteurs lors de l'étude des causes des problèmes de comportement : les caractéristiques de l'élève, le milieu familial, l'école, la classe et l'environnement social. Ces divers facteurs sont en interaction les uns avec les autres. Les élèves en difficulté d'adaptation et de comportement peuvent vivre diverses difficultés : l'agressivité, le déficit de l'attention et l'hyperactivité, le retrait social, la dépression, etc. Plusieurs auteurs ont élaboré des classifications de ces problèmes. Lorsqu'on interprète la gravité de ces manifestations, on doit tenir compte des normes et des exigences des milieux dans lesquels elles se produisent.

QUESTIONS

1. Pourquoi est-il difficile d'établir les critères exacts servant à définir les difficultés d'ordre comportemental ?
2. Comment le ministère de l'Éducation du Québec définit-il les élèves ayant des difficultés d'ordre comportemental ?
3. Dans le milieu scolaire, il y a plus de garçons que de filles qui sont identifiés (officiellement) comme ayant des difficultés de comportement. Comment expliquer ce phénomène ?
4. Comment les interactions se produisant dans l'environnement peuvent-elles déterminer l'apparition de problèmes de comportement ?
5. Quelles sont les causes possibles de l'apprentissage de comportements agressifs ?
6. Quelles sont les causes possibles du déficit de l'attention et de l'hyperactivité ?
7. Comment le DSM IV définit-il le trouble oppositionnel avec provocation et le désordre de la conduite ?
8. Décrivez quelques manifestations de la dépression chez les enfants et les adolescents.

LECTURES SUGGÉRÉES

Sur la situation générale des élèves présentant des problèmes émotifs ou de comportement :

KAUFFMAN, J.M. (1997). *Characteristics of Emotional and Behavioral Disorders of Children and Youth* (6e éd.). Upper Saddle River, New Jersey : Merrill, Prentice-Hall.

Sur le déficit de l'attention et l'hyperactivité :

DUBÉ, R. (1992). *Hyperactivité et déficit d'attention chez l'enfant.* Boucherville : Gaëtan Morin Éditeur.

Sur les facteurs de risque des difficultés de comportement et les programmes d'intervention :

FORTIN, L. et BIGRAS, M. (1996). *Les facteurs de risque et les programmes de prévention auprès d'enfants en troubles du comportement.* Eastman : Éditions Behaviora Inc.

VITARO, F., DOBKIN, P.L., GAGNON, C. et LE BLANC, M. (1994). *Les problèmes d'adaptation psychosociale chez l'enfant et l'adolescent : prévalence, déterminants et prévention.* Sainte-Foy : Presses de l'Université du Québec.

L'évaluation des difficultés de comportement

OBJECTIFS

Après avoir lu ce chapitre, le lecteur devrait pouvoir :

- décrire divers aspects qui, au regard de l'élève, des parents, de l'école, de la classe et de l'enseignant, peuvent faire l'objet d'une évaluation lorsqu'un élève présente des difficultés de comportement ;
- décrire différents outils qui peuvent faciliter l'observation de l'élève en classe ;
- décrire l'utilité d'échelles d'évaluation du comportement ;
- définir un questionnaire sociométrique et en montrer l'utilité.

INTRODUCTION

Dans une classe, il peut survenir des problèmes de comportement plus ou moins graves. Ainsi, à l'occasion, certains élèves sont « un peu plus agités » ou rencontrent des difficultés qui sont, somme toute, normales dans leur éducation. D'autres sont aux prises avec des problèmes beaucoup plus sérieux. Dans les situations peu complexes, l'enseignant observera simplement ce qui se passe, discutera avec l'élève et, sans doute, trouvera rapidement une solution. Dans d'autres cas, la situation peut être plus difficile et nécessiter une évaluation plus approfondie. En fonction des événements, l'évaluation peut donc épouser différentes formes et être effectuée plus ou moins en profondeur. Des évaluations sont conduites par l'enseignant, d'autres sont faites par des intervenants tels les psychologues, les psychoéducateurs ou les travailleurs sociaux.

Toutefois, avant de choisir les modalités précises d'évaluation, il importe de considérer les aspects devant faire l'objet de cette évaluation et de préciser nos conceptions sur l'apparition des problèmes de comportement et d'adaptation. Dans un premier temps, lorsqu'un élève présente des problèmes graves de comportement, c'est sur lui, d'abord, qu'est centrée l'attention des éducateurs. Cependant, il ne faudrait pas négliger le cadre dans lequel se produisent ces réactions de même que les diverses influences subies par l'élève. Si l'élève réagit, c'est généralement qu'il existe une cause, un stimulus déclencheur. Trop souvent, les problèmes de comportement sont associés aux caractéristiques personnelles de l'élève et à sa vie familiale (Gaudreau, 1980 ; McGinnis, Kiraly et Smith, 1984). Le cadre scolaire, c'est-à-dire la classe et l'école, est la plupart du temps négligé dans cette évaluation.

Au cours de ce chapitre, nous verrons divers aspects qui peuvent faire l'objet d'une évaluation des difficultés de comportement ou d'adaptation : les comportements de l'élève, l'observation des événements entourant ces comportements, la perception des parents, le statut social de l'élève, les conditions mises en place dans la classe et dans l'école, etc. Nous présenterons diverses sources d'information et plusieurs outils d'évaluation.

7.1 DES SOURCES D'INFORMATION VARIÉES

Selon McGinnis et autres (1984), pour déterminer qu'un élève a des difficultés graves de comportement, l'évaluation doit être basée au moins sur les six sources d'information suivantes : (1) l'évaluation de la personnalité (par des entrevues informelles ou structurées) ; (2) l'observation structurée ; (3) l'interprétation clinique des observations ; (4) les rapports narratifs ; (5) les échelles d'évaluation du comportement et (6) l'évaluation de l'affectivité (par exemple à l'aide de tests que fait passer un psychologue).

Après avoir analysé les modalités selon lesquelles 45 élèves furent identifiés comme ayant des difficultés de comportement, McGinnis et autres (1984) ont conclu que ces normes ne sont pas toujours respectées : seulement 22,2 % des dossiers analysés comprennent au moins trois des six sources d'information mentionnées. De plus, la première source d'information utilisée est un résumé des comportements. Ce résumé, en général vague, consiste surtout dans la description des perceptions des intervenants. L'histoire familiale occupe aussi une place importante :

il s'agit de la source d'information la plus fréquemment utilisée dans les dossiers ayant fait l'objet d'une analyse. Cet élément pousse McGinnis et autres à émettre des réserves sur l'usage de l'histoire familiale. En effet, il faut prendre en considération les effets possibles des attitudes et des valeurs des éducateurs. De plus, ceux qui posent le diagnostic proviennent généralement d'un milieu socioéconomique différent de celui des élèves. Cette étude soulève des questions sur l'objet de l'évaluation lorsqu'un élève présente des problèmes de comportement. Elle soulève également l'importance des conceptions à propos des causes des problèmes. Comment ces conceptions orientent-elles le choix des variables évaluées?

De multiples sources d'information peuvent donc être utilisées dans l'évaluation des élèves : l'histoire familiale, les échelles d'évaluation du comportement, l'évaluation du contexte dans lequel se produit le problème, etc. Dans un guide à l'intention des enseignants du secondaire, Tremblay et Royer (1992) regroupent les différentes sources d'information dans deux catégories : l'évaluation normative et l'évaluation fonctionnelle. Nous verrons sommairement ces deux catégories avant de décrire différents outils pouvant appartenir à l'une ou l'autre des catégories.

7.2 L'ÉVALUATION NORMATIVE

Dans la méthode de l'évaluation normative, l'élève est comparé à un groupe du même âge, du même sexe et de la même communauté. Dans cette catégorie, on trouve des outils d'évaluation tels que les tests d'intelligence et de la personnalité et des échelles normalisées d'évaluation du comportement. Ces instruments ont fait l'objet d'une standardisation et les résultats de l'élève sont soumis à une comparaison avec un groupe de référence. La mise en application de plusieurs de ces tests est généralement faite sous la responsabilité d'un professionnel ayant une formation appropriée en psychométrie (par exemple un psychologue ou un conseiller d'orientation).

Parmi les outils normatifs, les psychologues utilisent fréquemment des tests d'intelligence (tels que le WISC III, décrit au chapitre 4) de manière à s'assurer que les difficultés de comportement ne sont pas dues à un problème d'ordre cognitif qui demanderait davantage l'adaptation du curriculum qu'une intervention strictement du point de vue comportemental. Ainsi, McGinnis et autres (1984) notent que l'évaluation comportementale est présente dans 66 % des dossiers des élèves ayant fait l'objet de leur étude. Nous verrons plus loin dans ce chapitre d'autres exemples de ce type d'évaluation, soit l'évaluation à l'aide d'échelles d'évaluation du comportement.

La méthode normative permet de juger de l'importance relative d'un problème en fournissant des normes de comparaison. Cependant, selon Tremblay et Royer (1992), cette forme d'évaluation pose divers problèmes. Ainsi, certains instruments ne disposent pas de normes établies spécifiquement pour la population québécoise. La méthode normative néglige certaines variables importantes, notamment le soutien social dont bénéficie l'élève et l'influence de l'environnement sur son comportement. Par conséquent, il est souvent nécessaire de recourir à une autre forme d'évaluation, soit l'évaluation fonctionnelle.

7.3 L'ÉVALUATION FONCTIONNELLE

La méthode de l'évaluation fonctionnelle est continue et n'a pas pour fonction première de catégoriser l'élève. Elle est continue en ce sens qu'elle suit un processus qui commence avec la collecte des données, se poursuit avec la planification de l'intervention et l'intervention elle-même, et se termine par l'évaluation et la révision de cette intervention (Tremblay et Royer, 1992).

Selon Tremblay et Royer (1992), la méthode fonctionnelle évalue « les relations entre le comportement de l'élève et le contexte où il se manifeste ». On qualifie cette méthode de fonctionnelle parce qu'elle :

> [...] cherche à découvrir les variables qui sont susceptibles d'être modifiées et qui servent directement aux prises de décisions éducatives. L'évaluation fonctionnelle ne se contente pas de trouver les facteurs qui influent sur le comportement quotidien de l'élève, mais elle recherche surtout les facteurs qui sont directement sous l'emprise de l'enseignant et de ses partenaires immédiats (p. 40).

La méthode fonctionnelle utilise des techniques telles que l'observation systématique, des questionnaires sur le comportement, des entrevues auprès de l'élève, de ses parents et des enseignants et des enquêtes écologiques. Tremblay et Royer (1992) définissent ainsi ce dernier moyen :

> L'enquête écologique, quant à elle, se présente habituellement sous forme de questionnaire où le répondant est appelé à reconnaître les situations dans lesquelles se manifestent les comportements ciblés. Elle peut prendre l'allure d'une enquête qui porte sur le milieu et l'entourage du jeune : équipement, matériel, éclairage, ambiance, etc. (p. 43).

7.3.1 Évaluer les problèmes de manière fonctionnelle

Demchak et Bossert (1996) proposent d'adopter les étapes suivantes dans une évaluation des problèmes de type fonctionnel : (1) identifier les problèmes de comportement ; (2) ordonner les problèmes selon les priorités ; (3) définir les problèmes de manière opérationnelle ; (4) formuler des hypothèses ; (5) établir des liens entre les résultats de l'évaluation et les interventions. Le tableau 7.1 présente ces étapes.

Nous examinerons maintenant chacune de ces étapes.

A. *Identifier les problèmes de comportement*

Au cours de la première étape, les personnes signifiantes (comme l'enseignant et les parents) identifient les problèmes, le nombre de fois qu'ils se produisent, leur importance et leurs circonstances. Lors de cette étape, il est possible que les comportements soient définis de manière générale ; il faudra alors, à la troisième étape, les définir de manière précise en utilisant une formulation basée sur des données observables et mesurables.

B. *Ordonner les problèmes selon les priorités*

À la deuxième étape, on ordonne les problèmes selon les priorités. Ainsi, certains comportements peuvent nécessiter une intervention urgente. Selon Demchak et

TABLEAU 7.1 Étapes de l'évaluation fonctionnelle des problèmes de comportement

Première étape : Identifier les problèmes de comportement
- Problèmes
- Fréquence des problèmes
- Importance des problèmes
- Activités et lieux

Deuxième étape : Ordonner les problèmes selon les priorités

Troisième étape : Définir les problèmes de manière opérationnelle

Quatrième étape : Formuler des hypothèses
1. Procéder à des entrevues structurées avec les personnes signifiantes.
2. Faire des observations structurées.
   Types d'observations (voir la grille par intervalles de la figure 7.1, p. 161)
   - Durée
   - Fréquence
   - Autres : par exemple une grille par intervalles
3. Faire une analyse systématique et fonctionnelle du problème de comportement.

Cinquième étape : Établir des liens entre les résultats de l'évaluation et les interventions
1. Choisir des comportements de remplacement.
2. Agir sur les antécédents.
3. Agir sur les conséquences.

Source : Adapté de Demchak et Bossert (1996, p. 5). Reproduit avec la permission de l'American Association on Mental Retardation.

Bossert (1996), il faut alors s'interroger sur les conséquences des comportements pour l'élève lui-même (bien-être, sécurité, apprentissage, acceptation sociale) et pour les autres élèves. Il faut aussi considérer l'effet des comportements sur l'environnement physique (par exemple la destruction des biens). En ordonnant les problèmes de comportement, on tient également compte des comportements les plus susceptibles de s'aggraver.

C. *Définir les comportements de manière opérationnelle*

À la troisième étape, il faut définir les comportements de manière opérationnelle. Au lieu de dire « Pierre dérange les autres », on précisera exactement ce qu'il fait : Parle-t-il alors que ce n'est pas permis ? Prend-il des objets sur le bureau des autres élèves ? Jette-t-il des objets par terre ?

D. *Formuler des hypothèses*

La quatrième étape consiste à formuler des hypothèses. Pour enrichir ces hypothèses, on recueillera des données au moyen d'entrevues et d'observations structurées, et on fera une analyse systématique des facteurs qui entourent l'apparition des comportements. Pour faciliter cette étape, Demchak et Bossert (1996) proposent d'utiliser différentes questions de manière à mieux évaluer le problème. Voici quelques exemples de questions suggérées par ces auteurs :

1. Pour chaque problème de comportement, dans quelles activités le problème se produit-il ?
2. Pour chaque comportement, que se produit-il ? (Réactions de l'enseignant, des autres élèves, des parents.)
3. Y a-t-il des événements particuliers qui précèdent les problèmes ? (Comme l'annonce d'une activité particulière.)
4. Y a-t-il des choses que vous ne faites plus parce que l'élève crée ce problème ?
5. Est-ce que vous suggérez fréquemment des activités particulières parce que vous savez qu'alors l'élève ne manifestera pas le problème de comportement dans cette activité ou cet environnement ? Décrivez ces activités ou cet environnement.
6. Est-ce que l'élève utilise son problème de comportement pour communiquer avec les autres ?
7. Y a-t-il des liens entre le problème de comportement et des conditions physiques ou médicales ?
8. Est-ce qu'il y a des changements dans l'humeur de l'élève avant ou après l'apparition de son problème de comportement ?
9. Certains facteurs de l'environnement semblent-ils affecter le comportement ? (Comme le nombre de personnes dans la pièce, le bruit, l'éclairage, la température.)
10. Est-ce qu'il y a des facteurs qui influencent le comportement de l'élève ? (Comme son sommeil ou un changement d'habitudes.) (p. 7 ; traduit par l'auteure ; reproduit avec la permission de l'American Association on Mental Retardation)

E. Établir des liens entre les résultats de l'évaluation et les interventions

Toujours selon Demchak et Bossert (1996), au cours de la cinquième étape, les intervenants feront des liens entre l'évaluation et les interventions nécessaires en choisissant de nouveaux comportements que l'élève pourra adopter et en agissant, en cas de besoin, sur les antécédents et les conséquences des comportements.

Les méthodes d'évaluation normative et fonctionnelle cernent donc de multiples façons les comportements. Dans le cadre de ce chapitre, nous examinerons différentes manières d'évaluer les problèmes de comportement, lesquelles seront puisées à la fois dans des méthodes d'évaluation normative et fonctionnelle. Ainsi, nous verrons l'observation des comportements, les échelles d'évaluation du comportement, les entrevues, les mesures sociométriques et l'évaluation de l'environnement dans lequel se produisent les problèmes de comportement.

7.4 L'OBSERVATION DES COMPORTEMENTS

7.4.1 L'objectivation des perceptions

En classe, lorsqu'un élève présente des comportements dérangeants, l'une des premières étapes à franchir consiste à observer ce qui se passe et à objectiver nos

TABLEAU 7.2 Jugements et comportements

Jugements	Comportements
Tu es agressif !	– Tu t'es battu dans la cour de récréation. – Tu as déchiré les pages de ton cahier. – Tu as enlevé le ballon à Pierre.
Tu n'as rien compris !	– Tu es arrivé à 9 heures ce matin, une demi-heure en retard. – Tu n'as pas mis tes verbes à la bonne personne. – Les chiffres de ton addition sont mal placés.
Que tu es devenu bon !	– Tu gardes ton cahier propre. – Tu as obtenu 70 % dans ta dictée.

perceptions. Sans cette étape, il sera difficile de discuter avec l'élève, ses parents ou un autre intervenant de la situation réelle, de donner une rétroaction appropriée et de trouver des moyens d'intervention efficaces.

Trop souvent, les premières réflexions sont teintées de jugements: «Cet élève est agressif»; «Bon, il n'a encore rien compris»; «Ah, il a sûrement des problèmes chez lui, pour réagir comme ça!» Les jugements et les interprétations l'emportent alors sur une description factuelle. Cela risque d'entraîner diverses conséquences. Par exemple, si nous décidons de communiquer avec les parents et que notre message soit basé uniquement sur ces jugements, les parents pourront imaginer des événements différents des faits réels. «Pierre dérange tout le temps.» Mais que fait donc Pierre? Bavarde-t-il avec ses compagnons? Refuse-t-il de remettre ou de terminer ses exercices? A-t-il oublié son matériel? Combien de fois ces comportements se produisent-ils?

De telles réactions sont spontanées, mais elles risquent d'entretenir, chez l'élève, un sentiment de rejet: «Je dérange tout le temps, je suis agressif, je ne suis pas bon!» L'élève voit alors toute sa personne mise en cause. Les parents, quant à eux, peuvent se sentir fort coupables! De plus, ces réactions fournissent très peu d'information et, par conséquent, ne permettent pas d'améliorer vraiment la situation. Au cours de l'évaluation spontanée, la première étape consiste à dissocier le jugement du fait réel ou du comportement. Le tableau 7.2 présente quelques exemples.

L'observation permet de décrire en termes objectifs la situation qui vient de se produire. On utilise alors des descriptions comportementales, c'est-à-dire que l'on expose des faits observables, mesurables et décrits avec précision.

7.4.2 Les méthodes d'observation et d'enregistrement des comportements

Les comportements et les observations peuvent être consignés de plusieurs façons, plus ou moins rigoureuses, systématiques et exigeantes. Certaines, relativement simples, peuvent être utilisées par l'intervenant dans le feu de l'action ; d'autres, plus complexes, sont destinées à un observateur se consacrant entièrement à cet enregistrement. Nous présentons ici sommairement la description de quelques outils. Le lecteur intéressé à les approfondir pourra consulter la référence suggérée à la fin du chapitre.

A. *Les rapports narratifs*

Les rapports narratifs constituent un excellent outil pour commencer une observation, car ils sont l'occasion de repérer les comportements saillants, leurs antécédents et leurs conséquences (Barton et Ascione, 1984). Dans ces textes, les événements sont décrits de manière plus ou moins formelle, à mesure qu'ils se déroulent.

Passage d'un rapport narratif

Ce matin, Jacques est arrivé à neuf heures moins vingt. Il avait oublié son livre de lecture et son coffret de crayons. Il a demandé à Rémi de lui prêter un crayon. Rémi a refusé, mais Jacques le lui a emprunté quand même. Les deux élèves se sont alors verbalement attaqués, le ton de voix était élevé. J'ai dû intervenir en demandant à Jacques de retourner à sa place. J'ai fourni le matériel qui lui manquait en lui indiquant que demain il devrait avoir toutes ses choses.

Le reste de l'avant-midi s'est déroulé comme d'habitude. Jacques a terminé chacun des exercices. Il a présenté oralement sa recherche sur les castors. Les autres élèves lui ont posé plusieurs questions auxquelles il a apporté des réponses exactes.

Dans ces rapports, il importe d'être le plus objectif possible, de présenter les faits importants et de ne pas restreindre les descriptions aux comportements qui posent problème. En effet, l'intervenant fera référence aux forces et aux faiblesses de l'élève dans ses discussions avec lui et ses parents. Il élaborera l'intervention en tenant compte des acquis de l'élève. Par conséquent, les comportements appropriés figurent aussi dans le relevé. À la suite des rapports narratifs, l'organisation des données issues de l'observation permet d'établir des relations entre les événements.

Lorsqu'un comportement (C) se produit, il a généralement été précédé d'un antécédent (A) et il sera suivi d'un événement (E). Il est souvent utile d'enregistrer cette séquence (A-C-E) afin de vérifier s'il existe des relations entre ces divers faits. À cette séquence peut s'ajouter le contexte (la classe, la cafétéria, la maison) où la réaction se produit. Le tableau 7.3 illustre une telle séquence.

Malheureusement, les relations ne sont pas toujours évidentes. En effet, les antécédents peuvent être multiples, les comportements variés, et les conséquences peuvent entraîner des changements simples ou complexes dans l'environnement.

TABLEAU 7.3 Séquence comportementale

Antécédent	Comportement	Conséquence
Les parents de Lyne lui disent d'aller dormir.	Lyne refuse et se met à pleurer.	Ses parents lui accordent un délai d'une heure.

B. *Les caractéristiques significatives des comportements*

Les comportements présentent diverses caractéristiques : la fréquence, la durée, l'adéquation, le temps de latence, l'intensité et la topographie (Epps, 1983). Lorsque l'observateur choisit un instrument, non seulement il le définit de manière précise, observable et mesurable, mais encore il choisit sur quelle caractéristique il basera son relevé. S'il note la fréquence, il enregistrera combien de fois le comportement se produit dans une unité de temps : « Marie a terminé six problèmes en quinze minutes. » S'il relève la durée, il comptabilisera le temps de la manifestation d'un comportement, là aussi en fonction d'une unité de temps : « Cette semaine, Éric a joué huit heures à des jeux électroniques. » L'adéquation porte sur le respect de certains critères lors de la manifestation d'une réponse : « Lorsque Jacques demande de l'aide, c'est toujours au mauvais moment. » Le temps de latence correspond à la durée qui s'écoule entre le stimulus qui doit déclencher la réponse et l'émission de cette dernière : « Après qu'on lui a demandé d'aller dormir, Jeanne s'attarde pendant deux heures. » L'intensité concerne la force de la réponse : en classe, on parle plus ou moins fort. Quant à la topographie, elle est centrée sur la forme de la réponse : le type de mouvements, par exemple dans la pratique d'un sport. Le tableau 7.4 résume ces caractéristiques.

TABLEAU 7.4 Caractéristiques des comportements

La fréquence : Cette caractéristique renvoie au nombre de fois que se produit une réponse dans un laps de temps donné. Par exemple, l'élève se lève inutilement en classe quatre, cinq ou six fois au cours de la même période.

La durée : La durée renvoie au temps pris pour exécuter une réponse. Ainsi, Sylvain peut écouter la télévision deux heures chaque soir.

L'adéquation : Pour être correctes, certaines réponses doivent non seulement être émises, mais aussi respecter certains critères. Ainsi, les élèves doivent résoudre des problèmes de mathématiques ; en outre, ils ne doivent pas commettre d'erreurs de calcul. De même, les verbes doivent être accordés avec leurs sujets.

Le temps de latence : Le temps de latence renvoie au temps qui s'écoule entre un stimulus et la réponse qu'il doit déclencher. Ainsi, si je dis à Lorraine de ranger ses jouets et qu'elle le fasse au bout d'une demi-heure, le temps de latence sera d'une demi-heure.

L'intensité : Les comportements peuvent avoir une certaine intensité. On peut parler plus ou moins fort en classe ; certains mouvements peuvent être exécutés avec plus ou moins de vigueur. Ainsi, un élève peut peser plus ou moins fort sur son crayon. S'il pèse très fort, le trait sera très noir et pourra même passer au travers de sa feuille ; s'il n'y met pas assez de force, le trait risquera d'être trop pâle pour être lisible. L'intensité peut aussi être un élément important dans l'exécution de plusieurs mouvements physiques.

La topographie : Les comportements manifestés peuvent respecter certaines formes. Ainsi, si l'élève écrit un *a*, cette lettre devra avoir une certaine forme pour être reconnaissable. S'il exécute des mouvements en éducation physique, ceux-ci devront respecter une certaine forme.

La fréquence et la durée sont des caractéristiques fréquemment utilisées pour relever les comportements dans le milieu scolaire. Ceux-ci peuvent être notés à l'intérieur de « grilles » d'observation. Des grilles très simples peuvent servir non seulement aux enseignants, mais aussi aux parents. Le tableau 7.5 présente un exemple de relevé simple d'un comportement selon la durée et la fréquence.

Outre ces grilles très simples, il en existe d'autres, telles les grilles par intervalles, qui sont destinées à un observateur se consacrant entièrement à cette tâche. La figure 7.1 présente un exemple de grille par intervalles.

Chaque ligne de cette grille correspond à un « intervalle » d'observation, c'est-à-dire à une période d'observation suivie d'une période d'enregistrement des données. Ces intervalles sont généralement déterminés en secondes (15 secondes d'observation suivies de 15 secondes de notation). Ils sont toujours les mêmes tout au long de la grille.

L'observation par intervalles dure 60 minutes ou moins (Barton et Ascione, 1984). Une grille utilisant 30 intervalles de 15 secondes d'observation et de 15 secondes de notation dure 15 minutes. Il va sans dire que, pour obtenir des données représentatives, il faut prendre plusieurs relevés. On effectue habituellement ces relevés à l'aide de codes pour faciliter l'enregistrement. Par exemple, l'« absence de réaction » ou « aucune réaction » pourrait être symbolisée par le code *a*. Plusieurs auteurs (Forget et Otis, 1984 ; Forget, Otis et Leduc, 1988) présentent des listes détaillées de comportements destinées à faciliter la notation des comportements des élèves, les réactions des enseignants et des pairs. Ces listes incluent la description de comportements tels que les déplacements, les activités motrices, l'émission de bruit et le bavardage.

La compilation et l'analyse de plusieurs relevés par intervalles permettent de noter les comportements présentés par l'élève et de les mettre en relation avec ceux des pairs et de l'enseignant. La complexité d'un tel instrument demande le recours à un observateur formé adéquatement et centré uniquement sur cette tâche.

À la suite de ses propres observations ou de celles d'un autre intervenant, l'enseignant dispose d'une description objective des faits. S'il y a eu plusieurs relevés,

TABLEAU 7.5 Exemple de relevé selon la durée et la fréquence

Jours	Durée du retard le matin	Comportement : sortir de la classe sans permission
Lundi	10 minutes	5 fois
Mardi	5 minutes	6 fois
Mercredi	—	2 fois
Jeudi	18 minutes	—
Vendredi	5 minutes	2 fois

FIGURE 7.1 Exemple de grille par intervalles

Nom de l'élève: ____________ Classe: _____ École: ____________
Date de l'observation: ____________ Lieu de l'observation: ____________
Heure: de ________ à ________ Activité en cours lors de l'observation: ____________
Enseignant: ____________
Nombre d'élèves en présence: ______

Comportements de l'élève	Comportements d'attention de l'enseignant	Attention des pairs
1. Déplacement	Attention verbale	X
2. Fait des bruits inutiles	Attention verbale	
3. Fait des bruits inutiles		X
4. Fait des bruits inutiles	Attention verbale	
5. Fait l'exercice demandé		
6. Fait l'exercice demandé		
7. Fait l'exercice demandé		
8. Fait l'exercice demandé		
9. Fait l'exercice demandé		
10. Fait l'exercice demandé		
⋮		
30. Fait l'exercice demandé		

Source: Inspiré d'Otis, Forest-Lindemann et Forget (1974).

on peut placer les données sur un graphique illustrant les comportements observés. Cette représentation permettra de suivre la progression de l'élève.

7.5 LES ÉCHELLES D'ÉVALUATION DU COMPORTEMENT

Il est aussi possible d'évaluer les comportements à l'aide d'échelles disposant de normes qui permettent de comparer les comportements de l'élève à ceux d'un groupe de référence. Comme nous l'avons vu au début du chapitre, une telle évaluation est de type normatif.

7.5.1 Les avantages et les inconvénients des échelles d'évaluation du comportement

Les échelles d'évaluation du comportement présentent plusieurs avantages. D'abord, elles sont économiques car elles permettent de recueillir rapidement de nombreuses données sur un élève. Elles sont généralement faciles à remplir. Elles permettent aussi de comparer les perceptions de plusieurs évaluateurs (par exemple l'enseignant et le psychoéducateur) à propos du même élève. Grâce aux échelles disposant de normes, on peut comparer un élève au groupe de référence que constituent les élèves du même âge et du même sexe. Ces échelles, associées à d'autres formes d'évaluation telles que les entrevues et les relevés d'observations, peuvent suggérer des cibles dans le plan d'intervention. De plus, elles aident à suivre l'évolution d'un élève durant une longue période étant donné que l'instrument peut lui être administré à intervalles réguliers. Enfin, les échelles peuvent contribuer à la recherche en permettant de recueillir des données sur des groupes d'élèves (Dubé, 1992 ; Tremblay et Royer, 1992).

Cependant, les échelles présentent aussi les inconvénients liés à la méthode normative. Il est difficile avec elles de cerner les caractéristiques de l'environnement qui influencent le comportement de l'élève. En comparant l'élève à un groupe de référence, elles posent en quelque sorte un « diagnostic » risquant de le catégoriser. De plus, ces échelles doivent être utilisées avec prudence par un personnel qualifié en psychométrie et en même temps que plusieurs autres formes d'évaluation (l'observation, les entrevues, etc.) (Tremblay et Royer, 1992).

À titre d'exemple, nous verrons deux types d'échelles : l'échelle d'évaluation des dimensions du comportement (EDC) et les échelles de Connors.

7.5.2 L'échelle d'évaluation des dimensions du comportement

Cette échelle fut élaborée, en anglais, par Bullock et Wilson en 1989. À la suite d'une évaluation par Marie Poirier, professeure en psychométrie à l'université Laval, cette échelle a été choisie parmi une trentaine d'instruments américains pour faire l'objet d'une traduction et d'une mise à l'épreuve. Poirier, Tremblay et Freeston (1992) et Parent, Poirier, Freeston et Tremblay (1994) ont traduit cet instrument et l'ont mis à l'essai auprès d'élèves du primaire et du secondaire de la commission scolaire de La-Jeune-Lorette. Cette grille peut servir d'outil de dépistage des problèmes de comportement, mais on doit l'utiliser avec d'autres instruments pour établir un diagnostic.

L'EDC inclut 43 items sous la forme d'une description bipolaire du comportement : « [...] un pôle décrit un comportement désirable ou adapté et l'autre, une difficulté comportementale » (Tremblay, 1992, p. 47). L'évaluateur pose son jugement sur une échelle en sept points. Cet évaluateur doit connaître suffisamment l'élève et avoir pu l'observer de manière valable pendant une période d'au moins deux semaines. Conséquemment, l'échelle est souvent remplie par l'enseignant.

L'échelle donne un score global et des résultats pour quatre échelles : (1) agressif, perturbateur ; (2) irresponsable, inattentif ; (3) renfermé ; (4) craintif, anxieux. Les tables convertissent les résultats en scores T (moyenne : 50 ; écart type : 10). L'échelle fournit un profil et permet de suivre l'évolution de l'élève.

Cette échelle est facile à remplir par le répondant. Cependant, les personnes responsables de l'adaptation québécoise apportent une mise en garde importante : si les enseignants peuvent remplir le questionnaire pour leurs élèves, seules les personnes qui possèdent une formation suffisante en psychométrie peuvent en interpréter les résultats (Tremblay, 1994).

7.5.3 Les échelles de Connors

Les échelles de Connors existent sous différentes formes. Nous verrons ici celles qui peuvent être remplies par les parents et les enseignants.

A. Les échelles pour les parents

Ces échelles permettent aux parents de coter le comportement de leur enfant de 3 à 17 ans. Il existe trois versions des échelles pour les parents : une version de 93 items, une version de 48 items et une version de 10 items. La version de 48 items présente cinq facteurs différents : les difficultés de comportement, les difficultés d'apprentissage, la somatisation, l'impulsivité ainsi que l'agressivité et l'anxiété. La version abrégée (10 items) donne un indice d'hyperactivité.

B. Les échelles pour les enseignants

Le échelles pour les enseignants comprennent aussi différentes versions : une version de 39 items, une autre de 38 items et une version abrégée de 10 items (mesurant des comportements associés à l'hyperactivité). La version de 39 items présente les facteurs suivants : l'hyperactivité, les difficultés de comportement, l'émotivité et la complaisance, l'anxiété-passivité, le retrait social et les difficultés d'attention. Il existe des normes pour les élèves de 4 à 12 ans, mais la version abrégée dispose de normes pour les sujets de 3 à 17 ans (Sattler, 1994). La version de 39 items comporte des données normatives canadiennes établies auprès de 9 583 sujets. Les échelles sont cotées sur un continuum en quatre points (voir la figure 7.2).

Les normes sont basées sur un score T (moyenne : 50 ; écart type : 10). Les scores obtenus dans les échelles sont convertis à l'aide de tables ; là encore, il est souhaitable que la personne qui interprète les données ait la formation nécessaire en psychométrie.

FIGURE 7.2 Exemple d'un item de l'échelle de Connors pour les enseignants

	Pas du tout	Un peu	Beaucoup	Énormément
Dérange les autres élèves			X	

7.6 LES ENTREVUES

7.6.1 La rencontre avec l'élève

Comme pour ce qui est des élèves en difficulté d'apprentissage, il est souvent nécessaire de rencontrer l'élève et ses parents. Les principes présentés au chapitre 4 pourront alors s'appliquer. Toutefois, lorsqu'il est question d'élèves en difficulté de comportement, la situation peut s'avérer plus délicate, car très souvent les problèmes de comportement ont déclenché toute une série de réponses émotives chez l'intervenant. Il faut éviter de rencontrer l'élève sous le coup de la colère :

> Une situation de crise n'est pas le meilleur temps pour entreprendre avec l'élève une réflexion approfondie sur sa situation à l'école et sur les moyens pour l'améliorer. Il vaut mieux pour cela choisir un moment caractérisé par une certaine harmonie dans les rapports entre les personnes. Par exemple une journée où l'élève a réalisé certaines acquisitions, certains progrès, où il a manifesté des comportements correspondant davantage à ce qu'on attend de lui, en somme une situation qui favorise l'instauration d'un climat positif (Ministère de l'Éducation du Québec, 1982b, p. 5).

Pour préparer la rencontre avec l'élève, on doit recueillir de manière objective des faits détaillés au sujet desquels on s'entretiendra. Dans un guide sur l'entrevue avec l'élève, le ministère de l'Éducation du Québec (1982b) suggère aux éducateurs, comme préparation à la rencontre, d'avoir une liste d'observations regroupant autant de points forts que de points faibles.

Les situations sont abordées concrètement. Ainsi, au lieu de dire à l'élève qu'il est agressif, il est préférable de lui dire : « Tu t'es battu deux fois hier dans la cour de récréation. » Il est important que l'élève sente qu'il n'est pas rejeté comme personne, mais que certains de ses comportements sont jugés inadéquats.

Cette rencontre avec l'élève devrait permettre d'atteindre les buts suivants :

- connaître sa perception de la situation de l'école ;
- savoir s'il désire y apporter des changements ;
- connaître les éléments, les personnes ou les moyens qu'il croit susceptibles d'aider à améliorer sa situation ;
- le renseigner sur la perception que les personnes qui l'entourent ont de la situation ;
- lui faire part du désir des adultes d'agir pour rendre cette situation plus satisfaisante pour tous (l'élève, ses parents, ses éducateurs) ;
- lui faire connaître l'intention que l'on a de demander la participation de ses parents et d'autres éducateurs afin de trouver les meilleurs moyens pour l'aider (Ministère de l'Éducation du Québec, 1982b, p. 5).

7.6.2 La rencontre avec les parents

A. *Des avantages pour tous ?*

Lorsqu'il y a des problèmes de comportement et d'adaptation, la collaboration des parents présente de nombreux avantages à la fois pour l'élève, les parents et l'enseignant. Shea et Bauer (1985) soulignent les bénéfices d'une telle collaboration. Entre autres, pour l'élève, la coopération parents-enseignant facilite le travail systématique, effectué dans une seule direction, pour l'apprentissage de comportements. Cette association permet d'établir une concertation entre parents et enseignant, ce qui facilite la généralisation des acquisitions, la valorisation de la communication entre l'école et sa famille aux yeux de l'élève, etc. En ce qui concerne les parents, cette collaboration permet d'obtenir de l'information, de connaître les forces et les faiblesses de leur enfant, de recevoir de l'aide. L'enseignant retire de cet appui plusieurs avantages : de l'information, le respect et la compréhension des parents, le renforcement de ses actions, le partage de responsabilités. À moins de posséder des indices sérieux laissant soupçonner que l'élève pourrait être puni outre mesure ou encore battu si l'on signalait ses difficultés à ses parents[1], la communication avec ces derniers peut être bénéfique.

B. *Le choix du moment opportun*

Toutefois, lorsqu'il s'agit d'élèves en difficulté de comportement ou d'adaptation, la communication peut paraître malaisée. Souvent, l'enseignant convoque les parents lorsqu'un événement particulier a perturbé le fonctionnement de la classe. Dans le cas où l'on sait à l'avance qu'un élève présente des difficultés sérieuses, Shea et Bauer (1985) recommandent d'effectuer le premier contact avant que se produise une situation de crise. Dans de telles circonstances, les émotions sont vives et la tension entre parents et enseignant nuit au processus de résolution de problèmes. S'il doit y avoir communication à la suite d'une situation de crise, il faut éviter qu'elle ne se fasse sous le coup de la colère. C'est pourquoi, lorsqu'on sait qu'un élève présente des difficultés de comportement, il est important d'adopter une attitude proactive et de connaître les parents dans des circonstances « normales » avant que survienne une difficulté majeure.

C. *L'appel téléphonique initial et la première rencontre*

Le premier contact avec les parents, au sujet des difficultés, s'effectue souvent par téléphone. De part et d'autre, cet appel suscite souvent de l'anxiété. Shea et Bauer (1985) proposent à l'enseignant d'adopter un ton courtois, d'aborder les points positifs avant de présenter le problème, tout en utilisant un langage à la portée des parents.

Lorsqu'un parent se rend à l'école parce que son enfant a des difficultés d'adaptation ou de comportement, il s'agit généralement d'une situation peu agréable : certains parents se sentent coupables, d'autres agressifs. Selon Shea et Bauer (1985),

1. Il faudrait alors envisager un autre type d'intervention, par exemple discuter avec le travailleur social ou avertir la Direction de la protection de la jeunesse si le cas le nécessite.

Commentaires de titulaires sur leurs communications avec les parents d'enfants en difficulté de comportement

C'est difficile parce que j'ai parfois l'impression d'utiliser un vocabulaire trop compliqué pour lui, ou bien le parent en profite pour me parler de ses problèmes personnels.

*

Il est important mais beaucoup plus difficile de rencontrer les parents d'élèves en difficulté, car ceux-ci ont souvent des réactions négatives et même agressives envers l'enseignant. Il faut beaucoup de doigté.

*

J'aime communiquer avec le parent, mais je me sens souvent démunie face à son attente quant à des solutions.

*

Ce n'est pas toujours facile. Il faut parler avec beaucoup de délicatesse.

*

Je dédramatise toujours pour faire comprendre aux parents qu'il y a une possibilité d'arriver à un résultat. Je parle des points forts de l'élève, pas seulement de ses faiblesses. Ensuite, nous essayons ensemble de trouver des moyens d'aider l'enfant et les parents.

*

C'est ardu, quand tu ressens que la mère est seule pour éduquer son enfant et que tu la sens démunie dans tous les domaines. Elle est consciente de la situation : "Présentement, je fais tout ce que je peux pour lui, je lui donne l'amour et l'attention dont il a besoin; au point de vue scolaire, je lui demande ce qu'il peut m'offrir et je l'accepte tel qu'il est..."

Source : Commentaires tirés d'une recherche de Michelle Comeau et Georgette Goupil sur les relations entre les parents et l'école.

la première rencontre pour sensibiliser le parent d'un enfant en difficulté est surtout centrée sur l'information. Cette entrevue doit être différente d'une entrevue de type « thérapeutique » destinée à explorer les problèmes sociaux ou conjugaux des parents. Ce contact vise à fournir aux parents une perception réaliste de la situation et, ainsi, à amorcer un processus de résolution de problèmes.

Divers obstacles peuvent alors nuire à une bonne communication (Kroth, cité dans Shea et Bauer, 1985) : la fatigue (souvent due au fait que parents et enseignant ont travaillé toute la journée), des sentiments trop vifs, des mots trop chargés d'émotion, la prise de parole uniquement par l'enseignant ou un environnement non approprié à l'entrevue. Dans ce dernier cas, il peut s'agir d'un local mal situé, trop bruyant ou encore n'assurant pas la confidentialité de l'entrevue.

En particulier dans les cas de problèmes de comportement, il importe d'avoir préparé soigneusement l'entrevue en faisant référence à des faits objectifs touchant autant aux forces qu'aux faiblesses de l'élève. L'enseignant dispose du matériel nécessaire : le cahier de l'élève, ses examens, etc. Lors de l'entrevue, non seulement il décrit la situation de l'élève aux parents, mais il cherche aussi à connaître leur perception de la situation, leur degré de satisfaction, les appuis éventuels du milieu familial ainsi que les propositions et suggestions des parents. Le ministère de l'Éducation du Québec (1982b) a publié un questionnaire permettant aux parents de se préparer à une rencontre avec les éducateurs. Le chapitre 13 expose des recommandations de base pour mener une entrevue avec les parents.

7.7 AUTRES OUTILS D'ÉVALUATION ET AUTRES DONNÉES À RECUEILLIR

L'élève qui a des difficultés graves de comportement présente souvent des difficultés d'apprentissage ou encore un rendement très faible en classe. Il peut alors être nécessaire d'évaluer son rendement scolaire et d'établir, à ce sujet, un plan d'intervention adapté. Les outils pour ce faire ont été présentés dans les cinq premiers chapitres.

7.7.1 L'évaluation du statut social de l'élève

Il est aussi possible d'évaluer la position sociale de l'élève à l'aide de questionnaires sociométriques. Ces questionnaires permettent de connaître les préférences ou encore les rejets mutuels des membres d'un groupe (par exemple une classe). Il en existe plusieurs types (Hops et Lewin, 1984). Certains sont basés sur la nomination de membres du groupe. Ces nominations, pour diverses activités, peuvent être positives (« Avec qui aimerais-tu… faire du français, par exemple ? ») ou négatives (« Avec qui n'aimerais-tu pas… jouer à la récréation, par exemple ? »).

Les nominations négatives sont cependant beaucoup moins utilisées à cause de restrictions qu'apportent les parents ou le personnel scolaire (Hops et Lewin, 1984). Bien qu'elles ne soient pas fondées empiriquement selon Hops et Lewin, ces restrictions reposent sur le fait que ce processus de nominations négatives des élèves entre eux nuirait aux élèves rejetés. Plusieurs auteurs (Hops et Lewin, 1984) croient cependant que, combinées avec les nominations positives, les nominations négatives représentent une source intéressante d'information.

D'autres questionnaires sociométriques sont basés sur la présentation de la liste complète des membres du groupe, pour chacun d'entre eux. Chaque membre cote alors sur une échelle de Likert (de 1 à 5, par exemple, où 1 = pas du tout, 2 = un peu, 3 = moyennement, 4 = assez, 5 = beaucoup) les autres membres du groupe. Ce type de questionnaire présente des avantages : tous les élèves s'évaluent les uns les autres et cet instrument réduit le nombre d'élèves évitant de faire des nominations parce qu'ils ignorent comment écrire le nom d'un pair (Hops et Lewin, 1984). Avec les enfants du préscolaire ou de première année, les choix peuvent s'effectuer au cours d'une entrevue, où l'on indique les préférences sur des photographies du groupe.

Le questionnaire est distribué à tous les élèves et, lorsqu'il le fait remplir, l'intervenant s'engage à garder les données confidentielles. Une fois le questionnaire rempli, il faut dépouiller les données sur un tableau prévu à cette fin, la sociomatrice. Par la suite, on construit le sociogramme, c'est-à-dire le schéma qui représente le groupe et situe chaque élève en fonction de son score et des liens établis avec ses pairs.

Pour venir en aide à un élève isolé ou rejeté, il faut souvent obtenir des renseignements complémentaires par rapport au questionnaire sociométrique. Par exemple, l'élève essaie-t-il d'établir des contacts avec les autres ? Y a-t-il des raisons apparentes qui justifient ce rejet ? Y a-t-il des comportements évidents qui amènent les autres à rejeter cet élève ? Il est utile ici de se rappeler les liens existant entre le résultat sociométrique de l'élève et ses comportements sociaux.

Questionnaire sociométrique faisant appel à des nominations positives

- Avec qui, dans ta classe, aimes-tu faire du français ?
- Avec qui d'autre ?
- Et avec qui encore ?
- Avec qui, dans ta classe, aimes-tu jouer à la récréation ?
- Avec qui d'autre ?
- Et avec qui encore ?
- Qui, dans ta classe, inviterais-tu à ton anniversaire ?
- Qui d'autre ?
- Et qui encore ?

7.7.2 L'évaluation des caractéristiques de l'école et de la classe

Certaines caractéristiques de l'école et de la classe ainsi que les attitudes du personnel peuvent influencer l'apparition des problèmes de comportement. Plusieurs difficultés de comportement se traduisent par des manifestations regroupées sous le terme général de problèmes de discipline. Nous aborderons sommairement l'évaluation de quelques caractéristiques du milieu scolaire.

Doucet, Gagnier, Houle et Tregonning (s. d.) décrivent une série de causalités plausibles dans l'apparition des problèmes de discipline. Ce système causal inclut divers participants : la direction de l'école, l'enseignant, les élèves, les autres enseignants et les parents. Nous examinerons, à l'aide des éléments suggérés par Doucet et autres, chacun de ces participants.

En ce qui concerne la direction de l'école, voici quelques points de réflexion : la concertation du personnel sur la philosophie de l'école, la cohérence des politiques face aux problèmes de discipline, les modalités d'application de ces dernières, les actions à entreprendre lorsque l'élève ou l'enseignant a tort, la justice du système d'évaluation ainsi que la disponibilité et la présence de la direction.

Pour ce qui est de l'enseignant, les points suivants peuvent, entre autres, être soumis à une analyse : l'application cohérente des politiques de l'école, le dialogue avec les élèves et la disponibilité à leur égard, la valorisation des règlements, la préparation de leçons motivantes de même que la justice et l'équité pour tous. À propos des élèves, Doucet et autres proposent de s'interroger sur les besoins physiques et psychologiques, la pression des pairs, l'intérêt pour l'apprentissage, etc. Les autres enseignants ont également un rôle à jouer puisqu'ils rencontrent régulièrement les élèves, par exemple lors des déplacements ou des récréations. Les parents ont aussi leur part de responsabilité : comment valorisent-ils le succès de l'élève, quelle connaissance ont-ils des enseignants, des règlements de l'école, etc. ? Les écoles peuvent systématiser leur introspection à l'aide de divers questionnaires ou inventaires (Carducchi-Geoffrion et Archambault, 1984 ; Wayson, 1982).

L'environnement spécifique qu'offre la classe mérite aussi d'être examiné. Le climat influence divers comportements des élèves (Brookover, Schweitzer, Schneider, Beady, Flood et Wisenbaker, 1978 ; Moos et Moos, 1978). L'enseignant peut, grâce à divers inventaires (Fraser et Fisher, 1983), évaluer la perception du climat qu'ont les élèves. Des questions toutes simples permettent aussi de réfléchir sur les relations de l'élève avec sa classe. En voici quelques exemples : Comment l'élève a-t-il été accueilli ? Quelles activités de la classe permettent aux élèves de différents niveaux de réussir ? L'élève peut-il vivre des expériences de succès ou ses expériences se sont-elles la plupart du temps soldées par un échec et de la frustration ? Quelles sont les attitudes de l'enseignant face à l'élève en difficulté de comportement ?

Dans un dépliant à l'intention des éducateurs placés devant des comportements plus difficiles, Comeau et Goupil (s. d.) suggèrent aux intervenants de se poser les questions suivantes :

- Êtes-vous calme lorsque vous intervenez ?
- Les explications que vous donnez à l'enfant sont-elles claires ?

- Les parents sont-ils informés des comportements de leur enfant ?
- Relevez-vous les comportements appropriés de l'enfant ?
- Votre seuil de tolérance varie-t-il dans la journée ?
- Vos exigences sont-elles constantes ?
- Y a-t-il des moments dans la journée où vos exigences fluctuent face à des comportements similaires, comme à la fin de la journée, lorsque vous êtes plus fatigué ?
- Quelles images votre intervention laisse-t-elle de l'enfant aux autres enfants ? Si, par exemple, les comportements d'un enfant créent autour de lui un rejet social, le fait de l'isoler face aux autres n'accentuera-t-il pas cette image ?

Voilà autant de questions qui attirent l'attention sur la classe et ses participants. Leur évaluation, celle des attitudes de l'enseignant et des pairs permettent bien souvent de dégager des solutions.

RÉSUMÉ

Il y a deux méthodes principales d'évaluation des problèmes de comportement : l'évaluation normative et l'évaluation fonctionnelle. Lorsqu'un élève présente des difficultés d'ordre comportemental, on peut recourir à diverses sources d'information pour mieux comprendre la situation : l'observation des comportements de l'élève en classe, l'évaluation de son statut social, des rencontres avec l'élève ou ses parents et l'évaluation du rendement scolaire. Cette évaluation peut en partie être réalisée par l'enseignant, mais elle peut aussi être complétée par le travail de divers spécialistes, comme le psychologue, le travailleur social ou le psychoéducateur. Toutefois, l'évaluation ne doit pas se limiter aux caractéristiques personnelles de l'élève ; elle doit également s'attacher aux conditions que lui offre le milieu scolaire.

QUESTIONS

1. Songez à un enfant qui est près de vous, comme votre fils ou votre fille, votre neveu ou encore votre voisine. Cet enfant doit être d'âge scolaire et ne pas avoir une relation professionnelle avec vous (il ne peut donc s'agir d'un de vos élèves, par exemple). Imaginez la situation que voici. Vous recevez son bulletin, lequel porte cette remarque : cet enfant a de grandes difficultés en ce qui concerne ses relations sociales. Que pensez-vous ? Que dites-vous ? Que faites-vous ?
2. Pourquoi est-il utile de recourir aux descriptions les plus objectives possible lorsqu'il est question de problèmes de comportement ?
3. Observez un groupe de personnes en action pendant cinq minutes. À la suite de vos observations, rédigez un court rapport narratif. Vous pouvez comparer

votre rapport à celui d'un collègue. Y voyez-vous des différences ? Lesquelles et pourquoi ?

4. Qu'est-ce qu'un questionnaire sociométrique ? Quelle en est l'utilité ?
5. Décrivez sommairement les évaluations qu'un psychologue scolaire peut réaliser lorsqu'un élève présente des problèmes de comportement.
6. Quelles caractéristiques de l'école et de la classe peuvent influencer l'apparition des problèmes de comportement ?

LECTURES SUGGÉRÉES

Sur l'observation :

GOUPIL, G. (1985). *Observer en classe.* Brossard : Éditions Behaviora.

Sur l'évaluation des élèves ayant des difficultés de comportement :

TREMBLAY, R. et ROYER, E. (1992). *L'identification des élèves qui présentent des troubles du comportement et l'évaluation de leurs besoins.* Québec : Ministère de l'Éducation, Direction de l'adaptation scolaire et des services complémentaires.

L'intervention face aux difficultés de comportement

OBJECTIFS

Après avoir lu ce chapitre, le lecteur devrait pouvoir:

- décrire divers moyens qui facilitent la prévention des problèmes de comportement;
- décrire les étapes de l'intervention auprès d'élèves en difficulté de comportement;
- présenter divers exemples d'apprentissage des comportements;
- décrire les principes à la base de différentes méthodes d'intervention behavioriste: le renforcement positif, le renforcement négatif, la punition et l'extinction;
- rédiger un contrat de comportement;
- décrire différentes méthodes d'inspiration cognitivo-behavioriste qu'on peut utiliser avec les élèves ayant des difficultés de comportement.

INTRODUCTION

La scolarisation des élèves ayant des difficultés d'ordre comportemental pose de nombreux défis. Muscott, Morgan et Meadows (1996) précisent les suivants : le défi d'identifier à qui appartient le problème, la préparation des enseignants, l'extrême variabilité des problèmes rencontrés, l'accessibilité aux ressources, la nécessité d'adapter les programmes et la gestion de la classe, le défi visant à réintégrer les élèves qui ont été placés dans des classes spéciales et finalement celui de la coordination des services. Les interventions peuvent donc toucher à de nombreux domaines et faire appel à différents intervenants. De plus, les modèles explicatifs des difficultés de comportement sont fort variés, comme nous l'avons vu au chapitre 6. Il en est de même des modèles d'intervention proposés. Certains se centrent davantage sur les émotions de l'élève, d'autres sur le comportement et d'autres encore sur la communication avec la famille et les organismes communautaires. Il va sans dire que certains moyens d'intervention, telle la collaboration avec la famille, sont utilisés par différentes approches. Entre ces divers modèles théoriques, les cloisons ne sont donc pas nécessairement étanches. Le tableau 8.1 présente quelques-unes de ces conceptions et illustre certains moyens d'intervention qui découlent de ces modèles théoriques.

TABLEAU 8.1 Quelques approches utilisées avec les élèves ayant des difficultés de comportement

Approches	Principales caractéristiques	Quelques moyens d'intervention utilisés
Approche écologique	L'individu est considéré comme faisant partie d'un système social complexe où il a des transactions sociales avec les autres (Kauffman, 1997).	Mettre l'accent sur l'apprentissage social et comportemental ; orienter l'intervention vers les milieux sociaux où vit l'élève. L'intervention vise à rejoindre non seulement l'élève, mais aussi sa famille, son école et sa communauté (Létourneau, 1995).
Approches éducatives et psychoéducatives	Ces approches tiennent compte des motivations et des conflits tout en mettant l'accent sur les demandes quotidiennes de l'école, de la famille et de la communauté (Kauffman, 1997).	Intervenir pendant les situations de crise, valoriser les succès scolaires. Mettre l'accent sur la prévention en classe en établissant des règles de fonctionnement (Winzer, 1993).
Approche biogénétique ou d'inspiration médicale	Les difficultés sont attribuées, par exemple, à des dysfonctions cérébrales, des problèmes alimentaires, des facteurs génétiques ou des déséquilibres biochimiques.	Recourir à des médicaments comme les psychostimulants (par exemple le Ritalin), à des diètes (Feingold, 1976), au bio-feedback, etc.
Approche behavioriste	L'accent est mis sur le comportement et ses modalités d'acquisition, et sur la façon dont l'environnement modifie les comportements.	Utiliser différentes techniques et méthodes pour modifier les comportements : le renforcement positif, le contrat de comportement, les systèmes de jetons, etc.
Approche cognitivo-behavioriste	Cette approche permet d'établir des relations entre les événements cognitifs internes et les changements de comportements grâce à l'apprentissage de différentes stratégies.	Enseigner aux élèves des habiletés d'autocontrôle, d'auto-évaluation, de résolution de problèmes, etc.

→

TABLEAU 8.1 Quelques approches utilisées avec les élèves ayant des difficultés de comportement (suite)

Approches	Principales caractéristiques	Quelques moyens d'intervention utilisés
Approche psychodynamique	Des désordres de la personnalité et des conflits intérieurs (entre le ça, le moi et le surmoi) sont les causes des problèmes de comportement.	Adopter différentes formes de thérapie dans lesquelles la personne verbalise ses pensées et ses relations avec les autres. Essayer de comprendre les motivations inconscientes du comportement.

Dans les pages qui suivent, nous verrons ces différentes approches, à l'exception de l'approche psychodynamique, étant donné que celle-ci relève davantage du milieu clinique que du milieu scolaire. À l'intérieur de ces approches, nous examinerons différents moyens permettant aux enseignants d'intervenir auprès des élèves qui ont des difficultés de comportement. Il y aura enfin une entrevue avec le professeur Égide Royer, un chercheur qui a réalisé de nombreuses recherches auprès d'élèves présentant des difficultés graves de comportement.

8.1 L'APPROCHE ÉCOLOGIQUE : INTERVENIR À L'ÉCOLE, DANS LA FAMILLE ET DANS LA COMMUNAUTÉ

Dans une approche de type écologique, l'élève est considéré comme faisant partie d'un système social complexe où il est à la fois récepteur et émetteur d'interactions sociales avec des adultes et d'autres jeunes. Dans ce système social complexe, l'élève peut jouer plusieurs rôles dans des environnements différents (Kauffman, 1997). En vertu de cette conception, l'intervention porte non seulement sur l'élève, mais aussi sur les différents milieux dans lesquels il évolue.

Cette approche a eu une influence dans le milieu scolaire, car de plus en plus on reconnaît que l'intervention auprès des élèves qui ont des problèmes graves de comportement ne peut être effectuée que par l'école. À ce propos, Walker, Colvin et Ramsey (1995) écrivent :

> Les écoles peuvent faire peu de choses seules pour servir de médiateurs ou atténuer les effets des facteurs socioenvironnementaux agissant à l'échelle de la société, de la communauté ou du voisinage. Cependant, avec la coopération et le soutien actif des agences de services sociaux, des paroisses, des associations de quartier, des volontaires, des groupes communautaires et des familles, les écoles peuvent faire beaucoup de choses (p. 39 ; traduit par l'auteure).

Pour Walker et autres (1995), divers principes doivent guider l'intervention : (1) commencer à intervenir, dans la mesure du possible, dès le préscolaire ; (2) établir avec toutes les familles une communication facilitant la coopération et le respect mutuel ; (3) travailler avec les ressources et les services de la communauté de manière à intervenir très tôt dans la carrière scolaire des élèves à risque ; (4) travailler le plus tôt possible avec les services de manière à donner aux familles en détresse le soutien dont elles ont besoin pour composer avec les problèmes qui affectent leurs enfants.

8.2 Les approches éducatives et psychoéducatives centrées sur la prévention et la gradation des mesures d'intervention

8.2.1 L'établissement des règles et des procédures dans l'école

Selon Slavin (1988), « les problèmes de comportement les plus faciles à régler sont ceux qui ne sont jamais apparus » (p. 421 ; traduit par l'auteure). Une discipline préventive permet de diminuer dans une certaine mesure le taux d'apparition de divers problèmes de comportement. Pour Wayson (1982), dans les écoles qui semblent avoir la meilleure discipline, le personnel instaure des pratiques amenant les élèves à penser par eux-mêmes et à prendre leurs responsabilités pour eux-mêmes et en vue de maintenir une saine atmosphère dans l'école. Ces élèves se comportent correctement même lorsque les adultes sont absents.

Dans les écoles, diverses stratégies peuvent faciliter l'implantation d'une discipline préventive : la rédaction d'un code de vie exposant clairement les règlements, l'engagement des élèves et de leurs parents, et surtout la concertation de tous les intervenants. La communication entre les intervenants est l'une des assises d'une saine discipline (Wayson, 1982). L'élève ayant un problème grave de comportement, comme tous les élèves d'ailleurs, entre en relation avec plusieurs personnes : l'enseignant titulaire, les spécialistes en éducation physique et en musique, la direction, les surveillants dans la cour de récréation et le midi, etc. Lorsque ces intervenants s'entendent sur la conduite et les attitudes à privilégier, il est beaucoup plus facile pour l'élève de connaître les règles adoptées par l'école. Par contre, lorsque les exigences sont floues et varient d'une personne à l'autre, il est difficile de connaître et de respecter les règles de fonctionnement de l'école.

La nécessité d'avoir des règlements cohérents est soulignée par plusieurs auteurs (Wayson, 1982 ; Doucet et autres, s. d.). Ces règlements ne doivent pas être trop nombreux ; de plus, il s'avère utile que les élèves connaissent les raisons sur lesquelles ils s'appuient et soient invités à participer à leur élaboration. Leur application repose sur tous les intervenants : la direction, les enseignants, les parents et les élèves eux-mêmes (Doucet et autres, s. d.). À titre préventif, Doucet et autres recommandent de faire parvenir à la maison un guide décrivant la philosophie et les politiques de l'école, les règlements et leur raison d'être, le rôle des parents face à l'école, le matériel requis, les horaires, etc.

Outre la mise en place des règles et des procédures, notons la façon dont l'école accepte les différences individuelles. À ce propos, Kauffman (1997) écrit :

> En ayant les mêmes exigences scolaires et comportementales pour chaque élève, les écoles sont susceptibles d'amener des élèves qui sont légèrement différents des autres à adopter des rôles d'échec ou de déviance scolaire. En étant inflexibles ou en insistant sur l'homogénéité, elles risquent de créer des conditions qui inhibent ou punissent l'expression de l'individualité. Dans une atmosphère de régiment ou de répression, plusieurs élèves peuvent répondre par le ressentiment, l'hostilité, le vandalisme ou une résistance passive au système (p. 256 ; traduit par l'auteure).

Walker et autres (1995) décrivent divers principes permettant de mettre en place une discipline plus efficace :

1. La discipline n'est pas une fin en soi ; elle doit être subordonnée à des objectifs d'apprentissage scolaires et au développement social des élèves. La maîtrise du comportement ne doit pas en être l'objectif premier.
2. Il faut mettre l'accent sur des approches proactives privilégiant des processus de résolution de problèmes.
3. La direction de l'école doit manifester un leadership visible et positif.
4. Tous les membres du personnel de l'école doivent participer à la mise en place d'une discipline plus efficace.
5. Il faut mettre en place des activités de développement du personnel et des pratiques d'enseignement efficaces.
6. Le personnel de l'école doit manifester des attentes élevées face au comportement social et à l'apprentissage. Il est important que les intervenants ne s'habituent pas à considérer que les problèmes de comportement ont pour causes des facteurs extérieurs sur lesquels ils n'ont aucune prise.
7. Il doit s'établir une communication efficace entre le personnel de l'école et la direction.
8. Le climat de l'école doit être positif.
9. Il doit y avoir dans l'école une collaboration interdisciplinaire, c'est-à-dire entre tous les membres du personnel de l'école (les services aux élèves, les enseignants, la direction et le personnel de soutien) et également avec les services extérieurs à l'école.
10. Il faut que l'école ait des règles et des attentes claires et réalistes envers les élèves.
11. Le personnel doit établir un système de collecte de données et d'évaluation afin d'évaluer régulièrement le code de vie mis en place, d'identifier les élèves à risque et de proposer des interventions proactives.

Les moyens d'intervention sont donc diversifiés. Décrivant les conditions qui peuvent favoriser l'intégration des élèves ayant des problèmes de comportement, Muscott et autres (1996) précisent les ressources suivantes : la collaboration en équipe, un personnel d'aide bien formé, des stratégies d'enseignement en équipe (*team-teaching*), des activités de développement professionnel continu, le partenariat entre l'école et la famille, la collaboration avec les services sociaux et communautaires, un processus systématique de réintégration, l'accent mis sur la prévention, une conception élargie des programmes de manière à y insérer le développement de compétences sociales et personnelles, des pratiques d'enseignement efficaces, l'apprentissage d'habiletés sociales, une mesure systématique des progrès scolaires, des plans visant à soutenir le comportement, l'apprentissage par les pairs et finalement des services pour favoriser l'apprentissage scolaire. Plusieurs de ces moyens sont également préconisés par l'approche écologique.

De nombreux moyens d'intervention peuvent donc contribuer à la prévention, dans l'école, des difficultés de comportement. Les mesures mises en place dans chacune des classes faciliteront également cette prévention.

8.2.2 La prévention des problèmes de comportement directement dans la classe

A. *Les principes de base*

Les enseignants peuvent contribuer à prévenir les problèmes de discipline en structurant leur classe de manière à créer un meilleur climat où les attentes seront claires. À partir des travaux de Jack et Johnson, le ministère de l'Éducation du Québec (1983b) indique des principes à respecter pour prévenir les difficultés de comportement. Parmi ceux-ci, notons la planification soignée des mises en situation lors des activités, une bonne connaissance des activités par l'enseignant, l'utilisation de consignes claires, le maintien des règles, la prévision du matériel nécessaire (ce qui permet d'éviter le temps mort, lequel favorise l'apparition des comportements inadéquats) et d'un espace approprié, l'emploi de consignes verbales simples, la participation de l'enseignant aux activités, la préparation d'activités permettant la participation de tous les élèves et, enfin, la prévision de la durée du jeu ou de l'activité.

Selon Létourneau (1995), différentes conditions créent des risques de problèmes de comportement :

> [...] le manque d'organisation dans les activités et de structure dans les activités, l'utilisation inconsistante des récompenses et des punitions, la présentation de tâches frustrantes ou ennuyantes, les activités compétitives, les réactions imprévisibles de l'enseignant, les attentes imprécises de la part de l'enseignant, un milieu hyperstimulant et les périodes d'attente entre les activités (p. 13).

Afin d'éviter ces écueils, toujours selon Létourneau, il faut utiliser des modes d'intervention préventifs, par exemple en clarifiant ses attentes, en définissant les règles de fonctionnement et en aménageant le local. L'enseignant doit communiquer avec ses élèves, maximiser le temps consacré au travail scolaire, élaborer le contenu de ses activités, faire participer les parents et favoriser le développement socioaffectif des élèves.

Afin de faciliter l'intervention auprès des élèves, des auteurs ont élaboré différentes listes de conseils à l'usage des enseignants. Le tableau 8.2 présente les suggestions de Winzer (1993).

B. *Les principes d'intervention dans des situations plus difficiles*

Malgré une excellente planification, certaines situations plus difficiles peuvent survenir. Des auteurs proposent des principes d'intervention lorsque se présente un problème de comportement. Ainsi, Archambault et Chouinard (1996) suggèrent à l'enseignant de se demander d'abord pourquoi un élève dérange ou est agressif. Sans nier l'influence de facteurs extérieurs à l'école, ces auteurs conseillent à l'enseignant de se demander, par exemple, si l'élève sait ce qu'il a à faire, si l'activité est signifiante ou intéressante, si l'élève a quelque chose à faire, s'il comprend ce qu'il a à faire, si ses comportements attirent l'attention de ses pairs ou de l'enseignant.

TABLEAU 8.2 Suggestions pour faciliter l'intervention auprès d'élèves ayant des difficultés de comportement

Créez l'environnement

- Établissez des relations interpersonnelles aidantes avec les élèves
- Essayez de créer une atmosphère chaleureuse caractérisée par une acceptation sans permissivité
- Établissez la routine : précisez les limites des comportements
- Établissez des règles pour la classe avec parcimonie
- Rappelez souvent ces règles aux élèves
- Soyez cohérent
- Mettez l'accent sur les habiletés scolaires
- Permettez aux élèves de vivre des expériences qu'ils peuvent réussir
- Pardonnez et oubliez le passé : ne basez pas les interventions présentes sur les fautes passées
- Convenez de l'idée que vous aimez l'élève même si son comportement ne vous paraît pas acceptable
- Autorisez les élèves plus âgés à mettre sur pied les systèmes de renforcement
- Assoyez l'élève qui a des problèmes au milieu d'élèves qui se comportent bien
- Analysez vos horaires ; si une période semble plus susceptible de poser des problèmes, modifiez-la
- Scindez une leçon en allouant des pauses et en permettant aux élèves de faire des mouvements
- Soyez logique dans vos demandes et attentes
- Rétablissez l'ordre le plus tôt possible après les situations de crise
- Si vous devez punir, faites-le sans agressivité
- Enlevez le jouet ou l'objet qui pose problème
- Gardez un relevé rigoureux de vos interventions behavioristes
- Enseignez les interactions sociales
- Assurez-vous que les élèves participent le plus possible à la prise de décisions à l'école
- Aidez les élèves anxieux, retirés et immatures à se faire une image positive d'eux-mêmes
- Ne demandez pas aux élèves retirés de répondre à des questions à moins qu'ils n'offrent de le faire
- Lorsqu'un élève anxieux fait une erreur, soutenez-le en disant : « C'était un bon essai », et allez aussitôt à un autre élève

Organisez l'environnement

- Ne laissez pas les élèves s'agresser
- Donnez à des provocations des modèles de réponses non agressives
- Donnez du renforcement pour les comportements non agressifs ; ne renforcez pas les comportements agressifs

Source : Tiré de Winzer (1993, p. 446) ; traduit par l'auteure.

Dans le cas où survient un problème, Archambault et Chouinard (1996) proposent de respecter les principes suivants :

1. Conserver son calme durant une intervention auprès de l'élève.
2. Choisir une intervention économique et efficace.
3. Choisir une intervention qui dérange le moins possible l'activité d'apprentissage.
4. Choisir une intervention qui favorise l'apprentissage de comportements adaptés.
5. Choisir une intervention qui favorise la prise en charge par l'élève de son comportement.

Si plusieurs interventions, en classe, peuvent diminuer les problèmes de comportement, l'engagement des parents représente aussi une ressource importante dans la prévention de ces difficultés. Dans une perspective préventive, il est souvent utile d'établir, avec ceux-ci, une communication proactive.

8.2.3 La communication avec les parents

Les parents constituent une ressource importante pour l'enseignant qui accueille dans sa classe un élève ayant des difficultés de comportement. De nombreux auteurs (Walker et autres, 1995) reconnaissent la nécessité de faire participer les parents aux programmes d'intervention à l'intention des élèves ayant des difficultés de comportement.

Il est important de communiquer avec les parents le plus tôt possible en début d'année, avant qu'une situation difficile survienne. En vertu de l'approche préventive, ce contact devra être positif et indiquer aux parents que nous voulons travailler avec eux pour aider leur enfant. Selon Freiberg et Driscoll (1992), il est nécessaire de reconnaître l'importance et la responsabilité des parents. Le contact avec eux s'inscrit dans un processus bilatéral où enseignants et parents ont des choses à s'apprendre mutuellement.

Cette communication avec les parents permet, entre autres, de formuler les attentes, les objectifs d'apprentissage et les règles de fonctionnement de l'école et de la classe. Tout particulièrement avec les parents qui ont un enfant en difficulté de comportement, cette communication devra reposer sur des attitudes positives. En effet, certains parents qui ont un enfant en difficulté de comportement peuvent se sentir coupables, agressifs ou dépassés par la situation. Les habiletés de communication de l'enseignant deviendront alors capitales dans le processus de communication. L'enseignant considérera les façons de faire intervenir les parents comme partenaires et non comme responsables des difficultés de l'élève. Nous reviendrons sur cette question au chapitre 13.

8.2.4 La planification des moyens d'intervention

Les écoles peuvent aussi se doter de moyens ou de programmes qui leur permettront d'intervenir avant que les problèmes deviennent trop graves. Nous verrons ici un exemple, soit la prévention de l'intimidation.

L'intimidation : prévention et intervention

Olweus (1993) définit ainsi l'intimidation :

> Je définis l'intimidation ou la victimisation de la façon générale suivante : un élève est intimidé ou victimisé lorsqu'il est exposé, de manière répétitive et durant une certaine période, à des actions négatives de la part d'un ou de plusieurs élèves (p. 6 ; traduit par l'auteure).

Par actions négatives, Olweus entend autant des actions physiques agressives que des paroles blessantes. Il peut s'agir de contacts physiques (comme un coup, un pincement ou une poussée) ou encore de gestes faits pour exclure l'élève en question d'un groupe.

Quant à Tattum et Herbert (1993), ils définissent ainsi l'intimidation : « Intimider est un désir volontaire, conscient de blesser un autre et de le placer dans une condition de stress » (p. 6 ; traduit par l'auteure).

L'intimidation est un problème sérieux. Olweus (1993) indique qu'en Norvège 9 % des élèves sont des victimes, 7 % des intimidateurs et 1,6 % sont à la fois victimes et intimidateurs. Walker et autres (1995) rapportent que, chaque jour aux États-Unis, environ 160 000 élèves s'absentent de l'école de crainte d'être intimidés. Ces mêmes auteurs indiquent qu'en Scandinavie entre 5 % et 9 % des élèves sont intimidés avant, pendant ou après l'école. Les victimes ressentent plusieurs problèmes psychologiques : une baisse de l'estime de soi, de l'isolement, etc.

Si l'intimidation est un problème sérieux pour les élèves qui en sont victimes, cette situation est aussi un handicap pour les intimidateurs eux-mêmes. En effet, les intimidateurs deviennent de plus en plus isolés et présentent une probabilité plus élevée d'avoir un casier judiciaire et d'abandonner les études. Rapportant les résultats d'une étude longitudinale (celle d'Eron et autres, 1987) ayant duré vingt-deux ans, Tattum et Herbert (1993) indiquent qu'il y a une probabilité qu'un intimidateur sur quatre ait un casier judiciaire à 30 ans, alors que cette probabilité est d'un sur vingt pour les autres enfants. Rendant compte des travaux d'Olweus (en 1989), ces mêmes auteurs signalent qu'approximativement 60 % des garçons qualifiés d'intimidateurs entre la sixième et la neuvième année ont été convoqués devant les tribunaux avant l'âge de 24 ans. Pour Tattum et Herbert, il s'agit donc d'un problème qu'on ne peut ignorer.

Selon Gagné (1996), un des problèmes majeurs liés à l'intimidation est le silence qui entoure le phénomène. Souvent, les adultes (les enseignants et les parents) décident d'ignorer l'intimidation, et les parents n'osent agir parce qu'ils ont peur que des représailles s'exercent sur leur enfant. Les jeunes intimidés, eux, se taisent par crainte de la vengeance. Ils confondent délation et dénonciation. Certains adultes auxquels ils se sont confiés ne leur ont pas donné une réponse appropriée. Gagné indique que des conceptions telles que « C'est de leur âge, ce n'est pas grave » ou « Les enfants doivent apprendre à régler eux-mêmes leurs problèmes » contribuent à renforcer le silence entourant généralement l'intimidation.

Olweus (1993) a mis sur pied un programme qui a été repris par de nombreux pays pour contrer l'intimidation dans les écoles. Ce programme s'appuie sur les principes d'action suivants (Kauffman, 1997 ; Olweus, 1991 ; Walker et autres, 1995) :

- Il faut créer un climat positif et chaleureux dans l'école. Cependant, il doit y avoir des limites précises en ce qui concerne les comportements inacceptables.
- Lorsqu'il y a violation de ces limites, il faut que des sanctions non violentes et non physiques soient appliquées systématiquement.
- On doit établir un système de surveillance à l'intérieur et à l'extérieur de l'école.
- Lorsqu'il y a intimidation, les adultes doivent intervenir.
- Il doit y avoir des discussions avec les intimidateurs, les victimes, les autres élèves et les parents afin de clarifier les valeurs de l'école, les attentes, les règles et les procédures de même que les conséquences des comportements (inspiré de Walker et autres, 1995, p. 191, et de Kauffman, 1997, p. 365).

Reprenant les principes proposés par Olweus, Gagné (1996) a instauré un programme de prévention de l'intimidation à la commission scolaire des Cantons. Après une évaluation de l'ampleur du problème, des actions s'exercent dans les classes et auprès des enseignants, des élèves et des parents. À l'échelle de l'école, on donne de l'information, on introduit dans le code de vie des mesures sur l'intimidation, on établit des stratégies d'action, on procède à un échange d'information parmi les membres du personnel et on surveille les endroits importants (comme ceux où ont lieu les déplacements).

Dans les classes, il y a des échanges hebdomadaires (par exemple lors des conseils de coopération), des jeux de rôles pour appliquer des interventions ; de même, on modifie les règles de la classe pour tenir compte de l'intimidation et on discute de cette question. Face aux intimidateurs, on intervient (par exemple quant aux conséquences des actes d'intimidation), on accorde une attention positive lorsque les comportements sont adéquats et on discute avec les parents. On prévoit également des mesures pour protéger les élèves victimes de l'intimidation. Dans le programme mis en place à la commission scolaire des Cantons, le psychologue joue un rôle important en sensibilisant le milieu, en transmettant les résultats de recherches sur la question, en mesurant l'étendue de l'intimidation et les progrès en cours d'intervention. Il intervient aussi dans les cas plus complexes et les situations délicates. Gagné (1996) rapporte des effets positifs, au primaire, de l'application de ce programme.

8.2.5 Le recours à une approche graduée d'intervention

Si la prévention est un outil important, il arrive malheureusement qu'elle ne suffise pas et qu'il faille envisager une intervention plus importante. Plusieurs auteurs (Archambault et Chouinard, 1996 ; Audet et Royer, 1993) proposent le recours à un processus d'intervention gradué, lorsque cela est possible. Quand surviennent des problèmes de comportement, l'intervention peut s'élaborer en fonction de différents paliers. Par exemple, l'enseignant discute avec l'élève et trouve des solutions.

Il se peut, aussi, que le problème ne se règle pas et qu'il faille communiquer avec les parents. De même, l'enseignant devra peut-être faire appel à des professionnels ou à la direction de l'école. Il existe donc plusieurs niveaux d'intervention face aux élèves ayant des difficultés de comportement. Ainsi, reprenant le modèle appliqué dans l'État de l'Iowa, aux États-Unis, le ministère de l'Éducation du Québec (Audet et Royer, 1993) propose, par l'intermédiaire de ses guides à l'intention des enseignants, le processus d'intervention présenté dans le tableau 8.3.

Si une approche graduée permet dans bien des cas de trouver des solutions, néanmoins il est souvent nécessaire de recourir, dans ce processus, à des méthodes d'intervention plus spécialisées. Il sera également nécessaire d'inclure les lignes directrices de l'intervention dans un plan d'intervention personnalisé. Comme en

TABLEAU 8.3 Étapes d'un processus d'intervention

Étape 1 Les mises au point en classe ou au foyer	Lorsqu'un enseignant, un parent ou tout autre adulte se rend compte qu'un élève a un comportement qui nuit à ses apprentissages ou qui l'empêche de vivre des relations sociales satisfaisantes, il agit dans l'espoir d'améliorer ce comportement. Ensemble, les adultes en cause cherchent à répondre aux besoins de l'élève ; ils font les ajustements nécessaires pour le faire progresser en utilisant les ressources immédiatement disponibles. Ils ne demandent aucune aide extérieure au foyer ou à la classe et agissent de la manière qu'ils considèrent comme appropriée. Les interventions suivantes sont pertinentes à cette étape : préciser les attentes de l'enseignant et les règles du groupe, rencontrer l'élève individuellement, renforcer les comportements appropriés, donner des indications verbales et des commentaires relativement aux comportements adéquats.
Étape 2 Les activités préalables à la demande d'identification officielle	L'enseignant ou le parent signale le problème de l'élève à d'autres personnes capables de l'aider. Il utilise de façon officieuse les ressources usuelles disponibles à l'école et tout particulièrement les services complémentaires : psychologue, psychoéducateur, travailleur social, etc. L'enseignant continue à assumer la responsabilité de l'aide apportée à l'élève. L'engagement des parents est sollicité, car ceux-ci sont partenaires dans la recherche d'une solution. Divers types d'intervention sont suggérés : contrat avec l'élève, entente écrite précisant les attentes et les comportements souhaités, système d'émulation, fiche de communication maison-école, modification du calendrier des activités.

→

TABLEAU 8.3 Étapes d'un processus d'intervention (suite)

Étape 3	
L'étude du bien-fondé d'une demande d'adaptation des services éducatifs	Dans la mesure où les interventions des deux étapes précédentes n'ont pas réglé de façon satisfaisante les difficultés vécues par l'élève, le directeur forme une équipe chargée de déterminer les interventions nécessitées par la situation de l'élève. Cette équipe recueille toute l'information qui permettra de préciser les services éducatifs que l'élève doit recevoir. Ensemble, ils font une évaluation précise de la situation du jeune, exempte de préjugés et axée sur ses besoins. Divers moyens peuvent être utilisés pour réaliser cette évaluation : une analyse du milieu, des comptes rendus d'observation, des données sur le comportement social, de l'information provenant d'entrevues, des renseignements plus détaillés sur les agissements de l'élève à l'école et, le cas échéant, des évaluations médicales et psychosociales.
Étape 4	
Le choix des services éducatifs	Après avoir clairement défini les besoins et les difficultés vécues par le jeune, des services éducatifs lui sont proposés. Il peut s'agir d'un programme d'enseignement individualisé sur le plan des apprentissages scolaires, d'un programme de modification du comportement et de services de soutien ou d'accompagnement.
Étape 5	
La mise en œuvre et la révision des interventions sélectionnées	Les décisions concernant l'évaluation des besoins, les ressources spéciales, le classement et les interventions privilégiées font l'objet d'un bilan. Celui-ci contient des renseignements sur le comportement actuel du jeune, des objectifs à long et court terme, les services accordés, les noms des responsables des diverses interventions, les modalités de révision périodique et, le cas échéant, il prévoit les critères de retour en classe ordinaire.

Source : Tiré d'Audet et Royer (1993, p. 18-20).

ce qui concerne les élèves en difficulté d'apprentissage, l'intervention repose sur l'analyse des évaluations et des observations qui l'ont précédée. Inscrite dans un plan d'intervention personnalisé, l'intervention sera formulée relativement à des buts et à des objectifs. Les principes et les étapes (l'évaluation, l'analyse, la synthèse, etc.) de l'élaboration de ce plan ont été décrits au chapitre 2. Cependant, des difficultés particulières peuvent survenir au cours de la rédaction du plan. Dans le cas de problèmes de comportement, les principales difficultés consistent à établir les objectifs de l'intervention, à les sélectionner et à préciser les valeurs présidant à leur sélection. Pour y arriver, on peut prendre comme point de départ les observations en classe et l'ensemble des données fournies par l'évaluation. Que fait l'élève exactement ? Pourquoi et quand ces comportements sont-ils inadmissibles en classe ? Quels comportements devrait-il adopter ? Pourquoi et quand devrait-il adopter ces comportements ? Au sujet des comportements non appropriés, il faut se demander pourquoi certains comportements sont considérés comme tels. Ainsi, un élève peut discuter avec son voisin lors d'un travail. Ce comportement, valorisé dans certaines classes, peut être désapprouvé dans d'autres. Les valeurs de l'éducateur influencent les consignes données aux élèves. Avant d'indiquer qu'un comportement pose problème, il faut s'interroger sur les valeurs qui sous-tendent ce jugement. Dans certains cas, la situation est claire (par exemple un élève qui en blesse un autre). Dans d'autres, elle demande beaucoup plus de réflexion. La rédaction du plan d'intervention est donc une étape importante dans la planification des actions éducatives à l'intention des élèves ayant des difficultés d'ordre comportemental. Les approches éducatives ou psychoéducatives ont donc mis au point de nombreux moyens d'intervention. Nous verrons dans les pages suivantes un autre exemple d'approche, soit une approche d'inspiration médicale.

8.3 Un exemple d'une approche d'inspiration médicale appliquée au déficit de l'attention / hyperactivité

Le déficit de l'attention / hyperactivité est fréquemment associé à des problèmes neurologiques ou physiques. Cette manifestation permet d'illustrer comment une approche d'inspiration médicale influence différentes façons d'intervenir auprès d'élèves ayant des problèmes de comportement.

8.3.1 L'hypothèse des problèmes alimentaires

Nous examinerons quelques-unes des causes associées à l'hyperactivité et les traitements qui sont proposés. L'une des causes les plus connues concerne la présence d'additifs alimentaires. De tels produits susciteraient, dans le fonctionnement du système nerveux central, des perturbations, des tensions. Pour éviter ce problème, le traitement repose sur une diète dont sont exclus tous les additifs (tels les colorants synthétiques). Cette hypothèse a donné naissance à des diètes célèbres, dont celle du Dr Feingold. Ce dernier postule que certains produits chimiques qui entrent dans la fabrication des médicaments et des additifs alimentaires sont des composés chimiques ayant un poids moléculaire très faible. Ils sont susceptibles, en se combinant avec les protéines d'un poids moléculaire plus élevé, de stimuler les mécanismes de défense du corps et de provoquer ainsi des réactions allergiques. Le régime alimentaire du Dr Feingold (1974, 1976) élimine systématiquement deux catégories d'aliments. La première catégorie comprend certains fruits (pommes, abricots, fraises, cerises) et deux légumes (tomates et concombres) renfermant des salicylates naturels. La deuxième catégorie d'aliments comprend tous ceux contenant un colorant ou un parfum synthétiques. Feingold recommande même aux parents d'être très attentifs à la consommation de médicaments et de produits d'hygiène contenant des colorants et des parfums synthétiques, et de consulter un médecin avant d'utiliser un médicament quelconque. Ce traitement a été fort populaire aux États-Unis, mais il suscite également plusieurs critiques quant à ses fondements (O'Leary, 1979 ; Trites et Tryphonas, 1983) et à ses aspects nutritionnels.

Les croyances populaires et certains travaux de recherche ont aussi associé le sucre à des problèmes de comportement. Ainsi, Prenz, Robert et Hartman (cités dans Pescara-Kovach et Alexander, 1994) ont trouvé des corrélations entre la quantité de sucre ingérée et l'agressivité ainsi que le manque de sommeil chez des enfants hyperactifs. Toutefois, des travaux de recherche subséquents ont infirmé cette hypothèse. Pescara-Kovach et Alexander (1994) soulignaient l'importance pour les éducateurs d'être informés de cette absence de liens.

8.3.2 L'usage de médicaments

L'hyperactivité a aussi été attribuée à des dysfonctionnements cérébraux minimes dont les symptômes peuvent, dans plusieurs cas, être traités avec des médicaments (le Ritalin et la dextroamphétamine, entre autres). Forness et autres (1996) indiquent qu'approximativement 2 % des élèves prennent des stimulants pour le déficit de l'attention et l'hyperactivité. Ces stimulants ont pour effet d'augmenter la capacité d'attention et de réduire, chez plusieurs d'entre eux, les comportements inappropriés et impulsifs.

> L'effet des stimulants est rapide au premier abord (de une demi-heure à une heure), bref (habituellement de six à huit heures), et ces médicaments ont tendance à normaliser le comportement (Abikoff et Gittelman, 1985). La durée de l'attention est présumée être le principal symptôme touché par les stimulants, mais plusieurs enfants voient aussi diminuer leurs comportements dérangeants, déviants et impulsifs. Cependant, les médicaments changent seulement la fréquence d'apparition des comportements existant dans le répertoire de l'individu ; ils ne lui apprennent pas de nouveaux comportements (Barkley, 1976, 1981 ; Conners et Werry, 1979). Entre 400 et 500 articles sont parus sur l'usage de stimulants avec les enfants hyperactifs ; un peu moins de 20 ont souligné, au-delà d'une année de traitement, leurs effets à long terme (Barkley, 1981). L'information sur les effets à long terme, positifs ou négatifs, est manquante (Epstein et Olinger, 1987, p. 140 ; traduit par l'auteure ; © 1987 The Council for Exceptional Children ; reproduit avec permission).

Il faut effectuer le dosage avec soin afin d'éviter les effets secondaires. Parmi les effets les plus courants, notons la réduction de l'appétit et l'insomnie. Comme plusieurs enfants prennent de tels médicaments, Epstein et Olinger suggèrent que le personnel scolaire soit bien informé et puisse communiquer avec le personnel médical. Le tableau 8.4 résume leurs principales recommandations.

Quant à l'institut Chesapeake (1994), il formule la recommandation suivante aux enseignants :

> Les parents et le médecin détermineront si, oui ou non, [l'élève] devra recevoir un traitement médical. Votre rôle n'est pas de faire des recommandations à l'un ou l'autre mais bien, lorsqu'un de vos élèves suit un traitement médical, de fournir des renseignements à la personne chargée de l'application du traitement. En effet, puisque vous côtoyez quotidiennement l'élève, vous êtes en mesure d'observer son comportement et ainsi de vérifier si les médicaments ont l'effet escompté (p. 11).

TABLEAU 8.4 Recommandations pour le personnel scolaire lorsque les élèves sont sous médication

1. Être informé au sujet des traitements que comporte la médication.
2. Suivre les politiques de l'école en ce qui concerne l'administration des médicaments à l'école (certains États ou provinces n'ont pas de règlements à ce propos et devraient en adopter de manière à protéger légalement le personnel qui doit administrer des médicaments).
3. Établir un système de communication entre les médecins et les parents.
4. Consigner des données sur les comportements cibles avant, pendant et après la prise de médicaments.
5. Mesurer les effets secondaires; en cas de besoin, modifier les horaires à l'école et le programme durant la phase d'adaptation aux médicaments.
6. Dans un langage adapté, discuter directement avec les élèves des traitements que comporte la médication.
7. Former des groupes de parents afin de montrer diverses habiletés d'apprentissage des comportements.
8. Continuer à donner le meilleur programme éducatif possible et offrir les services nécessaires.

Source: Tiré d'Epstein et Olinger (1987, p. 142); traduit par l'auteure. © 1987 The Council for Exceptional Children. Reproduit avec permission.

L'usage de médicaments n'est pas sans soulever de nombreuses réticences (O'Leary, 1979; Slavin, 1988). Slavin (1988) recommande un usage prudent des médicaments, seulement lorsque d'autres approches ont échoué, et, de toute façon, combiné avec des approches éducatives. Aucune thérapie par la médication ne peut enseigner de nouveaux comportements (Epstein et Olinger, 1987). Dès 1979, O'Leary décrivait ainsi la controverse:

> En résumé, deux développements saillants, l'emploi de médication psychostimulante et une approche diététique, ont suscité un déplacement dans la conceptualisation des comportements vus antérieurement comme des problèmes d'attention, de caractère, de paresse, de manque de droiture. De tels comportements, qui sont maintenant étiquetés comme hyperactifs, ont souvent été attribués à un dysfonctionnement cérébral ou à des susceptibilités alimentaires. Le dysfonctionnement cérébral devrait être traité avec une médication et la sensibilité aux aliments par un régime diététique. Ces deux conceptualisations ont donné aux parents des prétextes tout trouvés pour faire glisser le fardeau de la responsabilité de la société et d'eux-mêmes vers le médecin et les causes physiques. Alors qu'il est vrai que le comportement hyperactif d'un petit pourcentage d'enfants hyperactifs relève de déficits neurologiques clairs, les facteurs étiologiques cruciaux de l'hyperactivité de nombreux enfants sont à rechercher à la maison, dans l'environnement social ou éducationnel (p. 40).

Quant à Lewis, Heflin et DiGangi (1995), ils apportent les réserves suivantes:

> Les recherches démontrent que certains médicaments ont une action bénéfique sur l'attention et l'impulsivité. Cependant, on est en droit de se demander si ces médicaments ne faussent pas la perception de l'élève en ce qui concerne son propre comportement. Celui-ci risque en effet de faire davantage

confiance aux médicaments pour régulariser son comportement qu'à sa capacité de se maîtriser. L'acquisition d'habiletés favorisant l'autorégulation pourrait être compromise si l'élève en vient à croire qu'il est incapable de se maîtriser (p. 22).

Cet aperçu de quelques interventions sur l'hyperactivité avec déficit de l'attention indique que le même problème peut être interprété de manières différentes et qu'il faut être très prudent tant au sujet de l'évaluation qu'au sujet de l'intervention auprès de l'élève en difficulté de comportement.

8.4 L'APPROCHE BEHAVIORISTE

8.4.1 Les principes

Parmi les approches utilisées avec les élèves ayant des problèmes de comportement, l'analyse et la modification du comportement ont, du moins à court terme (Magerotte, 1984a), donné des résultats relativement positifs. L'approche behavioriste est basée en grande partie sur les principes du conditionnement. Avant même de permettre la mise en place de méthodes d'intervention précises, cette approche rend possible l'analyse des situations problématiques. Dans plusieurs cas, cette analyse aide à régler des situations avant qu'on en vienne à utiliser des moyens dépassant le cadre normal de la classe. Nous illustrerons cela par quelques exemples. Jacques réalise un problème de mathématiques au tableau. Tous les autres élèves rient de la façon dont il s'y prend. Jacques est dans une situation de punition. En effet, les moqueries de ses pairs lui sont désagréables. Il est probable que, la prochaine fois, il ne proposera pas d'exécuter un problème au tableau ! Voici un deuxième exemple. Hier soir, Évelyne a travaillé pendant deux heures à la rédaction de sa composition. Aujourd'hui, les seules remarques de l'enseignant concernent quelques fautes d'orthographe qu'elle a faites. Ces remarques lui déplaisent ; Évelyne aurait certes préféré que l'enseignant lui fasse des compliments sur son travail. Travaillera-t-elle autant la prochaine fois ? L'observation et l'analyse du déroulement des événements en classe permettent souvent de comprendre pourquoi apparaissent et disparaissent les comportements. Le tableau 8.5 indique comment les conséquences des comportements modifient les probabilités d'apparition de ces comportements.

Les exemples précédents illustrent quelques principes de l'apprentissage des comportements. Dans le renforcement positif, la probabilité d'apparition du comportement augmente parce que le comportement est suivi d'une conséquence positive (renforçateur positif). Dans le renforcement négatif, la probabilité d'apparition du comportement augmente parce que le comportement a pour effet de diminuer la présence d'un stimulus désagréable pour la personne (renforçateur négatif).

Dans la punition, il y a diminution de la probabilité d'apparition du comportement. Dans la punition positive (par ajout), la probabilité d'apparition du comportement diminue après qu'on a appliqué un stimulus (qui prend généralement une valeur désagréable pour l'individu). Dans la punition négative (par retrait), la probabilité d'apparition du comportement diminue parce qu'elle est suivie du retrait d'un stimulus (qui a habituellement une valeur agréable pour l'individu).

TABLEAU 8.5 Antécédents et comportements, leurs conséquences et leurs effets

Antécédent	Comportement	Conséquence	Effet obtenu
L'enseignant demande à Pierre de faire un exposé	Pierre fait son exposé	Ses camarades et l'enseignant le félicitent	La probabilité augmente que Pierre veuille de nouveau faire un exposé Renforcement positif
Il fait très froid	Pierre fait des mouvements pour se réchauffer	La sensation de froid diminue	Quand la sensation de froid reviendra, Pierre fera de nouveau des mouvements Renforcement négatif
Pierre voit son compagnon	Pierre bavarde avec son compagnon pendant l'examen	L'enseignant lui donne un devoir supplémentaire	Il y a diminution du bavardage Punition positive (par ajout)
Pierre voit trois élèves avec lesquels il est en conflit	Pierre se bagarre dans la cour de récréation trois fois cette semaine	Il est privé de la sortie avec l'école	Il diminue le nombre de ses bagarres Punition négative (par retrait)
Pierre voit la vaisselle sale	Pierre lave la vaisselle	Cette action n'entraîne pas de conséquence : ses parents ignorent le geste	Pierre ne fait plus la vaisselle Extinction

Dans l'extinction, la probabilité d'apparition du comportement baisse parce que ce comportement n'est suivi d'aucune conséquence.

À partir des principes régissant l'acquisition des comportements, les behavioristes ont élaboré et expérimenté une série de méthodes d'intervention destinées à faciliter l'apprentissage de comportements appropriés tels que l'étude (Ladouceur et Bouchard, 1982) et l'attention à la tâche (Thibodeau, Morasse et Forget, 1985). D'autres méthodes visent la disparition de comportements jugés inadéquats, comme l'agressivité (Patterson, 1982 ; Vitaro, Audy et Dumoulin, 1986). Avant d'examiner trois de ces méthodes, nous nous pencherons sur quelques règles orientant le choix de l'intervention et régissant ses modalités d'application.

Magerotte (1984a) décrit six règles de base dans le choix d'un moyen d'intervention. (1) Avant de mettre en place un programme de modification du comportement, il faut vérifier si des solutions simples ne régleraient pas le problème. Parfois, changer un élève d'équipe diminue le nombre d'altercations avec les pairs. (2) Il faut viser l'acquisition de nouveaux comportements appropriés ou l'augmentation de comportements déjà acquis avant d'envisager la possibilité de faire disparaître certains comportements. Ainsi, l'élève ne peut, en même temps, faire ses exercices et se déplacer dans la classe. Il est souvent souhaitable de renforcer ce premier

TABLEAU 8.6 Étapes de l'implantation d'un programme de modification du comportement

1. Observations narratives des comportements et du contexte de leur apparition.
2. Analyse de ces observations, étude des relations entre les antécédents, les comportements et les conséquences.
3. Définition des comportements cibles qui seront soumis à l'intervention.
4. Observation systématique de ces comportements (à l'aide de grilles, par exemple).
5. Évaluation du niveau de base des comportements (c'est-à-dire de la fréquence des comportements avant l'intervention).
6. Mise au point du programme d'intervention, choix des moyens et des intervenants.
7. Application de l'intervention.
8. Observation et suivi des résultats à intervalles réguliers.
9. Évaluation du programme d'intervention et révision au besoin.

comportement plutôt que de punir l'élève à cause du second. (3) Magerotte (1984a) recommande d'utiliser les moyens d'intervention les moins contraignants et les moins artificiels possible. Si l'élève est sensible à l'attention de l'adulte, pourquoi ne pas utiliser ce moyen au lieu d'une récompense matérielle? (4) Il faut recourir à des procédés qui maximisent le succès de l'intervention. (5) S'il y a emploi de stimuli désagréables (comme dans la punition), il doit être soumis à des conditions éthiques très strictes, surtout en ce qui a trait à la compétence de l'intervenant. (6) Il faut assurer le maintien et le transfert des acquis.

En général, l'application d'un programme de modification du comportement suit des étapes précises. Celles-ci sont résumées dans le tableau 8.6.

8.4.2 Quelques applications

A. La distribution sélective de l'attention

Certains élèves présentent en classe des comportements « déviants » destinés à attirer l'attention de l'enseignant ou de leurs pairs. Parallèlement, il arrive que des élèves reçoivent peu d'attention pour leurs comportements reliés aux exigences de la classe. Lorsque c'est le cas, si l'attention de l'enseignant est un élément important, voire déterminant dans le maintien des comportements, la distribution sélective de l'attention peut se révéler un outil d'intervention intéressant.

Le recours systématique à l'attention de l'enseignant a été l'une des premières techniques behavioristes utilisées avec succès dans le milieu scolaire (O'Leary et O'Leary, 1976; Otis et autres, 1974). L'attention peut prendre diverses formes: verbale (des félicitations, par exemple), visuelle (un regard, une mimique), motrice (un geste de la main), graphique (une mention « bien » dans un cahier). On peut aussi l'exprimer par la proximité (en se déplaçant vers l'élève, par exemple) ou par le toucher.

L'attention de l'enseignant est un puissant renforçateur pour plusieurs élèves, et le retrait de cette attention (le fait d'ignorer) correspond en gros à des conditions d'extinction (O'Leary et O'Leary, 1976). Aussi les psychologues behavioristes ont-ils mis au point des techniques permettant d'utiliser cette attention de manière sélective pour modifier les comportements. Il s'agit d'accorder de l'attention aux comportements « appropriés » (renforcement positif) et d'ignorer les comportements « déviants » (extinction). Globalement, la technique de distribution sélective de l'attention s'applique comme suit :

1. Par l'observation, l'intervenant détermine les comportements à renforcer (ceux qui sont demandés) et ceux qui seront soumis à l'extinction (comportements « déviants »).
2. L'enseignant ignore les comportements déviants (les soumet à l'extinction) et renforce les comportements demandés en donnant de l'attention immédiatement après leur manifestation. En général, l'intervenant essaie de choisir des comportements appropriés incompatibles avec les comportements non tolérés.
3. L'intervenant évalue, en cours d'application, les taux de manifestation des comportements.

Cette technique peut paraître très simple, mais elle est difficile à appliquer efficacement. D'une part, il peut être ardu pour l'enseignant d'ignorer certains comportements : ses expressions non verbales indiquent souvent à l'élève qu'il a reçu de l'attention pour ses comportements alors que l'enseignant croit ne pas lui en avoir donné. D'autre part, Alberto et Troutman (1986) soulignent que, lors de l'extinction des comportements non tolérés, peut se produire soit l'apparition de réponses de type agressif chez les élèves, soit le retour spontané de comportements qui semblaient avoir disparu.

Il va sans dire que cette technique est applicable uniquement si les comportements déviants ne portent pas un préjudice sérieux à l'élève ou aux autres élèves. Il ne saurait être question d'ignorer un élève qui en agresse un autre physiquement, qui quitte le terrain de l'école ou détruit des biens. Malgré ces réserves, il reste que cette technique a fait ses preuves et donné de bons résultats (O'Leary et O'Leary, 1976).

B. Le contrat de comportement

Cette technique consiste dans la conclusion par écrit d'une entente entre l'élève et l'enseignant. Généralement, l'élève s'engage à adopter certains comportements (définis encore une fois de façon très précise) en échange desquels l'intervenant s'engage à lui accorder certains privilèges. Cette technique s'applique assez aisément. Toutefois, elle demande à être appliquée avec équité. De plus, l'élève doit être capable de manifester les comportements cibles, il doit choisir ses renforçateurs (lesquels ne doivent pas être trop faciles ni trop difficiles à obtenir), et les engagements doivent être respectés de part et d'autre. Les parents peuvent également employer cette technique avec leur enfant. Toutefois, il convient d'accorder une bonne supervision et de s'assurer que les parents ont bien compris la démarche.

FIGURE 8.1 Contrat de comportement

École : ______________________________

Date : ____________

Moi, (nom de l'élève), je m'engage à :

____

____

____

Si je réalise ces engagements, j'obtiendrai de mon professeur le privilège suivant (ou les privilèges suivants) :

____

____

____

Ce contrat commence le : ____________ et se terminera le : ____________

Signature de l'élève : ____________ Date : ____________

Signature du professeur : ____________ Date : ____________

Autre signature (par exemple, direction ou parent) ____________

Date : ____________

Lors de la rédaction d'un contrat behavioriste, il faut préciser les points suivants (voir la figure 8.1) :

1) la date où le contrat commence, se termine ou sera renégocié ;
2) une description claire des comportements ciblés par l'intervention ;
3) les conséquences (comme les renforçateurs) prévues pour le cas où les obligations contenues dans le contrat seront respectées ;
4) le nom des personnes qui attribueront les conséquences ;
5) la signature de toutes les parties au contrat (Rosenberg, Wilson, Maheady et Sindeclar, 1997).

C. *Les programmes de formation des habiletés sociales*

La définition des habiletés sociales

Bellack et Hersen (1977, cités dans Philips, 1985) définissent les habiletés sociales comme « les habiletés d'un individu pour exprimer ses sentiments dans un contexte interpersonnel sans souffrir d'une perte du renforcement social, et ce, dans une large variété de contacts interpersonnels » (p. 4-5 ; traduit par l'auteure). Cela signifie que l'individu est capable de réagir efficacement autant dans des situations agréables ou neutres que dans des situations plus difficiles.

Les comportements prosociaux exigent la coordination de réponses verbales et non verbales. Par exemple, lorsqu'on fait une demande d'information, il faut savoir comment regarder son interlocuteur et comment lui adresser la parole. Divers répertoires de réponses facilitent les interactions d'une personne avec ses pairs. Ainsi, Budd (1985) présente trois catégories de comportements facilitant la formation des enfants en ce qui concerne les contacts avec leurs pairs : les comportements d'affirmation de soi, de résolution de problèmes et d'interaction dans les jeux et les relations d'amitié. Chacune de ces catégories inclut une série de comportements cibles. Le tableau 8.7 présente des dimensions qui peuvent faire l'objet d'une formation des habiletés sociales avec des enfants.

Les méthodes et les programmes

Les élèves rejetés socialement sont considérés comme plus susceptibles de souffrir de problèmes d'équilibre ou de santé mentale (Gresham, 1982 ; Ladd et Asher,

TABLEAU 8.7 Habiletés sociales et comportements

Catégorie	Description	Comportements cibles
Affirmation de soi	Expression franche de ses sentiments et opinions	– Établir un contact visuel – Choisir un ton de voix approprié – Déterminer la durée du discours – Demander un nouveau comportement – Refuser une demande déraisonnable – Affirmer une opinion – Agréer ou refuser l'opinion d'une autre personne
Résolution de problèmes	Stratégies verbales pour analyser et résoudre des conflits	– Poser le problème – Préciser ses propres sentiments – Découvrir les sentiments de l'autre – Découvrir la perception de l'autre – Établir les choix – Décrire les conséquences – Planifier des actions pour atteindre un but
Jeu et amitié	Réponses verbales et autres pour inciter à l'acceptation	– Saluer ou accueillir les autres – Inviter les autres à se joindre à une activité – Demander de l'information – Montrer de l'approbation – Donner de l'aide – Attendre son tour – Partager du matériel

Source : Tiré de Budd (1985, p. 249) ; traduit par l'auteure. Reproduit avec la permission de John Wiley & Sons, Inc. Tous droits réservés.

1985; Schloss et autres, 1986; Vitaro et Charest, 1988). Ce rejet est souvent associé à une déficience des comportements prosociaux (Ladd et Asher, 1985). De multiples écrits ont porté sur la description d'ateliers et de méthodes favorisant l'apprentissage de ces habiletés sociales (L'Abate et Milan, 1985). Ces études ont été effectuées auprès de divers types de populations: des personnes déficientes (L'Abate et Milan, 1985), des personnes âgées (Gambrill, 1985), des parents (Budd, 1985), des élèves en difficulté de comportement (Schloss et autres, 1986; Vitaro et autres, 1986), etc.

En général, l'apprentissage des habiletés se fait en atelier, c'est-à-dire en groupe sous la responsabilité d'un ou de plusieurs animateurs. Les participants sont habituellement conviés à plusieurs ateliers. Ainsi, Vitaro et autres (1986) indiquent qu'ils ont utilisé une série de 20 ateliers de 40 minutes chacun, durant une période de 10 semaines, auprès d'un groupe d'élèves de maternelle et de première année jugés agressifs et isolés socialement.

Avec les élèves ayant des difficultés d'ordre comportemental, les acquisitions incluent des habiletés à converser, des comportements permettant de résoudre des problèmes interpersonnels, des comportements de coopération dans les jeux, etc. (Schloss et autres, 1986). Diverses stratégies sont alors employées: l'information sur l'utilité et sur la description factuelle des comportements, le modelage, le changement d'habitude (*behavioral rehearsal*), la rétroaction, le renforcement et d'autres méthodes d'apprentissage social (Schloss et autres, 1986).

Selon Vitaro et Charest (1988), ces ateliers visent d'abord l'acquisition « d'une connaissance des habiletés interpersonnelles (et personnelles) nécessaires à l'établissement de relations harmonieuses avec autrui » (p. 153). Toujours selon ces auteurs, les élèves peu populaires auraient une méconnaissance des normes et des conventions du groupe. La première étape consiste donc à fournir de l'information sur les comportements requis pour un fonctionnement avec les pairs et sur les conséquences rattachées à ces actes.

La deuxième étape consiste dans l'exercice des habiletés (Vitaro et Charest, 1988). Après avoir pris connaissance de modèles (en regardant des démonstrations *in vivo* ou sur vidéo), le participant s'exerce à l'habileté démontrée, comme dans un jeu de rôle. Ce jeu de rôle est suivi d'une rétroaction. La rétroaction peut être donnée par les autres participants, par une auto-évaluation, par l'animateur ou encore à l'aide d'enregistrements vidéoscopiques (Ouellet et L'Abbé, 1986). Des grilles très simples peuvent faciliter cette évaluation.

La dernière étape est axée sur le transfert des acquis dans le milieu naturel du sujet. Il s'agit de généraliser les acquisitions dans des contextes autres que celui des ateliers. Un changement de comportement est généralisé s'il dure, s'il s'applique dans une grande variété de contextes et à la suite d'une grande variété de comportements associés (Baer, Wolf et Risley, cités dans Schloss et autres, 1986). Kazdin (cité dans Schloss et autres, 1986) indique que la généralisation devrait être favorisée par les procédés suivants: l'usage de contingences naturelles et l'estompage des contingences artificielles, la distribution des renforçateurs dans le temps, le recours aux pairs pour renforcer les comportements cibles et l'apprentissage de comportements d'autocontrôle. On facilite l'autocontrôle notamment en encourageant les sujets à utiliser un « langage intérieur (c'est-à-dire identifier le problème, faire un plan d'action, se donner des instructions destinées à guider la réalisation du plan et enfin, en évaluer les conséquences) » (Vitaro et Charest, 1988, p. 164). La figure 8.2 résume les principales étapes suivies lors de l'apprentissage des habiletés sociales.

Mentionnons la mise sur pied de quelques programmes québécois visant l'autocontrôle et le développement de compétences sociales : le programme PARC (Potvin, Massé, Beaudry, Beaudoin, Beaulieu, Guay et St-Onge, 1994) conçu pour des élèves du début du primaire et le programme Prends le volant (Potvin, Massé, Veillette, Goulet, Letendre et Desruisseaux, 1994) destiné à des adolescents du premier cycle du secondaire. Ces programmes sont d'inspiration cognitivo-behavioriste.

La distribution sélective de l'attention, les contrats de comportement et l'apprentissage des habiletés sociales ne sont que trois exemples de méthodes behavioristes qu'on utilise avec des élèves ayant des difficultés d'ordre comportemental. Plusieurs autres méthodes, telles que les systèmes de jetons (Kazdin, 1977) et le modelage, ont également été utilisées avec ces élèves.

FIGURE 8.2 Étapes de l'apprentissage des habiletés sociales

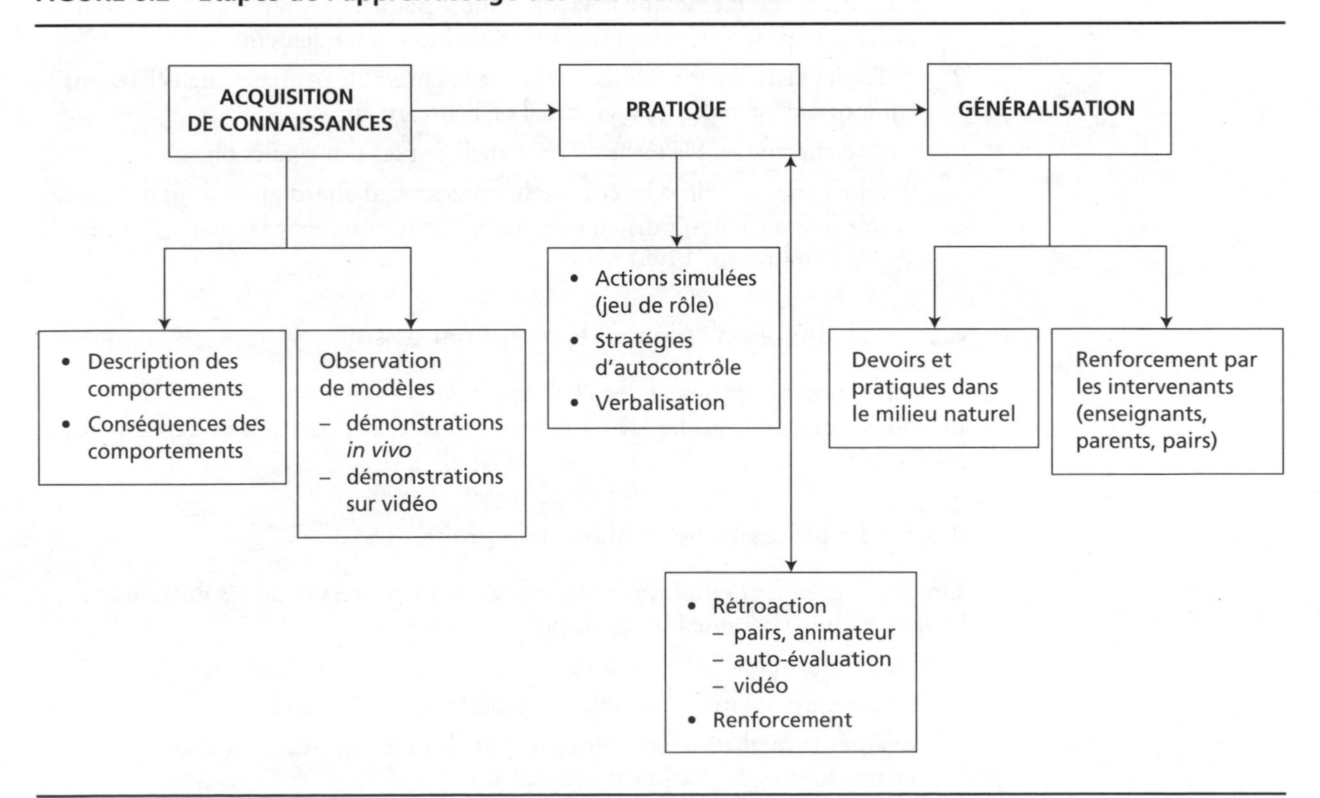

8.5 L'APPROCHE COGNITIVO-BEHAVIORISTE

Pour Archambault et Chouinard (1996), « les élèves qui ont des problèmes de comportement ont souvent du mal à utiliser les habiletés reliées à l'autocontrôle et à gérer eux-mêmes leur comportement » (p. 189). L'approche cognitivo-behavioriste apprend aux élèves à se donner des auto-instructions et à employer différentes stratégies cognitives ou métacognitives. Elle représente une solution de rechange à des systèmes extérieurs de contrôle du comportement. L'approche cognitivo-behavioriste postule une relation entre les événements cognitifs internes et le comportement observable de l'élève. On suscite les changements de comportement en enseignant des stratégies qui guident l'élève au cours de la réalisation des tâches. Ces stratégies augmentent la manifestation des comportements appropriés et réduisent celle des comportements déviants. Cette approche fournit aux enseignants des moyens de faciliter à l'élève l'autorégulation de ses comportements (Smith, Siegel, O'Connor et Thomas, 1994). Il existe plusieurs méthodes d'origine cognitivo-behavioriste ; nous en verrons quelques-unes.

8.5.1 Les auto-instructions

Il s'agit d'une méthode où, en suivant des étapes, l'élève apprend certains comportements. D'abord, l'enseignant exécute le comportement ; ensuite, l'élève l'imite tandis que l'enseignant lui retire graduellement son soutien ; enfin, l'élève intériorise le comportement. Voici ces étapes :

1. L'enseignant effectue une tâche en décrivant les indices ou les stimuli qui l'orientent, de même que la façon dont il planifie ses réponses, accomplit la tâche, compose avec ses sentiments et évalue son rendement.
2. L'élève et l'enseignant font la même tâche ensemble pendant que l'élève suit le comportement verbal et non verbal de l'enseignant.
3. L'élève effectue seul la tâche en en verbalisant les principales phases.
4. Graduellement, l'élève intériorise le processus, d'abord en se limitant à murmurer les consignes, puis en effectuant silencieusement la tâche (Kauffman, 1997 ; Létourneau, 1995).

8.5.2 L'auto-observation ou le monitorat de soi

Il est aussi possible de demander à l'élève d'observer son propre comportement. On lui fournit alors des grilles très simples où il note l'apparition de certains comportements.

8.5.3 Le processus de résolution de problèmes

On peut également employer avec les élèves un processus de résolution de problèmes. Celui-ci compred les six étapes suivantes :

1. Déterminer et définir le problème.
2. Générer des solutions possibles au problème.
3. Évaluer la qualité de ces solutions possibles, c'est-à-dire les avantages et les inconvénients de chacune d'entre elles.

4. Choisir une solution, autrement dit prendre une décision.
5. Implanter la solution retenue.
6. Procéder à une rétroaction sur l'intervention mise en application.

Différents auteurs ont élaboré des formules visant à faciliter l'implantation du processus de résolution de problèmes. Ces stratégies sont souvent représentées par leur acronyme. Ainsi, Dettmer, Dyck et Thurston (1996) ont mis au point le système POCS (P : détermination du problème ; O : détermination des options de solutions ; C : détermination des conséquences des différentes solutions ; S : planification de l'implantation de la solution). La figure 8.3 illustre la démarche que ces auteurs proposent.

Bos et Vaughn (1994) ont élaboré un processus de résolution de problèmes à l'intention des élèves, désigné par l'acronyme FAST (F : *freeze and think*, ou la détermination du problème ; A : *alternatives*, ou la détermination des solutions possibles ; S : *solution evaluation*, soit l'évaluation des solutions ; T : *try it*, ou la mise en application de ces solutions).

Il est intéressant d'utiliser un processus de résolution de problèmes parce qu'il responsabilise l'élève et l'engage directement dans le choix de la solution, plutôt que de lui imposer un contrôle purement extérieur.

Nous prendrons maintenant connaissance d'une entrevue avec un chercheur spécialiste des difficultés d'ordre comportemental. Égide Royer est professeur en adaptation scolaire au département de psychopédagogie de la Faculté des sciences

FIGURE 8.3 Démarche de résolution de problèmes

Problème : ______________________________

Résultat attendu : ______________________________

Options	Conséquences
1.	1.
2.	2.
3.	3.
4.	4.
5.	5.
6.	6.

Solution choisie : ______________________________

Responsabilités et engagements : ______________________________

Date et heure de la prochaine rencontre : ______________________________

Source : Tiré de Dettmer et autres (1996, p. 128) ; traduit par l'auteure. © 1996, by Allyn and Bacon. Reproduit avec permission.

de l'éducation de l'université Laval. Ses recherches concernent les problèmes de comportement dans les écoles. Nous l'avons rencontré pour connaître ses perceptions des problèmes de comportement.

Entrevue avec Égide Royer

Selon votre expérience, quelles sont les principales manifestations des problèmes de comportement?

Ce qui retient actuellement le plus l'attention au préscolaire et au primaire, ce sont les conduites agressives. L'élève a appris à s'engager dans une conduite agressive pour obtenir ce qu'il veut. Cela prendra la forme de l'opposition aux adultes ou de l'agression des autres. Ce qui ressort aussi, ce sont les problèmes d'attention, l'hyperactivité. Il y a aussi, bien sûr, les problèmes de sous-activité ou le manque d'habiletés sociales. Mais ces manifestations sont moins marquées que l'hyperactivité ou les troubles de conduites agressives.

Au secondaire, on observe les conduites d'opposition face à l'autorité et les conduites agressives. Plus on avance dans le secondaire, plus il y a des situations qui s'apparentent à la délinquance. Des élèves qui manifestent au primaire des conduites agressives comme le taxage tentent, au secondaire, de se regrouper avec des élèves qui adoptent le même style social. Là aussi, ça n'enlève pas la pertinence d'agir sur les conduites sous-réactives, mais ce qui ressort dans les écoles actuellement, ce n'est pas ce type de conduites. Il y a aussi, d'une manière plus large et plus générale, ce qu'on pourrait appeler l'indiscipline en classe.

Quel est le taux de prévalence de ces problèmes?

Entre 5 % et 10 % des élèves, environ, auront besoin d'une intervention éducative particulière par rapport à des conduites; ce nombre ne concorde pas nécessairement avec celui que l'on trouve à des fins d'identification administrative. Également, cela n'exclut pas le fait qu'un nombre plus élevé d'élèves requerront une intervention relativement à des difficultés d'apprentissage.

Quelles sont les causes des difficultés de comportement?

On peut probablement affirmer qu'il y a plus de jeunes qui manifestent aujourd'hui des problèmes de comportement qu'il y a vingt ou vingt-cinq ans. Certaines variables sont associées directement au type de structure familiale dans laquelle les enfants grandissent. Les enfants ont besoin d'un cadre prévisible, structuré pour pouvoir se développer; ils doivent savoir à quelle heure ils se lèveront, se coucheront, mangeront, etc.

D'autres variables sont reliées au contexte social en général. Il y a eu une sorte de désensibilisation aux comportements violents. On constate le modelage par la télévision et d'autres médias. La société présente beaucoup de modèles violents.

Dans une perspective strictement scolaire, on peut dire que certains enseignants n'ont pas reçu une formation suffisante pour intervenir par rapport aux difficultés de comportement. Cela explique, entre autres, qu'à la maîtrise nos cours sur les difficultés de comportement sont extrêmement populaires.

Par ailleurs, certaines façons de faire dans des écoles risquent d'aggraver les difficultés de comportement. Je vais vous donner un exemple : dire à un élève que s'il s'absente trois jours sans autorisation… il sera suspendu à la maison. Il s'agit d'une prime ! C'est comme ne jamais travailler le lendemain d'un congé : c'est un processus circulaire. On a le même problème lorsque l'approche est strictement punitive.

Y a-t-il des facteurs qui créent des différences quant au taux de prévalence des problèmes de comportement entre des écoles situées dans un milieu socioéconomique comparable ?

Si, dans une classe, les attentes ne sont pas claires et que le respect ou le non-respect de ces attentes n'aient pas de conséquences, si l'enseignant a une relation surtout punitive avec ses élèves, les problèmes se présenteront. Il faut savoir qu'avec les jeunes en difficulté de comportement la punition est une intervention qui, utilisée seule, fonctionne très mal parce que ces élèves en ont une grande expérience. Très vite cela mène à l'escalade ; les élèves sont habitués à ce phénomène. Pour résumer, quand une classe est mal structurée, quand les attentes ne sont pas claires, quand on ne renforce pas le respect de ces attentes, quand il n'y a pas de conséquences et qu'il y a uniquement une approche punitive, quand l'enseignant n'est pas assez formé pour intervenir par rapport aux problèmes de comportement ou à la prévention de l'indiscipline, on est dans de beaux draps…

Il y a un autre aspect à considérer. Si l'enseignant a une classe bien structurée, certains comportements ou manifestations pourront dépasser l'encadrement usuel donné dans une classe. Il y aura toujours des jeunes qui vont dépasser cet encadrement. On connaît l'expression consacrée : est-ce que l'enseignant « travaille avec ou sans filet » ?

Voici un exemple. Un élève de 2e secondaire se lève et dit à l'enseignante : « Tu la fermes ou je te plante. » L'enseignante répond : « Je n'accepte pas qu'on me parle sur ce ton. Si tu continues, attends-toi à ce que je te demande de sortir. » L'élève dit : « Je ne sors pas » et renverse son bureau en jurant. Si l'enseignante « travaille avec un filet », il y a une procédure claire prévue dans l'école, de la même façon qu'il y a une procédure en cas d'incendie. L'enseignante peut demander à une élève d'aller chercher le directeur ou une autre personne et éloigner les autres élèves pour que personne ne soit blessé. Il y a toujours une personne capable d'intervenir. L'intervention du deuxième niveau prévoit un filet, des conséquences, des mesures qui soutiennent l'enseignant en cas de crise.

Qu'en est-il de l'évaluation des élèves en difficulté de comportement ?

On a écrit là-dessus et cela fait dix ans qu'on le dit : les écoles ne sont ni des centres de psychothérapie, ni des lieux cliniques, ni des centres de réadaptation ; les écoles sont des maisons d'éducation. Ça prend des outils que les agents d'éducation puissent comprendre et utiliser, des outils qui viennent soutenir l'intervention dans l'éducation. Au fond, il faut fonctionner avec deux grands types d'évaluation : l'évaluation normative et l'évaluation fonctionnelle. L'évaluation normative nous donne une idée de l'importance comme telle des difficultés ; on trouve au Québec l'Échelle d'évaluation des dimensions du comportement de Bullock et Wilson, qui comporte des normes québécoises. Quant à l'évaluation fonctionnelle, c'est une mesure qui permet de savoir où l'on s'en va et que l'on peut gérer dans un contexte d'urgence. Elle comprend l'entrevue avec l'élève, l'enseignant, le parent et des données d'observation.

Et l'intervention?

Dans les écrits ou dans la pratique, l'intervention qui a le plus d'effet consiste à utiliser le renforcement après la manifestation d'une conduite demandée et une punition légère dans les situations plus difficiles. Il faut joindre à cela un programme pour augmenter et développer les habiletés sociales et l'autocontrôle. Au bout du compte, on veut qu'un jour le jeune n'ait plus besoin d'un renforcement systématique. Le principe est de créer une autre structure pour aider le jeune handicapé par son comportement et, par la suite, de pouvoir amincir le cadre au fur et à mesure qu'il apprend à se comporter correctement. Il y a cependant des groupes d'adolescents qui ont des comportements agressifs bien ancrés et fonctionnellement «utiles». On peut structurer l'environnement de manière à les amener à se comporter correctement à l'école et à apprendre. Cependant, on ne pourra probablement pas les changer fondamentalement. Par exemple, comment peut-on empêcher ces groupes de voler la fin de semaine?

Le leitmotiv est le suivant: avec des jeunes en difficulté de comportement, l'enseignement est nécessaire mais ne suffit pas. Il faut avoir des plans d'intervention bien articulés, faisant participer la famille, les enseignants, les autres intervenants, etc. Il faut aussi recourir à des consultants.

Quelles sont les habiletés de ces consultants, comme les psychologues?

Ces consultants doivent posséder des habiletés de base behavioristes incluant le modelage, l'extinction et le renforcement positif. Ils doivent aussi posséder des habiletés plus sophistiquées, dont la restructuration cognitive et le développement de stratégies cognitives qu'on utilise, par exemple, avec des élèves qui ont un déficit de l'attention. Les consultants doivent également connaître les programmes de formation aux habiletés sociales qui, au primaire et au secondaire, sont appliqués dans le contexte de la classe. Ils doivent donc être capables d'appliquer ces programmes dans un contexte donné et de planifier la généralisation et le transfert des habiletés acquises. Ils doivent aussi être en mesure de bâtir un plan d'intervention bien articulé. En effet, au secondaire, l'élève peut rencontrer une demi-douzaine d'enseignants.

Quelle serait la priorité dans ce dossier?

La prévention. Walker indique que si la stabilité du quotient intellectuel est de 0,70, sur dix ans, celle de l'agressivité est de 0,80. L'agressivité est donc un problème qui a une longue durée. Si un enseignant voit un enfant de cinq ans secouer comme un sac un de ses amis de maternelle, crier, faire des crises continuellement, il faut alors faire rapidement une intervention et mettre en place un plan d'intervention bien articulé.

Avec les élèves en difficulté de comportement, il faut, stratégiquement, associer les parents et faire collaborer ensemble la famille, les ressources sociales telles que les CLSC, et l'école.

RÉSUMÉ

On peut utiliser plusieurs moyens pour aider les élèves en difficulté de comportement et d'adaptation. Une saine discipline permet, dans un premier temps, de prévenir l'apparition de plusieurs difficultés. Lorsque l'intervention doit être systématisée, on peut la décrire à l'aide d'un plan d'intervention personnalisé. Parmi les différentes approches adoptées avec les élèves en difficulté de comportement, l'approche behavioriste a permis d'élaborer diverses méthodes : la distribution sélective de l'attention, le contrat de comportement, les programmes de formation aux habiletés sociales, et ainsi de suite. Par ailleurs, dans le milieu scolaire, plusieurs personnes-ressources peuvent aider l'élève : les psychologues, les psychoéducateurs, les travailleurs sociaux, etc.

L'intervention auprès d'élèves qui ont des difficultés graves de comportement exige donc la concertation des intervenants. Cette concertation est facilitée par diverses démarches : un inventaire des ressources disponibles, la détermination des besoins des élèves, la planification d'un plan d'intervention personnalisé. L'inventaire des ressources disponibles ne doit pas se limiter au personnel scolaire ; il doit aussi inclure les services communautaires du quartier, les groupes d'entraide et les divers services existants. Dans ce processus, la direction de l'école joue un rôle primordial de coordination, d'animation et de soutien aux intervenants.

QUESTIONS

1. Quelles sont les principales approches d'intervention pour les élèves qui ont des difficultés de comportement ?
2. Pourquoi est-il important que l'école agisse en collaboration avec plusieurs autres intervenants lorsque des élèves présentent des difficultés graves de comportement ?
3. Quels sont les principes de l'approche behavioriste et comment peut-on utiliser ces principes dans l'intervention ?
4. Qu'est-ce qu'un contrat de comportement ? Quels éléments doit-il inclure ?
5. Quelle est l'importance de la discipline face aux difficultés de comportement ?

MISES EN SITUATION

Première situation

Pierre : 7 ans
Niveau scolaire : deuxième année

Nous sommes au début de novembre. Pierre perturbe le fonctionnement de sa classe et parfois les activités de l'école. Il s'est battu deux fois le mois dernier dans la cour de récréation et le chauffeur d'autobus se plaint de son comportement : il change deux ou trois fois de siège au cours d'un trajet. Des élèves se plaignent qu'il vole leurs choses. Les bulletins de la maternelle et de la première année ne signalent aucun problème. Le bulletin critérié de l'année dernière indique que Pierre a atteint les objectifs du programme. Vous rencontrez quelques minutes l'enseignante de première année. Elle vous dit que Pierre est un enfant attachant, qui parlait peut-être un peu trop en classe, mais qui réussissait bien, particulièrement dans les activités coopératives. Il avait cependant tendance à oublier chez lui le matériel nécessaire. Somme toute, cela n'était pas grave, puisque cette enseignante prévoyait toujours du matériel en surplus. Inutile d'en faire un drame…

L'enseignante précise qu'actuellement, outre qu'il bouge tout le temps, Pierre a de sérieuses difficultés en mathématiques. Son comportement se détériore encore plus durant ces périodes. Ce matin, Pierre est entré dans la classe et, une minute après, il en est ressorti à la course en disant qu'il avait oublié son livre dans son casier. Il est revenu cinq minutes plus tard, escorté par l'orthopédagogue qui l'avait trouvé en train d'« explorer » le casier d'un autre élève.

Au cours des leçons magistrales, Pierre se lève, prend des objets (crayons, gommes à effacer) sur le bureau de ses pairs, campe sa chaise sur deux pattes. Il finit souvent par basculer, faisant rire toute la classe. Cela entraîne à plusieurs reprises des réprimandes de la part de l'enseignante.

L'enseignante a appelé la mère de Pierre, qui est venue la rencontrer. Elle dit que Pierre a un comportement un peu plus difficile depuis que son père les a quittés en août dernier. Elle a d'ailleurs dû prendre un emploi d'infirmière. Actuellement, elle travaille le soir, mais elle espère pouvoir travailler le jour d'ici deux semaines. Pierre est gardé le soir par sa sœur de 14 ans. La mère dit qu'elle s'inquiète plus de sa fille que de son fils parce que des amis de sa fille viennent à la maison en son absence. L'enseignante s'informe des habitudes de vie de Pierre. Ses heures de sommeil sont assez courtes. Il écoute la télévision tard le soir. Lorsqu'elle rentre à 23 heures, sa mère le trouve souvent endormi sur le sofa du salon. Toutefois, même la fin de semaine lorsque sa mère est présente, Pierre ne se couche pas avant 21 ou 22 heures.

L'enseignante a aussi rencontré Pierre individuellement. Il s'exprime peu sur ce qu'il vit en classe, sauf pour dire qu'il n'aime plus aller à l'école.

Questions

1. Quelles seront les prochaines étapes de l'évaluation ou de l'intervention de l'enseignante ?
2. À partir de la situation de Pierre, élaborez un projet de contrat de comportement.

Deuxième situation

Les 15 élèves de 2e secondaire en cheminement particulier de l'école Les Mésanges sont amateurs de profs : l'année dernière, en 1re secondaire, ils se sont organisés pour accueillir successivement en enfer huit titulaires différents. Leur plaisir, comme ils le disent, c'est de « faire craquer l'enseignant ». À ce plaisir s'ajoutent les paris sur le temps que tiendra le nouvel enseignant.

La direction de l'école a bien essayé d'aider ces pauvres enseignants, mais ses efforts, non systématiques, ont donné peu de résultats : la suspension de certains élèves, des punitions diverses, des séjours dans le corridor, des avertissements aux parents, etc.

Il faut donc engager un nouvel enseignant pour cette classe de cheminement particulier. N'ayant pas vraiment le choix (les enseignants d'expérience préférant, pour des motifs personnels faciles à comprendre, aller enseigner ailleurs que dans cette classe), la direction embauche un enseignant fraîchement diplômé. Mis à part ses stages, il n'a jamais enseigné, mais il a d'excellentes connaissances théoriques… et il veut réussir.

Cet enseignant, c'est vous !

Le directeur vous convoque. Votre mission : structurer un plan d'action avant la rentrée des élèves en septembre. Vous travaillerez à ce projet durant deux semaines en août. Il est prêt à vous donner un coup de main pendant plusieurs jours. Il est à noter également qu'un psychoéducateur est disponible deux jours par semaine pour votre classe, dont la réputation n'est plus à faire. La direction vous assure de son soutien et, chose exceptionnelle, vous alloue un budget de 3 000 $ pour réaliser des projets avec votre classe.

Le directeur vous demande de lui présenter rapidement un plan du travail que vous avez l'intention de faire. Ce plan devra décrire les points sur lesquels vous vous pencherez, dans une optique de prévention, afin d'éviter un nouveau défilé d'enseignants dans cette classe durant la prochaine année scolaire.

Question

Décrivez les points que vous explorerez au cours de ces deux semaines.

LECTURES SUGGÉRÉES

ARCHAMBAULT, J. et CHOUINARD, R. (1996). *Vers une gestion éducative de la classe.* Boucherville : Gaëtan Morin Éditeur.

WALKER, H.M., COLVIN, G. et RAMSEY, E. (1995). *Antisocial Behavior in School : Strategies and Best Practices.* Pacific Grove, Californie : Brooks / Cole Publishing Company.

SECTION

LES ÉLÈVES AYANT UNE DÉFICIENCE INTELLECTUELLE, UN TROUBLE AUTISTIQUE OU UNE DÉFICIENCE SENSORIELLE OU PHYSIQUE

Les élèves ayant une déficience intellectuelle

PARTIE I

L'évaluation et les causes

OBJECTIFS

Après avoir lu ce chapitre, le lecteur devrait pouvoir:

- décrire les critères permettant de définir la déficience intellectuelle selon le ministère de l'Éducation et selon l'Association Américaine sur le Retard Mental ;
- définir une courbe normale et y situer les limites de la déficience intellectuelle ;
- énumérer les principales causes de la déficience intellectuelle ;
- décrire les caractéristiques du syndrome de Down ;
- décrire quelques problèmes qui peuvent être associés à la déficience intellectuelle ;
- indiquer le taux de prévalence de la déficience intellectuelle dans la population.

INTRODUCTION

Ce chapitre, qui a pour thème les élèves ayant une déficience intellectuelle (ou retard mental), expose d'abord les définitions de la déficience intellectuelle, les critères permettant de l'identifier, ses causes, les problèmes qui y sont associés et son taux de prévalence. Nous verrons ensuite le rôle que joue la prévention et les difficultés qui sont parfois liées à l'identification exacte des causes de la déficience intellectuelle. Enfin, nous examinerons certains outils d'évaluation utilisés auprès des élèves ayant une déficience intellectuelle, soit les tests d'intelligence, les échelles de développement et les échelles d'évaluation des comportements adaptatifs.

9.1 LES DÉFINITIONS DU MINISTÈRE DE L'ÉDUCATION DU QUÉBEC

Le ministère de l'Éducation du Québec (1993) précise ses critères d'identification de la déficience intellectuelle à partir du fonctionnement intellectuel et des comportements adaptatifs[1]. Les tableaux suivants présentent les définitions du ministère de l'Éducation du Québec : le tableau 9.1 précise la définition de la déficience intellectuelle légère ; quant au tableau 9.2, il décrit les élèves ayant une déficience intellectuelle de moyenne à sévère et profonde.

TABLEAU 9.1 Définition de la déficience intellectuelle légère selon le ministère de l'Éducation du Québec

Élèves ayant une déficience intellectuelle légère

L'élève ayant une déficience intellectuelle légère est celle ou celui dont l'évaluation des fonctions cognitives réalisée à l'aide d'examens standardisés administrés par un personnel qualifié révèle un fonctionnement général significativement inférieur à la moyenne*, accompagné d'une déficience du comportement adaptatif se manifestant graduellement pendant la période de croissance.

Les limitations constatées au plan du développement cognitif se traduisent par un besoin constant de recourir à un mode de raisonnement d'ordre concret et par un retard s'accroissant graduellement dans les apprentissages scolaires requérant des capacités de symbolisation et d'abstraction.

N.B. L'identification d'une déficience intellectuelle légère devrait être exceptionnelle au premier cycle du primaire.

---

* Un quotient de développement entre 50-55 et 70-75 est habituellement considéré comme significatif d'une déficience intellectuelle légère.

Les résultats aux examens standardisés d'évaluation des fonctions cognitives peuvent être transposés en quotient de développement par la formule suivante :

$$\text{quotient de développement} = 100 \times \frac{\text{âge de développement}}{\text{âge chronologique}}$$

Source : Ministère de l'Éducation du Québec (1993, p. 34c), instruction reconduite pour 1996-1997.

---

1. Dans son instruction (reconduite pour 1996-1997), le Ministère utilise l'expression « déficience intellectuelle », alors que l'Association Américaine sur le Retard Mental (AAMR) utilise le terme « retard mental ». Lorsque nous nous référerons aux travaux de cette association, nous utiliserons donc cette expression. Cependant, dans l'ensemble du texte, nous privilégierons l'emploi du terme « déficience intellectuelle », puisque c'est celui qu'adoptent les définitions du Ministère.

TABLEAU 9.2 Définition de la déficience intellectuelle moyenne à sévère et de la déficience intellectuelle profonde selon le ministère de l'Éducation du Québec

Élèves handicapés en raison d'une déficience intellectuelle

L'élève handicapé en raison d'une déficience intellectuelle est celle ou celui dont l'évaluation des fonctions cognitives, réalisée à l'aide d'examens standardisés administrés par un personnel qualifié, révèle un fonctionnement général nettement inférieur à la moyenne* accompagné de déficiences du comportement adaptatif se manifestant dès le début de la période de croissance.

Déficience intellectuelle moyenne à sévère

La déficience intellectuelle est qualifiée de « moyenne à sévère » lorsque l'évaluation fonctionnelle révèle les caractéristiques suivantes :

- des limitations au plan du développement cognitif restreignant les capacités d'apprentissage en regard de certains objectifs des programmes d'études ordinaires et requérant l'aide d'une pédagogie adaptée ou d'une programmation particulière ;
- des capacités fonctionnelles limitées au plan de l'autonomie personnelle et sociale entraînant un besoin d'assistance pour s'organiser dans des activités nouvelles ou d'entraînement à l'autonomie de base ;
- des difficultés plus ou moins marquées dans le développement sensoriel et moteur et dans celui de la communication pouvant rendre nécessaire une intervention spécifique dans ces domaines.

Déficience intellectuelle profonde

La déficience intellectuelle est qualifiée de « profonde » lorsque l'évaluation fonctionnelle révèle les caractéristiques suivantes :

- des limitations importantes au plan du développement cognitif rendant pratiquement impossible l'utilisation des programmes d'études ordinaires et requérant une programmation individuelle ;
- des habiletés perceptivo-motrices et de communication manifestement limitées, appelant des méthodes d'évaluation et de stimulation adaptées individuellement ;
- des capacités fonctionnelles très faibles au plan de l'autonomie fonctionnelle et sociale entraînant un besoin constant de soutien et d'encadrement dans la réalisation des activités quotidiennes.

---

* Un quotient de développement entre 20-25 et 50-55 est habituellement considéré comme significatif d'une déficience intellectuelle moyenne à sévère ; un quotient de développement inférieur à 20-25 est habituellement considéré comme significatif d'une déficience intellectuelle profonde.

Les résultats aux examens standardisés d'évaluation des fonctions cognitives peuvent être transposés en quotient de développement par la formule suivante :

$$\text{quotient de développement} = 100 \times \frac{\text{âge de développement}}{\text{âge chronologique}}$$

Source : Ministère de l'Éducation du Québec (1993, p. 35), instruction reconduite pour 1996-1997.

À la lecture de ces définitions, il est possible de noter la présence de deux critères d'identification, l'un correspondant à l'évaluation du niveau de fonctionnement intellectuel, l'autre basé sur le comportement adaptatif. Nous examinerons ces deux points de référence.

9.2 LES CRITÈRES D'IDENTIFICATION UTILISÉS PAR LE MINISTÈRE DE L'ÉDUCATION DU QUÉBEC

9.2.1 La mesure du fonctionnement intellectuel

Il n'est pas facile de définir l'intelligence ou encore le fonctionnement intellectuel. Binet décrit l'intelligence comme « la tendance à prendre et à maintenir une direction définie, la capacité de s'adapter dans le but d'atteindre un objectif désiré et le pouvoir de s'autocritiquer » (cité dans Sattler, 1994, p. 45 ; traduit par l'auteure). Pour sa part, Wechsler (1958, cité dans Sattler, 1994) définit l'intelligence « comme la capacité globale d'un individu d'agir selon une intention, de penser rationnellement et de composer efficacement avec son environnement » (p. 45 ; traduit par l'auteure).

Le fonctionnement intellectuel général est évalué à l'aide de tests d'intelligence ou d'échelles de développement standardisées, validées et normalisées. Un test standardisé répond à plusieurs critères : il a été soigneusement préparé, préexpérimenté, analysé et révisé. Ses instructions ainsi que ses conditions de passation et de correction demeurent toujours les mêmes. Les résultats s'interprètent à l'aide de normes, ces dernières ayant été établies auprès de populations représentatives. Lorsque les scores se distribuent normalement, comme c'est le cas des tests d'intelligence, la plus grande partie des scores d'une population se situe dans les limites de la moyenne. Le taux de fréquence baisse de plus en plus à mesure qu'on s'éloigne de cette moyenne. La figure 9.1 illustre ces proportions et présente une courbe normale.

Dans cette figure, on constate que la moyenne du quotient intellectuel (Q.I.) est de 100. Environ 68 % de la population se situe dans les limites d'un écart type de la moyenne. Par ailleurs, plus on s'éloigne de la moyenne, plus le nombre de

FIGURE 9.1 Courbe normale

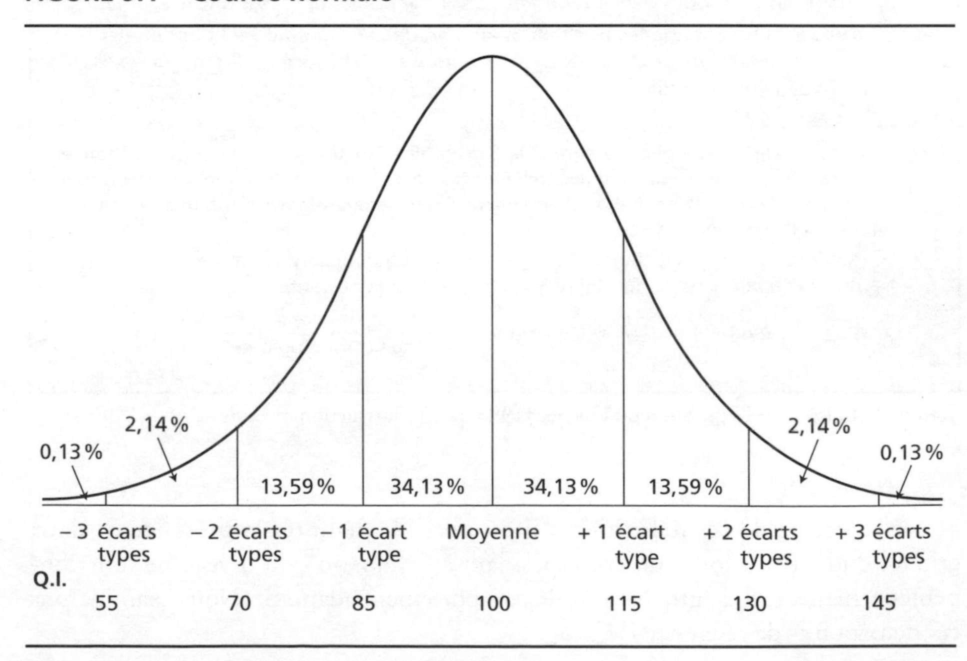

sujets diminue dans les limites définies à l'aide des écarts types. Ainsi, entre deux et trois écarts types sous la moyenne (entre 55 et 70 de Q.I.) se situe 2,14 % de la population. Entre trois et quatre écarts types sous la moyenne, on trouve 0,13 % de cette population.

La mesure du quotient intellectuel permet de déterminer quatre catégories de déficience intellectuelle : légère, moyenne, sévère et profonde. Le limites de Q.I. bornant ces catégories peuvent toutefois fluctuer quelque peu selon les classifications consultées et selon les tests utilisés. Le tableau 9.3 présente différentes classifications du retard mental.

Dans les définitions et les écrits sur la déficience, outre les références au quotient intellectuel (Q.I.), on note l'usage fréquent d'autres désignations comme l'âge mental (A.M.), le quotient de développement (Q.D.) et l'âge chronologique (A.C.).

Lambert (1978) précise ainsi ces notions :

> L'A.M., introduit par Binet, est obtenu à partir de la passation d'une série d'épreuves différentes selon l'âge. Le Q.I., mesuré à partir de tests de type Binet-Simon, n'est rien d'autre qu'un rapport entre l'A.M. donné par l'épreuve et l'Âge Chronologique (A.C.) du sujet. Dans les épreuves visant à évaluer le développement de la première enfance, le résultat obtenu est généralement exprimé sous forme d'un Q.D. Le Q.D. est obtenu en divisant l'âge atteint au test par l'A.C. du sujet. Précisons également que la notion de Q.I., telle qu'elle est fournie par les échelles de Wechsler, n'est pas un rapport entre un A.M. et un A.C., mais bien un score standard, un rang obtenu dans une moyenne de réussite (p. 128).

TABLEAU 9.3 Différentes classifications du retard mental

	Degré de retard mental			
	Léger	**Moyen**	**Sévère**	**Profond**
OMS (CIM-10)*	50-69	35-49	20 à 34	moins de 20
DSM IV**	50-55 à app. 70	35-40 à 50-55	20-25 à 35-40	moins de 20-25
APA***	55-70 et déficits dans deux ou plus des domaines de comportements adaptatifs	35-54 et déficits dans deux ou plus des domaines de comportements adaptatifs	20-24 et déficits dans tous les domaines de comportements adaptatifs	moins de 20 et déficits dans tous les domaines
AAMR****	Plutôt que d'établir des catégories de déficience, l'AAMR propose d'utiliser la description du genre de soutien requis par la personne (intermittent, limité, important et intense).			

* OMS (CIM-10) : Organisation mondiale de la santé. Cet organisme rédige la classification internationale des maladies (CIM). Cette classification porte le chiffre 10 parce qu'il s'agit de la dixième révision.

** DSM IV : *Diagnostic and Statistical Manual of Mental Disorders.*

*** APA : American Psychological Association (Jacobson et Mulich, 1996).

**** AAMR : American Association of Mental Retardation.

9.2.2 La mesure du comportement adaptatif

Le second critère présenté dans la définition du ministère de l'Éducation du Québec est lié à des déficiences dans le comportement adaptatif. Ces déficiences portent sur des limites quant à la réalisation de comportements fixés à partir des normes de maturité, d'apprentissage, d'indépendance ou de responsabilité sociale en référence avec la tranche d'âge et la culture de l'individu. Grossman (1983) définit ainsi la notion de comportement adaptatif:

> Le comportement adaptatif fait référence à la qualité du rendement quotidien pour s'adapter aux exigences environnementales. La qualité de l'adaptation générale est conditionnée par le niveau d'intelligence de sorte que la signification des deux concepts se rejoint. Il est cependant évident, lorsqu'on considère la définition du comportement adaptatif avec son accent mis sur l'adaptation quotidienne, que le comportement adaptatif renvoie à ce que les gens font pour prendre soin d'eux-mêmes et interagir avec les autres dans la vie de tous les jours plutôt qu'au potentiel abstrait que sous-entend l'intelligence (p. 42; traduit par l'auteure).

Dans son manuel de 1992, l'Association Américaine sur le Retard Mental identifie 10 sphères de comportements adaptatifs. Le tableau 9.4 les présente.

TABLEAU 9.4 Domaines des habiletés adaptatives selon l'AAMR

Communication	Capacité de comprendre et d'exprimer l'information par des comportements symboliques (mots écrits, parlés, signes, etc.)
Soins personnels	Alimentation, habillage, toilette et hygiène
Compétences domestiques	Fonctionnement à l'intérieur du domicile: entretien ménager, soin des vêtements, entretien de la propriété, etc.
Habiletés sociales	Échanges sociaux avec les autres, par exemple façon de commencer et de terminer une interaction, de partager, etc.
Utilisation des ressources communautaires	Aptitude à utiliser des services publics: faire son épicerie, prendre les transports en commun, etc.
Autonomie	Aptitude à faire des choix, établir un horaire et le respecter, résoudre des problèmes, etc.
Santé et sécurité	Capacité de maintenir son état de bien-être: alimentation appropriée, premiers soins, visites chez le médecin, etc.
Habiletés scolaires fonctionnelles	Habiletés cognitives et d'apprentissage fonctionnelles en termes d'indépendance de vie
Loisirs	Acquisition d'une variété d'intérêts de loisirs et d'activités récréatives
Travail	Aptitude à trouver un emploi et aptitudes spécifiques au travail

Source: Association Américaine sur le Retard Mental (AAMR) (1994, p. 37-39). Reproduit avec permission.

9.3 La définition de l'Association Américaine sur le Retard Mental (AAMR)

L'Association Américaine sur le Retard Mental[2] est un organisme qui, mondialement, fait autorité dans le domaine de la déficience intellectuelle. Il semble donc nécessaire de préciser la définition qu'utilise cette association :

> Par retard mental, on entend un état de réduction notable du fonctionnement actuel d'un individu. Le retard mental se caractérise par un fonctionnement intellectuel inférieur à la moyenne, associé à des limitations dans au moins deux domaines du fonctionnement adaptatif : communication, soins personnels, compétences domestiques, habiletés sociales, utilisation des ressources communautaires, autonomie, santé et sécurité, aptitudes scolaires fonctionnelles, loisirs et travail. Le retard mental se manifeste avant l'âge de 18 ans.
>
> Quatre conditions sont essentielles à la mise en application adéquate :
>
> 1. Pour être valide, l'évaluation tient compte de la diversité culturelle et linguistique des sujets ainsi que des différences dans leurs modes de communication et leur comportement.
> 2. Le déficit du fonctionnement adaptatif d'un individu se manifeste dans le cadre de l'environnement communautaire typique des sujets de son groupe d'âge et dépend de l'importance de ses besoins personnels de soutien.
> 3. Certaines faiblesses spécifiques d'adaptation coexistent souvent avec des forces dans d'autres domaines d'adaptation ou avec d'autres capacités personnelles.
> 4. Le fonctionnement général d'une personne présentant un retard mental s'améliore généralement si elle reçoit un soutien adéquat et prolongé (Association Américaine sur le Retard Mental, 1994, p. 3-5 ; reproduit avec permission).

9.3.1 Le processus d'évaluation suggéré par l'Association Américaine sur le Retard Mental

L'Association Américaine sur le Retard Mental suggère un processus d'évaluation en trois étapes. Le tableau 9.5 (p. 212) présente celles-ci.

La première étape est le diagnostic du retard mental. Le fonctionnement intellectuel est alors évalué. Le critère utilisé est un Q.I. de 70 à 75 ou moins. L'évaluation du fonctionnement intellectuel doit se faire à l'aide d'un test d'intelligence fiable, valide et standardisé que fait passer une personne compétente. Au cours de cette étape, on trace également le profil du comportement adaptatif de la personne. La nouvelle définition de l'AARM indique cependant un changement notable par rapport aux pratiques qui existaient jusque-là en ce qui a trait au diagnostic. Plutôt que de déterminer quatre niveaux de déficience (légère, moyenne, sévère et profonde), l'AARM propose d'utiliser le genre de soutien requis par la personne : intermittent, limité, important et intense.

---

2. Jusqu'en 1988, cette association portait le nom d'American Association on Mental Deficiency (AAMD).

TABLEAU 9.5 Processus d'évaluation en trois étapes

Dimension I: Fonctionnement intellectuel et habiletés adaptatives	**Étape 1 – Diagnostic du retard mental** ***Déterminer l'admissibilité aux soutiens*** Le retard mental est diagnostiqué si: 1. Le niveau de fonctionnement intellectuel de l'individu se situe approximativement entre 70 et 75 ou moins. 2. Il existe des incapacités significatives dans au moins deux domaines d'habiletés adaptatives. 3. L'âge d'apparition est avant 18 ans.
Dimension II: Considérations psychologiques et émotives *Dimension III:* Considérations physiques, de santé, étiologiques *Dimension IV:* Considérations environnementales	**Étape 2 – Classification et description** ***Identifier les forces et faiblesses et les besoins de soutien*** 1. Décrire les forces et faiblesses par rapport aux considérations psychologiques et émotives. 2. Décrire l'état de santé physique général et indiquer l'étiologie de la condition. 3. Décrire l'environnement actuel et l'environnement optimal qui faciliterait la croissance et le développement continus de la personne.
	Étape 3 – Profil et intensités des soutiens requis ***Identifier les soutiens requis*** Identifier les types et les intensités des soutiens requis pour chacune des quatre dimensions. 1. Dimension I: Fonctionnement intellectuel et habiletés adaptatives. 2. Dimension II: Considérations psychologiques et émotives. 3. Dimension III: Considérations physiques, de santé, étiologiques. 4. Dimension IV: Considérations environnementales.

Source: Association Américaine sur le Retard Mental (1994, p. 22). Reproduit avec permission.

À la deuxième étape, on décrit les forces, les faiblesses et les besoins en soutien de la personne. Cette description prend en considération son fonctionnement intellectuel et ses comportements adaptatifs. L'AAMR recommande d'apporter une attention particulière aux caractéristiques psychologiques et émotives. Il faut alors, lorsque c'est nécessaire, recourir aux services d'une équipe multidisciplinaire. On tient aussi compte, au cours de cette étape, des considérations physiques, de santé et étiologiques. En effet, pour plusieurs élèves, le retard mental s'accompagne de troubles associés: une santé plus fragile, de l'épilepsie, des problèmes visuels ou auditifs, etc. Ces éléments sont importants lors de la planification des interventions. Enfin, on examinera les considérations environnementales. En effet, pour l'Association Américaine sur le Retard Mental (1994), il faut, par rapport à la personne « décrire dans quelle mesure les milieux de vie, de travail et d'éducation facilitent ou restreignent ses possibilités d'intégration communautaire, de soutiens sociaux (famille et amis) et son bien-être matériel (revenu, logement, biens personnels) » (p. 29 ; reproduit avec permission).

Au cours de la troisième étape, une équipe multidisciplinaire déterminera le soutien que requiert la personne au regard des quatre dimensions suivantes : (1) le fonctionnement intellectuel et les habiletés adaptatives ; (2) les considérations psychologiques et émotives ; (3) les considérations physiques et de santé ; (4) les considérations environnementales.

L'Association Américaine sur le Retard Mental présente donc un modèle fonctionnel qui tient compte non seulement du fonctionnement intellectuel de l'individu et de ses capacités d'adaptation, mais aussi des influences environnementales et du soutien nécessaire.

9.4 Les outils d'évaluation utilisés auprès de la personne présentant une déficience intellectuelle

Dans les pages suivantes, nous verrons quelques outils qui permettent d'évaluer une personne présentant une déficience intellectuelle. Il est à noter que l'utilisation d'instruments comme les tests d'intelligence nécessite une excellente formation en évaluation et en psychométrie. C'est pourquoi plusieurs mesures sont effectuées par des spécialistes tels les psychologues. Nous aborderons certains outils de mesure fréquemment utilisés, soit les tests d'intelligence, les échelles de développement et les échelles d'évaluation des comportements adaptatifs.

9.4.1 Les tests d'intelligence

Parmi les tests d'intelligence qui permettent d'évaluer le quotient intellectuel, notons les échelles de Wechsler (la Wechsler Preschool and Primary Scale on Intelligence ou WPPSI-R et la Wechsler Intelligence Scale for Children ou WISC III), la WAIS-R (Wechsler Adult Intelligence Scale-Revised), le Stanford-Binet-R et les épreuves individuelles d'habileté mentale (Chevrier, 1989, 1996). Un de ces tests, le WISC III, a été présenté de façon détaillée dans le chapitre 4. Le lecteur souhaitant un exemple peut donc s'y référer.

Il s'avère utile de noter que les limites de la déficience intellectuelle telles qu'elles sont précisées par les tests d'intelligence peuvent inclure des groupes d'élèves différents (Jensen, 1968a, 1968b, 1970). Pour certains élèves, cette mesure révèle leur véritable potentiel, alors que pour d'autres elle ne peut distinguer un rendement très faible d'une déficience proprement dite. Les tests d'intelligence mesurent le taux d'apprentissage d'un enfant. Ces instruments, particulièrement dans les cas de sujets issus de milieux défavorisés ou culturellement différents, peuvent ne pas révéler leur véritable potentiel. Les tests d'intelligence comportent un biais culturel important, car ils renvoient à des objets et à des situations précis connus dans un type de société déterminé. Il peut alors être question de déficience culturelle. C'est pourquoi plusieurs insistent pour qu'à la fois l'évaluation des déficiences dans le comportement adaptatif et une mesure appropriée du quotient intellectuel soient utilisées dans le diagnostic.

9.4.2 Les échelles de développement

Il n'est pas toujours possible d'employer des tests d'intelligence tels que le WISC III, par exemple si le sujet n'a pas un langage suffisamment élaboré, s'il ne comprend pas les consignes ou s'il a une déficience sévère ou profonde. Dans ce cas, on peut se servir de diverses échelles de développement ou d'autres tests : les Bayley Scales of Infant Development (1969, révisées en 1993), les Griffiths Mental Developmental Scales (1970), l'échelle de développement de Harvey (1984), etc. Les échelles de développement facilitent la sélection d'objectifs pour le plan d'intervention et permettent de suivre l'évolution de l'élève. Le tableau 9.6 présente quelques échelles de développement.

TABLEAU 9.6 Échelles de développement

Échelles	Description	Fonction
Bayley Scales of Infant Development (1969, révisées en 1993)	Inclut trois échelles : 1) La *mental scale*, qui décrit : *a)* l'acuité de la perception sensorimotrice, la discrimination et l'habileté à répondre à ces stimulations motrices *b)* l'acquisition de la permanence de l'objet, de la mémoire, de l'habileté à résoudre des problèmes, l'acquisition du vocabulaire et le début de la communication orale *c)* les premières habiletés à former des classifications, la base de la pensée abstraite 2) la *motor scale*, qui mesure le degré de contrôle du corps, la coordination globale et fine 3) l'*infant behavior record*, qui décrit la nature des relations sociales, les attitudes, les intérêts, les émotions, l'énergie, la tendance à aborder ou à éviter une situation	Utile à l'évaluation du très jeune enfant (jusqu'à 30 mois) ; peut être utile pour évaluer les élèves ayant une déficience profonde
Griffiths Mental Developmental Scales (1970)	• Échelle permettant d'évaluer cinq secteurs de 0 à 2 ans : locomotion, personnel et social, audition et langage, coordination œil-main, rendement • Échelle permettant d'évaluer six secteurs de 2 à 8 ans : locomotion, personnel et social, audition et langage, coordination œil-main, rendement et raisonnement pratique	Quotient de développement par secteurs et quotient global de développement
Échelle de développement de Harvey (1984)	Permet d'évaluer cinq secteurs de 0 à 8 ans : motricité, autonomie, graphisme, langage, connaissance	Donne un âge global de développement qu'il est possible de transformer en quotient de développement

Source : Adapté de Lebrun, Turcot-Lefort, Cartier, Jodoin, Julien, Gignac et Vézina (1995, p. 9-11).

9.4.3 Les échelles d'évaluation des comportements adaptatifs

Les comportements adaptatifs sont évalués à l'aide d'observations et d'échelles standardisées. Les personnes qui ont un contact quotidien avec la personne ayant une déficience sont souvent en mesure de décrire ses réactions à la maison ou dans le voisinage. Ainsi, les observations des parents et des enseignants peuvent constituer un élément de cette évaluation (Lambert, 1978). Par ailleurs, il existe des instruments plus rigoureux sous forme d'échelles. Dans ces échelles, les comportements de l'individu pourront être mis en relation avec des normes ou des critères de comparaison établis pour son groupe de référence (culture et âge). Parmi ces échelles, notons l'AMMD Adaptative Behavior Scale (1974, révisée en 1993 – ABS II), les Vineland Adaptative Behavior Scales (Sparrow, Balla et Cicchetti, 1984) et l'échelle québécoise de comportements adaptatifs (EQCA) (AQPRM-UQAM, 1993).

A. L'échelle québécoise de comportements adaptatifs

À titre d'exemple, nous examinerons l'échelle québécoise de comportements adaptatifs (AQPRM-UQAM, 1993). Cette échelle permet d'obtenir une description générale du niveau des comportements adaptatifs. Ces comportements sont regroupés selon les sphères suivantes : (1) les comportements d'autonomie (par exemple l'alimentation) ; (2) les habiletés domestiques ; (3) les soins liés à la santé et l'aspect sensorimoteur ; (4) la communication ; (5) les habiletés préscolaires et scolaires ; (6) la socialisation et (7) les habiletés de travail. À ces dernières s'ajoute une section concernant l'évaluation de comportements inadéquats (comportements stéréotypés, postures bizarres, comportements d'automutilation), etc. (voir le tableau 9.7, p. 216).

Chacune de ces sphères regroupe des items présentés sous la forme d'énoncés décrivant les comportements évalués. En voici quelques exemples : « Lave ses cheveux au besoin » (comportement d'autonomie) ; « Regarde la personne qui parle » (communication) ; « Compte jusqu'à 20 » (habiletés préscolaires et scolaires). L'évaluateur indique si les comportements sont inexistants dans le répertoire de la personne, sont existants mais de manière sporadique, sont tout à fait acquis ou encore ne peuvent se présenter dans l'environnement du sujet. Corrigée à l'aide d'un logiciel, cette échelle permet d'obtenir la classification de la déficience relative aux comportements adaptatifs. Le niveau de comportement pour l'ensemble de l'épreuve et en liaison avec chacune des dimensions est présenté à l'aide d'un histogramme (voir la figure 9.2, p. 217).

Cet histogramme illustre le rendement d'un individu, quant à ses comportements adaptatifs, exprimé en niveau absolu. Les lignes horizontales indiquent, en niveau absolu, les points de passage d'un niveau de déficit à un autre en fonction de l'âge de l'individu évalué. Dans notre exemple, on remarque que la personne évaluée (14 ans) manifeste globalement un déficit moyen quant à ses comportements adaptatifs. Bien que les résultats à chacune des sphères soient moins fiables que pour le rendement global, on peut constater que cette personne présente des déficits légers et moyens. Elle présente aussi un déficit grave dans la sphère « communication ».

TABLEAU 9.7 Sphères de l'échelle québécoise de comportements adaptatifs

Sphères	Dimensions
1. Comportements d'autonomie	– Alimentation-cuisine – Hygiène – Utilisation des toilettes – Habillage et déshabillage
2. Habiletés domestiques	– Vêtements – Intérieur – Réparation – Sécurité – Extérieur
3. Soins liés à la santé et aspect sensorimoteur	– Santé – Motricité fine – Motricité globale
4. Communication	– Expression – Réception – Langage élaboré et complexe
5. Habiletés préscolaires et scolaires	– Graphisme – Notions de temps – Mathématiques pratiques – Lecture – Écriture
6. Socialisation	– Interactions – Déplacements – Ressources communautaires – Magasinage – Services prébancaires – Loisir
7. Habiletés de travail	– Habiletés dans l'emploi et recherche d'un emploi – Comportements au travail et relations interpersonnelles
8. Comportements inadéquats	– Comportements stéréotypés et postures bizarres – Comportements de retrait et d'inattention – Habitudes et comportements inacceptables – Manières interpersonnelles inappropriées et comportements antisociaux – Comportements sexuels inadéquats ou divergents – Violence ou agression – Automutilation

Source : Adapté d'AQPRM-UQAM (1993, p. 64-65 ; reproduit avec permission).

FIGURE 9.2 Histogramme des niveaux adaptatifs (global et selon les sphères)

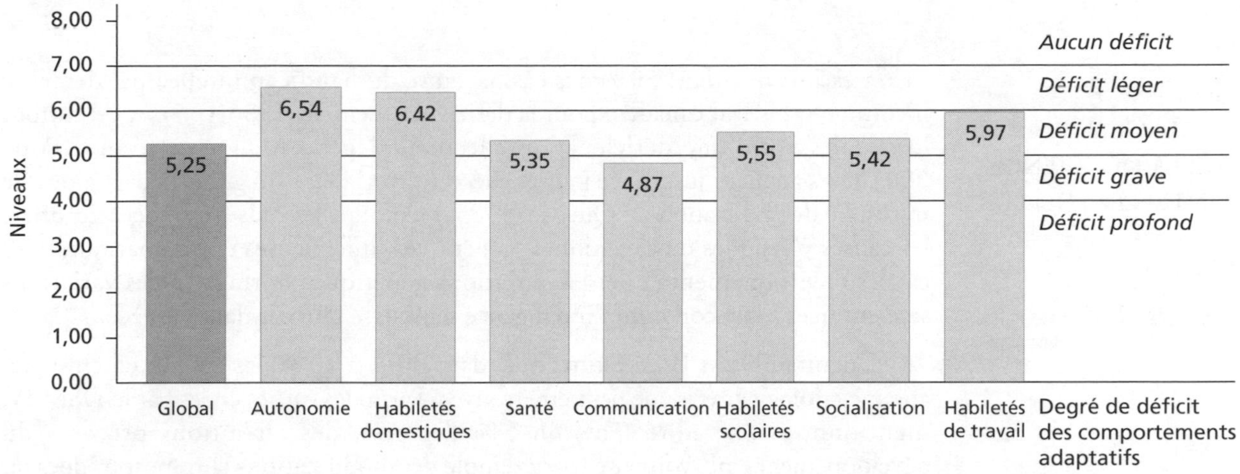

Source : Adapté d'AQPRM-UQAM (1996, p. 3). Reproduit avec permission.

B. La version scolaire de l'échelle québécoise de comportements adaptatifs

L'échelle québécoise de comportements adaptatifs existe aussi dans une version scolaire (Morin, 1993). Cette version est conforme à la définition du retard mental de l'Association Américaine sur le Retard Mental. On peut la soumettre à des jeunes dont le niveau de retard mental risque de se situer entre le retard léger et le retard moyen (Vandoni, Maurice et Auger, 1996). L'échelle inclut 9 des 10 domaines, le domaine « travail » n'étant pas jugé pertinent pour les jeunes de cet âge. La version scolaire de l'EQCA inclut deux questionnaires : l'un pour les parents et l'autre pour les enseignants. Cela permet d'avoir une image globale de l'enfant évalué dans des environnements différents. Le questionnaire destiné aux parents inclut neuf domaines alors que celui destiné aux enseignants en comprend cinq. En effet, certaines sphères (par exemple les habiletés domestiques ou les soins personnels) sont plus difficilement observables à l'école qu'à la maison. Comme l'EQCA ordinaire, la version scolaire est corrigée à l'aide d'un logiciel ; cette échelle permet d'obtenir la classification de la déficience relative aux comportements adaptatifs. Le niveau de comportement pour l'ensemble de l'épreuve et en liaison avec chacune des dimensions est présenté à l'aide d'un histogramme.

9.4.4 Autres outils d'évaluation

L'évaluation d'un élève ayant une déficience intellectuelle est généralement complétée par d'autres mesures : l'évaluation du rendement scolaire, les observations en classe ou dans d'autres environnements, l'évaluation de la qualité de la vie, les évaluations affectives ou physiques, etc. Quelques-uns des outils déjà présentés dans les autres chapitres pourront être utilisés avec ces élèves, comme les outils d'observation que nous avons vus au chapitre 7.

9.5 LES CAUSES DE LA DÉFICIENCE INTELLECTUELLE

« L'on estime que dans 50 % des cas, la cause du handicap intellectuel demeure inconnue » (Institut canadien pour la déficience mentale, 1986, p. 5), et ce, surtout lorsqu'il s'agit d'une déficience intellectuelle légère. Malgré cela, au-delà de 200 causes auraient jusqu'à ce jour été découvertes ! Dans un guide pédagogique, le ministère de l'Éducation du Québec (1983a) regroupe les causes en trois catégories : les causes physiques ou organiques (génétiques, infectieuses et traumatiques), les causes environnementales et les variations génétiques normales. Ces variations seraient liées à la façon dont l'intelligence semble se répartir dans l'espèce.

Quant au DSM IV, il estime que, dans 30 % à 40 % des cas vus en clinique, aucune étiologie précise ne peut être trouvée. Parmi les causes citées par le DSM IV, mentionnons l'hérédité (environ 5 % des cas), des altérations précoces du développement embryonnaire (par exemple des modifications chromosomiques ou des atteintes prénatales d'origine toxique), des problèmes en cours de grossesse (par exemple la malnutrition fœtale) et des problèmes périnataux (environ 10 % des cas ; par exemple l'hypoxie), des maladies somatiques contractées dans la première ou la deuxième enfance (environ 5 % des cas) et des facteurs environnementaux et autres troubles mentaux (de 15 % à 20 % des cas environ ; par exemple une carence grave de stimulation).

Historiquement, l'AAMR a utilisé une typologie des causes du retard mental divisée en deux catégories. Dans la première catégorie étaient regroupés les facteurs de nature biologique et dans la seconde, les facteurs sociaux et environnementaux (Grossman, 1983). Il va sans dire que ces deux catégories n'étaient pas nécessairement étanches l'une par rapport à l'autre. Ainsi, dans des milieux très désavantagés, la probabilité est plus grande de trouver simultanément la sous-stimulation et la malnutrition. En 1994, l'AAMR propose une typologie regroupant les facteurs étiologiques en quatre classes :

1) biomédicale (par exemple les troubles génétiques) ;
2) sociale (la stimulation) ;
3) comportementale (comme les facteurs liés à l'abus de substances chez la mère) ;
4) éducative (les ressources éducatives).

Nous examinerons quelques-unes des causes mentionnées fréquemment dans l'apparition de la déficience intellectuelle.

9.5.1 Les causes génétiques

A. *Les chromosomes responsables*

La cellule humaine contient 23 paires de chromosomes (22 paires d'autosomes et une vingt-troisième paire de chromosomes sexuels, XX chez la femme et XY chez l'homme). Plusieurs syndromes sont dus à des aberrations chromosomiques. Le plus connu de ces syndromes chromosomiques et celui dont la fréquence est la plus élevée est le syndrome de Down.

Le syndrome de Down

Ce syndrome est ainsi nommé à cause du Dr Langdom Down, qui fut le premier à décrire les personnes atteintes de cette affection. Au départ, le Dr Down utilise le terme « mongolisme », les caractéristiques faciales des enfants lui rappelant ce peuple oriental. Cependant, il serait actuellement incorrect d'utiliser ce terme de même que les vocables « mongol » ou « mongoloïde » ; ces mots ont des connotations péjoratives et sont associés à des préjugés raciaux.

Pour 95 % des enfants atteints du syndrome de Down, le problème est lié à la première cellule qui, au moment de la conception, possède un chromosome de plus (47 au lieu de 46). Ce chromosome supplémentaire est attaché à la vingt et unième paire (trisomie 21). Deux autres types d'aberrations chromosomiques sont parfois associés au syndrome de Down : la mosaïque et la translocation. Dans la mosaïque, une partie des cellules ont 46 chromosomes et une partie, 47. Les individus atteints de la mosaïque présentent le syndrome de Down de manière moins marquée, et le degré de déficience est moins élevé (Lambert, 1978). Dans la translocation, une partie d'un chromosome est attachée à un autre chromosome (par exemple une partie du chromosome 21 est attachée au chromosome 14). Dans ce cas, il est possible que les parents soient porteurs de ce problème chromosomique.

Les personnes atteintes du syndrome de Down peuvent présenter diverses caractéristiques physiques, dont une taille plus petite, des yeux davantage bridés ou une langue en saillie. Le tonus des muscles peut être réduit (hypotonie), et près du tiers de ces enfants ont des problèmes cardiaques.

Jusqu'à ce jour, plusieurs théories ont tenté d'expliquer cette division chromosomique anormale : des infections virales, des problèmes hormonaux, la consommation de drogue, l'exposition aux rayons X, des prédispositions génétiques. Il est également reconnu que plus l'âge de la mère est élevé au moment de la grossesse, plus les risques de mettre au monde un enfant ayant un syndrome de Down augmentent. Le taux de prévalence est d'environ un cas sur 660 naissances (Lambert, 1978).

Autres syndromes chromosomiques

Outre le syndrome de Down, certaines aberrations chromosomiques peuvent causer une déficience intellectuelle, par exemple le syndrome du cri du chat (dû à une délétion de la cinquième paire de chromosomes), le syndrome de Turner (avec ou sans déficience) et le syndrome de Klinefelter.

B. Les altérations des gènes

D'autres problèmes génétiques, telles des altérations des gènes, peuvent être liés à la déficience intellectuelle. Parmi ceux-ci, notons le syndrome de Tay-Sachs (un désordre du métabolisme des lipides affectant le système nerveux central), le syndrome de Lesch-Nyhan (un excès d'acide urique) ou encore les troubles métaboliques comme la phénylcétonurie ou la galactosémie.

Soulignons que les dommages créés par certaines maladies métaboliques congénitales peuvent être minimisés à l'aide, entre autres, d'une diétothérapie appropriée. Tel est le cas de la phénylcétonurie, qui a pratiquement été éliminée comme cause de la déficience intellectuelle grâce au dépistage et au traitement précoces. « La phénylcétonurie est caractérisée par un taux élevé de phénylalanine plasmatique et par la présence dans l'urine de phénylcétines » (Ciotti et Cacciari, 1987, p. 195). Au moyen du dépistage périnatal, il est maintenant possible de prévenir la déficience en soumettant les enfants atteints de phénylcétonurie à une diète appropriée. La galactosémie est une erreur du métabolisme du galactose. Les enfants sont soumis à une diète où tous les produits dérivés du lait sont à éviter. Dans ces cas, « plus le traitement diététique est précoce, meilleur est le développement mental » (Ciotti et Cacciari, 1987, p. 210). Malheureusement, tous les désordres génétiques ne peuvent être ainsi résolus.

C. Les variations héréditaires normales

Il y a aussi des variations héréditaires normales dans la distribution de l'intelligence. Ces variations héréditaires sont surtout associées à la déficience intellectuelle légère.

9.5.2 Autres facteurs prénatals

Avant la naissance, d'autres causes constitutionnelles, infectieuses ou environnementales peuvent être des facteurs de déficience : la toxoplasmose (une infection causée chez le fœtus par un protozoaire), la rubéole contractée en cours de grossesse par la mère, l'irradiation, la consommation de drogue, etc. Le syndrome d'alcoolisme fœtal est aussi reconnu comme l'une des causes de la déficience intellectuelle.

9.5.3 Les causes périnatales et les événements postnatals

Au moment de la naissance, des lésions, des traumatismes cérébraux ou l'interruption du flot d'oxygène (l'anoxie) peuvent créer des dommages entraînant une déficience intellectuelle. Une naissance prématurée, associée à un développement neurologique insuffisant, est reconnue comme un facteur de risque important. En ce qui concerne les causes postnatales, notons les dommages causés au cerveau à la suite de mauvais traitements, d'accidents, d'infections telles que la méningite et l'encéphalite, d'un empoisonnement au mercure, au plomb ou à l'oxyde de carbone, d'un manque important de stimulation, etc. (Institut canadien pour la déficience mentale, 1986).

9.5.4 La nécessité de la prévention

La prévention et le dépistage précoce ont permis de réduire le nombre d'enfants ayant une déficience intellectuelle. Les progrès de la médecine et la prévention ont limité, par exemple, les dommages liés à certaines maladies métaboliques comme la phénylcétonurie ou le nombre d'infections dues à la rubéole. En particulier, la prévention pendant la grossesse permet de diminuer les facteurs de risque. Cette prévention peut s'exercer de plusieurs façons : par une saine alimentation, par le traitement rapide des maladies transmises sexuellement, par l'abstinence en ce qui concerne l'usage du tabac, de drogue et d'alcool et par des conditions de vie équilibrées. Des examens prénatals réguliers, l'échographie et l'amniocentèse sont aussi des mesures préventives très répandues aujourd'hui.

Il devient évident non seulement que des approches éducatives sont nécessaires avec les élèves ayant une déficience intellectuelle, mais que des interventions médicales, diététiques et sociales sont très souvent requises à la fois dans la prévention et l'intervention. La figure 9.3 (p. 222) présente quelques-unes des causes associées à la déficience intellectuelle.

9.6 Les problèmes associés à la déficience intellectuelle

La fréquence des troubles associés à la déficience intellectuelle augmente avec la gravité de celle-ci (Santé et Bien-être social Canada, 1988). Plus la déficience est marquée, plus grande est la probabilité que l'enfant présente d'autres types de déficience. Entre autres, l'épilepsie (pour plus de précisions sur le sujet, voir le chapitre 12) serait une déficience fréquemment liée à la déficience intellectuelle. Les travaux de Gustavson et autres (1977, cités dans Santé et Bien-être social Canada, 1988) indiquent que 36 % des sujets atteints d'une déficience grave sont épileptiques.

Parmi les autres troubles associés à la déficience intellectuelle, notons les problèmes de comportement (31,7 % des cas dans les travaux de McQueen et autres, 1987, et 24 % des cas dans les travaux de Fischbach et Hulkl, 1983, tous cités dans Santé et Bien-être social Canada, 1988), les problèmes moteurs et l'infirmité motrice cérébrale, les troubles sensoriels, les problèmes de langage (66 % des cas dans l'étude de McQueen et autres, 1987, cités dans Santé et Bien-être social Canada, 1988, étude menée auprès de sujets ayant un Q.I. inférieur à 55). Certaines affections (par exemple le syndrome de Lesch-Nyhan) peuvent être accompagnées de problèmes de comportement telle l'automutilation. L'importance de l'évaluation des caractéristiques psychologiques et émotives est reconnue dans l'évaluation et l'intervention. Ainsi, l'Association Américaine sur le Retard Mental (1994) précise :

> Le retard mental est un concept multidimensionnel qui exige une évaluation du comportement et du fonctionnement psychologique. La plupart des personnes évaluées selon cette définition sont trouvées saines du point de vue mental et sans problème majeur de comportement (Menolascino, 1977). Cependant, une minorité importante peut requérir une forme ou l'autre de services de santé mentale (p. 49 ; reproduit avec permission).

Très souvent, lorsque se produisent des dommages neurologiques importants, non seulement l'intelligence est atteinte, mais des problèmes visuels, auditifs ou physiques sont présents chez certains élèves. Les éducateurs qui travaillent auprès d'élèves ayant des déficiences de moyenne à profonde doivent donc s'attendre à ce que ces élèves aient des besoins fort diversifiés.

FIGURE 9.3 Quelques causes de la déficience intellectuelle

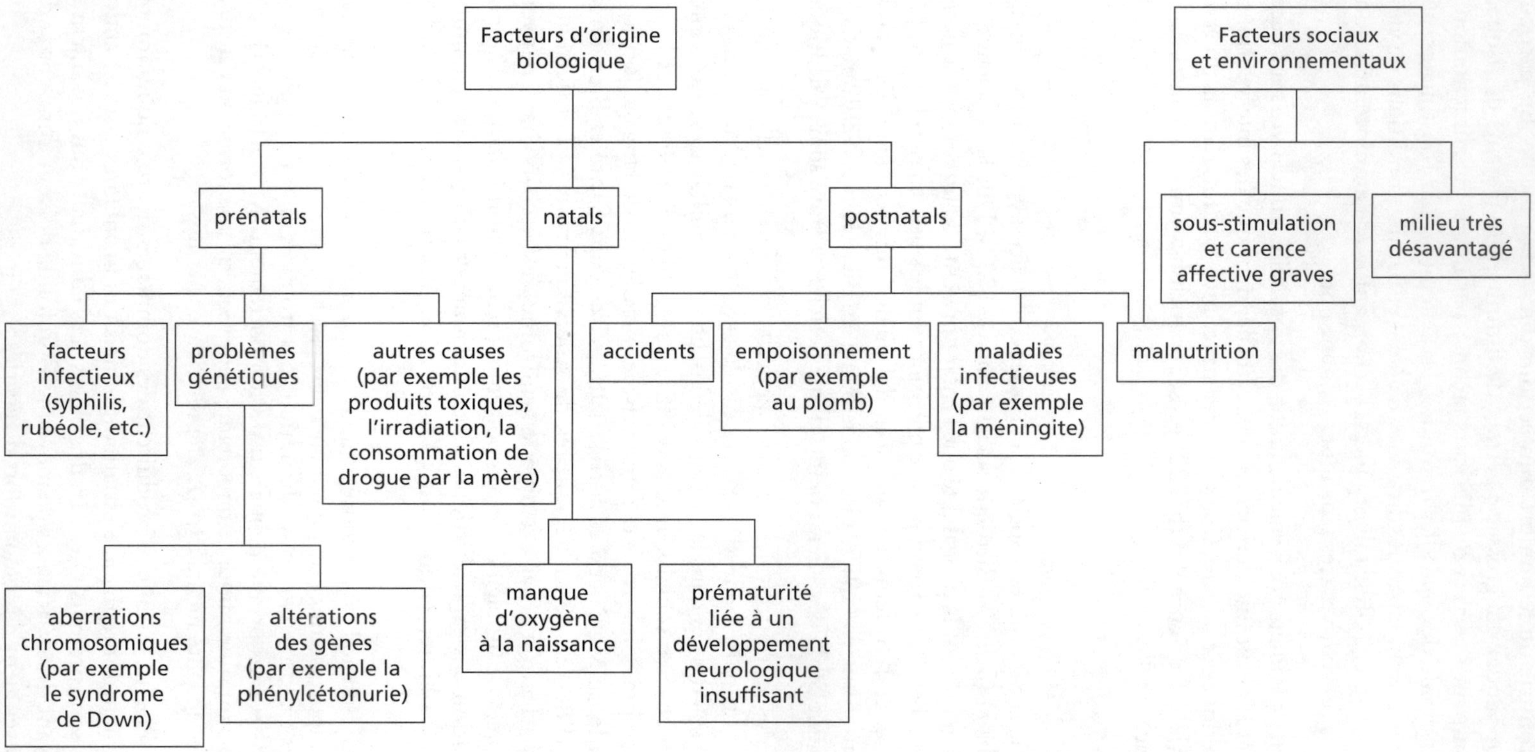

Source: Inspiré de la classification suggérée par l'American Association on Mental Deficiency (Grossman, 1983, chap. 5).

9.7 Le taux de prévalence de la déficience intellectuelle

Selon le ministère de la Santé et des Services sociaux du Québec (1988):

> Certains travaux permettent d'estimer à 200 000 le nombre de personnes vivant au Québec qui présentent une déficience intellectuelle. Environ 88 % d'entre elles ou 2,64 % de la population globale (soit 176 000 personnes) présentent une déficience légère, et 12 % ont une déficience grave (modérée, sévère et très sévère), soit 0,36 % de la population globale (24 000 personnes) (p. 9).

Selon les critères utilisés dans les études, les pourcentages de prévalence de la déficience se situent entre 2 % et 3 % de la population totale. Selon le DSM IV (version française, 1996), si l'on considère l'ensemble de la population qui présente un retard mental, 85 % de cette population présente un retard mental léger, 10 % un retard mental moyen, de 3 % à 4 % un retard mental sévère et de 1 % à 2 % un retard mental profond. Pour Zigler, Balla et Hodapp (1984), la plus grande proportion des personnes ayant une déficience intellectuelle n'ont pas de défauts organiques connus et sont classifiées dans une catégorie liée à un « retard familial ». Pour ces auteurs, lorsque seul un Q.I. inférieur à 70 sert de mesure, approximativement 75 % des personnes déficientes sont considérées comme appartenant à ce type. Quatre groupes d'explications permettent alors de comprendre cette étiologie: (1) ce type de déficience intellectuelle provient des désavantages psychosociaux; (2) il existe une interaction non spécifique des facteurs génétiques et des facteurs environnementaux; (3) ces personnes ont souffert de dommages organiques ne pouvant être diagnostiqués cliniquement et (4) cette situation n'est pas pathologique, car il ne s'agit que de la partie la plus basse de la distribution normale de l'intelligence (Zigler et autres, 1984).

Il ne faut pas non plus négliger le fait que les tests d'intelligence sont élaborés surtout en fonction d'une classe moyenne et que leurs consignes et items ne respectent pas toujours le milieu culturel des personnes auxquelles on les fait passer. Par ailleurs, toutes les personnes incluses dans ce 3 % de la population n'ont pas nécessairement besoin de services spécifiques:

> Ces personnes n'ont pas toutes besoin de services particuliers en raison de leur déficience intellectuelle. À cet égard, l'Association canadienne pour l'intégration communautaire considère que près d'une personne sur trois présentant une déficience intellectuelle, soit 1 % de la population globale, nécessite des services spécifiques de façon importante tout au long de sa vie.
>
> Pour sa part, le gouvernement suédois considère que près de 0,45 % de sa population globale est suffisamment handicapée par une déficience intellectuelle pour nécessiter une attention particulière et des services spécifiques réguliers.
>
> Selon une recherche réalisée dans un État du nord-est des États-Unis, il y aurait de 500 à 700 personnes, sur une population de 100 000, qui auraient besoin de services spécifiques, ce qui représente 0,6 % de la population globale (Ministère de la Santé et des Services sociaux du Québec, 1988, p. 9-10).

9.7.1 L'identification du retard mental: une approche multidimensionnelle

Afin de donner les meilleurs services possible, il importe de bien connaître les besoins des élèves. Il suffit de songer aux nombreux enseignants qui se plaignent de ne pas avoir été suffisamment informés des besoins d'élèves en difficulté dans leur classe, ni d'avoir reçu les services nécessaires ! Il existe néanmoins des problèmes liés à l'identification des élèves. De nombreuses recherches (Blatt, 1972 ; Dunn, 1968 ; Haywood, 1971 ; Johnson, 1969 ; Jones, 1972 ; Mercer, 1971 ; Potter, 1971, tous cités dans MacMillan, Jones et Aloia, 1974) ont souligné les effets négatifs liés à l'identification, notamment les préjugés, l'effet Pygmalion et la prophétie autoréalisatrice (*self-fulfilling prophecy*).

Il ne faudrait pas oublier l'influence de l'environnement dans le développement de l'intelligence. Zigler et autres (1984) indiquent que si entre 50 % et 80 % du développement du quotient intellectuel est dû à des facteurs génétiques, le pourcentage restant est causé par des influences environnementales. Il est donc important qu'un diagnostic, à un moment de la vie de l'enfant, ne prive pas ce dernier de stimulations appropriées sous prétexte qu'il ne peut en bénéficier, ni n'entraîne chez ses éducateurs ou ses parents des attitudes indiquant qu'ils ne croient pas en ses possibilités. La classification internationale des déficiences, incapacités et handicaps (CIDIH, 1995) propose d'ailleurs de considérer le handicap comme un processus interactif entre, d'une part, les déficiences et les incapacités et, d'autre part, les caractéristiques de l'environnement. L'AAMR précise : « La plupart des individus souffrant de retard mental voient leur fonctionnement s'améliorer avec des soins et des services adéquats, ce qui leur permet de voir de façon productive, autonome et intégrée dans leur environnement » (1994, p. 5).

RÉSUMÉ

Selon l'Association Américaine sur le Retard Mental, une personne est considérée comme présentant une déficience intellectuelle lorsqu'elle manifeste un fonctionnement cognitif général significativement inférieur à la moyenne accompagné de difficultés d'adaptation, ces deux facteurs apparaissant pendant l'enfance. Selon ces critères, l'évaluation doit porter à la fois sur le quotient intellectuel et sur les comportements adaptatifs. La déficience intellectuelle peut se manifester à des degrés divers : elle peut être légère, moyenne, sévère ou profonde. La déficience (en particulier moyenne, sévère ou profonde) est souvent associée à d'autres problèmes, dont l'épilepsie, les lésions cérébrales et les problèmes de langage. Bien que l'on ait découvert plus de 200 causes de la déficience intellectuelle, l'étiologie de celle-ci est souvent inconnue, surtout en ce qui a trait à la déficience légère. Parmi les causes connues, notons les problèmes chromosomiques tels que le syndrome de Down, les altérations des gènes, les infections ou l'intoxication chez la mère, l'anoxie à la naissance et les empoisonnements après celle-ci. Il va sans dire que les élèves ayant une déficience intellectuelle représentent une population hétérogène. La situation de chacun étant unique, les besoins de l'un à l'autre sont très variables. Dans la détermination des besoins et des caractéristiques de l'élève, il faut également considérer les effets secondaires négatifs et les préjugés associés à l'identification.

QUESTIONS

1. À partir de quels critères l'Association Américaine sur le Retard Mental identifie-t-elle les personnes ayant une déficience intellectuelle ?
2. Comment le ministère de l'Éducation du Québec définit-il les élèves ayant une déficience intellectuelle légère, moyenne à sévère et profonde ?
3. Comment le quotient intellectuel se distribue-t-il sur la courbe normale ?
4. Les causes de la déficience intellectuelle sont-elles toujours précisées ? Quelles sont les principales causes ?
5. Quel est le taux de prévalence de la déficience intellectuelle dans la population normale ?
6. Qu'est-ce que le syndrome de Down ?
7. Quels problèmes peuvent être associés à l'identification des élèves ayant une déficience intellectuelle ?

LECTURES SUGGÉRÉES

ASSOCIATION AMÉRICAINE SUR LE RETARD MENTAL (1994). *Retard mental. Définition, classification et systèmes de soutien.* Saint-Hyacinthe : Édisem Inc.

IONESCU, S. (sous la dir. de) (1987). *L'intervention en déficience mentale. Volume 1. Problèmes généraux. Méthodes médicales et psychologiques.* Bruxelles : Pierre Mardaga éditeur.

Les élèves ayant une déficience intellectuelle

PARTIE II

L'intervention

OBJECTIFS

Après avoir lu ce chapitre, le lecteur devrait pouvoir :

- dire pourquoi il est important, dans l'intervention, de tenir compte non seulement des caractéristiques personnelles de l'élève, mais aussi de celles de son environnement ;
- décrire comment les différentes périodes de vie de l'élève influencent les interventions ;
- expliquer le rôle que peut jouer la famille dans l'intervention précoce auprès de l'enfant ;
- décrire divers domaines d'intervention auprès de l'élève qui présente une déficience intellectuelle ;
- indiquer les principes qui doivent guider la sélection des objectifs d'intervention ;
- définir une analyse de tâche ;
- décrire quelques méthodes d'intervention utilisées avec les élèves présentant une déficience intellectuelle.

INTRODUCTION

Les besoins des élèves ayant une déficience intellectuelle peuvent être fort différents d'un cas à l'autre. C'est pourquoi l'évaluation de leurs besoins et de leurs capacités est très importante quant au choix des interventions. Toutefois, il faut aussi tenir compte des contraintes et des avantages que comportent les milieux où évoluent les élèves. En effet, le handicap est fonction des interactions des déficiences avec les facteurs sociaux et environnementaux.

Dans ce chapitre, nous aborderons la notion de handicap et l'importance, dans une action éducative, de considérer à la fois les facteurs personnels et ceux extérieurs à l'élève. Puis, nous verrons comment les périodes de vie créent des défis éducatifs nouveaux. L'éducation de l'élève présentant une déficience doit être globale. Ensuite, nous aborderons plusieurs domaines dans lesquels les éducateurs agissent. Nous présenterons par la suite quelques principes maximisant les actions éducatives. Enfin, nous examinerons brièvement quelques approches utilisées auprès des élèves présentant une déficience intellectuelle.

10.1 LE HANDICAP : UN PROCESSUS INTERACTIF

Au chapitre 1, nous avons vu les concepts de déficience, d'incapacité et de handicap. Dans l'élaboration des programmes d'études adaptés à l'intention des élèves présentant une déficience intellectuelle allant de moyenne à sévère, le ministère de l'Éducation du Québec (1996b) indique qu'il est primordial d'éliminer la confusion entourant ces concepts. Ces derniers ont été particulièrement bien précisés par la « classification internationale des déficiences, incapacités et handicaps » (Comité québécois et Société canadienne de la CIDIH, 1995). Pour la CIDIH :

> Le handicap devrait toujours être considéré comme le résultat d'un processus interactif entre deux séries de causes ou déterminants, soit les caractéristiques des déficiences et des incapacités de la personne découlant des maladies et des traumatismes et les caractéristiques de l'environnement créant des obstacles ou facilitateurs physiques et socioculturels dans une situation donnée : vie familiale, emploi, éducation, revenu, climat, etc. (p. 67).

Dans cette perspective, le handicap exprime l'interaction des facteurs personnels (la déficience et les incapacités) avec les facteurs sociaux et environnementaux. Selon le ministère de l'Éducation du Québec (1996b), l'action éducative doit contribuer à atténuer le handicap :

> Le grand défi sur le plan pédagogique sera donc, d'une part, d'effectuer des adaptations dans l'enseignement et dans le matériel pédagogique, pour permettre à l'élève ayant une déficience intellectuelle d'acquérir et de développer des habiletés essentielles à son autonomie et ainsi contribuer à diminuer ses incapacités et d'autre part de faire prendre conscience aux élèves sans déficience que la réalité humaine est essentiellement la diversité, en leur donnant l'occasion d'apprécier cette diversité à sa juste valeur et d'élargir leur vision du monde.
>
> Ainsi, l'action éducative contribuera à atténuer le handicap (p. 9).

La figure 10.1 illustre le processus d'apparition du handicap.

Dans ce contexte, les intervenants considèrent non seulement les caractéristiques de la personne, mais également celles de son environnement. Pour Paour (1991), il

FIGURE 10.1 Processus de production des handicaps

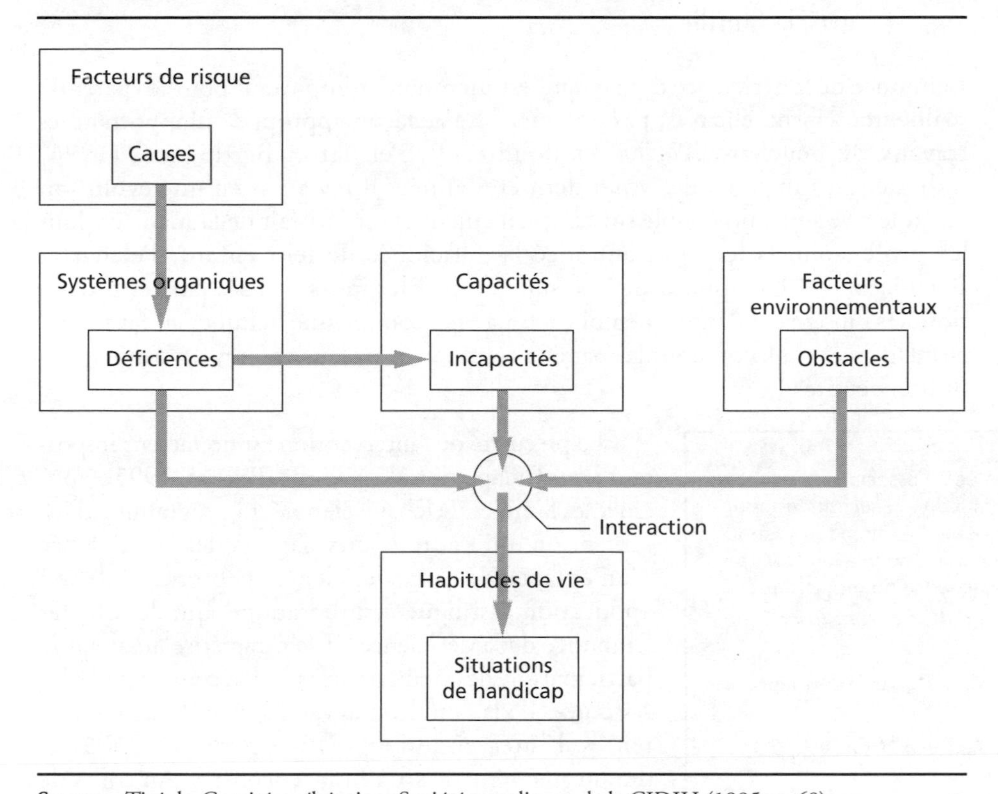

Source : Tiré du Comité québécois et Société canadienne de la CIDIH (1995, p. 68).

faut connaître les propriétés de l'environnement physique et humain de la personne ainsi que les éléments qui pourront améliorer son fonctionnement cognitif.

L'intervention auprès de la personne qui a une déficience intellectuelle repose donc sur de multiples dimensions. Cette intervention tient aussi compte des différentes périodes de vie de la personne. Nous verrons dans les pages suivantes quelques périodes particulièrement importantes de la naissance jusqu'à la transition de l'école à la vie adulte.

10.2 L'IMPORTANCE DES PÉRIODES DE VIE

En général, l'annonce de la déficience d'un enfant est suivie d'un choc émotif pour les parents. Ces derniers cherchent alors à surmonter leurs réactions initiales et à retrouver leur équilibre. Un processus s'amorce. Les parents traversent alors diverses étapes : un état de choc, une période de négation, une période de désespoir, une acceptation apparente et finalement l'adaptation grâce à l'acceptation des limites et du potentiel de l'enfant (Bouchard, 1987a). La famille apprend à vivre avec l'enfant. Les frères, les sœurs, les voisins et les amis font en même temps cet apprentissage, qui peut être marqué de moments plus difficiles en fonction des périodes de vie.

10.2.1 L'annonce du handicap et les premières interventions avec la famille

L'annonce de la déficience d'un enfant est un moment important pour les parents ; malheureusement, elle n'est pas toujours faite de façon appropriée. Rapportant les travaux de Bouchard, Pelchat et Boudreault, Pelchat et Berthiaume (1996) indiquent qu'au cours des vingt dernières années il n'y a pas eu une évolution sensible à ce sujet, un couple sur cinq seulement étant satisfait de la manière dont les professionnels leur ont annoncé la déficience de leur enfant. Pelchat et Berthiaume (1996) précisent à ce sujet : « [...] les mots utilisés par les professionnels s'inscrivent dans la mémoire des parents comme une marque "au fer rouge" et influencent la façon dont les parents vont percevoir leur enfant, déterminant sa future identité » (s. p.).

> « Lorsque je suis allée à l'association, la mère d'un enfant trisomique m'a dit : "Félicitations pour la naissance de ton bébé !" Et je me suis rendu compte que personne ne m'avait félicitée pour la naissance de mon enfant ! »
>
> *La mère d'un enfant trisomique*
>
> « Les parents n'ont pas l'impression qu'ils ont donné naissance à un enfant, mais à une déficience. »
>
> **Source** : Extraits de la vidéo *Aux yeux des autres*.

La précocité de l'intervention est un facteur important pour l'adaptation des parents (Pelchat, 1995). Pour aider les familles, Pelchat a élaboré un programme d'intervention qui s'adresse aux parents dès la naissance d'un enfant ayant une déficience ; la précocité de son application distingue ce programme, qui débute dès l'annonce de la déficience. Il se caractérise aussi par la participation des deux parents et l'accent mis sur les ressources de la famille et la valorisation de ses compétences. L'intervention est réalisée par des infirmières durant une série de six à huit rencontres. Au cours de ces rencontres, les intervenantes explorent les perceptions de la situation des parents, renforcent leurs croyances favorisant l'adaptation, interrogent leurs croyances contraignantes et les encouragent à s'exprimer et à interagir avec leur nouveau-né. Ce programme fait actuellement l'objet d'une étude longitudinale. Cependant, les résultats recueillis jusqu'ici (Pelchat et Berthiaume, 1996) permettent déjà de percevoir les avantages d'une approche basée sur les échanges entre la famille et les intervenants.

L'intervention auprès de la famille doit donc être précoce. Elle doit aussi permettre aux parents d'agir en collaboration avec les professionnels en apportant leurs ressources et leurs compétences.

10.2.2 La stimulation précoce : un engagement parental intense

Peu après la naissance de l'enfant, les parents sont invités à se présenter dans un centre de stimulation précoce pour recevoir de l'aide et être initiés à diverses stratégies :

> Ce n'est que depuis très peu de temps que les parents ont commencé à être considérés comme les premiers et les principaux agents de l'intervention éducative auprès de leur enfant déficient mental. Plusieurs auteurs se sont intéressés notamment au rôle de la famille dans l'application de l'approche behaviorale ou des programmes de stimulation précoce.

L'implication des parents dans l'intervention a de nombreux avantages (Bouchard, 1982). Elle permet le déroulement de l'intervention dans le milieu naturel de l'enfant. Les activités d'apprentissage peuvent être organisées au moment où l'enfant semble le plus disposé et modifiées lorsque ce dernier éprouve des difficultés. De plus, les activités sont individualisées au plan des objectifs, des contenus et des méthodes d'apprentissage. Dans un programme d'intervention à la maison, les parents apprennent à être les personnes les plus importantes dans le développement de l'enfant. Cette responsabilité première produit, chez les parents, une plus grande motivation, ce qui explique, en partie, le rendement supérieur obtenu par l'enfant (Bouchard, 1987a, p. 103).

Des parents investissent beaucoup de temps et d'énergie dans ces programmes et sont donc, au moment de l'entrée à l'école, très sensibilisés à la nécessité de placer leur enfant dans un cadre stimulant et normalisant. Ils sont informés sur les conditions qui facilitent l'apprentissage de leur enfant. D'ailleurs, cet engagement explique, du moins en partie, pourquoi tant de parents réclament un milieu « normal », c'est-à-dire l'école ordinaire. Ces parents sont parfois déjà initiés par les centres de stimulation à une participation aux plans d'intervention et de services de leur enfant.

10.2.3 La période scolaire

La période scolaire représente une étape importante pour l'enfant ayant une déficience intellectuelle. Elle incarne aussi un défi pour les parents, qui prennent alors contact avec un nouveau milieu de vie pour leur enfant, l'école. Si certains parents voient leur choix, en matière d'éducation, appuyé par le milieu scolaire, d'autres connaissent une situation plus difficile. Afin de mieux comprendre ce contexte, nous verrons d'abord, selon des statistiques, où sont scolarisés les élèves. Puis, il sera question de l'intégration dans les classes ordinaires du primaire et du secondaire.

A. La répartition des élèves en fonction des regroupements du Ministère

Les élèves sont scolarisés selon différentes modalités. Plusieurs fréquentent les classes ordinaires, d'autres fréquentent des classes ou des écoles spéciales. Les tableaux 10.1 à 10.3 (p. 232 et 233) décrivent la répartition des élèves selon les niveaux d'enseignement et les regroupements du ministère de l'Éducation du Québec (voir au chapitre 1 la définition de chacun de ces regroupements).

B. L'intégration au primaire et au secondaire

Le choix de l'école constitue une démarche importante pour les parents. Certains choisissent l'école ou la classe spéciales ; d'autres préfèrent la classe ordinaire. Malgré le fait que, dans plusieurs cas, les parents s'accordent avec le milieu scolaire, des parents ayant opté pour l'intégration dans la classe ordinaire ont dû défendre leur cause, parfois même devant les tribunaux. En effet, l'intégration des enfants présentant une déficience intellectuelle se heurte à plusieurs obstacles : les craintes

TABLEAU 10.1 Répartition des élèves présentant une déficience intellectuelle légère avec ou sans une autre déficience

Regroupement	Préscolaire	Primaire	Secondaire
Classe ordinaire (avec soutien ou classe-ressource) (Regroupements 1 et 2)	92 (78,0 %)	965 (35,4 %)	178 (6,3 %)
Classe spéciale (homogène ou hétérogène) (Regroupements 3 et 4)	14 (11,9 %)	1 607 (58,9 %)	2 078 (74,1 %)
École spéciale (Regroupement 5)	10 (8,5 %)	150 (5,5 %)	535 (19,1 %)
Centre d'accueil (Regroupement 6)	2 (1,7 %)	4 (0,1 %)	12 (0,4 %)
Centre hospitalier (Regroupement 7)	—	—	—
Domicile (Regroupement 8)	—	1 (0,0 %)	1 (0,0 %)

Source: Adapté de Ouellet (1996, p. 12).

TABLEAU 10.2 Répartition des élèves présentant une déficience de moyenne à sévère avec ou sans une autre déficience

Regroupement	Préscolaire	Primaire	Secondaire
Classe ordinaire (avec soutien ou classe-ressource) (Regroupements 1 et 2)	124 (52,3 %)	326 (26,1 %)	54 (3,0 %)
Classe spéciale (homogène ou hétérogène) (Regroupements 3 et 4)	31 (13,1 %)	576 (46,1 %)	938 (52,5 %)
École spéciale (Regroupement 5)	82 (34,6 %)	336 (26,9 %)	77 (43,5 %)
Centre d'accueil (Regroupement 6)	—	6 (0,5 %)	13 (0,7 %)
Centre hospitalier (Regroupement 7)	—	—	1 (0,1 %)
Domicile (Regroupement 8)	—	5 (0,4 %)	4 (0,2 %)

Source: Adapté de Ouellet (1996, p. 16).

TABLEAU 10.3 Répartition des élèves présentant une déficience intellectuelle profonde

Regroupement	Préscolaire	Primaire	Secondaire
Classe ordinaire (avec soutien ou classe-ressource) (Regroupements 1 et 2)	3 (5,5 %)	16 (6,2 %)	2 (0,4 %)
Classe spéciale (homogène ou hétérogène) (Regroupements 3 et 4)	14 (25,5 %)	113 (44,0 %)	181 (40,6 %)
École spéciale (Regroupement 5)	31 (56,4 %)	112 (43,6 %)	238 (53,4 %)
Centre d'accueil (Regroupement 6)	—	2 (0,8 %)	10 (2,2 %)
Centre hospitalier (Regroupement 7)	7 (12,7 %)	8 (3,1 %)	10 (2,2 %)
Domicile (Regroupement 8)	—	6 (2,3 %)	5 (1,1 %)

Source : Adapté de Ouellet (1996, p. 34).

et les résistances du personnel, les lacunes de la formation du personnel quant à l'intégration de ces enfants, le manque d'outils pédagogiques ou d'outils d'évaluation, les craintes liées à la participation des parents, l'attribution des ressources humaines et financières de même que les défis liés aux transformations organisationnelles (Garon, 1994). Horth (1994) indique que les enseignants ont des attitudes plutôt négatives au regard de l'intégration des élèves présentant une déficience intellectuelle moyenne. Quant à Beaupré (1994), elle observe plusieurs lacunes en ce qui a trait à l'intégration, dont le manque de préparation des enseignants pour intervenir auprès des élèves.

Malgré les difficultés, on a enregistré, au cours des dernières années, des changements importants. Ainsi, une étude menée par Goupil, Beaupré, Bouchard, Aubin, Horth, Mainguy et Boudreault (1995) auprès des parents et des enseignantes de 20 élèves présentant une déficience intellectuelle moyenne indique qu'à la fois les enseignantes et les parents semblent satisfaits des conditions d'intégration. Les enseignantes jugent que l'intégration est surtout profitable sur le plan social aux élèves intégrés. Elles soulignent aussi que l'intégration permet aux autres élèves d'apprendre à accepter la différence. Cependant, les enseignantes soulignent leur manque de préparation face à l'intégration.

L'ajout des services d'un aide-enseignant ou d'un éducateur spécialisé constitue un modèle de services couramment utilisé pour soutenir l'intégration des élèves au primaire. Cette personne est présente durant un nombre d'heures variant en fonction des milieux et des besoins des élèves. Blanchard et Stabile (s. d.) indiquent qu'il est préférable que cette personne soit rattachée directement à une classe plutôt qu'à un élève. Ces auteures indiquent :

> La présence constante de l'aide auprès de l'élève peut affaiblir sa participation au vécu de la classe et accroître sa dépendance. Il ne s'agit pas d'éliminer totalement sa présence auprès de l'élève mais bien de la doser. Tout comme les autres élèves, l'élève présentant une déficience intellectuelle doit apprendre à travailler sans la supervision constante de l'adulte et aussi apprendre à travailler avec ses pairs (p. 20).

Outre l'aide-enseignant, les milieux scolaires font appel à d'autres ressources pour soutenir l'intégration, comme l'orthopédagogue et l'enseignant itinérant.

Qu'il s'agisse d'élèves ayant une déficience légère, de moyenne à sévère ou encore profonde, les statistiques indiquent que peu d'élèves fréquentent des classes ordinaires du secondaire, et ce, même si des parents réclament cette mesure, parfois par des moyens légaux (Doré, Wagner et Brunet, 1996). Doré et autres (1996) notent que l'intégration au secondaire implique deux défis particuliers : celui concernant les élèves déficients et celui posé par l'école secondaire. Ces auteurs précisent : « Ainsi l'écart entre le niveau d'acquisition de l'élève présentant une déficience et celui des autres élèves est plus marqué au secondaire qu'au primaire et représente un défi particulier » (p. 48). L'école secondaire est structurée différemment de l'école primaire : l'enseignant rencontre plusieurs groupes d'élèves et l'école est davantage structurée par matières.

Analysant les différentes conditions souhaitables pour réussir l'intégration au secondaire, Doré et autres (1996) proposent un modèle, que présente la figure 10.2.

10.2.4 La transition de l'école à la vie adulte

Plusieurs élèves ayant une déficience intellectuelle bénéficient d'une période de scolarisation prolongée leur permettant de fréquenter l'école jusqu'à 21 ans. Malgré cette mesure, plusieurs jeunes adultes se retrouvent sans travail et souvent avec peu de loisirs dans leur communauté. Certains rencontrent des difficultés importantes touchant à l'adaptation à leur communauté, aux occasions restreintes de poursuivre des études postsecondaires, à des problèmes sociaux et personnels et à un sentiment profond de solitude (Halpern, 1990).

Dowdy et Evers (1996) associent le degré de succès des élèves dans les activités postsecondaires à la programmation établie par les écoles. Dans ce contexte, les écoles doivent devenir non seulement des lieux d'apprentissage d'habiletés scolaires, mais aussi des endroits où les élèves peuvent développer d'autres compétences, telles que les habiletés préparant au travail et à la vie résidentielle, l'apprentissage de l'utilisation des services et des loisirs dans la communauté et les habiletés leur permettant d'utiliser la technologie de plus en plus présente dans la société (comme le guichet automatique).

La transition ne doit pas être un effort qu'on fait à la dernière minute. Pour Dick (1992), si les parents et l'élève reçoivent l'information nécessaire uniquement lors de la dernière année scolaire, ils n'auront tout simplement pas le temps de se

FIGURE 10.2 Dimensions des conditions d'intégration au secondaire

Facteurs sociaux

- lois
- jugements des tribunaux
- intervenants scolaires et groupes de pression
- opinion publique

Programmes

- programme commun unique
- programme spécifique
- adaptations de programme
- matériel didactique
- sanction des études

Services de soutien

- spécialistes
- services thérapeutiques
- service d'aide à l'apprentissage
- bénévoles
- cercles d'amis et de soutien

Encadrement et suivi

- Plans éducatifs individualisés (PEI)
- Élaboration de plans d'action (EPA)
- Plan de transition individualisé
- indicateurs de réussite

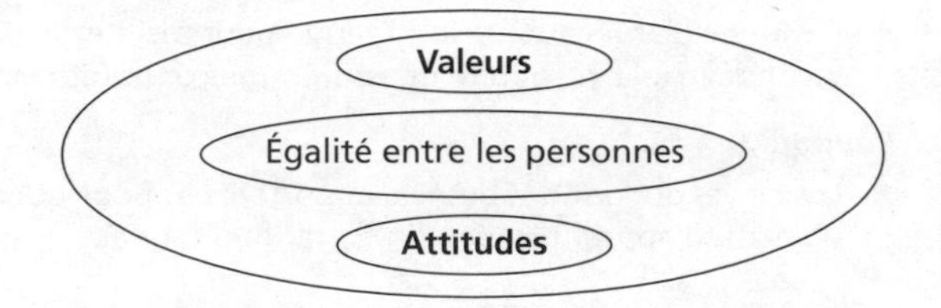

Organisation scolaire

- politiques
- culture de coopération
- structures d'intégration
- soutien administratif
- soutien budgétaire
- ressources
- transport, accessibilité
- ratios

Enseignement et apprentissage

- individualisation et personnalisation
- apprentissage coopératif
- enseignement dans une classe multiprogramme
- pédagogie de la maîtrise
- apprentissage par activités
- «tutorat»

Interactions avec le milieu

- collaboration école-famille
- collaboration école-collectivité

Préparation des agents

- personnes visées
- contenus des activités de préparation
- modalités de préparation

Source: Tiré de Doré et autres (1996, p. 81). Reproduit avec permission.

préparer au passage de ce dernier à la vie adulte et auront peu d'information sur l'accès aux services. L'école et les services ont aussi besoin de temps pour planifier les actions nécessaires. Le plan de transition devient donc un outil privilégié pour établir une programmation à plus long terme que celle du plan d'intervention, lequel est élaboré généralement pour une année scolaire. Le plan de transition facilite la mise en place des conditions visant la réalisation d'objectifs sur plusieurs années.

Le plan de transition repose sur une évaluation des besoins et des projets de l'élève. Hobbs et Allen (1989) suggèrent à l'enseignant d'explorer, avec les parents et l'élève, leurs perceptions de l'avenir quant aux études postsecondaires, à l'emploi, aux déplacements et à la mobilité dans la communauté, à la vie de famille, etc. Ces auteurs proposent aussi de se pencher sur les forces et les besoins de l'élève au regard de l'utilisation des services de la communauté, du travail, des habitudes à la maison, des loisirs et des soins personnels. Lorsque les intervenants, les parents et l'élève ont complété l'évaluation, ils se réunissent pour déterminer des objectifs. À la suite d'une étude sur cette question, Goupil, Tassé et Lanson (1996) ont mis au point, pour les écoles, un résumé de cette démarche (voir le tableau 10.4).

TABLEAU 10.4 Plan de transition entre l'école et la vie adulte

Qu'est-ce que c'est ?

- C'est une planification à long terme pour faciliter le passage de l'élève de l'école secondaire à la vie adulte et assurer une continuité entre les deux étapes de sa vie.

Pour qui ?

- Les élèves qui ont des besoins importants et pour qui il faut planifier à l'avance les objectifs d'apprentissage afin de faciliter leur autonomie lorsqu'ils auront quitté l'école.

Qui y participe toujours ?

- L'élève.
- Les parents.
- L'enseignant.

Quelles sont les autres personnes appelées à y participer régulièrement ou occasionnellement ?

- Les autres intervenants de l'école impliqués auprès de l'élève.
- Ceux des centres de réadaptation et des CLSC.
- Ceux des ressources communautaires.
- Ceux des milieux de travail.

Qu'inclut le plan de transition ?

- Des objectifs touchant les principaux secteurs de la vie de l'élève lorsqu'il aura quitté l'école : secteurs résidentiel, communautaire, des loisirs et du travail.

Quand fait-on un plan de transition ?

- Au moins cinq ans avant la sortie de l'école.

Qu'y a-t-il de différent entre le plan de transition et le plan d'intervention adapté ?

- Le plan de transition est à plus long terme. Il oriente les plans d'intervention annuels.
- Le plan de transition implique nécessairement la mise en place de liens avec la communauté.

Quels en sont les avantages ?

- Le plan de transition permet un regard sur le futur.
- Il évite au moment de la sortie de l'école de regretter que certains apprentissages n'y aient pas été réalisés.
- Le plan permet aussi aux différents partenaires du milieu scolaire, de la famille et de la communauté d'agir en concertation pour faciliter un passage graduel de la vie scolaire à la vie adulte.

→

TABLEAU 10.4 Plan de transition entre l'école et la vie adulte (suite)

Quelles en sont les difficultés ?

- Le plan de transition exige du temps.
- Il peut soulever plusieurs émotions liées aux discussions sur l'avenir de l'élève.
- Il peut exiger de prévoir des moyens alternatifs de communication (ex. : pictogramme) pour faciliter la participation des élèves ayant des difficultés importantes d'expression ou de compréhension.

Quelles démarches et quels outils utiliser ?

- Différents outils ont été développés, plus particulièrement aux États-Unis.
- Les écoles peuvent adopter les outils et la démarche qui leur conviennent le mieux.
- Les ressources de l'école et de la communauté sont utilisées.

Quelles informations seront nécessaires pour considérer la globalité de la personne ?

Les informations dans les domaines suivants faciliteront la rédaction du plan de transition :

- Communication.
- Habiletés domestiques.
- Utilisation des ressources communautaires.
- Santé et sécurité.
- Loisirs.
- Sexualité.
- Soins personnels.
- Habiletés sociales.
- Autonomie.
- Habiletés scolaires.
- Travail.
- Etc.

Quels changements résultent de la démarche du plan de transition ?

- Collaboration de toutes les ressources susceptibles de soutenir l'intégration sociale et communautaire de la personne.
- Planification des démarches préparatoires à l'obtention d'un emploi et probabilité de succès accrue.
- Adoption d'un mode de vie résidentielle correspondant au degré maximal d'autonomie pouvant être atteint par la personne.
- Utilisation facilitée des services communautaires et des services publics.
- Participation s'accroissant progressivement aux loisirs de la communauté.

Source : Tiré de Goupil, Tassé et Lanson (1996).

10.3 DES DOMAINES D'INTERVENTION

Outre les périodes de vie, le développement global de la personne s'avère important. Étant donné les besoins diversifiés des élèves ayant une déficience intellectuelle, l'intervention s'exerce dans plusieurs sphères. Nous verrons quelques-unes de ces sphères.

10.3.1 La communication

Dans le développement d'une personne, l'habileté à communiquer avec les autres est essentielle. Un problème pour plusieurs élèves présentant une déficience intellectuelle réside dans le retard du développement de la parole et du langage. La gravité des problèmes de communication s'accentue en fonction du degré de retard mental. Certains élèves ayant une déficience légère s'expriment bien et communiquent facilement. Les élèves ayant une déficience profonde présentent un retard majeur. Plusieurs ne parlent pas et utilisent des modes de communication primaires (cris, pleurs, sourires), que le milieu a souvent du mal à reconnaître. Les personnes ayant une déficience intellectuelle ont également plus de difficulté que les autres à interpréter les expressions du visage de leurs interlocuteurs (Winzer, 1996). Certains problèmes d'élocution sont associés à des déficiences physiques : des fissures palatines, un tonus musculaire déficient, etc.

L'approche utilisée avec l'élève pour l'aider à communiquer dépendra de ses besoins et de ses capacités. Des élèves bénéficient d'un entraînement à la communication orale. Les parents et les enseignants favorisent cette communication en profitant des occasions qu'offrent quotidiennement les divers milieux de vie de l'élève, que ce soit l'école, les loisirs, la maison, etc.

Certains élèves ont besoin de moyens davantage adaptés pour pouvoir communiquer. On recourt alors à des signes, à des pictogrammes, à des tableaux ou encore à des appareils électroniques. Il importe d'amener ces élèves à utiliser leurs capacités en leur permettant de communiquer leurs besoins et d'échanger avec les autres.

10.3.2 Le développement de l'autonomie dans la vie quotidienne

Pour certains élèves présentant une déficience intellectuelle, l'intervention dans la famille ne sera pas suffisante pour leur apprendre les habiletés nécessaires à l'autonomie dans la vie quotidienne (Saint-Laurent, 1994). Des actions telles que l'habillage, le déshabillage, l'entretien des vêtements et la préparation des repas demandent un apprentissage systématique. Cet apprentissage se réalise dans divers contextes : à la maison, à l'école, dans les loisirs, etc. Les éducateurs tiennent également compte de l'âge de l'élève. Tous ces apprentissages permettront à la personne d'être plus autonome.

10.3.3 L'insertion sociale

Un autre champ d'intervention important concerne l'insertion sociale de l'élève à l'école et dans sa communauté. Lanson (1995) définit ainsi les buts de l'insertion sociale des élèves ayant une déficience intellectuelle moyenne ou sévère :

- Accroître l'autonomie et la responsabilité des jeunes dans les habitudes de vie quotidienne ;
- développer des attitudes appropriées dans leurs contacts avec les personnes jeunes ou adultes du monde « ordinaire » ;
- développer des habiletés permettant aux jeunes d'accéder et d'utiliser avec aise les services publics ou communautaires offerts à toute la population ;
- assurer le développement des attitudes et des habiletés qui permettront aux personnes ayant une déficience intellectuelle d'apporter leur contribution à la société (p. 5).

Les interactions avec les autres sont nécessaires, voire fondamentales dans la plupart de nos actions quotidiennes. Par exemple, faire des achats ou louer une cassette vidéo demande des interactions minimales. Citant les travaux de Chadsey-Rusch, Haring (1993) indique que la cause principale de la perte d'un emploi chez les personnes handicapées est reliée à des comportements sociaux inappropriés. Pour cet auteur, il y a plusieurs raisons qui justifient l'apprentissage des interactions sociales :

1. Les parents estiment que les relations sociales et le fait de se faire des amis sont une de leurs principales préoccupations au sujet de leur enfant.
2. Les modèles actuels favorisant l'intégration proposent une intégration directe dans des contextes normalisés. Il est donc essentiel que l'élève développe des habiletés sociales afin qu'il ne soit pas marginalisé ou isolé de ses pairs.
3. Les interactions sociales sont essentielles dans la vie quotidienne.
4. Plusieurs comportements inadaptés ont souvent des fonctions de communication. Haring (1993) indique que, plutôt que de faire porter l'intervention directement sur la réduction du nombre de ces comportements, il peut être plus efficace de les remplacer par des comportements permettant les échanges et le développement de la communication.

Plusieurs actions favorisent l'insertion sociale des élèves. Lanson (1995) précise les suivantes : faciliter les interactions avec des personnes qui n'ont pas une déficience intellectuelle, proposer l'accomplissement d'activités correspondant à l'âge chronologique de l'élève (ainsi, éviter la visite au père Noël à un jeune de 15 ans), prévoir la répétition requise pour l'apprentissage, mettre en place des conditions facilitant l'apprentissage (une activité préparée, objectivée) et favoriser la fréquentation de lieux ouverts au public en général.

Haring (1993) indique qu'on doit tenir compte du contexte physique et social des interactions. Ainsi, certains jeux entraînent des interactions alors que d'autres loisirs (comme regarder la télévision) représentent surtout des activités solitaires. Outre qu'il analyse les conditions de l'environnement qui facilitent les contacts avec les autres, Haring propose des interventions plus systématiques pour favoriser le développement de compétences sociales : faire l'apprentissage d'un répertoire d'habiletés au jeu, apprendre à commencer une interaction, apprendre aux pairs à entreprendre des interactions avec l'élève déficient et faire l'apprentissage systématique d'habiletés sociales.

Dans les écoles, différentes actions favorisent l'insertion sociale, comme le tutorat, le jumelage d'élèves ou le parrainage (Lanson, 1995). Dans certains milieux spécialisés, les classes accueillent des élèves du secteur régulier à des activités qui sont souvent ludiques. Il est alors question d'« intégration inversée ».

10.3.4 L'apprentissage des matières scolaires de base

Selon le ministère de l'Éducation du Québec (1996b), « le français, la mathématique de même que la gestion du temps, de l'argent et de l'espace sont essentiels pour vivre de façon autonome dans la communauté et pour occuper un emploi. Ce sont des outils pour l'insertion dans tout milieu humain » (p. 36).

Comme nous l'avons vu, les besoins et les capacités des élèves présentant une déficience intellectuelle sont diversifiés. Par exemple, des élèves ayant une déficience légère pourront lire et écrire des textes variés. Pour d'autres qui ont une déficience plus importante, la situation sera différente. Ainsi, des élèves acquerront surtout une lecture fonctionnelle leur permettant de reconnaître les mots ou les symboles utilisés pour la sécurité, dans les transports et les lieux publics. Il est difficile, ici, de faire des généralisations. Saint-Laurent (1994) écrit à ce sujet :

> Les élèves présentant un déficit intellectuel de moyen à sévère doivent développer au maximum leurs connaissances et habiletés dans les matières scolaires. Les habiletés en lecture, écriture et mathématiques les rendront plus aptes à fonctionner dans la communauté. […] Des activités agréables comme lire un livre ou écrire à un ami sont en effet accessibles à certains d'entre eux (p. 149).

Saint-Laurent (1994) indique qu'il faut prendre en considération plusieurs facteurs dans l'apprentissage des matières scolaires : l'âge de l'élève, son niveau d'habileté, ses habiletés en langage oral et écrit, son style d'apprentissage, le caractère fonctionnel des apprentissages, le principe de participation partielle et l'utilisation d'adaptations. Pour cette auteure, « l'important c'est de donner l'occasion à chacun de développer ses capacités » (p. 152).

L'encadré présente un texte écrit par une élève ayant une trisomie.

Texte de Karine, élève ayant une trisomie*

Nom: Karine 3e C Date: ______

Bonjour

Je me nomme Karine J'ai douze ans. J'ai des cheveux longs et châtain - brun. Je suis en 3c à l'école Baril. Je porte des lunnettes rouges. Je ecris une lettre pour avoir une nouvelle amie. J'aimerai que mon amie écrive une lettre. Moi J'aime aller aux cinimas. J'aime aller aux restorants. Je suis un peuX gourmande. J'aime manger la tarte au sucre. Moi Je suis gentille avec mes amies

Je t'embrasse fort.

Nom: Karine
adresse: ______

* Nous remercions Jasmine Bélanger, enseignante à la CECM, et la mère de Karine de nous avoir permis de publier ce texte.

10.3.5 Autres secteurs d'apprentissage

L'élève ayant une déficience intellectuelle pourra avoir besoin d'interventions dans d'autres domaines. Ces interventions varieront, bien sûr, en fonction de ses besoins et de ses capacités. Parmi les autres domaines d'intervention, mentionnons la motricité, la préparation au travail et l'apprentissage aux loisirs.

10.4.1 L'évaluation des besoins

Pour le ministère de la Santé et des Services sociaux du Québec (1988), « la personne présentant une déficience intellectuelle a les mêmes besoins fondamentaux que toute autre personne » (p. 10). Si la personne a des besoins particuliers, il ne faut pas perdre de vue la globalité de sa personne et la réduire à sa déficience. Par ailleurs, nous avons vu précédemment que les élèves ayant une déficience intellectuelle représentent une population dont les besoins et les habiletés sont hétérogènes. Cette hétérogénéité rend difficiles les généralisations quant à la nature des besoins ou encore à leur évaluation (Ardizzone et Scholl, 1985). Certains enfants ayant une déficience légère présentent surtout un retard dans les apprentissages scolaires. Les moyens d'évaluation et d'intervention présentés dans ce chapitre peuvent alors être utilisés en classe. Cependant, d'autres élèves ayant une déficience plus sévère ou encore des problèmes qui y sont associés ont besoin d'évaluations et d'interventions différentes. Le développement de comportements d'autonomie ou de comportements adaptatifs peut devenir, dans certains cas, la cible principale de l'intervention. Par ailleurs, dès leur naissance et parfois tout au long de leur vie, certains enfants peuvent avoir besoin d'évaluations et d'interventions très spécialisées : médicales, diététiques, voire chirurgicales (par exemple dans les cas d'hydrocéphalie). Comme ce livre constitue une introduction, nous n'entrerons pas dans le détail. Nous invitons plutôt le lecteur à consulter l'ouvrage de Serban Ionescu (1987), qui consacre plusieurs chapitres à ces types d'interventions.

Idéalement, l'évaluation doit être continue. Les moyens utilisés peuvent varier en fonction des progrès, des besoins, de la période de vie ou encore des difficultés particulières des élèves. Ainsi, pour des jeunes prêts à s'intégrer dans des ateliers ou à entrer sur le marché du travail, l'évaluation est axée sur les habiletés de type professionnel ; elle est réalisée par les éducateurs ou les enseignants. Pour d'autres jeunes, l'aide d'un personnel spécialisé s'avère nécessaire.

10.4.2 Le choix des objectifs d'intervention

Qu'il s'agisse du plan d'intervention ou du plan de services, lors de la planification de l'intervention, il faut considérer le processus éducatif dans son ensemble. L'école n'a pas pour seule mission d'apprendre à lire et à compter (ou à s'y préparer) ; elle vise aussi le développement global de la personne. L'élève, par l'observation, par des contacts quotidiens avec ses pairs, réalise plusieurs autres apprentissages que ceux inscrits au programme ! Dans la sélection des objectifs d'intervention, cette finalité a une grande importance. D'ailleurs, Brown, Branston, Hamre-Nietupski, Pumpian, Certo et Gruenewald (1980) remettent en question la façon dont certains objectifs d'apprentissage ont été choisis pour les enfants ayant une déficience intellectuelle. Ces auteurs décrivent et critiquent ainsi certaines hypothèses ayant guidé le choix d'objectifs :

L'hypothèse de l'écart A.M. (âge mental) – A.C. (âge chronologique)

Pendant des années, les professionnels ont dit aux parents : « Oui, Monsieur Jones, votre enfant a vingt ans et terminera l'école dans dix mois, mais il a un

ÂGE MENTAL DE QUATRE. C'est pourquoi nous lui apprenons à chanter "Quand tu es heureux et que tu le sais frappe tes mains" ; c'est pourquoi nous lui enseignons à toucher longtemps plutôt que brièvement, à toucher de gros objets plutôt que de petits, à toucher une carte avec quatre sous collés dessus. »

L'hypothèse d'un stade plus ancien

Pendant des années, les professionnels ont dit aux parents : « Oui, Madame Smith, votre enfant a dix-huit ans et terminera bientôt son programme d'entraînement. Néanmoins, vous devez réaliser qu'au plan DÉVELOPPEMENT, elle fonctionne seulement au phallique tertiaire proche du trajet sensitif-olfactif au niveau préopératoire précoce. C'est pourquoi nous lui enseignons à imiter l'empreinte du pied, à pairer des cuillères en plastique avec des images de ces cuillères, à descendre et monter la fermeture éclair la plus artificiellement grosse et non fonctionnelle du monde, et à passer un sachet de sable à son voisin dans un cercle » (p. 159).

Brown, Shiraga, Rogan, York, Zanella, McCarthy, Loomis et VanDeventer (1985) précisent que, pour les personnes ayant une déficience sévère, les objectifs d'apprentissage doivent être appropriés à l'âge chronologique, nécessaires à l'âge adulte, appréciés de l'élève et valorisés par les parents. De plus, ces objectifs doivent être fonctionnels, c'est-à-dire utiles dans la vie de l'élève. Il faut que ceux-ci favorisent les interactions sociales et en particulier les contacts avec les personnes qui ne sont pas déficientes. L'élève doit aussi être capable d'apprendre cette habileté dans un temps raisonnable ! Il ne s'agit donc pas uniquement de choisir des objectifs bien formulés ; il faut aussi s'interroger sur leur pertinence et sur leur apport au développement global de la personne.

Avant de choisir ces objectifs et les priorités éducatives, Magerotte (1984b) propose qu'on s'interroge au sujet de plusieurs critères de sélection de ces objectifs : (1) le décalage entre les comportements du sujet et ceux de ses pairs ; (2) l'importance du décalage entre les divers acquis d'un sujet ; (3) une évolution préoccupante dans le temps ; (4) les exigences de vie du sujet dans son milieu familial, scolaire et socioprofessionnel ; (5) l'accord entre les personnes pour reconnaître l'existence d'une difficulté et leur accord quant au choix des finalités ; (6) la compatibilité des priorités retenues avec les apports des sciences humaines (en particulier les sciences psychologiques et pédagogiques) et (7) l'acceptabilité éthique de l'objectif.

Enlever son chandail

1. Tenir le bord du vêtement avec les deux mains ;
2. Tirer le vêtement en dessous des bras ;
3. Mettre son bras en dessous du vêtement ;
4. Pousser contre la manche de l'autre bras ;
5. Enlever la main de la manche ;
6. Répéter les étapes 3, 4 et 5 pour l'autre manche ;
7. Placer ses deux mains sous le chandail ;
8. Pousser le chandail au-dessus de la tête.

Source : Tiré de l'école Peter Hall (1983, p. 71).

Ces principes à la base de la formulation des objectifs ont déjà été décrits dans les chapitres précédents. Toutefois, pour que les objectifs soient plus faciles à atteindre, il convient, pour certains comportements, d'utiliser ce qu'on appelle l'analyse de tâche. Cette opération « consiste à décomposer un comportement complexe en plusieurs comportements simples différents qui se suivent dans un ordre déterminé » (Magerotte, 1984b, p. 184).

10.4.3 Des principes pédagogiques facilitant l'action éducative

Une fois les objectifs déterminés, il s'agit de passer à l'étape de l'apprentissage:

> Les lois de l'apprentissage sont les mêmes pour tous et l'élève déficient mental moyen, loin d'y échapper, nous le rappelle avec beaucoup d'acuité. En effet, c'est à partir des lois fondamentales de l'apprentissage que celui-ci apprend, laissant une formidable responsabilité au pédagogue (Ministère de l'Éducation du Québec, 1983a).

Le ministère de l'Éducation du Québec (1996b) présente une série de principes facilitant l'apprentissage des élèves qui ont une déficience intellectuelle (voir le tableau 10.5). Il est à noter que ces principes sont des principes généraux qui seront également utiles aux élèves ne présentant aucune déficience particulière.

TABLEAU 10.5 Synthèse des principes fondamentaux de l'action éducative

Considérer l'apprentissage comme un processus actif

- Favoriser l'expérimentation et la découverte par l'élève.
- Encourager la prise en charge par l'élève.
- Guider discrètement les essais.
- Favoriser la participation active de l'élève aux activités de la classe.

Rendre les activités d'apprentissage signifiantes

- Chercher à atteindre les objectifs essentiels.
- Proposer des tâches signifiantes ayant des retombées utiles, fonctionnelles et immédiates.
- Exploiter les contextes réels d'utilisation d'un apprentissage.
- Informer l'élève des résultats attendus et de l'utilité de l'apprentissage.

Reconnaître la contribution des connaissances antérieures dans l'apprentissage

- Prendre en considération les connaissances antérieures de l'élève au moment de la planification d'un nouvel apprentissage.
- Fournir à l'élève des indices favorisant le rappel des connaissances antérieures.
- Assurer la stabilité sémantique (sens) et morphologique (forme) de l'information.

Faciliter les apprentissages en réduisant la complexité des tâches

- Adapter le travail, le matériel.
- Simplifier la tâche.
- Recourir à des ressources compétentes et disponibles: les autres élèves.

Présenter à l'élève des défis raisonnables

- Faire expérimenter la réussite pour renverser le sentiment d'échec.
- Donner à l'élève la possibilité de faire un choix d'activité ou de matériel.
- Valoriser les petits succès.
- Réduire la dépendance («externisme»).

→

TABLEAU 10.5 Synthèse des principes fondamentaux de l'action éducative (suite)

Privilégier le circuit visuel

- Amplifier les indices de l'objet.
- Aménager le milieu de manière à faciliter la visualisation des stimuli.
- Fournir des occasions quotidiennes d'adaptation sociale.

Attirer et contrôler l'attention

- Utiliser du matériel signifiant et attrayant.
- Éliminer ou contrôler les stimuli non pertinents.
- Exploiter certains éléments de l'expression verbale.

Guider l'apprentissage

- Présenter des modèles à imiter.
- Soutenir l'action et la réflexion de l'élève par la médiation.
- Moduler les interventions de « guidage » et de médiation.

Soutenir la motivation

- Donner du sens aux activités.
- Souligner les progrès et les réussites.
- Prodiguer à l'élève des félicitations pour ses efforts.
- Encourager constamment l'élève (rétroaction, renforcement, récompense).
- Fournir à l'élève les possibilités de faire comme les autres de son âge.

Assurer la rétention des apprentissages par des exercices répétés de pratique autonome

- Diminuer l'accompagnement au profit d'une plus grande prise en charge par l'élève.
- Intensifier les mises en situation de pratique autonome de l'activité (fréquence élevée et milieux variés).
- Stabiliser la maîtrise de l'habileté cognitive ou sociale.

Prévoir des activités de transfert

- Choisir des contextes se rapprochant le plus possible des contextes naturels d'utilisation de la connaissance ou de l'habileté.
- Rendre explicites les conditions de transfert.
- Décontextualiser les connaissances.
- Travailler en collaboration étroite avec les parents pour s'assurer de l'application des apprentissages dans la vie quotidienne.

Source : Tiré du ministère de l'Éducation du Québec (1996b, p. 31).

10.5 LES MÉTHODES ET APPROCHES D'INTERVENTION

Au fil des ans, on a fait appel à des méthodes d'intervention spécifiques auprès des élèves ayant une déficience intellectuelle. Parmi les méthodes psychologiques employées avec les personnes ayant une déficience intellectuelle, Ionescu (1987) présente les approches suivantes : la modification du comportement, les applications de la théorie piagétienne et les psychothérapies (comme la thérapie par le jeu ou par l'art). Quant à Henley (1985), il définit les approches éducatives suivantes pour les élèves intégrés dans une classe ordinaire : les méthodes cognitives (par exemple de type piagétien), l'analyse de tâche (bien que cette méthode soit fréquemment associée à l'approche behavioriste), l'approche behavioriste, l'approche écologique et les approches axées sur la préparation au travail (*career education*). D'autres approches privilégient l'éducation cognitive ou encore l'éducation intégrée à la communauté. Nous verrons sommairement quelques-unes de ces approches.

10.5.1 L'approche behavioriste

Le retard mental est le domaine auquel l'analyse et la modification du comportement ont été les plus appliquées (L'Abbé et Marchand, 1984). Selon Giroux (1979), l'approche behavioriste a été utilisée dans des sphères diverses : l'acquisition de comportements d'autonomie et d'indépendance personnelles (par exemple l'apprentissage de l'habillage), de comportements sociopersonnels (par exemple la diminution des comportements d'automutilation), sociaux, linguistiques, d'étude, de travail, de discipline à l'école et, finalement, de travail manuel et de prétravail.

Comme nous l'avons vu au chapitre 8, l'approche behavioriste découle des principes de la psychologie de l'apprentissage. Elle concerne l'étude de méthodes visant à augmenter ou à diminuer la fréquence des comportements. De plus, elle met l'accent sur les relations entre l'individu et son environnement (L'Abbé et Marchand, 1984). Décrivant les applications de l'approche behavioriste dans le domaine de la déficience, Giroux (1979) indique que la modification du comportement s'effectue selon les opérations suivantes : (1) l'analyse du motif de l'intervention ; (2) l'évaluation initiale ; (3) l'interprétation des résultats de la première évaluation ; (4) la recherche des objectifs d'intervention ; (5) la programmation de l'intervention ; (6) l'étude des résultats de l'intervention et l'ajustement du programme d'intervention ; (7) la finalisation de l'intervention et la planification du transfert des acquisitions.

Pour les champs mentionnés, les chercheurs behavioristes ont élaboré de nombreuses méthodes et différents programmes en vue de faciliter les apprentissages des personnes ayant une déficience intellectuelle. Ainsi trouve-t-on des méthodes d'apprentissage à la propreté (Foxx et Azrin, 1973), d'augmentation des comportements d'attention en classe (Comeau et Poulet, 1980), de réduction des comportements déviants en classe (Comeau et Poulet, 1980), d'amélioration des comportements liés à l'autonomie (Forget, Lalonde et Bélanger, 1978), etc.

10.5.2 Les approches piagétienne, développementale et cognitive

Jean Piaget s'est surtout intéressé au développement de l'intelligence chez les enfants normaux. Dans cette optique, des chercheurs se sont penchés sur le développement cognitif des enfants ayant une déficience intellectuelle. La théorie piagétienne considère l'intelligence comme une capacité d'adaptation du comportement aux exigences du milieu. Cette adaptation relève d'une dynamique entre le processus d'assimilation (un processus qui permet d'assimiler la nouvelle information et de la relier à celle existant déjà dans les structures cognitives) et le processus d'accommodation (une modification des activités cognitives en vue de s'adapter aux situations nouvelles). Le développement de l'intelligence s'effectue graduellement : il commence avec la période sensorimotrice, se poursuit avec la période préopératoire et opératoire concrète, et se termine avec la période des opérations formelles.

Selon Jourdan-Ionescu (1987), les applications de la théorie piagétienne aux enfants ayant une déficience intellectuelle ont surtout porté sur l'évaluation de leur développement cognitif, l'élaboration d'instruments d'évaluation et finalement la mise en place de programmes d'intervention. Ces derniers ont pour but d'agir sur le développement à diverses périodes : par exemple à la période sensorimotrice ou à la sous-période des opérations concrètes. Toujours selon cette auteure, des recherches expérimentales (Boersma et Wilton, 1976 ; Paour, 1979 ; Richards et Stone, 1970, tous cités dans Jourdan-Ionescu, 1987) ont visé l'acquisition d'opérations chez l'enfant déficient, telles que la conservation et la relation gauche-droite.

L'éducation cognitive a aussi été utilisée auprès d'élèves ayant une déficience intellectuelle. De multiples programmes visent l'actualisation du potentiel intellectuel. Pour Büchel et Paour (1990), le potentiel intellectuel désigne « des capacités cognitives qui ne peuvent s'exprimer qu'après une période d'aide apportée au cours d'une période d'apprentissage » (p. 89). Ces programmes sont nombreux.

Reuven Feuerstein a élaboré une méthode de rééducation cognitive appelée Programme d'enrichissement instrumental. La composante principale de ce programme repose sur la notion de médiation. Pour Feuerstein, les personnes qui entourent l'enfant (ses parents, ses frères et ses sœurs, etc.) jouent un rôle de médiation dans le développement de ses fonctions cognitives. Le médiateur soutient l'enfant en l'aidant à organiser et à ordonner les événements (Feuerstein, Rand et Rynders, 1988).

Le Programme d'enrichissement instrumental de Feuerstein est destiné, entre autres, à améliorer les habiletés de résolution de problèmes des élèves qui présentent un retard de développement. Le programme inclut des exercices et un système d'enseignement basé sur la médiation. Les exercices sont regroupés en contenus spécifiques tels que l'orientation dans l'espace et la catégorisation.

Dans la même lignée, intégrant les travaux de Feuerstein et de Sternberg, Pierre Audy a mis au point, au Québec, le programme Actualisation du potentiel intellectuel (API). Audy, Ruph et Richard (1993) y ont inclus 83 stratégies de résolution de problèmes. Le programme privilégie aussi la médiation. L'API met les élèves face à des situations de résolution de problèmes qu'ils réussiront en utilisant la stratégie appropriée. Audy et autres (1993) indiquent que le programme a surtout donné lieu à des recherches exploratoires qui seront soumises à des vérifications dans des programmes de recherche plus élaborés. Signalons que cette approche fait actuellement l'objet, auprès d'élèves présentant une déficience intellectuelle moyenne, d'une étude portant sur l'acquisition de stratégies de résolution de problèmes et sur leur transfert dans des tâches reliées au marché du travail (Sénéchal, 1996).

En France, depuis plusieurs années, Paour (1991) effectue des recherches sur l'apprentissage cognitif à l'aide de tâches d'inspiration piagétienne auprès d'enfants présentant une déficience intellectuelle. Il insiste sur le rôle déterminant de l'environnement dans le développement de la personne. Pour cet auteur, l'éducation cognitive des élèves ayant une déficience intellectuelle doit viser les objectifs suivants : (1) favoriser le développement de connaissances déclaratives et procédurales d'origine logico-mathématique ; (2) favoriser l'amélioration des réseaux conceptuels ; (3) faire acquérir des stratégies spécifiques et générales de réception de l'information, de résolution de problèmes, de compréhension, de mémorisation et d'apprentissage ; (4) faire acquérir des savoirs et des savoir-faire métacognitifs ; (5) favoriser l'automatisation de ces savoirs et (6) favoriser la motivation intrinsèque (Paour, 1991).

10.5.3 L'approche écologique et l'éducation intégrée à la communauté

L'approche écologique est centrée sur les modalités d'interaction de l'enfant avec les autres à l'intérieur de systèmes sociaux tels que l'école, la famille et le voisinage. Chaque système se caractérise par un ensemble de valeurs qui lui sont propres (Henley, 1985). Dans ces systèmes, les acteurs interagissent les uns avec les autres, les comportements de l'un influençant les comportements de l'autre. Le point de vue écologique tient compte des interactions autant dans la classe que dans l'école entière. La cohésion entre les divers systèmes et la communication facilitent l'intégration de l'enfant dans la communauté (Henley, 1985).

Contrairement aux approches traditionnelles, où les habiletés de l'enfant et ses capacités personnelles sont isolées, où ses déficiences sont identifiées, l'approche écologique reconnaît l'importance des ressources de l'environnement. Elle présume que l'individu n'agit pas indépendamment des influences extérieures et étudie comment l'environnement produit des changements (Oka et Scholl, 1985).

Plusieurs auteurs (Gresham, 1981 ; Hill, Wheman et Horts, 1982 ; Johnson, Johnson et Mariyane, 1983 ; Kohl et Beckman, 1984, tous cités dans Brinker et Thorpe, 1986) ont étudié divers aspects de l'approche écologique et leurs effets sur les comportements des enfants déficients. Parmi les aspects étudiés, notons l'environnement physique et humain, le matériel disponible, les interactions sociales, la participation des intervenants à différents programmes de formation et les politiques (Brinker et Thorpe, 1986). Boudreault, Déry et Rousseau (1994) indiquent que, dans le cadre de l'approche écologique, le réseau social et les types d'activités sont des indicateurs de la qualité de la vie. Le réseau de soutien de la personne est important en ce qui a trait à son adaptation à sa communauté. Il en est de même pour les activités (comme les loisirs).

Plus particulièrement, Brinker et Thorpe (1986) ont étudié la contribution proportionnelle d'éléments écologiques comme agents de prédiction des interactions sociales des enfants déficients avec les enfants qui n'ont pas de difficulté. Les éléments retenus sont les suivants : (1) le soutien de l'école et de l'enseignant ; (2) la planification éducative ; (3) les habiletés fonctionnelles selon l'âge des enfants déficients ; (4) le nombre et le type de personnes dans l'environnement ; (5) l'organisation de l'environnement physique et (6) l'environnement interactif déterminé par les comportements des autres élèves envers les enfants en difficulté. Suivant les résultats obtenus, 32 % de la variance du degré d'intégration est déterminé par les interactions des deux groupes d'élèves. Ces auteurs concluent que les enfants qui n'ont pas de difficulté sont la clé du succès d'une intégration réussie pour les enfants déficients.

Pour Brown (cité dans Saint-Laurent, 1993), le « but de l'éducation est l'intégration socioprofessionnelle future, c'est-à-dire vivre, travailler et s'amuser dans des environnements hétérogènes et variés » (p. 155). Ainsi, l'école doit viser l'intégration à la communauté et un comportement le plus autonome possible. Saint-Laurent (1994) mentionne qu'au cours des dernières années les programmes écologiques fonctionnels sont devenus des programmes éducatifs intégrés à la communauté. Les programmes intégrés à la communauté proposent, entre autres, de développer des habiletés dans les domaines suivants :

1) la vie à la maison, soit les activités importantes dans la vie quotidienne, comme se laver et entretenir ses vêtements ;
2) la vie communautaire, soit les activités dans la communauté, comme se déplacer de manière sécuritaire, prendre les transports en commun, fréquenter les lieux publics et faire des achats ;
3) les loisirs, soit les activités visant à occuper le temps libre et à améliorer la qualité de la vie ; les loisirs permettent des interactions avec la famille, le voisinage et les membres de la communauté ;
4) le travail, soit le fait d'occuper un emploi réel rémunéré.

Dans une perspective d'éducation intégrée à la communauté, la scolarisation dans l'école du quartier devient une condition du développement de ces habiletés. Les contacts avec des élèves non handicapés constituent une exigence de ces programmes, l'intégration scolaire, sociale et communautaire en étant l'assise. Cette approche vise à élargir le répertoire de comportements de la personne de façon qu'elle ait accès à plusieurs activités et milieux.

Le programme d'éducation intégrée à la communauté mise sur la collaboration avec les parents, l'établissement d'un plan d'intervention personnalisé et d'un plan de transition. Pour Saint-Laurent (1994), les caractéristiques de ces programmes sont les suivantes :

> [...] l'intégration scolaire, l'individualisation de l'enseignement, les domaines de vie, les habiletés fonctionnelles, l'âge chronologique approprié, le transfert des apprentissages, la pratique répétée, la collaboration avec la famille, la pédagogie en milieu naturel, le principe de participation partielle [rendre l'élève capable de participer partiellement à des activités plutôt que de l'exclure totalement], les adaptations individualisées et le plan de transition (p. 34).

Ces diverses approches que nous avons abordées semblent à première vue relativement différentes. Cependant, l'éducateur peut puiser dans chacune de ces approches des moyens qu'il utilisera à titre complémentaire lors de son intervention auprès de l'élève.

RÉSUMÉ

Au moment de l'intervention auprès de l'élève ayant une déficience intellectuelle, il est important de considérer à la fois ses caractéristiques personnelles et celles de son environnement. En effet, le processus d'apparition du handicap constitue une interaction de ces deux facteurs qu'on devra prendre en considération lors de la planification des actions éducatives. Les élèves ayant une déficience intellectuelle bénéficient de mesures de scolarisation diversifiées : des classes ordinaires, des classes et des écoles spéciales, etc. On note toutefois que peu d'élèves déficients sont dans les classes ordinaires au secondaire. L'intervention auprès de l'élève s'exerce dans de multiples secteurs, dont l'apprentissage d'habiletés scolaires, l'insertion sociale et la communication. Au fil des années, on a élaboré plusieurs méthodes d'intervention pour faciliter les apprentissages des élèves : les approches développementale, cognitive, écologique, intégrée à la communauté, etc.

QUESTIONS

1. Quels éléments influencent la planification des services éducatifs à l'intention des élèves ayant une déficience intellectuelle ?
2. Quelle est l'importance des transitions d'une période de vie à l'autre pour les parents qui ont un enfant présentant une déficience intellectuelle ?
3. Quels sont les avantages de l'engagement des parents dans l'intervention ?
4. Quels sont les éléments à considérer lors du choix d'objectifs d'intervention auprès des élèves ayant une déficience intellectuelle ?
5. Qu'est-ce qu'une analyse de tâche ?
6. Donnez deux exemples d'approches utilisées avec les élèves ayant une déficience intellectuelle.
7. Décrivez sommairement le type de recherches qui ont comparé la classe spéciale à la classe ordinaire comme modes de scolarisation.

LECTURES SUGGÉRÉES

DORÉ, R., WAGNER, S. et BRUNET, J.-P. (1996). *Réussir l'intégration scolaire. La déficience intellectuelle.* Montréal : Les Éditions Logiques.

IONESCU, S. (sous la dir. de) (1987). *L'intervention en déficience mentale. Volume 1. Problèmes généraux. Méthodes médicales et psychologiques.* Bruxelles : Pierre Mardaga éditeur.

SAINT-LAURENT, L. (1994). *L'éducation intégrée à la communauté en déficience intellectuelle.* Montréal : Les Éditions Logiques.

Les élèves présentant un trouble autistique

OBJECTIFS

Après avoir lu ce chapitre, le lecteur devrait pouvoir :

- décrire ce que sont, selon le ministère de l'Éducation du Québec, les troubles sévères de développement ;
- faire l'historique de la découverte de l'autisme ;
- préciser les critères utilisés dans le diagnostic de l'autisme ;
- décrire les principales caractéristiques de l'autisme ;
- présenter deux programmes psychoéducatifs à l'intention des élèves autistes.

INTRODUCTION

L'autisme est considéré par le ministère de l'Éducation du Québec comme un trouble sévère de développement. Dans ce chapitre, nous verrons, dans un premier temps, la définition que le Ministère donne de ces élèves. Puis, nous tracerons un bref historique de l'autisme et indiquerons comment le DSM IV le classifie. Par la suite, nous présenterons le taux de prévalence de l'autisme, ses causes, ses critères diagnostiques et les méthodes d'évaluation. Enfin, nous examinerons les principales caractéristiques de l'autisme et décrirons quelques méthodes d'intervention. Les méthodes d'O. Ivar Lovaas (The UCLA Young Autism Project) et d'Eric Schopler (TEACCH) seront présentées par l'intermédiaire d'entrevues avec des spécialistes dans ce domaine.

11.1 LES TROUBLES SÉVÈRES DE DÉVELOPPEMENT

Dans les définitions du ministère de l'Éducation du Québec, on trouve un groupe d'élèves qui sont dits handicapés par des troubles sévères de développement. Dans cette catégorie d'élèves, le Ministère inclut les élèves présentant de l'audimutité, les élèves ayant un trouble autistique et les élèves présentant des troubles de l'ordre de la psychopathologie. Les élèves audimuets, selon le Ministère, ont des limitations importantes quant à la discrimination des sons, à l'orientation temporelle et au développement du langage et de la parole. Ces problèmes seraient, toujours selon la définition du Ministère, dus à des dysfonctions dans le circuit auditif.

Quant à l'autisme, toujours selon le Ministère, il se caractérise dès le jeune âge par des difficultés d'assimilation de l'information auditive et visuelle et de symbolisation. Ces difficultés entraînent des déficits majeurs dans l'ensemble du développement de l'élève. Quant aux troubles de l'ordre de la psychopathologie, ils concernent des déficiences psychiques. Le tableau 11.1 présente la définition du ministère de l'Éducation du Québec (1993) des élèves handicapés par des troubles sévères de développement.

Il est à noter que ce regroupement des « Élèves handicapés par des troubles sévères de développement » présenté par le ministère de l'Éducation du Québec diffère considérablement de la classification que donne le DSM IV. Ainsi, dans le DSM IV, on trouve une catégorie spécifique pour les troubles de communication. L'autisme est inclus dans une catégorie de troubles envahissants de développement.

11.2 L'HISTORIQUE DE L'AUTISME

Citant les nombreux cas d'enfants sauvages présentant une déficience de l'interaction sociale et des stéréotypes, Malby, Rouby et Sauvage (1995) rapportent que l'histoire de l'autisme débuterait avec notre siècle. Bien avant les travaux scientifiques sur le sujet et bien avant 1943, où Kanner a donné un nom à l'ensemble des symptômes de l'autisme, il y aurait eu de nombreuses observations décrivant des comportements apparentés à l'autisme. Bettelheim (1967) indique qu'en 1809 Haslam a décrit le cas d'un garçon présentant un trouble admis en 1799 au Bethleem Asylum.

Malby et autres (1995) rapportent qu'en 1905 un médecin italien, Sanctis de Sanctis, a décrit une démence précoce qu'il a appelée « autisme ». Ce symptôme est défini ainsi : « L'évasion de la réalité en même temps, la prédominance de la vie

TABLEAU 11.1 Élèves handicapés par des troubles sévères de développement

L'élève handicapé par des troubles sévères de développement est celle ou celui dont l'évaluation de son fonctionnement global, réalisée par une équipe multidisciplinaire formée de personnel spécialisé, à l'aide de techniques d'observation systématique et d'examens standardisés, conduit à l'un ou l'autre des diagnostics suivants :

- audimutité : dysfonction cérébrale congénitale dans le circuit auditif, entraînant des limitations importantes, notamment aux plans de la discrimination des sons (liée à la longueur des sons plutôt qu'à leur intensité ou à leur tonalité), de l'orientation temporelle et du développement du langage et de la parole ;
- autisme caractérisé : ensemble de dysfonctions apparaissant dès le jeune âge, se caractérisant notamment par des difficultés d'assimilation de l'information auditive et visuelle et de symbolisation, entraînant des déficits majeurs dans l'ensemble du développement de la personne au plan cognitif, sensorimoteur, de la socialisation, de l'autonomie fonctionnelle, du langage et de la communication ;
- troubles de l'ordre de la psychopathologie : déficience psychique se manifestant par une distorsion dans plusieurs domaines de développement, notamment dans celui du développement cognitif.

Les troubles de développement en cause sont sévères au point d'empêcher l'accomplissement d'activités normales selon l'âge et le milieu sans un soutien continu.

Source : Tiré du ministère de l'Éducation du Québec (1993, p. 38-39). Instruction 1994-1995, reconduite pour 1996-1997.

intérieure » (p. 14). Malby et autres (1995) signalent aussi les travaux de Heller, qui, en 1908, a décrit six cas qui présentaient une instabilité psychomotrice, la perte du langage et du contrôle sphinctérien acquis préalablement, des états d'angoisse et une régression intellectuelle. Ces symptômes seraient apparus à l'âge de deux ou trois ans après un développement ayant semblé normal.

Cependant, c'est un article de Leo Kanner, paru en 1943 dans la revue *Nervous Child*, qui marquera l'histoire. À partir de l'étude de 11 cas (8 garçons et 3 filles), Kanner montre l'incapacité de ces enfants à établir des relations de façon normale avec les personnes et les situations. Il décrit ainsi la façon dont des parents lui ont présenté leur enfant :

> Les parents parlaient d'eux en ces termes : depuis toujours, enfant « se suffisant à lui-même » ; « comme dans une coquille » ; « plus heureux tout seul » ; « agissant comme si les autres n'étaient pas là » ; « parfaitement inconscient de tout ce qui l'entoure » ; « donnant l'impression d'une sagesse silencieuse » ; « échouant à développer une sociabilité normale » ; « agissant presque sous hypnose » (p. 22).

À partir de l'étude des cas de ces enfants, Kanner (1943) présente en détail leurs caractéristiques. Huit d'entre eux ont appris à parler à l'âge normal ou avec un certain retard, trois sont demeurés « mutiques ». Il mentionne l'excellence de leur faculté de mémorisation, leurs problèmes face à l'utilisation des pronoms personnels (ils parlent d'eux-mêmes en disant « tu » au lieu de « je »). Il décrit aussi leur problème de refus de la nourriture, leurs réactions vives aux bruits forts et aux mouvements, leurs répétitions monotones de gestes et leur obsession anxieuse de la permanence (le refus du changement dans les activités routinières de tous les jours). Pour Kanner (1943), ces enfants ont un mode de relation complètement différent avec les personnes :

> Nous devons donc supposer que ces enfants sont venus au monde avec une incapacité innée à établir le contact affectif habituel avec les personnes, biologiquement prévue, exactement comme d'autres enfants viennent au monde avec des handicaps physiques ou intellectuels (p. 27).

Dans son article décrivant les cas d'enfants autistes, Kanner ajoute :

> Un autre fait ressort de façon marquée. Dans tout le groupe, très rares sont les pères et les mères réellement chaleureux. Dans la plupart des cas, les parents, grands-parents et collatéraux sont des personnes très préoccupées de choses abstraites, qu'elles soient de nature scientifique, littéraire ou artistique (p. 27).

Pendant plusieurs années, des problèmes de relations de l'enfant avec ses parents furent évoqués, tout particulièrement par les psychanalystes, pour expliquer l'autisme :

> Chez les enfants destinés à devenir autistiques, la sensibilité aux affects maternels est peut-être si grande qu'elle les pousse à se fermer, défensivement, à une expérience pour eux trop destructrice. Nous ne savons pas grand-chose des rapports entre les développements affectif et cognitif de l'enfant. Néanmoins il est probable que de se fermer à l'expérience affective gêne la cognition et il se peut que l'un gêne l'autre jusqu'à aboutir à l'autisme (Bettelheim, 1967, p. 488).

Bettelheim (1967) propose qu'on inscrive les enfants autistes dans des programmes résidentiels, où ils ne pourront subir l'influence de leur famille : « Mais pourquoi l'enfant autistique devrait-il être traité dans des conditions l'exposant aux pressions impatientes de ses parents ? » (p. 500) Les thérapeutes utilisent alors différentes approches d'inspiration psychanalytique et thérapies basées sur le jeu.

Vers la fin des années 60, Lovaas a élaboré un mode d'intervention diamétralement opposé aux approches psychanalytiques en recourant auprès d'enfants autistes aux principes du conditionnement.

L'Association pour la recherche sur l'autisme et la prévention des inadaptations (1995) rapporte qu'en 1969 le docteur Leo Kanner a fait l'intervention suivante :

> Au banquet, le docteur Leo Kanner, qui, en 1943, a été le premier à décrire et à donner un nom à l'autisme, dit à l'assistance que dès le début il avait parlé de l'origine organique de cette affection. Il a fait part de son indignation qu'on se soit servi à tort de son article pour désigner les mères d'un doigt accusateur. Il a souligné le fait que par la suite il a écrit un livre intitulé *À la défense des mères*. Avec émotion, il a déclaré à cette assistance exceptionnelle :
>
> « Parents, je vous acquitte » (p. 4).

En 1971, Kanner reprend la description des 11 enfants en suivant leur évolution. Il constate alors que si l'adaptation sociale de certains sujets peut être associée à une adaptation sociale superficiellement bonne, l'adaptation sociale d'autres sujets s'est détériorée. À propos de la prise en charge de ces enfants, il écrit :

> On ne peut s'empêcher de penser que l'admission dans un hôpital d'État a été équivalente à une sentence à vie s'accompagnant de la disparition des extraordinaires exploits de la mémoire, de l'abandon du combat antérieur pathologique mais actif pour le maintien de la permanence, de la perte de l'intérêt pour les objets, auxquels s'ajoute une relation fondamentalement pauvre avec les personnes, en d'autres termes, un repli dans le «quasi néant» (p. 32).

Au cours des années 70 et 80, les chercheurs attribuent de plus en plus les causes de l'autisme à des facteurs génétiques ou organiques. On met au point des approches très différentes de celles préconisées par les psychanalystes. Parmi les approches qui ont marqué le monde éducatif, citons celles de Lovaas et de Schopler (programme TEACCH) que nous verrons plus loin.

11.3 La classification de l'autisme selon le DSM IV

L'autisme est considéré par le DSM IV comme un trouble envahissant de développement. Dans cette catégorie, le DSM IV inclut le trouble autistique, le trouble désintégratif de l'enfance, le syndrome de Rett, le syndrome d'Asperger et les troubles envahissants de développement non spécifiés. Le trouble désintégratif de l'enfance se manifeste par une régression marquée après un développement normal d'au moins deux ans. Quant au syndrome de Rett, il se caractérise, après une période de développement postnatal normal, par la perte progressive des capacités mentales et motrices. Il apparaît avant l'âge de quatre ans et ne se présente que chez les filles. Quant au syndrome d'Asperger, toujours selon le DSM IV, il est caractérisé par une altération prolongée de l'interaction sociale et le développement de modes de comportements restreints, répétitifs et stéréotypés. On peut parler d'un trouble envahissant de développement non spécifié «quand existent soit une altération sévère et envahissante du développement de l'interaction sociale réciproque ou des capacités de communication verbale et non verbale non spécifiées, soit des comportements, des intérêts et des activités stéréotypés» (American Psychiatric Association, 1996, p. 93).

11.4 Le taux de prévalence

Le DSM IV évalue que, pour 10 000 personnes, il y a de 2 à 5 cas d'enfants autistes. Cependant, d'autres auteurs estiment ce nombre à environ 12 cas pour 10 000 naissances (Gillberg, Schanmann et Steffenburg, 1991, cités dans Tassé, Aman, Rojahn et Kern, sous presse). Il y a de quatre à cinq fois plus de garçons que de filles atteints d'autisme (American Psychiatric Association, 1996).

11.5 Les causes

Les causes de l'autisme ne sont pas connues avec certitude. Nous avons vu dans l'historique que différentes causes ont été suggérées au cours des années. Rutter et Schopler (1988) indiquent qu'il existe des faits à l'appui de l'hypothèse selon laquelle l'autisme a des bases organiques. Tassé et autres (sous presse) notent qu'une grande partie de la recherche actuelle se tourne vers les mécanismes de fonctionnement du cerveau et les mécanismes neurochimiques. Perrot (1993-1994) souligne l'importance des facteurs génétiques et la possibilité que l'étiologie de l'autisme s'explique par une combinaison multifactorielle. Le DSM IV indique qu'il existe un risque accru lorsqu'un frère ou une sœur est aussi atteint d'autisme.

11.6 LE DIAGNOSTIC

Le diagnostic est, au Québec, habituellement posé par un psychiatre. Une équipe multidisciplinaire évalue généralement les besoins de l'enfant. Des examens multiples peuvent alors être réalisés : des examens médicaux, sensoriels (la vision, l'audition), génétiques, psychologiques, un bilan psychoéducatif, etc.

Pour établir le diagnostic, on utilise les critères du DSM IV, que présente le tableau 11.2.

TABLEAU 11.2 Critères diagnostiques du trouble autistique selon le DSM IV

A. Un total de six (ou plus) parmi les éléments décrits en (1), (2) et (3), dont au moins deux de (1), un de (2) et un de (3) :

(1) altération qualitative des interactions sociales, comme en témoignent au moins deux des éléments suivants :

(a) altération marquée dans l'utilisation, pour réguler les interactions sociales, de comportements non verbaux multiples, tels que le contact oculaire, la mimique faciale, les postures corporelles, les gestes

(b) incapacité à établir des relations avec les pairs correspondant au niveau du développement

(c) le sujet ne cherche pas spontanément à partager ses plaisirs, ses intérêts ou ses réussites avec d'autres personnes (p. ex., il ne cherche pas à montrer, à désigner du doigt ou à apporter les objets qui l'intéressent)

(d) manque de réciprocité sociale ou émotionnelle

(2) altération qualitative de la communication, comme en témoigne au moins un des éléments suivants :

(a) retard ou absence totale de développement du langage parlé (sans tentative de compensation par d'autres modes de communication, comme le geste ou la mimique)

(b) chez les sujets maîtrisant suffisamment le langage, incapacité marquée à engager ou à soutenir une conversation avec autrui

(c) usage stéréotypé et répétitif du langage, ou langage idiosyncrasique

(d) absence d'un jeu de « faire semblant » varié et spontané, ou d'un jeu d'imitation sociale correspondant au niveau du développement

(3) caractère restreint, répétitif et stéréotypé des comportements, des intérêts et des activités, comme en témoigne au moins un des éléments suivants :

(a) préoccupation circonscrite à un ou plusieurs centres d'intérêt stéréotypés et restreints, anormale soit dans son intensité, soit dans son orientation

(b) adhésion apparemment inflexible à des habitudes ou à des rituels spécifiques et non fonctionnels

(c) maniérismes moteurs stéréotypés et répétitifs (p. ex., battements ou torsions des mains ou des doigts, mouvements complexes de tout le corps)

(d) préoccupations persistantes pour certaines parties des objets

B. Retard ou caractère anormal du fonctionnement, débutant avant l'âge de trois ans, dans au moins un des domaines suivants : (1) interactions sociales, (2) langage nécessaire à la communication sociale, (3) jeu symbolique ou d'imagination.

C. La perturbation n'est pas mieux expliquée par le diagnostic de Syndrome de Rett ou de Trouble désintégratif de l'enfance.

Source : Tiré de l'American Psychiatric Association (1996, p. 84-85). Reproduit avec permission.

Outre les critères du DSM IV, plusieurs instruments sont utilisés auprès des enfants présentant un trouble autistique. On trouve actuellement dans les écrits scientifiques divers instruments d'évaluation qu'on a élaborés spécialement pour compléter ce diagnostic. Rutter et Schopler (1988) proposent trois catégories d'instruments : (1) ceux basés sur des questionnaires que remplissent les parents et les enseignants ; (2) les instruments construits pour faire des observations systématiques du comportement de l'enfant et (3) les instruments utilisant des démarches standardisées d'entrevues avec les parents.

Parmi les instruments élaborés spécialement pour l'évaluation des enfants autistes, on trouve le Behavior Rating Instrument for Autistic and Atypical Children (BRIAAC), le Behavior Observation System (BOS), la Childhood Autism Rating Scale (CARS), l'Autism Screening Instrument for Educational Planning (ASIEP) et le Psychoeducational Profile-Revised (PEP-R). D'autres examens, comme l'évaluation du fonctionnement intellectuel (par exemple réalisée avec le WISC III ou des échelles de développement), l'évaluation des comportements adaptatifs ou encore des problèmes psychopathologiques, sont utilisés pour compléter l'évaluation de l'enfant autiste.

11.7 LES CARACTÉRISTIQUES DES ENFANTS AUTISTES

Les enfants ayant un trouble autistique constituent un groupe hétérogène. Le DSM IV indique que ces enfants éprouvent des problèmes de développement cognitif (environ 75 % d'entre eux présentent un retard mental). Les symptômes de l'autisme peuvent être variés : « [...] hyperactivité, déficit attentionnel, impulsivité, agressivité, comportement d'automutilation et surtout, chez les plus jeunes, crises de colère » (American Psychiatric Association, 1996, p. 81). Des enfants peuvent répondre de manière étrange à certains stimuli, par exemple ne pas avoir peur de situations réellement dangereuses et paniquer devant des objets inoffensifs. On observe fréquemment des problèmes alimentaires et des troubles du sommeil. Le trouble autistique peut être associé à d'autres conditions médicales ou neurologiques, comme la rubéole néonatale. L'épilepsie est aussi observée chez plusieurs enfants, surtout chez ceux qui ont une déficience intellectuelle sévère ou profonde. Le DSM IV rapporte que 25 % des enfants autistes peuvent être atteints de convulsions. Ces problèmes d'épilepsie se présentent surtout à l'adolescence.

Wing (1988) indique que les dysfonctions observées dans l'autisme doivent être considérées dans un continuum parce qu'elles peuvent être plus ou moins sévères. Cette auteure signale que les problèmes se trouvent dans les interactions sociales (la reconnaissance des interactions sociales, de la communication et l'imagination sociale), dans le langage, dans la coordination motrice, dans les façons de répondre aux stimuli et dans les fonctions cognitives. Nous verrons maintenant quelques-unes de ces caractéristiques.

11.7.1 Le développement cognitif

Selon le DSM IV, 75 % des personnes autistes présentent aussi un retard mental. Cependant, la personne autiste possède des caractéristiques différentes de celle qui a un retard mental. L'enfant ayant un retard mental développera un langage et des habiletés sociales qui correspondront à ses habiletés intellectuelles. Pour sa part, l'enfant autiste aura des problèmes de langage et d'habiletés sociales plus marqués par rapport à son potentiel général.

Une personne autiste qui a, par exemple, un quotient intellectuel normal peut très bien fonctionner et même avoir un rendement supérieur dans certaines matières scolaires, mais avoir de la difficulté à communiquer avec les autres. Selon le DSM IV, le profil cognitif de l'enfant autiste est souvent irrégulier, quel que soit le niveau de fonctionnement intellectuel (par exemple un enfant autiste de quatre ans qui sait lire).

Une minorité de personnes ayant un trouble autistique présentent des habiletés spécifiques supérieures. Certaines ont des capacités musicales comme l'oreille absolue. D'autres composent de la musique. Une bonne capacité de mémorisation soutient ces habiletés, comme celle de se souvenir de routes et d'horaires ou celle d'amasser une quantité importante de connaissances sur un sujet donné (Wing, 1988).

11.7.2 Le développement du langage et de la communication

Wing (1988) indique que les aspects formels de la communication sont retardés ou inappropriés chez la plupart des personnes autistes. Parmi les problèmes souvent observés, elle mentionne l'écholalie (l'imitation verbale de ce qui a été dit précédemment), l'utilisation idiosyncrasique de mots et de phrases (une utilisation particulière à l'individu), la confusion entre les mots comme les pronoms et les prépositions. Le langage peut être répétitif. En ce qui concerne l'écholalie, elle peut être immédiate (la répétition d'une phrase qui vient d'être dite) ou différée (la répétition, par exemple, d'une phrase déjà entendue à la télévision).

De même, les aspects non verbaux de la communication sont généralement atteints : les postures, les expressions du visage, le contact visuel et les gestes. Certains enfants resteront mutiques. Des enfants autistes utiliseront aussi des comportements comme les cris pour communiquer. Parmi les autres problèmes rencontrés, notons ceux ayant trait à la qualité de la voix et à la compréhension du langage.

Avec le temps, même les élèves sévèrement atteints font des progrès dans le domaine de la communication. S'ils n'utilisent pas la parole, divers outils peuvent aider plusieurs à communiquer, tels que les pictogrammes, les tableaux de communication, les appareils électroniques et les carnets de communication.

11.7.3 Le développement social

Il existe des déficits dans la capacité d'interagir avec les autres. Ces déficits se manifestent dans la reconnaissance de l'intérêt des interactions sociales, dans les difficultés de communication de même que dans un manque de compréhension et d'imagination des interactions sociales (ne pas comprendre les actions des autres, la signification et les fonctions de leurs actions). Peeters (1994) indique que, chez les personnes autistes, il y a eu une altération biologique affectant « l'intuition innée qui nous permet de chercher un sens derrière les perceptions» (p. 119). Selon lui, ces personnes ont des problèmes d'imagination:

> Elles ont un autre mode de communication, un autre style de relation sociale, une autre imagination et d'autres activités. Afin de les aider, il faut faire appel à des stratégies éducatives différentes.
>
> Pour n'en citer que quelques-unes: faire des évaluations plus détaillées, faire intervenir davantage des récompenses, leur offrir plus de prévisibilité, plus de cohérence dans le travail d'équipe, plus de coordination entre la maison et l'école, aménager l'environnement d'après leurs besoins (p. 138).

Des personnes autistes ont décrit leurs réactions. Nous verrons ici quelques témoignages qui aideront à mieux comprendre ce que ces personnes ressentent et les difficultés qu'elles rencontrent.

11.7.4 Des témoignages de personnes autistes

Des personnes autistes décrivent ainsi certaines de leurs réactions:

> Je criais parce que c'était mon seul moyen de communication. Quand les adultes s'adressaient à moi, je pouvais comprendre tout ce qu'ils disaient. Quand les adultes parlaient entre eux, on aurait dit du charabia. Les mots que je voulais prononcer étaient dans mon esprit, mais je n'arrivais pas à les faire sortir, c'était comme un bégaiement. Quand ma mère me demandait de faire quelque chose, souvent je criais. Si quelque chose me gênait, je criais. C'était le seul moyen à ma disposition pour exprimer mon mécontentement (Temple Grandin, professeur assistant, Université de l'État du Colorado, p. 36).
>
> Je comprends beaucoup de choses sur le fait de ne pas comprendre. Habituellement, je comprends lorsque je ne comprends pas quelque chose et je commence à être capable de reconnaître le fossé entre ce que je comprends réellement et ce que les autres supposent que je comprends. Certaines des connexions manquantes que je peux nommer sont drôles, d'autres sont affligeantes et certaines sont exaspérantes (Sinclair, 1993, p. 10).

11.8 L'INTERVENTION

11.8.1 Une intervention planifiée

En général, on planifie avec la famille et une équipe multidisciplinaire l'intervention auprès de l'élève autiste. Tout comme pour les autres élèves en difficulté ou handicapés, le plan d'intervention personnalisé, le plan de transition et le plan de services sont des outils permettant une meilleure planification des interventions.

Jusqu'à ce jour, on a mené des interventions de différentes natures auprès des enfants autistes: l'intervention psychopharmacologique, le programme d'entraînement des parents, l'intégration sensorielle, l'entraînement auditif, la communication facilitée, etc. Les approches psychodynamiques ont aussi connu une grande popularité au cours des années 50. Parmi les approches éducatives, il y a le programme Lovaas et le modèle de Schopler. Nous présenterons ces deux approches par le biais d'entrevues réalisées avec des spécialistes dans ce domaine.

11.8.2 Les programmes psychoéducatifs

La connaissance de la psychologie des personnes autistes a permis d'élaborer des types d'intervention favorisant l'adaptation de ces personnes. En effet, une meilleure connaissance de leurs modes de communication a permis à plusieurs enfants de faire des progrès marqués. Dans les pages qui suivent, nous verrons deux approches qui donnent actuellement des résultats intéressants.

A. Le programme de Lovaas

Le Young Autism Project de Lovaas a été élaboré à partir de 1970 à l'université de Californie à Los Angeles (UCLA). Ce programme est behavioriste, c'est-à-dire qu'il utilise les principes du conditionnement et de l'apprentissage. Il s'agit d'un programme intensif qui doit débuter avant que l'enfant atteigne l'âge de quatre ans. Il est appliqué quarante heures par semaine avec un ratio d'un éducateur par enfant.

Le programme de Lovaas a fait l'objet d'études expérimentales. Lovaas (1987) a appliqué son traitement à 19 sujets autistes d'un groupe expérimental. Il a aussi fait appel à deux groupes contrôles. Il a comparé ces sujets à l'âge de 13 ans. Aux tests d'intelligence, le groupe expérimental a obtenu 30 points de plus que les groupes contrôles pour ce qui est du quotient intellectuel (Q.I.). Dans ce groupe expérimental, 9 enfants (47 %) sont entrés en première année ordinaire avec un Q.I. moyen de 107 ; 8 enfants (42 %) fréquentaient des classes pour élèves ayant des troubles du langage et présentaient un Q.I. se situant entre 56 et 95, et 2 enfants (10 %) fréquentaient des classes spéciales pour enfants déficients ou autistes et avaient un Q.I. inférieur à 30. Dans les groupes contrôles, un seul enfant présentait un Q.I. normal.

Le programme de Lovaas se déroule au domicile de l'enfant parce que, selon ce chercheur, il s'agit de son milieu de vie. Ce programme est basé sur la progression de l'enfant. Les interventions débutent là où l'enfant est capable de connaître des succès. Ce programme utilise les principes de l'approche behavioriste, que nous avons vue au chapitre 8, et différentes techniques qui en découlent. Lovaas (1981) a décrit l'ensemble de ces principes dans *Teaching Developmentally Disabled Children. The ME Book.* L'entrevue qui suit avec Sylvie Donais en précise l'application.

Entrevue avec Sylvie Donais

Sylvie Donais a réalisé une thèse de doctorat en psychologie sur l'autisme et elle a étudié en Californie au centre dirigé par Lovaas. Nous avons voulu connaître ses perceptions de l'autisme et du programme de Lovaas.

Quelles sont les caractéristiques du comportement de l'enfant autiste ?

Les critères diagnostiques sont ceux du DSM IV. On observe cependant que plusieurs enfants autistes sont habiles au point de vue moteur ; ils n'ont pas de problèmes à courir, par exemple. Ils ont aussi une bonne perception visuelle et une bonne mémoire. Par contre, chez ces enfants, plusieurs comportements sont déficitaires : ils ne savent pas comment jouer, ils ont un retard de langage et un retard de développement des interactions sociales. D'autre part, ils ont certains comportements excessifs par rapport à ceux d'un enfant du même âge : trop crier, s'autostimuler ; certains présentent de l'agressivité ou de l'automutilation. Ces enfants ont également des troubles du sommeil et de l'alimentation. Ils peuvent refuser de manger certains aliments et vouloir toujours manger la même chose.

Comment les parents se rendent-ils compte que leur enfant est autiste?

Certains parents font des observations alors que l'enfant a environ de six à neuf mois : il ne réagit pas aux jouets ou lorsqu'on lui parle. Souvent, vers l'âge d'un an et demi ou deux ans, les crises de l'enfant alarment les parents, mais c'est surtout l'absence de langage qui les inquiète. Ils s'aperçoivent donc que plusieurs choses ne vont pas. Des parents disent que leur enfant ne joue pas, qu'il écoute toujours la télé ou regarde toujours des livres. Et, ce qui est vraiment important, il y a une absence de contact visuel.

Quel est l'objectif du traitement de Lovaas face à ces enfants?

Il s'agit d'un traitement behavioriste. L'objectif du traitement consiste à apprendre à l'enfant les comportements dans lesquels il y a un déficit. Lui apprendre à parler, à imiter, à nous regarder, à avoir des interactions sociales, à jouer. Au départ, souvent l'aspect que je travaille avec l'enfant, c'est tout simplement de s'asseoir. Le traitement s'appuie beaucoup sur le renforcement positif : il faut faire vivre des expériences de succès à l'enfant. Dans ce programme, les étapes et les objectifs d'intervention sont très bien structurés. Les objectifs sont présentés en une séquence.

Quand ce programme peut-il débuter auprès des enfants?

Vers l'âge de deux ans. Des enfants un peu plus vieux sont cependant inscrits à ce programme. Le traitement se déroulera jusqu'à l'âge de six ans environ.

Et comment se déroule le programme?

L'enfant reçoit un traitement quarante heures par semaine durant toute l'année. La première semaine, ce peut être un peu moins, mais, dès le premier mois, on vise une intervention de quarante heures. Ça semble beaucoup d'heures. Mais, d'un autre côté, un enfant qui n'a pas de difficulté apprend des choses toute la journée. L'enfant autiste a de la difficulté à apprendre ce qu'il doit apprendre pour évoluer de lui-même. Et on ne passe pas huit heures par jour assis sur une chaise ; on veille à ce que l'enfant ait du plaisir. On essaie toujours d'avoir une bonne relation avec l'enfant et de jouer avec lui. Par exemple, si l'enfant a une balançoire et qu'il aime se balancer, je vais l'y mettre et commencer une imitation verbale. On s'assure de faire des choses qu'un enfant de deux ou trois ans fait. Mais, bien entendu, c'est beaucoup lui demander. On tient compte aussi des progrès de l'enfant ; s'il ne progresse pas, on va arrêter.

Il faut préciser qu'il y a une progression dans les objectifs d'intervention. Il faut que l'enfant connaisse du succès dans ses tâches. Au départ, on lui demande des choses très faciles. On veut apprendre à l'enfant à apprendre, lui apprendre à observer son environnement, à répondre à des consignes comme tous les enfants. L'objectif de Lovaas, c'est qu'à cinq ans l'enfant puisse fréquenter une maternelle et être intégré en première année.

Et durant les vacances d'été, que se passe-t-il ?

On continue. Pour que le traitement soit efficace, il faut le poursuivre même pendant les vacances des Fêtes. Si on arrête deux semaines, l'enfant va perdre des acquis.

Ce programme est-il appliqué au Québec ?

Depuis cinq ans, on applique ce programme. Les trois premières années, on suivait quatre enfants ; cette année, on en a plus d'une dizaine. Les deux premiers enfants sont intégrés dans la maternelle ordinaire ; cependant, sur le plan comportemental, ils ont encore un diagnostic d'autisme. Les parents ont dû travailler fort pour obtenir leur intégration.

Qui applique ce programme ?

Le programme est appliqué par des étudiants diplômés ou en voie de l'être, souvent des étudiants en psychologie. Ils suivent une formation et sont supervisés par un psychologue. Au départ, les parents veulent parfois apprendre les techniques d'intervention ; ils veulent participer. Cependant, ils se rendent compte que le traitement est très exigeant. Ce sont alors les éducateurs qui appliquent le traitement parce que les parents ont beaucoup d'autres choses à faire.

Et quel est le succès de cette approche ?

Sur 20 enfants suivis par Lovaas dans son étude de 1987, 9 ont fréquenté des classes ordinaires, alors que dans le groupe contrôle un seul a pu le faire. Mais sa recherche a fait l'objet de critiques. Plusieurs pays essaient actuellement de reproduire l'étude de Lovaas. De plus, il faudrait savoir comment ces jeunes se comportent, une fois devenus adultes. Alors, je pense que les recherches doivent se poursuivre.

B. Le modèle TEACCH

Le modèle TEACCH (**T**reatment and **E**ducation of **A**utistic and related **C**ommunication handicapped **CH**ildren) a pour but de développer l'autonomie de l'enfant dans ses divers contextes de vie : à l'école, dans la communauté et dans la famille. Ce modèle, qui a été élaboré par Eric Schopler de l'université de la Caroline-du-Nord à Chapel Hill, s'inscrit dans une perspective très différente des approches psychanalytiques :

> Vers la fin des années 60, nous savions que les enfants autistes avaient été enfermés dans des établissements de santé mentale. Cela signifie qu'ils avaient été soumis à des traitements de psychothérapies psychodynamiques par le jeu inappropriés, séparés de leurs parents dans des thérapies résidentielles ou

exclus des écoles publiques. Occasionnellement, lorsque ces enfants étaient inscrits dans des programmes scolaires, il s'agissait de classes pour des élèves présentant des troubles de comportement, de classes établies suivant la prémisse que l'apprentissage de l'élève augmenterait grâce à la liberté et à une expression de soi non structurée. Or, nous avons démontré, par une étude ABAB, que ces enfants apprenaient mieux dans une situation d'apprentissage structurée que dans une situation non structurée (Schopler, 1987, p. 377; traduit par l'auteure).

> « Je continue à ne pas aimer les endroits où il y a de nombreux bruits différents, tels les centres commerciaux ou les stades. Des bruits continus et aigus, comme ceux d'un ventilateur de salle de bains ou d'un séchoir à cheveux, me gênent. J'arrive à couper mon audition et à m'isoler de la plupart des sons, mais certaines fréquences sont impossibles à éviter. Pour un enfant autiste, il est impossible de se concentrer dans une classe où il est bombardé par des bruits qui foncent à travers son cerveau comme un avion à réaction. Les bruits aigus et perçants sont les pires. Un bourdonnement grave n'a aucun effet sur moi mais un pétard qui explose me fait mal aux oreilles. Quand j'étais petite ma gouvernante faisait éclater un sac de papier pour me punir. Le bruit fort et soudain était une torture pour moi. »
>
> **Source :** Grandin (1993-1994, p. 31).

Le modèle TEACCH mise sur la participation des parents. Il favorise la structuration des programmes d'enseignement pour permettre à l'élève de bénéficier d'un système de communication expressif-réceptif.

FIGURE 11.1 Structuration visuelle d'un horaire

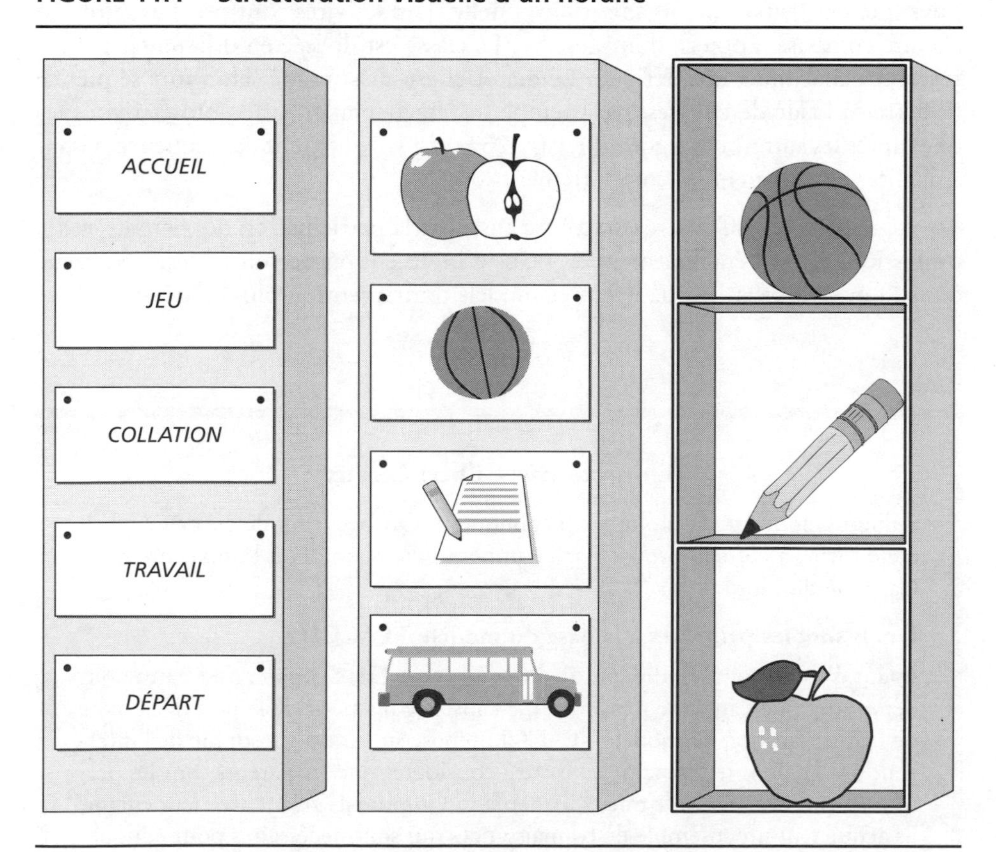

Source : Inspiré de Gillberg et Peeters (1995, p. 76).

FIGURE 11.2 Organisateur visuel décrivant une tâche

1. Prends ta brosse à dents	2. Prends le dentifrice	3. Mets du dentifrice sur ta brosse à dents	4. Brosse tes dents
5. Rince ta bouche	6. Crache	7. Rince ta brosse à dents	8. Nettoie le tout

Source: Tiré de Hodgdon (1995, p. 80) ; traduit par l'auteure.

Une classe structurée selon le modèle TEACCH présente une structure physique des lieux, une organisation visuelle. Les activités sont prévues selon un horaire composé d'objets, d'images, etc. La classe est divisée en différentes parties réservées chacune à une activité. Le matériel est aussi rangé selon une séquence (illustrée à l'aide de chiffres, par exemple). L'élève fera les différentes activités les unes après les autres. Les figures 11.1 (p. 263) et 11.2 illustrent des séquences visant à faciliter visuellement les comportements.

Le modèle TEACCH se caractérise aussi par la participation des parents et des professionnels, et l'établissement de plans d'intervention personnalisés. L'entrevue qui suit avec Gilbert Leroux décrit ce modèle d'intervention plus en détail.

Entrevue avec Gilbert Leroux

Gilbert Leroux est psychologue. Il applique au Québec le modèle TEACCH. Il a été formé à cette approche par l'équipe d'Eric Schopler à l'université de la Caroline-du-Nord.

Quels sont les principes à la base du modèle TEACCH?

Il faut d'abord comprendre que, depuis vingt ans, Eric Schopler s'est battu pour démontrer que l'autisme n'est pas dû à l'absence d'amour de la part de la mère de l'enfant autiste. Le modèle TEACCH repose sur une philosophie de l'intervention. Le premier principe consiste à considérer que les parents sont les personnes qui connaissent le mieux leur enfant. Comme ils vivent avec leur enfant, ils acquièrent un ensemble de connaissances qui sont nécessaires pour éduquer un enfant autiste. Dans TEACCH, on trouve aussi des principes orientés vers l'individualisation du service et de l'intervention. Ce modèle vise l'autonomie de la personne, pour qu'elle puisse faire des choses par elle-même ; ce principe vaut d'ailleurs pour l'éducation de tout enfant. TEACCH vise aussi à donner des moyens de communication aux personnes autistes, car l'autisme est considéré comme un handicap de la communication et de la socialisation.

Somme toute, c'est une approche systémique qui touche à beaucoup d'aspects de l'intervention : la famille, la façon d'apprendre, l'intégration au milieu régulier, le jeu, la communication, etc.

À qui est destiné le modèle d'intervention TEACCH ?

Le modèle TEACCH est destiné à des enfants qui ont des problèmes de communication, à des enfants autistes et dysphasiques. On peut aussi utiliser plusieurs outils et modes d'intervention mis au point par TEACCH auprès des personnes qui ont une déficience intellectuelle. TEACCH aide finalement les personnes handicapées qui ont besoin d'un support visuel autour d'elles.

De quels outils dispose cette approche ?

Il y a d'abord une série d'instruments d'évaluation qui permettent de mieux comprendre les besoins de la personne autiste : le CARS, le PEP et l'APEP pour les adolescents. Ces instruments aident à mieux cerner les déficits de l'enfant de même que ses possibilités. L'évaluation permet de préciser les pistes d'intervention.

Avec le modèle TEACCH, les intervenants structurent l'environnement à la maison ou à l'école de façon qu'il ait du sens pour l'enfant. Par exemple, dans le milieu scolaire, on découpe l'environnement de manière à permettre à l'enfant de mieux se repérer dans ce contexte. Sur le plan visuel, on pourra exagérer certaines caractéristiques de l'environnement, créer un espace pour chaque activité parce qu'une personne autiste se réfère à ce qu'elle voit. Ce découpage ressemble à celui qu'on trouve dans une maison, où il y a un endroit où l'on mange, un autre où l'on dort, etc. Alors, si l'enfant a un devoir à faire, il existe un endroit où il va le faire. Il faut comprendre ici que la personne autiste a de la difficulté à conceptualiser. Elle tient compte généralement de ce qu'elle voit et l'associe à l'activité. Cette organisation de l'environnement constitue un premier aspect de la classe TEACCH.

Un deuxième aspect important est le développement de l'autonomie : il faut permettre à l'élève d'accomplir des tâches par lui-même. Ainsi, on lui enseigne une tâche individuellement, jusqu'à ce qu'elle soit apprise. Il pourra ensuite exécuter cette tâche dans l'espace ou le « coin » individuel, sans que l'on ait à intervenir.

Dans les classes TEACCH, l'horaire est important. Quand il y a une rupture dans la séquence des événements, les personnes autistes peuvent devenir anxieuses, faire des crises de comportement ou d'anxiété. Pour elles, il s'agit d'un événement imprévu. Alors, le modèle TEACCH utilise un horaire avec la personne autiste. Cet horaire peut être constitué avec des objets ou encore détaillé dans l'agenda, suivant ses capacités. La personne autiste a besoin de savoir ce qu'il y a à faire et à quel moment l'activité est terminée. Elle a beaucoup de difficulté à prédire. C'est pourquoi un horaire l'aide ; sa mémoire la sécurise. Voici un exemple. Plusieurs personnes pensent que, lorsque l'enfant autiste rentre de l'école, il faut qu'il se repose. Mais c'est justement à ce moment-là qu'il se désorganise : ne sachant pas quoi faire, il devient émotif. Entre seize heures et dix-sept heures, il faut aussi que des activités prévisibles soient inscrites à son horaire. Il est important de structurer sa journée. Et même pendant la nuit, car plusieurs enfants ont des problèmes de sommeil. Certains enfants n'arrivent à dormir que trois ou quatre heures par nuit. Lorsqu'ils se réveillent, ils ne savent pas quoi faire ; ils se désorganisent. Mais s'ils ont un poste de travail dans leur chambre, ils s'y installent d'eux-mêmes et travailleront sans déranger personne jusqu'au déjeuner.

Dans le modèle TEACCH, il n'y a pas d'objectifs imprécis.

En visitant des classes TEACCH, j'ai observé que les objets étaient étiquetés ou qu'il y avait des images associées au matériel. Pourquoi ?

Il faut comprendre que le modèle TEACCH, ce n'est pas que de petites images. Les images ont pour but de faciliter la communication, la compréhension des événements à partir de symboles. Dans certaines classes, on utilise des objets tridimensionnels. Un verre veut dire que je vais boire ; une assiette, que je vais manger ; un crayon, que je vais à mon bureau pour écrire. Lorsqu'on place ces objets dans une séquence, cela peut constituer un horaire. Avec des élèves, on utilise des images en couleur, puis sans couleur. Avec d'autres, on recourt à des pictogrammes ou à des mots écrits.

Que doit faire un enseignant qui voudrait appliquer le modèle TEACCH dans sa classe ?

L'enseignant a besoin d'une formation générale sur l'autisme, où il apprendra les différentes approches à utiliser. Il a aussi besoin d'une formation plus poussée ; cela prend environ de trois à cinq ans pour bien connaître cette approche et l'ensemble des concepts qui y sont rattachés. L'enseignant devra aussi bénéficier d'une supervision.

Quelles conclusions tirez-vous de votre expérience avec le modèle TEACCH ?

Les difficultés rencontrées lors de l'intervention auprès de la personne autiste sont souvent dues au manque de connaissances sur l'autisme et sur les résultats qu'il est possible d'attendre. Il y a trop de gens qui pensent encore qu'on ne peut rien faire. Cependant, on peut démontrer qu'il y a des façons d'organiser des services sans que cela coûte une fortune. Plus les enseignants seront formés au sujet des principes pédagogiques qui respectent le fonctionnement de la personne autiste, plus il sera possible de mettre en place des conditions favorisant les apprentissages des enfants autistes.

L'annexe de ce chapitre présente une grille d'évaluation élaborée par l'équipe du professeur Magerotte, qui applique en Belgique les principes du modèle TEACCH dans le cadre du projet Caroline.

RÉSUMÉ

L'autisme est un trouble envahissant de développement caractérisé, entre autres, par des problèmes du développement cognitif, de la communication et des relations sociales. L'évaluation des personnes autistes et l'intervention auprès d'elles requièrent une bonne compréhension de leurs modes de fonctionnement. Au cours des années, plusieurs méthodes d'intervention ont été élaborées à l'intention des élèves autistes. Le programme de Lovaas et le modèle TEACCH en sont des exemples.

QUESTIONS

1. Qu'est-ce que l'autisme?
2. Qui a parlé d'autisme le premier et comment y a-t-il été conduit?
3. Quelles sont les caractéristiques des enfants autistes?
4. Selon quels critères l'autisme est-il identifié?
5. Décrivez deux modes d'intervention à l'intention des élèves autistes.

LECTURE SUGGÉRÉE

GILLBERG, C. et PEETERS, T. (1995). *L'autisme: aspects éducatifs et médicaux.* Göteborg (Suède): University of Göteborg.

Annexe

Grille d'évaluation des classes accueillant des élèves autistes[1]

Un **P.E.I.** est mis au point pour chaque élève, afin de fixer les priorités éducatives :

	O.K.	À améliorer	Absent
• avec la collaboration des parents			
• tenant compte de l'âge chronologique de l'élève			
• visant des compétences générales et fonctionnelles			
• abordant les divers domaines importants pour l'élève (développementaux pour les jeunes enfants, tenant compte des divers environnements pour les adolescents)			
• déterminant des critères de réussite			
• révisé deux fois par an au moins (décembre et juin)			
• est orienté vers la communauté			

L'**espace** est **structuré** :

- de telle manière que les élèves comprennent la fonction de chaque centre d'activité et l'utilisent de façon autonome
- pour permettre d'atteindre des objectifs différents au même moment par des élèves différents

	O.K.	À améliorer	Absent
• espace travail individuel			
• espace travail de groupe			
• espace temps libre			
• espace activités sociales			
• espace activités d'autonomie domestique			
• endroit de transition			

1. Source : Tiré de l'Association pour la recherche sur l'autisme et la prévention des inadaptations (août 1995, p. 6-9).

Le **matériel** est clairement **organisé** pour faciliter la préparation du travail par l'enseignant et pour augmenter l'autonomie des élèves :

	O.K.	À améliorer	Absent
• le matériel est clairement étiqueté			
• le matériel utilisé par les élèves est facilement accessible			
• des indices visuels rendent possibles l'utilisation du matériel et son rangement par les élèves			

Le **temps** est **structuré** pour que chacun des élèves sache ce qui est prévu à chaque moment de la journée et passe d'une activité à l'autre de manière autonome :

	O.K.	À améliorer	Absent
• chaque élève utilise systématiquement un horaire			
• les horaires sont adaptés au niveau de chaque élève (objets, pictos, mots)			
• les horaires évoluent en même temps que les élèves			

Un **système de travail** favorisant l'autonomie au travail :

	O.K.	À améliorer	Absent
• est utilisé par chaque élève			
• est adapté au niveau de chacun (prendre de gauche à droite, formes, chiffres)			
• est évolutif			

Des **programmes d'intervention** visent à opérationnaliser les objectifs du P.E.I. :

	O.K.	À améliorer	Absent
• dans les activités quotidiennes de l'enfant à l'école			
• à la maison dans tous les cas possibles			
• sont évalués par des observations systématiques et régulières (minimum durant 1 semaine/mois)			
• sont modifiés en fonction de l'évolution de l'élève			
• incluent l'utilisation de renforçateurs pour augmenter la motivation des élèves à progresser dans leurs apprentissages			
• ces renforçateurs sont adaptés aux intérêts de chaque élève (musique, jeu, bonbon, boisson, télé, activité avec l'adulte…)			
• inclut l'utilisation de stratégies de généralisation et de maintien			

Les domaines de la **communication** et de la **socialisation** sont l'objet d'une attention particulière en raison des problèmes spécifiques aux autistes :

	O.K.	À améliorer	Absent
• des situations favorisant la communication sont mises en place (accueil, collation, jeux, activités de collaboration, tutorat, rencontre de pairs non handicapés)			
• des systèmes de communication non verbaux (objets, pictos, photos) sont utilisés par les élèves non verbaux et certains élèves présentant des difficultés verbales			
• les intervenants utilisent ces mêmes systèmes de communication dans leurs échanges avec les élèves			
• les parents et/ou l'institution accueillant l'enfant en dehors des heures de classe sont incités à utiliser ces systèmes de communication			

L'équipe éducative collabore avec les parents :

	O.K.	À améliorer	Absent
• en les invitant à la réunion P.E.I.			
• en leur transmettant un exemplaire écrit du P.E.I. à la suite de la réunion P.E.I., en communiquant avec eux de la manière la plus adaptée à chaque famille (cahier, téléphone, rencontres…)			
• en discutant d'activités possibles à la maison			
• en proposant aux parents de participer à certaines activités de la classe			

L'horaire des activités des intervenants :

	O.K.	À améliorer	Absent
• est établi en fonction des objectifs des élèves			
• indique à chaque intervenant avec quel(s) enfant(s) il interagit à chaque moment de la journée			
• intègre un temps de coordination avec l'équipe d'au moins une heure/semaine pendant lequel… - on discute des P.E.I. - on met au point les programmes d'intervention - on définit les rôles de chacun			
• prévoit un temps de préparation du matériel, des activités			
• prévoit les contacts avec les parents			
• est affiché à un endroit stratégique			

L'intégration sociale et professionnelle des élèves fait partie du projet pédagogique et se trouve concrétisée :

	O.K.	À améliorer	Absent
• des activités en milieux ordinaires sont proposées aux élèves			
• les élèves ont l'occasion de participer à certaines activités avec des élèves non handicapés			
• les élèves sont incités à participer à des activités extra-scolaires avec des personnes non handicapées			
• certains élèves ont un travail fonctionnel au sein de l'école			
• certains élèves ont un travail fonctionnel en milieu ordinaire			
• certains élèves ont un travail rémunéré en milieu ordinaire			
• les élèves ont des activités de loisirs dans la communauté			
• les élèves ont des activités de loisirs avec des pairs non handicapés			

Un **Plan de Transition Individualisée** (P.T.I.) vers la vie adulte est mis au point pour chaque élève de plus de 16 ans :

	O.K.	À améliorer	Absent
• une réunion de planification est prévue avec la famille pour envisager l'avenir professionnel et résidentiel de l'élève			
• un plan écrit est développé dans lequel les responsabilités sont définies pour prendre les contacts avec les services adéquats			
• un calendrier est établi et respecté pour assurer la transition entre l'école et les milieux de vie ultérieurs			

Les élèves ayant une déficience sensorielle ou physique

OBJECTIFS

Après avoir lu ce chapitre, le lecteur devrait pouvoir:

- préciser quels sont les élèves identifiés comme handicapés par une déficience visuelle;
- énumérer quelques causes de la cécité chez les élèves;
- décrire l'alphabet braille;
- décrire les principales sphères où les personnes ayant une déficience visuelle peuvent éprouver des besoins particuliers;
- indiquer quelques adaptations qui, en classe, peuvent faciliter l'intégration des élèves ayant une déficience visuelle;
- préciser quels sont les élèves identifiés comme handicapés par une déficience auditive;
- décrire la fréquence et la force du son;
- décrire les types de surdité;
- définir l'oralisme et la communication totale;
- indiquer des moyens qui, en classe, facilitent l'intégration de l'élève ayant une déficience auditive;
- définir les élèves ayant une déficience physique;
- donner quelques exemples de déficience physique;
- indiquer quelques adaptations qui, en classe, facilitent l'intégration de l'élève ayant une déficience physique.

INTRODUCTION

Dans ce chapitre, nous examinerons d'abord la question des élèves ayant une déficience visuelle. Nous verrons les définitions relatives à cette clientèle, les causes et le taux de prévalence dans le milieu scolaire. Nous nous pencherons sur les besoins particuliers de ces élèves du point de vue de la communication écrite, de l'orientation et de la mobilité dans l'espace, des habitudes de la vie quotidienne et de l'adaptation psychologique et sociale. Nous examinerons quelques ajustements qui, en classe, facilitent la scolarisation de ces élèves.

Nous aborderons ensuite la situation des élèves qui ont une déficience auditive. Après avoir présenté la définition de ces élèves, nous verrons comment on mesure la surdité et quels en sont les divers types. La description du taux de prévalence de cette déficience dans le milieu scolaire, de l'appareillage et des modes de communication permettra de mieux comprendre la situation de ces élèves. Nous donnerons aussi quelques renseignements et conseils sur l'intervention en classe.

Nous examinerons enfin la question des élèves ayant une déficience physique. Vu la grande variété des conditions rencontrées, nous nous concentrerons sur trois exemples : la paralysie cérébrale, la dystrophie musculaire et l'épilepsie. Nous verrons également quelques principes de base qui facilitent la scolarisation de l'élève ayant une déficience physique.

12.1 LES ÉLÈVES AYANT UNE DÉFICIENCE VISUELLE

Les élèves qui ont une déficience visuelle présentent des caractéristiques fort variées : les uns continuent, grâce à l'aide appropriée, de pouvoir lire les caractères ordinaires des volumes ; d'autres doivent se servir du braille. Plusieurs ont à apprendre des techniques ou à utiliser des aides spécifiques pour se déplacer. Nous verrons d'abord les définitions qui précisent les limites de la déficience visuelle, ses causes et le taux de prévalence dans la population scolaire. Puis nous nous pencherons sur les besoins particuliers que cette déficience peut créer du point de vue de la communication écrite, des déplacements, des habitudes de la vie quotidienne ou de l'adaptation psychologique. Enfin, nous examinerons quelques aspects pratiques liés à la scolarisation de ces élèves.

12.1.1 Définitions

A. *La définition de la Loi de l'assurance-maladie du Québec*

Selon la Loi de l'assurance-maladie du Québec, la déficience visuelle est définie ainsi :

> Une déficience visuelle, aux fins de l'application du présent règlement, est celle qui, après correction au moyen de lentilles ophtalmiques appropriées, à l'exclusion des systèmes optiques spéciaux et des additions supérieures à 4 dioptries, ne laisse place qu'à une acuité visuelle de chaque œil supérieure à 6/21 ou qu'à un champ de vision de chaque œil supérieur à 60° dans les méridiens 180° ou 90° et qui, dans l'un ou l'autre cas, rend une personne incapable de lire, d'écrire ou de circuler dans un environnement non familier (Gouvernement du Québec, 1996, p. 6444).

B. *La définition fonctionnelle*

Dans les écoles, on entend fréquemment les expressions « fonctionnellement voyant » et « fonctionnellement aveugle ». Ces deux expressions sont employées suivant le moyen utilisé pour la lecture et l'écriture : le braille ou le caractère noir. Les personnes fonctionnellement aveugles utilisent le braille, tandis que les personnes fonctionnellement voyantes se servent du caractère noir.

C. *Les définitions du ministère de l'Éducation du Québec*

Le ministère de l'Éducation du Québec utilise aussi ces critères, mais il distingue de surcroît les concepts de déficience et de handicap, comme le fait le document *À part… égale* (voir le chapitre 1 pour un rappel de ces définitions). Le tableau 12.1 présente les définitions des élèves ayant une déficience visuelle telles qu'elles sont formulées par le ministère de l'Éducation du Québec.

TABLEAU 12.1 Définitions du ministère de l'Éducation du Québec de l'élève ayant une déficience visuelle

L'élève ayant une déficience visuelle est celle ou celui dont l'évaluation oculo-visuelle, réalisée à l'aide d'examens standardisés administrés par un personnel qualifié, révèle à chaque œil une acuité visuelle d'au plus 6/21 ou un champ de vision inférieur à 60° dans les méridiens 90° et 180°, en dépit d'une correction au moyen de lentilles ophtalmologiques appropriées, à l'exclusion des systèmes optiques spéciaux et des additions supérieures à + 4,00 dioptries.

Cet élève est considéré comme handicapé par sa déficience visuelle lorsque son évaluation fonctionnelle révèle, en dépit de l'aide de la technologie ou en rapport avec celle-ci, l'une ou l'autre des caractéristiques suivantes :

- des limitations au plan de la communication pouvant se traduire par :
  - le besoin de matériel adapté (imprimés de bonne qualité, parfois agrandis, pour l'élève fonctionnellement voyant ; matériel en braille, en relief, enregistrements sonores pour celui fonctionnellement aveugle) ;
  - le besoin d'entraînement ou de soutien occasionnel pour l'utilisation d'aide mécanique ou électronique ou de matériel scolaire adapté ;
  - le besoin d'apprendre et de recourir à des codes substituts pour lire et écrire (pour l'élève fonctionnellement aveugle) ;
  - le besoin d'un enseignement adapté pour la compréhension de certains concepts ;
- des limitations dans la réalisation des activités de vie quotidiennes requérant un entraînement particulier, une adaptation de l'enseignement ou une assistance occasionnelle pour leur accomplissement ;
- des limitations concernant la locomotion requérant un entraînement particulier, une adaptation de l'enseignement ou une assistance occasionnelle dans les déplacements.

Source : Tiré du ministère de l'Éducation du Québec (1993, p. 37), Instruction 1994-1995, reconduite pour 1996-1997.

12.1.2 Le taux de prévalence

Au primaire, les statistiques du ministère de l'Éducation du Québec (Ouellet, 1996) signalent 225 élèves ayant une déficience visuelle. Au préscolaire, on en dénombre 29 et au secondaire, 228. Ces données n'incluent pas les élèves qui sont multihandicapés (par exemple une déficience intellectuelle et une déficience visuelle chez le même enfant).

Le tableau 12.2 présente, pour les élèves du primaire et du secondaire, la répartition des élèves ayant une déficience visuelle en fonction du lieu de scolarisation. À sa lecture, on constate que la plupart des élèves ayant une déficience visuelle sont scolarisés dans des classes ordinaires. De fait, la majorité d'entre eux utilisent le caractère noir pour lire. Bien que l'on trouve maintenant des élèves utilisant le braille dans les classes ordinaires, plusieurs élèves qui emploient le braille ont réalisé cet apprentissage dans des classes ou des écoles spéciales.

12.1.3 Les causes

Même si la cécité est surtout une déficience dont les facteurs de risque croissent avec l'âge, il existe diverses causes de la cécité chez les enfants. À partir des statistiques de l'Institut national canadien pour les aveugles (INCA), Milot (1980) relève les causes suivantes de la cécité chez les enfants : les cataractes (13,6 % des cas), l'atrophie optique (12,3 %), le nystagmus (10,9 %), l'albinisme (6,6 %), la fibroplasie rétrolenticulaire (6,0 %), la myopie (5,2 %), les autres dystrophies rétiniennes (4,7 %), la dégénérescence maculaire (4,6 %), la rétinopathie pigmentaire (3,7 %),

TABLEAU 12.2 Répartition des élèves ayant une déficience visuelle selon le lieu de scolarisation

Lieu de scolarisation	Nombre d'élèves au primaire	Nombre d'élèves au secondaire
Classe ordinaire avec soutien à l'enseignant et à l'élève	178	128
Classe ordinaire avec participation à une classe-ressource	10	13
Classe spéciale où se trouvent des élèves ayant une seule difficulté	2	11
Classe spéciale où se trouvent des élèves ayant plusieurs sortes de difficultés	9	36
École spéciale	26	40
Centre d'accueil	0	0

Source : Ouellet (1996, p. 38), 15 juin 1996.

les malformations oculaires congénitales (3,6 %), les autres affections oculaires (3,5 %). À ces causes s'ajoutent 5,0 % de types non précisés.

12.1.4 Les besoins particuliers

Selon le degré de la déficience et la stimulation dont l'élève aura bénéficié, les besoins de celui-ci peuvent être plus ou moins marqués. Nous examinerons ici les principaux secteurs où l'élève ayant une déficience visuelle peut éprouver certains besoins.

A. La communication écrite

Grâce à notre vision, il nous est possible de prendre connaissance de textes écrits et de communiquer par l'écriture. Lorsque la vision est diminuée ou encore absente, il faut trouver des moyens compensatoires. La plupart des élèves ayant un résidu visuel peuvent, grâce à l'appareillage approprié et parfois grâce à l'adaptation du matériel écrit (par exemple des agrandissements), accéder à la vision du caractère ordinaire. L'appareillage est choisi en fonction des besoins de l'élève et des examens réalisés par les spécialistes (comme l'ophtalmologiste). Il existe plusieurs aides visuelles : les verres correcteurs, le télescope, la télévisionneuse, etc. C'est à partir des besoins particuliers de l'élève que ces aides lui sont attribuées.

Lorsque l'élève ne peut utiliser le caractère noir, il doit généralement apprendre le braille. Cette écriture a été inventée en 1829 par Louis Braille, qui, dès l'âge de trois ans, devint aveugle à la suite d'un accident. Le braille est un code, ou alphabet, constitué de 63 caractères. À sa base, il y a une cellule formée de six points en relief, organisés dans une matrice ressemblant un peu à un domino. En combinant différemment les six points de cette cellule, Braille a élaboré une écriture pouvant aussi bien être utilisée pour les mathématiques que pour la musique (INCA, 1987). La figure 12.1 (p. 278) présente les combinaisons utilisées par l'alphabet, les chiffres et les signes de ponctuation.

Les caractères utilisés en braille sont placés en relief ; on les lit en passant les index sur la page où ils sont disposés. Quant à l'écriture, traditionnellement, elle se réalise grâce à une machine à écrire munie de six clés représentant les points et leur position. Elle peut aussi être effectuée à l'aide d'une tablette et d'un poinçon.

Il convient de noter qu'au cours des dernières années les progrès de l'ordinateur ont permis aux personnes ayant une déficience visuelle de bénéficier de nouveaux outils pour accéder au contenu des volumes. Il y a aussi le livre parlant, où une voix synthétique transmet le contenu écrit.

Le versa-braille permet d'écrire les textes en braille et de les traduire à l'aide d'une imprimante en caractères ordinaires. Ainsi, l'élève qui désire utiliser le braille en classe dactylographie le texte sur cet appareil et peut remettre une version en caractère noir à l'enseignant. Il existe aussi des calculatrices destinées aux personnes ayant une déficience visuelle. Les touches sont adaptées et une voix synthétique indique la réponse. De surcroît, ces calculatrices peuvent être munies d'écouteurs.

FIGURE 12.1 Alphabet braille pour la lecture

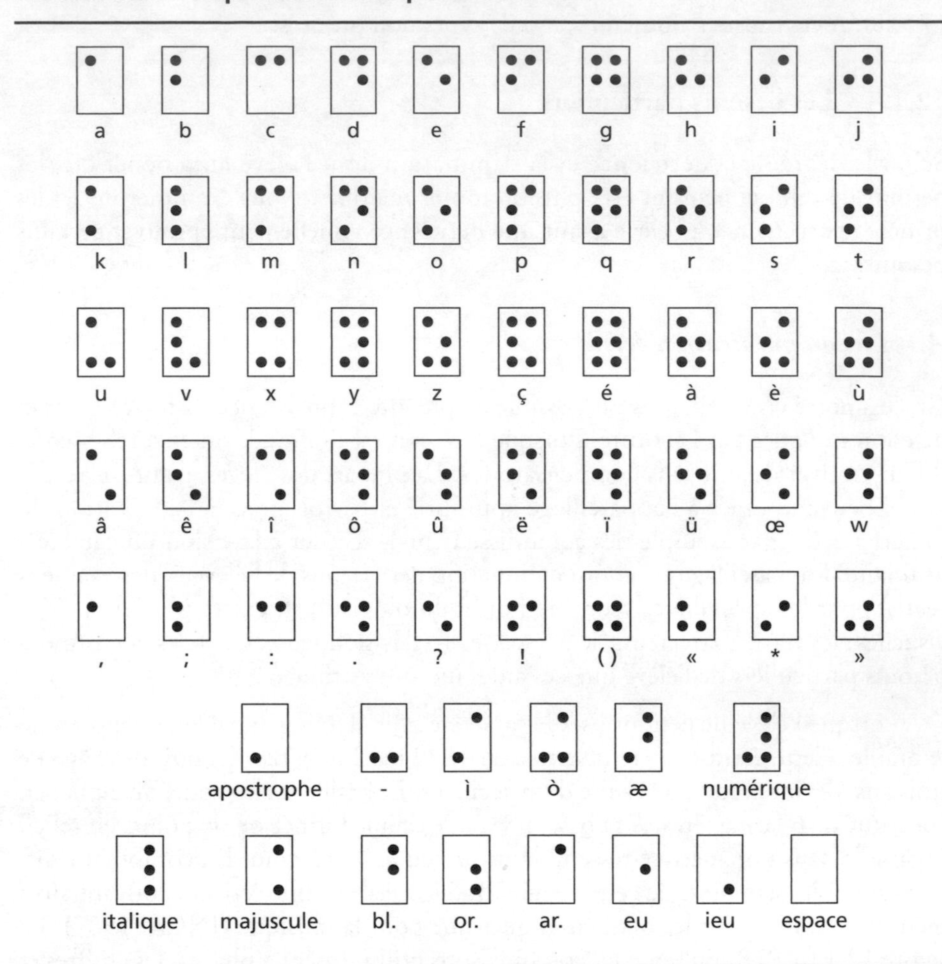

B. Mobilité et orientation dans l'espace

Avons-nous déjà songé à l'information essentielle que nous transmettent nos yeux dans nos déplacements ? Sans cette information, il est nécessaire d'utiliser des moyens compensatoires et d'apprendre à se servir d'autres indices pour se déplacer. Ainsi, toujours en fonction des besoins individuels et de la nature de la déficience visuelle, des élèves doivent apprendre diverses techniques favorisant la mobilité et l'orientation dans l'espace. S'il est possible d'avoir recours à un guide voyant pour se déplacer, l'apprentissage de l'utilisation d'une canne procure encore plus d'autonomie. La canne sert alors, à l'instar d'une sonde, à informer la personne lors de ses déplacements. D'autres personnes ayant une déficience visuelle apprendront à avoir recours à un chien-guide. Ces apprentissages sont réalisés sous la responsabilité de spécialistes en orientation et en mobilité. Pour apprendre les techniques nécessaires (sécurité, guidage, canne blanche, etc.), l'élève doit suivre un entraînement particulier. Jusqu'au début des années 90, on restreignait l'accès aux programmes de chiens-guides aux personnes de moins de 18 ans. Au Québec, la Fondation Mira a innové en permettant à des jeunes âgés de 12 à 16 ans d'apprendre à se déplacer avec un chien-guide qui les accompagne aussi à l'école.

C. Les habitudes de la vie quotidienne

Il est malaisé de se verser un verre de lait ou encore, tout simplement, de s'habiller sans regarder. Ces gestes quotidiens, exécutés sans l'information visuelle, peuvent devenir très complexes. C'est pourquoi, lorsque le résidu visuel est insuffisant, l'élève apprendra des techniques destinées à faciliter ces gestes. Divers objets de l'environnement peuvent aussi être adaptés : des marques indiquant la couleur des vêtements, des indices en braille sur des appareils, etc. D'ailleurs, de nombreux organismes font des efforts en ce sens depuis plusieurs années. Il suffit de songer aux ascenseurs où des signes en braille indiquent les chiffres des étages.

D. L'adaptation psychologique et sociale

La vision joue un rôle important dans le développement cognitif. Voir les objets permet de se composer rapidement une image mentale. L'élève ayant une déficience visuelle mais qui est fonctionnellement voyant peut prendre plus de temps pour se faire une telle image. Cependant, l'élève fonctionnellement aveugle devra utiliser d'autres sens, par exemple l'ouïe et le toucher. Mais certains éléments, tels les nuages, sont difficilement accessibles par ces sens. La description verbale des objets et des situations devient alors pour cet élève l'une des principales voies d'accès à la connaissance (ministère de l'Éducation du Québec, 1983c).

Bien que des chercheurs aient observé certaines déficiences cognitives chez les élèves ayant une déficience visuelle, l'ensemble des recherches indique que ces élèves atteignent des scores dans les limites normales à des tests d'intelligence (Kirk et Gallagher, 1983). Goupil (1980) observe que ces élèves obtiennent des notes scolaires comparables à celles des élèves voyants des mêmes classes.

Par ailleurs, la déficience visuelle peut influencer l'adaptation psychologique et sociale des élèves. Meighan (cité dans Kirk et Gallagher, 1983) note un moins bon concept d'eux-mêmes. Goupil (1980) indique le faible statut sociométrique qu'un groupe d'élèves ayant une déficience visuelle obtient dans une classe ordinaire. L'adaptation de l'élève est un processus complexe qui relève de multiples facteurs : le milieu familial, les variables personnelles, les attitudes de l'environnement, etc.

12.1.5 La présence en classe

La présence d'un élève ayant une déficience visuelle demande souvent à la classe diverses adaptations. Nous examinerons ici quelques-unes de ces adaptations et les démarches qui facilitent la scolarisation des élèves ayant une déficience visuelle.

A. L'obtention de toute l'information nécessaire

Les besoins des élèves ayant une déficience visuelle sont fort variés. Au début de l'année scolaire (et même, si possible, à la fin de l'année scolaire précédente), des renseignements précis sur les besoins de l'élève faciliteront les interventions de l'enseignant et une meilleure insertion de l'élève dans la classe. Cette information peut être obtenue auprès de l'enseignant itinérant[1], des intervenants déjà engagés dans le dossier, des parents et même de l'élève. Voici quelques points de repère pour recueillir les données nécessaires.

Il faut d'abord s'enquérir du système utilisé, le braille ou le caractère noir. Quelles aides optiques doivent être présentes en classe (télescope, loupe, scanner, calculatrice sonore, ordinateur, imprimante, etc.) ? D'autres pièces de matériel sont-elles nécessaires (types de cahiers, agrandissements, crayons, etc.) ? Faut-il prévoir des adaptations en classe (par exemple une table plus large, la proximité d'une prise de courant) pour permettre à l'élève d'utiliser le matériel et l'aide optique requis ? L'élève a-t-il besoin d'un éclairage particulier ? Si c'est le cas, de quel type ? Comment l'élève circule-t-il ? Peut-il lire au tableau ? Dans l'affirmative, quelles conditions (par exemple la grosseur des lettres) facilitent cette lecture ? Il peut aussi être pertinent de s'informer auprès des intervenants des attitudes de l'élève face à sa déficience et de l'existence ainsi que du contenu du plan d'intervention et du plan de services, s'il y a lieu.

Les personnes aveugles ont maintenant accès aux grands quotidiens

(GL) Depuis le 1er octobre, les personnes non voyantes ont accès sur Internet aux principaux quotidiens et magazines québécois le jour même de leur parution sur Internet. Il s'agit d'un pas de géant pour l'accessibilité à l'information pour les personnes handicapées visuelles. C'est la firme québécoise de renommée internationale Cedrom-SNI qui a conçu le logiciel, à la demande de la bibliothèque Jeanne-Cypihot, seule bibliothèque électronique pour aveugles au Québec.

Depuis l'automne 1995, Cedrom-SNI offre ce service de diffusion sur Internet en mode graphique, via son service EURÊKA. L'utilisateur peut consulter les grands titres ou les textes intégraux provenant des principales publications d'actualité et d'affaires du Québec : *La Presse, Le Soleil, Le Devoir, L'Actualité*...

Ce qui est nouveau, c'est que Cedrom-SNI a développé gracieusement une version de EURÊKA en mode texte, facilitant ainsi la navigation et la consultation à l'aide des équipements spécialisés utilisés par les personnes aveugles. En plus du service de consultation, le service EURÊKA permet aussi d'effectuer des recherches et de formuler des requêtes spécifiques (ex. éditoriaux, chroniques de Foglia, ou tout article...), lesquelles sont transmises automatiquement, via la messagerie électronique, à l'adresse de l'abonné.

Source : P. Lambert et C. Pépin, « La technologie au service des non-voyants », *Le Clairvoyant*, automne 1996, no 82, p. 9. Reproduit avec permission

B. Le matériel requis

Une fois cette information obtenue, il faut prévoir l'organisation et le matériel nécessaires. Si l'élève utilise le braille, il est bon de s'assurer à l'avance de la présence des manuels employés en cours d'année. Il en est de même si l'élève doit

1. L'enseignant itinérant est un enseignant spécialisé qui connaît bien la situation des élèves ayant une déficience visuelle. Il offre de l'information à l'enseignant et peut intervenir auprès de l'élève ou de ses parents. Il existe aussi des enseignants itinérants spécialisés pour les élèves ayant une déficience physique, intellectuelle ou auditive. Ces enseignants offrent généralement leurs services dans plus d'une école ; c'est pourquoi ils sont appelés « itinérants ».

se servir de textes agrandis ou de livres sur cassettes. Non seulement il faut prévoir le matériel, mais il faut également penser au rangement sécuritaire de celui-ci. En effet, les magnétophones et les calculatrices doivent être à l'abri du vol lorsque l'élève n'est pas en classe. Par ailleurs, il faut envisager des moyens d'aider l'élève à déplacer les objets plus volumineux. Au secondaire, notamment, il faut considérer les mesures à prendre lorsque l'élève doit se déplacer d'un local à l'autre.

Quatre jeunes, tous âgés de douze à seize ans, se présentaient sur le terrain d'entraînement de la Fondation Mira pour venir y suivre une classe de chiens-guides durant quatre semaines. Ils faisaient ainsi figure de pionniers en devenant les plus jeunes personnes aveugles de la planète à participer à un cours jusque-là exclusivement réservé à des adultes. La rapidité et la facilité avec lesquelles ils acquirent le savoir-faire et les connaissances nécessaires à la maîtrise de leurs déplacements firent de cette première expérience une réussite complète qui fit voler en éclats les idées reçues voulant que les jeunes ne possèdent pas les capacités de se mouvoir sans aide.

Source: Fondation Mira (s. d., p. 41-42).

L'élève doit être encouragé à utiliser les aides prescrites. Au primaire, plus particulièrement, il peut être nécessaire de démythifier certains appareils auprès des autres élèves. L'enseignant fournit alors les explications ou bien laisse l'élève qui le désire assumer cette tâche. Au secondaire, il est bon de discuter d'abord avec l'élève de l'approche à privilégier.

C. Les déplacements

L'entraînement en mobilité et en orientation est assuré en général par des spécialistes et non par l'enseignant. Cependant, ce dernier encourage l'élève ayant une déficience visuelle à utiliser ses habiletés. Il peut aussi indiquer aux autres élèves comment aider leur camarade, le cas échéant. En début d'année, si l'élève se présente dans une nouvelle école, il est souhaitable qu'il puisse faire une visite préalable des lieux et poser les questions qui lui viennent à l'esprit.

D. Les attitudes à privilégier

L'élève ayant une déficience visuelle est d'abord et avant tout un élève de la classe, au même titre que les autres. Il faut éviter de le surprotéger ou encore de le mettre à l'écart. Il ne faut pas non plus éviter d'utiliser des expressions telles que « regarde » ou « vois ». L'élève les interprétera en se disant qu'on l'invite à « prendre connaissance de » quelque chose (ministère de l'Éducation du Québec, 1983c). Il ne faut pas non plus hésiter, dans le travail en équipe, à partager les tâches et à exiger de chacun la part qui lui incombe.

E. Autres points

Lorsqu'on écrit des textes au tableau, il est bon de les lire à voix haute en même temps. De plus, il faut éviter les contre-jours comme une lumière qui entre par une fenêtre et se réfléchit sur le tableau. Il convient d'utiliser un langage précis et de rendre les descriptions concrètes. L'élève a parfois besoin de plus de temps pour terminer ses exercices ; on peut alors prévoir une tâche un peu moins longue pour lui. Il faut aussi être prêt à accepter des variantes dans les travaux, comme des travaux dactylographiés ou des examens enregistrés. Pour faciliter la scolarisation des élèves ayant une déficience visuelle, il importe donc de bien connaître leurs besoins et de leur faciliter l'utilisation de toutes les aides nécessaires.

12.2 LES ÉLÈVES AYANT UNE DÉFICIENCE AUDITIVE

En ce qui concerne les élèves ayant une déficience auditive, nous nous pencherons d'abord sur la définition utilisée par le ministère de l'Éducation du Québec. Puis nous verrons les caractéristiques du son et des mesures utilisées pour déterminer la surdité. Nous présenterons le taux de prévalence de cette déficience dans la population scolaire et décrirons deux modes de communication auxquels recourent les élèves ayant une déficience auditive. Enfin, nous verrons quelques adaptations qui, en classe, facilitent la scolarisation des élèves.

12.2.1 Définition

Comme dans le cas des autres élèves en difficulté, l'instruction du ministère de l'Éducation du Québec (1993, instruction reconduite pour 1996-1997) précise les critères d'identification des élèves ayant une déficience auditive. Le tableau 12.3 présente cette définition.

TABLEAU 12.3 Définition du ministère de l'Éducation du Québec de l'élève ayant une déficience auditive

L'élève ayant une déficience auditive est celui ou celle dont l'évaluation de l'ouïe réalisée à l'aide d'examens standardisés administrés par un personnel qualifié révèle un seuil moyen d'acuité supérieur à 25 décibels pour des sons purs de 500, 1 000 et 2 000 hertz, à l'écoute de la meilleure oreille.

L'évaluation doit aussi tenir compte de la discrimination auditive et du seuil de tolérance au son. Cet élève est considéré comme handicapé par sa déficience auditive lorsque son évaluation fonctionnelle révèle, en dépit de l'aide de la technologie, l'une ou l'autre des caractéristiques suivantes :

- des limitations au plan de l'apprentissage et de l'utilisation de la communication verbale pouvant se traduire par :
  - le besoin de techniques spécialisées pour l'apprentissage du langage verbal ;
  - le besoin d'apprendre et d'utiliser des moyens de communication substituts (lecture labiale, langue signée...) ;
  - le besoin de recourir à des interprètes ;
- des difficultés dans le domaine du développement cognitif (lacunes dans la formation de concepts) et du développement du langage oral entraînant :
  - le besoin d'un enseignement adapté ;
  - le besoin de combler des retards dans les apprentissages.

Source : Tiré du ministère de l'Éducation du Québec (1993, p. 38), Instruction 1994-1995, reconduite pour 1996-1997.

12.2.2 La mesure de la déficience auditive

Pour bien comprendre la mesure de la déficience auditive, il importe de considérer la nature du son et l'anatomie de l'oreille. Le son est un mouvement vibratoire; il s'agit d'un phénomène physique qui possède des caractéristiques telles que la fréquence, l'intensité, la complexité et la durée. La fréquence correspond au nombre de vibrations par seconde. Cette fréquence est mesurée en hertz (Hz). Grâce à la fréquence du son, nous pouvons distinguer le registre des différentes voix: voix aiguës, voix graves. Les vibrations sont plus nombreuses pour un son aigu que pour un son grave.

L'intensité concerne la force relative des vibrations. Cette force est mesurée en décibels (dB). Plus la vibration est grande, plus le son paraît intense. Le bruissement des feuilles a une intensité d'environ 10 dB et le bruit du tonnerre, d'environ 120 dB (Bergeron, Campeau et Doiron, 1980). La complexité du son provient de l'amalgame de la fréquence, de l'intensité et du rythme du son (Harrison, 1985). Quant à la durée du son, elle correspond à sa longueur dans le temps (secondes, minutes, etc.). On utilise une mesure du son en décibels (d'une intensité suffisante pour qu'on puisse la percevoir) pour déterminer le degré de perte auditive. La perte auditive peut être légère, modérée, modérée-sévère, sévère ou profonde (voir le tableau 12.4).

Prononcées à voix ordinaire, les consonnes et les voyelles françaises se distribuent en fonction de leur force (dB) et de leur fréquence sur l'audiogramme (Le François, Mathieu et Larocque, 1982). Les figures 12.2 et 12.3 (p. 284 et 285) illustrent un audiogramme de même que la distribution de quelques consonnes et voyelles françaises prononcées sur un ton normal.

Les audiologistes procèdent à plusieurs tests pour déterminer le type de perte auditive et sa gravité. Ils peuvent déterminer le degré de perte auditive (en décibels) et les fréquences qu'une personne a de la difficulté à entendre. Pour bien comprendre les problèmes d'un élève ayant une déficience auditive, il faut considérer l'intensité des sons qu'il ne peut entendre ainsi que les fréquences qu'il a du mal à percevoir.

TABLEAU 12.4 Degrés de perte auditive

Perte auditive	Intensité requise pour la perception
Légère	27-40 dB
Modérée	41-55 dB
Modérée-sévère	56-70 dB
Sévère	71-90 dB
Profonde	91 dB et plus

FIGURE 12.2 Audiogramme

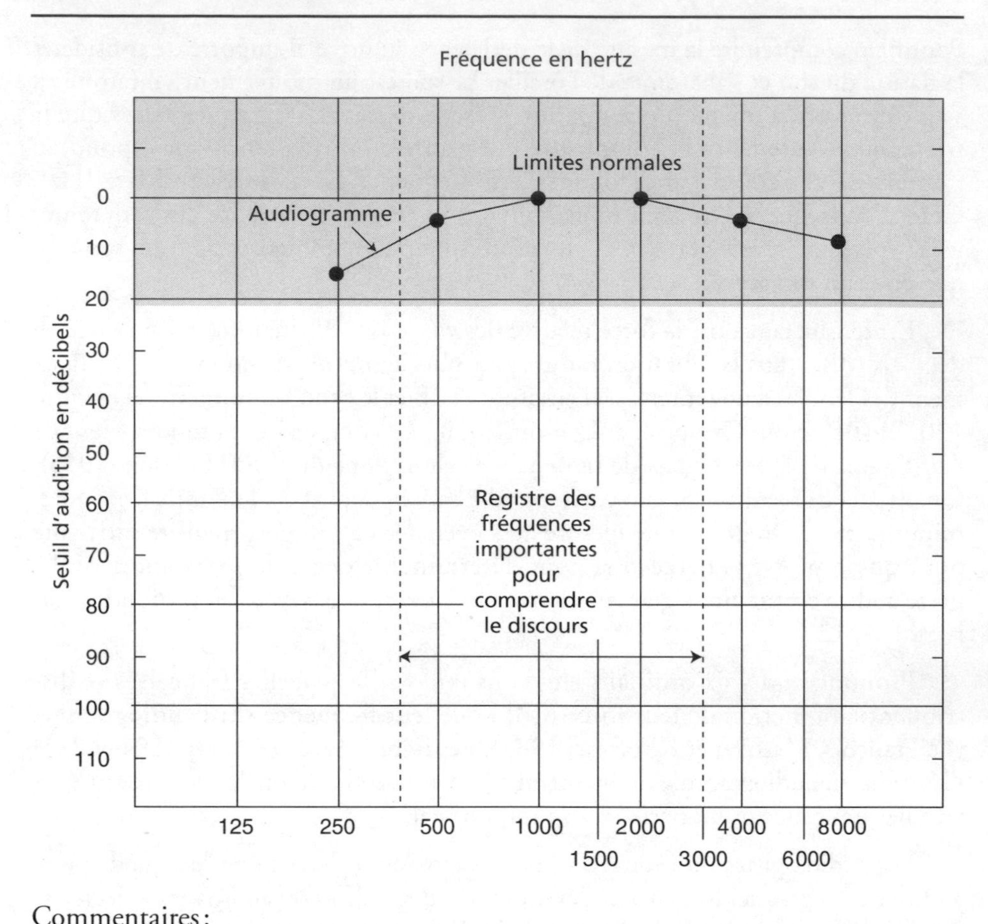

Commentaires : ____

FIGURE 12.3 Distribution sur l'audiogramme de quelques consonnes et voyelles françaises

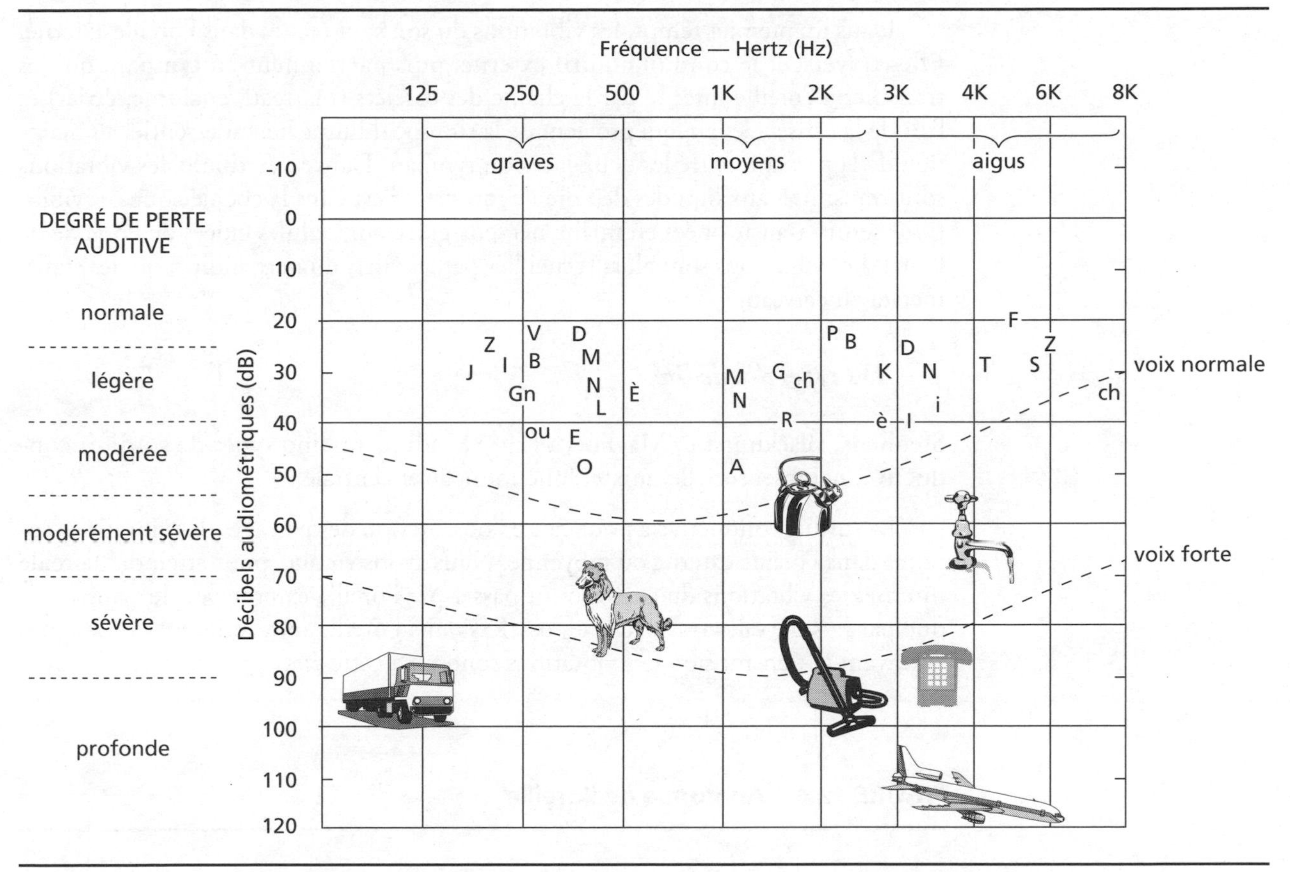

Il faut aussi considérer l'âge auquel est survenue la surdité. Plus l'élève est âgé, plus grande est la probabilité qu'il ait acquis une bonne partie du langage. Cependant, une surdité à la naissance peut se traduire par de graves difficultés dans la communication et dans le langage (Harrison, 1985). Le dépistage et la stimulation sont deux autres facteurs à considérer. Plus le dépistage est précoce, meilleure est la probabilité d'utiliser une stimulation facilitant le développement des capacités de l'élève.

12.2.3 Le son, l'oreille et les types de surdité

A. La route parcourue par les vibrations sonores dans l'oreille jusqu'au nerf auditif

Pour être perçus ou entendus, les sons qui nous entourent doivent effectuer un chemin complexe jusqu'au nerf auditif, puis au cerveau. Il faut alors, pour bien saisir cette complexité, examiner l'anatomie de l'oreille et le fonctionnement de cette dernière (voir la figure 12.4).

Dans un premier temps, les vibrations du son sont reçues dans l'oreille externe. Elles traversent le conduit auditif externe, puis parviennent au tympan, qui les transmet à l'oreille interne par la chaîne des osselets (marteau, enclume, étrier) et l'air de la caisse. Cet air, qui provient de la trompe d'Eustache, est essentiel au maintien de la pression entre les deux faces du tympan. Dans le vestibule, les vibrations sont transmises aux liquides de l'oreille interne. C'est dans la cochlée que ces vibrations seront transformées en influx nerveux grâce aux cellules ciliées de l'organe de Corti. Les vibrations sont alors recueillies par les filets du nerf auditif, qui les transmettra au cerveau.

B. Les types de surdité

Stephens, Blackhurst et Magliocca (1988) indiquent cinq types de surdité : conductive, neurosensorielle, mixte, fonctionnelle et centrale.

La surdité conductive a pour cause l'obstruction des passages des vibrations sonores dans l'oreille externe ou moyenne. Nous avons vu que, pour atteindre l'oreille interne, les vibrations du son doivent passer par l'oreille externe vers le tympan, et que par la suite elles traversent les osselets dans l'oreille moyenne. Des problèmes entravant la transmission des vibrations sonores, à cette étape, peuvent être la cause

FIGURE 12.4 Anatomie de l'oreille

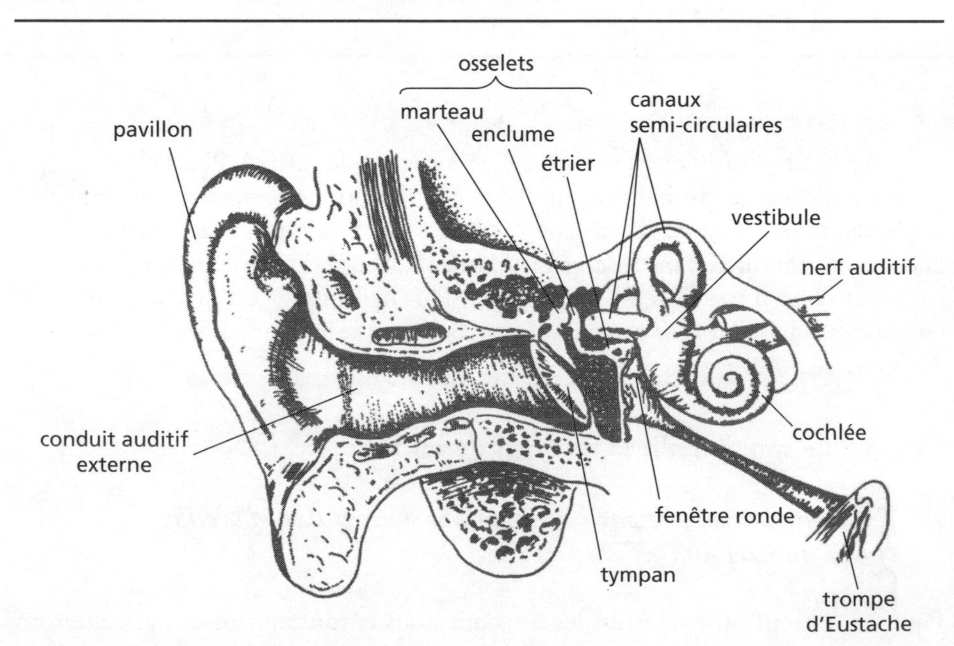

de la surdité conductive : le blocage du conduit auditif externe (en raison d'une malformation, d'une accumulation de cérumen ou d'une infection), le bris du tympan, l'obstruction du mouvement des osselets, etc. Une infection, telle une otite, pourrait entraîner temporairement une surdité conductive. Les otites séreuses (présence de liquide derrière le tympan) sont unc causc fréquente de la surdité conductive.

La surdité neurosensorielle est liée à un problème de l'oreille interne ; en effet, dans ce type de surdité, la transmission du message sonore au nerf auditif est entravée. De multiples causes peuvent entraîner des blessures ou un mauvais développement des fibres nerveuses et des cellules ciliées dans l'oreille interne : des infections, des caractères héréditaires, des agents toxiques, la rubéole chez la mère pendant la grossesse, un niveau de bruit dommageable, etc. (McConnel, 1973).

La surdité mixte est une combinaison de la surdité conductive et de la surdité neurosensorielle.

La surdité fonctionnelle, appelée aussi par certains auteurs « surdité psychologique », peut être attribuée à des problèmes émotifs. Par exemple, Alpiner (1970) indique qu'un enfant autiste qui refuse psychologiquement son environnement peut également rejeter les sons de cet environnement. En quelque sorte, l'enfant se replie sur lui-même et coupe tout contact avec le monde. Toujours selon Alpiner, une des causes des pertes auditives durant la Seconde Guerre mondiale était liée à des problèmes d'ordre psychologique.

La surdité centrale est rattachée à des problèmes du système nerveux central. Ces problèmes sont physiologiques. De multiples causes ont été déterminées dans ce type de surdité, qui, selon McConnel (1973), est très complexe, que ce soit du point de vue du diagnostic ou de celui de l'intervention. Des dommages cérébraux peuvent être causés, par exemple, par une encéphalite, une méningite, un accident cérébrovasculaire, un empoisonnement au monoxyde de carbone, une asphyxie prolongée, une tumeur cérébrale, etc. (McConnel, 1973).

À partir des travaux de Moores, Kirk et Gallagher (1983) indiquent qu'il existe cinq causes principales de la surdité : l'hérédité, la rubéole chez la mère en cours de grossesse, la prématurité à la naissance, la méningite et l'incompatibilité sanguine entre la mère et l'enfant. Ces facteurs sont parfois responsables simultanément d'autres types de déficience. Ainsi, la rubéole chez la mère peut à la fois causer la cécité et la surdité chez l'enfant. Des dommages moins importants proviennent quelquefois des otites moyennes, d'où la nécessité de ne pas négliger le traitement d'une telle affection.

12.2.4 Le taux de prévalence

Le ministère de l'Éducation du Québec identifie 124 élèves ayant une déficience auditive au préscolaire, 828 élèves au primaire et 715 élèves au secondaire. Ces données n'incluent pas les élèves ayant des déficiences multiples (des déficiences mentale et auditive chez le même élève, par exemple). Ces élèves sont scolarisés selon différentes modalités. Le tableau 12.5 (p. 288) présente leur répartition.

TABLEAU 12.5 Répartition des élèves ayant une déficience auditive

Modalité de scolarisation	Nombre d'élèves au primaire	Nombre d'élèves au secondaire
Classe ordinaire avec soutien à l'enseignant et à l'élève	553	369
Classe ordinaire avec participation à une classe-ressource	52	54
Classe spéciale où se trouvent des élèves ayant une seule difficulté	54	96
Classe spéciale où se trouvent des élèves ayant plusieurs sortes de difficultés	42	153
École spéciale	114	25
Centre d'accueil	13	16
Centre hospitalier	0	0
Domicile	0	2

Source : Ouellet (1996, p. 40).

12.2.5 Caractéristiques et besoins des élèves ayant une déficience auditive

Les pertes auditives peuvent avoir chez les élèves des conséquences sur la communication, leur rendement scolaire ainsi que leur adaptation sociale et émotive.

A. La communication

Il y a plusieurs années, lorsqu'un élève présentait une surdité profonde, très souvent il était considéré comme muet... et bien souvent traité comme tel. Aujourd'hui, des préjugés de cette nature ont de moins en moins cours, car les chercheurs ont noté qu'habituellement, chez les élèves présentant une déficience auditive, les conditions organiques n'affectent pas les organes de la parole. Néanmoins, les élèves qui ont une surdité importante ne développent pas leur langage de la même façon ni au même rythme que les élèves qui jouissent d'une audition normale. Le langage et par conséquent la communication sont les premiers éléments touchés par une surdité, l'audition facilitant leur organisation.

Dans le développement du langage, il existe deux opérations distinctes : la réception (entrée) et l'expression (sortie). L'audition ouvre la porte à tout un monde de stimulations : l'écoute des mots, l'audition de phrases structurées en fonction des règles de grammaire, les intonations diverses de la voix, etc. L'enfant apprend d'abord à écouter, puis à parler, à lire et à écrire. McConnel (1973) souligne la complexité de l'apprentissage du langage oral et écrit pour l'enfant qui n'entend pas ou qui n'a pas appris à parler avec les mêmes symboles que les enfants entendants.

B. *Le rendement scolaire*

Paul et Jackson (1993) et Kirk et Gallagher (1983) mentionnent les problèmes scolaires que peuvent rencontrer ces élèves. Pour de nombreux élèves déficients auditifs, le retard scolaire se manifeste d'abord par les problèmes d'apprentissage de la lecture. Ces problèmes en lecture sont influencés, bien sûr, par le degré de perte auditive, mais aussi par d'autres facteurs. Rapportant les travaux de Trybus et Krachmer, Kirk et Gallagher (1983) indiquent que les variables suivantes agissent sur le rendement en lecture d'élèves ayant des problèmes auditifs : le sexe (les filles obtenant un rendement légèrement supérieur à celui des garçons), le groupe ethnique, le degré de perte auditive (plus le degré de perte est élevé, moindres sont les résultats), la présence d'autres déficiences et finalement la surdité chez les parents.

Selon Winzer (1996), le rendement en lecture des élèves ayant une surdité est moins élevé que celui des élèves entendants. Le rendement serait meilleur pour les opérations mathématiques bien qu'il y ait des difficultés particulières dans la résolution des problèmes où le langage est une base importante.

Kirk, Gallagher et Anastasiow (1993) rapportent que le rendement scolaire des élèves ayant une déficience auditive est meilleur que dans les années 70. Ces gains seraient attribuables, du moins en partie, à des méthodes plus fonctionnelles d'apprentissage, aux progrès de la technologie et à une scolarisation dans le cadre le plus normal possible.

Kirk et Gallagher (1983) indiquent que l'on reconnaît maintenant la capacité des élèves à raisonner sans système linguistique ; néanmoins, la maîtrise d'un tel système aide grandement l'élève à résoudre des problèmes et à réussir à l'école. La perte auditive a des effets sélectifs sur les habiletés intellectuelles : les tâches de nature verbale et symbolique peuvent être moins bien réussies, alors que le rendement dans les tâches non verbales n'est pas touché.

Divers moyens peuvent faciliter les apprentissages de l'élève ayant une déficience auditive. Parmi ceux-ci, l'appareillage est très important. L'élève déficient auditif peut maximiser l'utilisation de son résidu auditif grâce au port d'une prothèse. La prothèse auditive est constituée d'un micro, d'un amplificateur, d'un écouteur, d'un embout auriculaire et d'une pile. Il existe différents types de prothèses auditives. Plusieurs élèves portent des prothèses adaptées au contour de l'oreille. En classe, il est important de s'assurer que l'élève la porte et qu'elle est en état de fonctionnement. Toutefois, il faut souligner que cette prothèse ne redonne pas une audition normale. Certains élèves peuvent aussi bénéficier de l'aide d'implants cochléaires.

C. *L'adaptation sociale et émotive*

L'adaptation sociale et émotive est influencée par divers facteurs comme l'environnement et les attitudes des pairs. En effet, la parole facilite nos contacts avec les autres. Tout d'abord, l'enfant en bas âge ayant une surdité profonde n'entend pas la voix de sa mère ; il est de toute évidence plus difficile pour lui d'entrer en contact avec ses pairs. Harrison (1985) indique que les enfants ayant une déficience auditive font face à de plus grands problèmes dans leur développement émotif. Par ailleurs, Martin-Laval (1984) signale que, compte tenu des résultats variés des recherches, rien ne permet, a priori, de croire que les personnes présentant une déficience auditive aient des traits de personnalité différents de ceux des personnes entendantes. En ce qui concerne le développement de leur personnalité, il souligne l'importance de l'environnement social.

12.2.6 Les modes de communication

Dans la communication avec autrui, nous pouvons être auditeurs ou bien locuteurs. Lorsque nous sommes auditeurs, nous employons divers « outils d'entrée ». Nous utilisons bien sûr notre audition, mais nous pouvons également nous servir de notre vision pour saisir certains messages associés aux expressions ou aux gestes non verbaux de notre interlocuteur. Lorsque nous sommes locuteurs, nous pouvons employer divers « outils de sortie ». Nous utilisons bien sûr la parole, mais nous pouvons ajouter à celle-ci des gestes ou des expressions.

Les élèves qui ont une déficience auditive utilisent deux modes principaux de communication : l'oralisme et la communication totale. Ces modes de communication diffèrent quant aux outils d'entrée et de sortie qui sont privilégiés. Ainsi, l'oralisme adopte comme outil de sortie d'abord l'utilisation de la parole, puis celle des mains au besoin. L'oralisme vise à ce que la parole et le langage se rapprochent le plus possible de ceux de l'élève entendant. Dans l'oralisme, les mains ne servent qu'à accompagner la parole, au besoin, par des gestes naturels. L'élève utilise le plus possible l'oreille comme outil d'entrée et la parole comme outil de sortie.

La communication totale privilégie d'abord, comme outil de sortie, l'emploi des mains, tout en incitant l'enfant à utiliser la parole (Gauthier et Le François, 1980). La communication totale favorise l'usage de gestes structurés ou codifiés. Les mains sont alors utilisées pour produire des signes, des gestes naturels et l'épellation digitale. Dans ce langage codifié en gestes — ou français signé —, chaque élément de la phrase (nom, verbe, préposition, article) est représenté par un geste. La structure de cette phrase (sujet, verbe, complément) se trouve respectée par l'ordre des gestes. L'élève peut aussi faire appel à l'épellation digitale, où chaque lettre de l'alphabet correspond alors à des formes et à des mouvements de la main (voir la figure 12.5). De plus, l'élève essaie d'abord de saisir avec les yeux ce qu'on lui dit. Il combine les signes avec la parole. Donc, la communication totale privilégie les mains (outil de sortie) et les yeux (outil d'entrée) comme outils premiers de communication.

12.2.7 En classe

A. *L'information utile*

L'élève ayant une déficience auditive a les mêmes besoins que tout autre élève. Comme pour les autres élèves en difficulté, il est important, en début d'année,

FIGURE 12.5 Lettres de l'alphabet digital

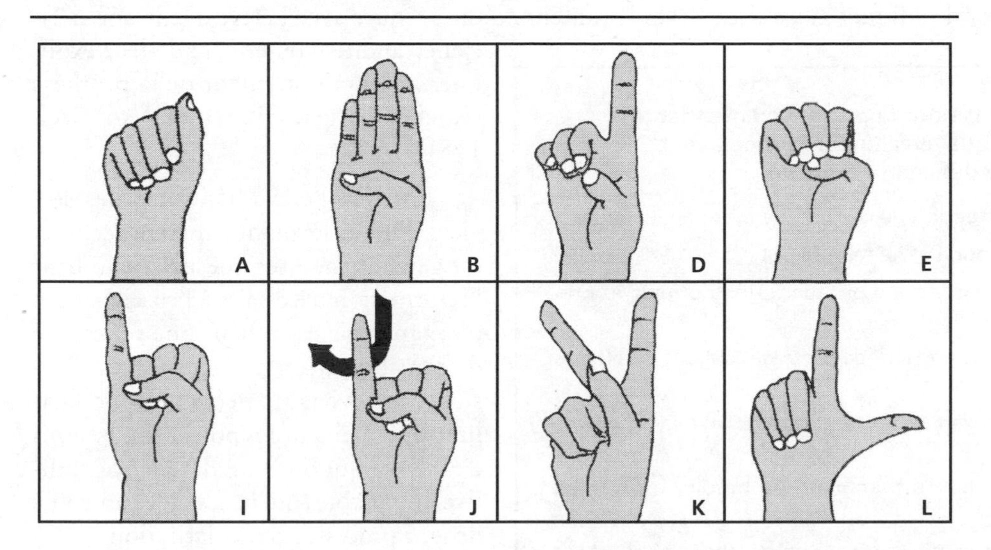

d'obtenir une information de base. Quel est le degré de surdité de l'élève ? Quelles sont les répercussions de cette surdité sur sa compréhension du langage parlé, à deux ou en groupe ? Quelle est la structure des phrases utilisées ? L'élève éprouve-t-il des difficultés particulières dans les matières scolaires ? Quelle est sa capacité d'attention visuelle ? De quels services a-t-il besoin (des services d'un enseignant itinérant ou d'un orthophoniste, par exemple) ? À quel rythme doit-on recourir à ces services ? Existe-t-il un plan de services ou un plan d'intervention personnalisé ? Quel type de prothèse utilise l'élève ? Doit-on la vérifier périodiquement ? Dans l'affirmative, qui doit s'en charger et comment procède-t-on ? Tous ces renseignements sont susceptibles d'aider à la planification des interventions.

B. Les conseils généraux

L'élève ayant une déficience auditive est soumis aux mêmes règles que tous les autres élèves. Cependant, il ne faut pas oublier l'importance de l'information visuelle dans son cas. Il faudra donc en tenir compte lors du choix de sa place en classe. Par exemple, l'élève pourra être assis en avant de manière à bien voir le visage et les lèvres de l'enseignant. Il faut s'exprimer clairement, naturellement, sans crier ni exagérer la prononciation, vérifier de temps à autre si l'élève a bien compris. Il faut éviter de gesticuler ou encore de tourner le dos à l'élève quand on lui parle. De plus, on doit éviter de placer l'élève près d'un endroit bruyant, par exemple près de la porte de la classe, où les bruits du corridor lui nuiraient. Il convient de le soustraire aux contre-jours ou aux éblouissements qui entravent la vue et, par conséquent, la lecture labiale. Les instructions et les consignes peuvent être écrites et non données uniquement sous forme verbale. Il peut aussi s'avérer nécessaire d'indiquer aux autres élèves comment communiquer avec l'élève ayant une déficience auditive ou encore de leur expliquer le fonctionnement de la prothèse (Kochersperger, Sielaff et Van Leer, 1981).

Lorsque l'élève bénéficie des services d'un enseignant itinérant, celui-ci est généralement en mesure de fournir l'information nécessaire à l'enseignant et d'organiser, s'il y a lieu, une rencontre de sensibilisation avec les élèves. Plusieurs intervenants peuvent donc faciliter une meilleure réponse aux besoins des élèves qui ont une déficience auditive et par conséquent les aider au cours de leur processus de scolarisation.

Quelques conseils pour la personne entendante qui communique avec une personne ayant une déficience auditive

- Attirer doucement l'attention de la personne avant de lui parler.
- S'approcher de la personne et lui faire face.
- Parler normalement, garder une prononciation normale et non exagérée.
- Ne pas crier, car plusieurs porteurs de prothèses ont des problèmes d'intolérance aux bruits forts.
- Éviter de cacher vos lèvres avec une cigarette, un crayon ou vos doigts, ne pas mâcher.
- Réduire au maximum le bruit ambiant. Au besoin, trouver un endroit plus calme.
- Si la personne n'a pas compris, dire la même chose en d'autres mots.

Source : Rochette et Tardif (1994, p. 48). Reproduit avec permission.

12.3 Les élèves ayant une déficience physique

Les élèves ayant une déficience physique présentent une gamme très étendue de conditions physiques différentes : une infirmité motrice cérébrale, une épilepsie non contrôlée, la paralysie des membres inférieurs, etc. De même, pour chacune de ces conditions, il existe divers degrés d'atteinte. Notons également que certains élèves peuvent être atteints d'affections relativement rares (par exemple la maladie de Werdnig-Hoffmann).

En classe, les besoins des élèves ayant une déficience physique varient, et l'enseignant doit prendre en considération la situation personnelle de chacun. Compte tenu des différences importantes d'un élève à l'autre, nous exposerons ici les définitions générales telles qu'elles apparaissent dans les instructions du ministère de l'Éducation du Québec. Elles seront suivies de quelques exemples de déficience physique, puis des principes concernant l'intervention en classe.

12.3.1 Définitions

Le ministère de l'Éducation du Québec a formulé des définitions décrivant les caractéristiques générales des élèves considérés comme handicapés par une déficience physique. Dans cette catégorie, celui-ci distingue les élèves ayant une déficience motrice (légère ou grave) et les élèves ayant une déficience organique. Le tableau 12.6 présente ces définitions.

TABLEAU 12.6 Définition du ministère de l'Éducation du Québec de l'élève ayant une déficience physique

Déficience motrice

L'élève ayant une déficience motrice est celle ou celui dont l'évaluation neuromotrice effectuée par un personnel qualifié révèle une ou plusieurs atteintes d'origine nerveuse, musculaire ou ostéoarticulaire.

Déficience motrice légère

L'élève est dit « handicapé par une déficience motrice légère » lorsque son évaluation fonctionnelle révèle, en dépit de l'aide de la technologie, l'une ou l'autre des caractéristiques suivantes rendant nécessaires un entraînement particulier et un soutien occasionnel :

- difficultés dans l'apprentissage de la communication ;
- difficultés dans la réalisation d'activités de préhension (dextérité manuelle) ;
- difficultés dans l'accomplissement des activités de vie quotidienne (soins corporels, alimentation...) ;
- limitation au plan de la mobilité affectant les déplacements.

Déficience motrice grave

L'élève est dit « handicapé par une déficience motrice grave » lorsque l'évaluation fonctionnelle de l'élève révèle, en dépit de l'aide de la technologie, l'une ou l'autre des caractéristiques suivantes :

- limitations importantes au niveau de la communication rendant nécessaire le recours à des moyens de communication substituts ;
- limitations fonctionnelles importantes requérant un entraînement particulier et une assistance régulière pour les activités de vie quotidienne ;
- limitations importantes au plan de la mobilité (mobilité et déplacement) requérant une aide spécifique pour le développement moteur, ainsi qu'un accompagnement dans les déplacements ou un appareillage très spécialisé.

Déficience organique

L'élève handicapé par une déficience organique est celle ou celui dont l'évaluation médicale et fonctionnelle révèle une ou plusieurs atteintes des systèmes vitaux (respiration, circulation sanguine, système génito-urinaire...) entraînant des troubles organiques permanents et ayant un impact significatif sur son fonctionnement scolaire.

On reconnaît qu'une déficience organique a un impact significatif sur le fonctionnement scolaire d'un élève lorsque son état exige des soins intégrés à son programme et des mesures pédagogiques particulières.

Source : Tiré du ministère de l'Éducation du Québec (1993, p. 36-37), Instruction 1994-1995, reconduite pour 1996-1997.

Pour le préscolaire, le primaire et le secondaire, il y avait, en 1995-1996, 2 144 élèves ayant une déficience physique pour une population totale de 1 037 826 élèves (Ouellet, 1996). Les déficiences physiques peuvent avoir de multiples causes ; le tableau 12.7 (p. 294) en présente quelques-unes.

TABLEAU 12.7 Types de déficiences physiques

Déficiences motrices

1) causées par des lésions neurologiques
   - évolutives
     - Ataxie de Friedreich : affection chronique héréditaire de la moelle épinière caractérisée par une sclérose des cordons postérieurs de la moelle épinière.
   - non évolutives
     - Paraplégie : paralysie qui affecte le tronc et les membres inférieurs.
     - Quadriplégie : paralysie des membres inférieurs et supérieurs, ainsi que du tronc.
     - Hémiplégie : paralysie complète ou incomplète atteignant la moitié latérale du corps.
     - Poliomyélite : paralysie provoquée par une lésion de l'axe gris de la moelle épinière (due à un virus).
     - Paralysie cérébrale : défaut de contrôle des muscles dû à des altérations du cerveau.
2) causées par des déficiences musculo-squelettiques
   - Malformations congénitales (tel le spina-bifida).
   - Dystrophies musculaires : groupe de maladies héréditaires chroniques caractérisées par la dégénérescence et l'affaiblissement progressifs des muscles volontaires.
   - Déficiences osseuses (par exemple la maladie de Lobstein ou « maladie des os de verre »). Amputations.

Déficiences organiques

Exemples : diabète, hémophilie, troubles cardiaques.

12.3.2 Quelques exemples de déficience physique

A. La paralysie cérébrale

La paralysie cérébrale est un défaut de contrôle des muscles dû à des altérations du cerveau, lesquelles proviennent de causes prénatales, néonatales ou postnatales. Avant la naissance, des virus contractés par la mère, l'incompatibilité sanguine ou l'abus de médicaments peuvent provoquer des dommages au cerveau du fœtus. Le manque d'oxygène à la naissance ou une naissance prématurée sont des facteurs de risque. Peu de temps après la naissance, des accidents, des blessures à la tête, des empoisonnements ou des infections telle la méningite constituent d'autres facteurs de risque.

Il existe plusieurs formes de paralysie cérébrale. Parmi celles-ci, notons la paralysie spastique (caractérisée par des mouvements lents et crispés dus à une trop grande tension musculaire), la paralysie athétoïde (des mouvements mal coordonnés, involontaires et parfois continuels dus à des variations brusques et imprévues de la tension musculaire), l'ataxie (des mouvements maladroits et un équilibre précaire dus à une tension musculaire réduite). Certaines personnes ont des tremblements ou de la rigidité dans leurs mouvements, leurs muscles tendus opposant de la résistance à l'exécution des mouvements. Il existe aussi des formes mixtes de paralysie où se combinent les types mentionnés précédemment. Si aucun remède ne peut guérir cet état, des soins appropriés peuvent cependant aider à en réduire les effets : des médicaments ou la chirurgie dans certains cas, l'ergothérapie, l'orthophonie, la physiothérapie, le *counselling*, les équipements spécialisés, etc. (Association de la paralysie cérébrale du Québec, s. d.). Les besoins varient en fonction du type de paralysie, de sa gravité et des caractéristiques personnelles des personnes atteintes. Certaines d'entre elles se déplacent avec une facilité relative, alors que d'autres doivent utiliser un fauteuil roulant.

Des personnes ayant la paralysie cérébrale communiquent assez facilement à l'aide de la parole, alors que d'autres doivent se servir d'un moyen de communication différent. Certaines personnes atteintes de paralysie cérébrale présentent des problèmes de parole ou de langage plus ou moins graves. Parmi les moyens qui favorisent la communication, le Bliss permet d'utiliser des symboles aidant l'expression d'une vaste gamme de significations, d'émotions et d'idées tout en restant facile à comprendre. Pour élaborer ce système, Charles Bliss a combiné des symboles pictographiques, idéographiques et arbitraires. Certains élèves utilisent des tableaux de communication ou des appareils électroniques synthétisant la voix. Ils peuvent pointer les mots ou les symboles avec leurs doigts ou encore utiliser un appareil (Kirk et autres, 1993).

B. La dystrophie musculaire

La dystrophie musculaire représente un groupe de maladies héréditaires caractérisées par la dégénérescence et l'affaiblissement graduels des muscles volontaires. Il existe diverses formes de dystrophie musculaire : la dystrophie musculaire de type Duchenne, la dystrophie musculaire de type Becker, la dystrophie des ceintures, la dystrophie facio-scapulo-humérale, la dystrophie myotonique, etc.

La forme la plus grave et la plus répandue de dystrophie musculaire est celle de type Duchenne. Elle porte ce nom à cause du neurologue français qui l'a décrite. Cette dystrophie affecte des garçons âgés généralement de deux à six ans. L'état de ces enfants se détériore rapidement et l'espérance de vie est plutôt limitée.

> La maladie de Duchenne atteint principalement les muscles du bassin (ceinture pelvienne) et progresse de façon systématique vers les muscles entourant les épaules (ceinture scapulaire). Ses manifestations sont : une augmentation du volume (hypertrophie) des mollets, des altérations de la fonction cardiaque (visibles sur un électrocardiogramme), des rétractions des tendons et des déformations. La personne atteinte de cette maladie cesse de marcher vers l'âge de dix ans. Le décès survient généralement entre 20 et 30 ans à la suite d'une insuffisance respiratoire ou d'un arrêt cardiaque (Ministère de l'Éducation du Québec, 1985, p. 61).

L'hérédité de la maladie est liée au sexe ; elle est causée par un gène défectueux sur la vingt-troisième paire de chromosomes. Les gènes responsables sont situés sur le chromosome X et transmis par la mère apparemment saine. La probabilité de transmission de la maladie par une mère porteuse du gène défectueux est de 50 %.

La dystrophie de type Becker est également transmise aux garçons. Elle est toutefois moins grave que la précédente. L'impossibilité de marcher se produit vers l'âge de 18 ans, mais les malades ont souvent une espérance de vie normale. Quant à la dystrophie des ceintures, elle touche les deux sexes. Les muscles proximaux du bassin et des ceintures sont atteints. En ce qui a trait à la dystrophie facio-scapulo-humérale, elle peut débuter à divers âges et elle atteint les personnes des deux sexes. L'espérance de vie peut être normale.

C. L'épilepsie

Les crises d'épilepsie sont dues à des décharges électriques soudaines et inhabituelles dans le cerveau. Il existe différents types de crises : elles peuvent être généralisées (s'étendre à la quasi-totalité du cerveau) ou partielles. Les crises généralisées peuvent être d'une plus ou moins grande intensité (grand mal ou petit mal). Dans le grand mal, l'élève perd connaissance, tombe et entre en convulsions. La crise dure quelques minutes, parfois plus dans le cas d'une épilepsie sévère. Ensuite, l'élève reprend connaissance. Dans le petit mal (appelé aussi « absence »), l'élève s'arrête brusquement, son regard devient fixe, puis il reprend son activité sans se rendre compte de cet arrêt (Ligue de l'épilepsie du Québec, 1981).

Dans les crises partielles, la décharge électrique n'atteint qu'une partie du cerveau. L'élève peut alors manifester des comportements automatiques (crises psychomotrices), des mouvements unilatéraux brusques et saccadés (crises focales motrices), des hallucinations auditives et visuelles (crises focales sensorielles). Il convient de noter que plusieurs personnes peuvent voir leurs crises maîtrisées par l'usage de médicaments. Si l'élève doit prendre des médicaments à l'école, il est nécessaire que les autorités scolaires soient informées des modalités d'administration et des effets secondaires, s'il y a lieu, de ces médicaments.

Il est important que l'enseignant sache comment réagir lors de ces crises, en particulier s'il s'agit d'une crise de grand mal. Entre autres, il importe de ne pas mettre ses doigts ni un autre objet dans la bouche de l'élève, de ne rien lui donner à avaler, de s'assurer que les objets autour de lui ne peuvent le blesser, de ne pas l'immobiliser ni de le prendre dans ses bras.

Ces quelques exemples de déficience physique illustrent les différences importantes qui peuvent exister d'un enfant handicapé physique à un autre. Nous tracerons maintenant les grandes lignes guidant l'intervention face à un élève qui a une déficience physique.

12.3.3 Quelques principes guidant l'intervention

A. L'obtention de l'information requise

Stephens et autres (1988) suggèrent aux enseignants accueillant un élève handicapé physique de se procurer l'information relative à l'aspect médical, à la communication, aux déplacements et au transport ainsi qu'aux soins personnels. Dans un premier temps, il importe de recueillir l'information sur la nature du problème de l'élève, la médication et ses effets secondaires (s'il y a lieu), les restrictions dans les activités et les interventions d'urgence. Il faut également s'enquérir d'un éventuel problème de communication et des modalités qu'utilise l'élève pour écrire. Les modalités de transport et l'aide requise (par exemple pour monter dans l'autobus ou en descendre) sont des éléments importants à connaître. Enfin, il faut préciser les besoins particuliers de l'élève en ce qui concerne la toilette, l'alimentation, etc. Il est également bon de se familiariser avec l'équipement nécessaire et de savoir comment celui-ci doit être mis en place.

Il est possible que l'élève reçoive les services de plusieurs intervenants. La direction joue alors un rôle de coordination important à l'école. En effet, il faut ajuster les horaires en fonction des services nécessaires et prévoir les activités pédagogiques en tenant compte des autres objectifs qui doivent être atteints par l'élève. Les plans d'intervention et de services se révèlent alors des outils essentiels de coordination.

B. Les adaptations nécessaires

Il est souvent essentiel, en particulier lorsque l'élève utilise un fauteuil roulant ou une prothèse, d'effectuer certaines adaptations à l'école ou dans la classe. Certaines écoles sont déjà adaptées alors que d'autres requièrent des modifications.

Si l'élève est dans un fauteuil roulant, en ce qui concerne la classe, non seulement il faut prévoir un espace suffisant pour permettre au fauteuil d'être déplacé, mais encore il faut penser à la hauteur des tables, des tableaux, etc. Il faut aussi s'assurer que le matériel est accessible et installé ; certains élèves, en effet, utilisent une machine à écrire, tandis que d'autres ont besoin d'aides spécifiques. Quant à l'école, il faut s'assurer de l'accès du fauteuil roulant, de la présence de toilettes adaptées. Si la classe est située au deuxième étage, on doit prévoir un ascenseur ou encore un appareil qui permettra à l'élève d'y accéder. Les progrès de la technologie ont amené la mise au point d'appareils qui rendent possibles les déplacements des fauteuils roulants dans les escaliers sans qu'il soit obligatoire d'installer un ascenseur.

Les besoins des élèves ayant une déficience physique sont fort variés ; c'est pourquoi il est impossible de décrire ici toutes les adaptations existantes. La coordination entre intervenants et parents, la connaissance de l'information pertinente, l'adoption d'une attitude ouverte et l'acquisition des ressources nécessaires sont autant de facteurs qui facilitent la scolarisation de ces élèves.

RÉSUMÉ

Parmi les élèves en difficulté, plusieurs présentent une déficience physique ou sensorielle. Les critères d'identification de ces déficiences sont en général définis précisément. Ainsi, la déficience visuelle est évaluée à l'aide du degré d'acuité visuelle et du diamètre du champ de vision. Par ailleurs, on mesure la déficience auditive en évaluant le degré d'acuité et de discrimination auditives ainsi que le seuil de tolérance au son. En général, les déficiences physiques font l'objet de diagnostics précis.

Qu'il s'agisse d'une déficience physique ou sensorielle, il importe que l'enseignant obtienne l'information nécessaire qui lui précisera les besoins de l'élève en classe. La concertation ainsi que l'engagement des parents et des intervenants jouent alors un rôle important et facilitent les interventions de l'enseignant. Plusieurs élèves ont besoin de services multiples. La coordination de ces services est alors favorisée par l'utilisation d'un plan d'intervention personnalisé et d'un plan de services.

QUESTIONS

1. Quelles sont les définitions du ministère de l'Éducation du Québec concernant les élèves ayant une déficience visuelle, les élèves ayant une déficience auditive et les élèves ayant une déficience physique ? Illustrez votre réponse au moyen de quelques exemples.
2. Quelle est l'importance de l'information au début de l'année scolaire lorsqu'un enfant présente une déficience sensorielle ou physique?
3. Qu'est-ce que le braille ?
4. Quelles sont les caractéristiques du son et comment sont-elles utilisées dans l'évaluation du type de surdité ?
5. Qu'est-ce que l'oralisme et la communication totale ?
6. Donnez deux exemples de déficience physique.

LECTURES SUGGÉRÉES

FÉDÉRATION DE LA RÉADAPTATION EN DÉFICIENCE PHYSIQUE DU QUÉBEC (1993). *L'intégration scolaire : un guide pour les intervenants en réadaptation.*

MINISTÈRE DE L'ÉDUCATION DU QUÉBEC (1983b). *Le handicap visuel. Guide pédagogique. Primaire.* Québec : Ministère de l'Éducation, Direction générale du développement pédagogique.

MINISTÈRE DE L'ÉDUCATION DU QUÉBEC (1983d). *Les handicaps physiques. Guide pédagogique. Primaire.* Québec : Ministère de l'Éducation, Direction générale des programmes.

MINISTÈRE DE L'ÉDUCATION DU QUÉBEC (1985). *Les handicaps physiques. Guide pédagogique. Secondaire.* Québec : Ministère de l'Éducation, Direction générale des programmes.

PAUL, P.V. et JACKSON, D.W. (1993). *Toward a Psychology of Deafness.* Boston : Allyn and Bacon.

SECTION V

LES PARENTS

13

Collaborer avec les parents

OBJECTIFS

Après avoir lu ce chapitre, le lecteur devrait pouvoir :

- décrire comment les changements de société qui se sont produits ces dernières années modifient les relations entre l'école et la famille ;
- expliquer l'influence que peut avoir la présence d'un enfant en difficulté ou handicapé sur les fonctions de la famille ;
- décrire différentes étapes que traversent les familles d'enfants handicapés ;
- citer diverses occasions de collaboration entre la famille et l'école ;
- décrire différentes conditions qui facilitent la collaboration entre la famille et le personnel dans le milieu scolaire ;
- indiquer comment on peut favoriser la collaboration avec les parents lors de l'élaboration d'un plan d'intervention.

INTRODUCTION

La naissance d'un enfant handicapé transforme de manière plus ou moins marquée la vie familiale. L'apparition, en cours de scolarisation, de difficultés importantes de comportement ou d'apprentissage peut aussi entraîner des modifications dans cette dynamique. Dans ce chapitre, nous essaierons de mieux comprendre la réalité des familles qui vivent avec un enfant en difficulté ou handicapé. La collaboration avec la famille présente des avantages pour l'élève, ses parents, les enseignants et même la communauté scolaire. De nombreux auteurs (Adelman, 1994 ; Shea et Bauer, 1985 ; Turnbull et Turnbull, 1990) signalent les bénéfices de cette collaboration. Nous décrirons donc également les différentes occasions de collaboration qui s'offrent aux familles et aux intervenants dans le milieu scolaire.

Ce chapitre est divisé en trois sections. Dans la première section, nous exposerons les réalités auxquelles font face les familles, et plus particulièrement les familles d'enfants en difficulté ou handicapés. Dans la deuxième section, nous décrirons quelques-unes des modalités permettant la collaboration avec la famille. Enfin, dans la troisième section, compte tenu de l'importance actuelle du plan d'intervention et de son caractère obligatoire, nous présenterons quelques stratégies qui facilitent la participation parentale lors des réunions portant sur l'élaboration de ce plan.

13.1 COMPRENDRE LA FAMILLE

13.1.1 Des familles en mutation

Les familles se sont métamorphosées. Ainsi, on connaît depuis quelque temps un accroissement de la mobilité conjugale, une réduction de la taille des familles (de plus en plus d'enfants uniques), l'attribution de nouvelles responsabilités aux parents (par exemple les soins aux grands-parents), l'entrée des mères sur le marché du travail, des écarts socioéconomiques de plus en plus grands, des milieux pluriethniques, etc. (Conseil supérieur de l'éducation, 1994). Ces changements dans la société entraînent aussi des modifications dans les relations entre les enseignants et les familles, ce qui rend le défi de la communication plus complexe qu'autrefois :

> Hier encore, dans la société traditionnelle, l'école prolongeait autant la famille qu'elle résumait en quelque sorte la société. Davantage de continuité existait entre elles ; les attentes réciproques étaient claires et les actions de l'une et l'autre se confortaient. La société s'est transformée et, avec elle, la famille et l'école, qui se sont d'ailleurs éloignées l'une de l'autre et sont maintenant en quête d'un nouveau lien de collaboration (Conseil supérieur de l'éducation, 1994, p. 37).

13.1.2 Les changements dans les rôles des familles ayant des enfants en difficulté ou handicapés

Au cours des dernières années, si la famille s'est transformée, les perceptions des rôles des parents d'enfants en difficulté ou handicapés ont aussi évolué. Selon Turnbull et Turnbull (1990), les intervenants ont considéré successivement les parents comme la source du problème de leur enfant, des membres d'organisations (par exemple d'associations pour personnes déficientes), des producteurs de services, les récepteurs des décisions prises par les professionnels et des personnes devant apprendre de nouvelles habiletés parentales. On les a aussi considérés comme des enseignants pour leur enfant, des défenseurs de ses droits et des membres de l'organisation familiale.

Toujours selon Turnbull et Turnbull (1990), le pendule va d'un extrême à l'autre. Les parents ont été perçus d'abord comme étant l'origine du problème, puis comme étant la solution de celui-ci. On leur a attribué un rôle passif (récepteur de l'information venant des professionnels), puis un rôle actif dans la prise de décisions. Les écrits se sont d'abord concentrés sur la « dyade mère-enfant », puis, plusieurs années plus tard, sur les besoins de tous les membres de la famille, incluant ceux de la famille élargie.

La reconnaissance des droits de la famille dans la prise de décisions éducatives se reflète dans les lois et les politiques. Ainsi, la loi américaine 94-142 accorde aux parents le droit de participer aux décisions relatives au classement de leur enfant (voir le chapitre 1). Au Québec, l'article 47 de la Loi sur l'instruction publique met en évidence la participation des parents à l'élaboration du plan d'intervention. D'ailleurs, le ministère de l'Éducation du Québec (1992a) indique :

> L'élaboration du plan d'intervention est un moment privilégié pour favoriser les échanges entre les parents et le personnel scolaire en vue d'en arriver à une compréhension réciproque des points de vue de chacun. Et cette compréhension constitue le meilleur moyen pour assurer le respect des personnes en cause et pour en arriver à une collaboration fructueuse.
>
> Les parents, en tant que premiers éducateurs, sont les adultes les plus proches du jeune et ils ont la responsabilité entière du développement de leur enfant. Ainsi, tout au long de la démarche, les parents doivent être invités par l'équipe-école à s'engager (p. 15).

De plus en plus, il est nécessaire de reconnaître le partenariat qui doit s'établir avec la famille. L'établissement de ce partenariat est facilité par une meilleure compréhension des rôles et des fonctions de la famille.

13.1.3 Comprendre les fonctions de la famille

La famille remplit, pour l'enfant, des fonctions économique, éducative et d'orientation professionnelle. Elle assume les soins quotidiens, participe à l'organisation des loisirs. Elle contribue de près au processus de connaissance de l'enfant, à la socialisation et au développement de l'affectivité (Turnbull et Turnbull, 1990). La présence d'un enfant en difficulté ou handicapé transforme, d'une façon plus ou moins prononcée, l'exercice de ces fonctions. Prenons quelques exemples. Les médicaments, les soins ou les frais de garde modifient de manière plus ou moins importante le budget familial. Des enfants ont besoin d'une aide ou d'une supervision plus grandes. Par exemple, pour certains enfants handicapés, l'apprentissage de gestes quotidiens tels l'habillage et le déshabillage nécessite plus de temps et d'appui des parents. Le temps que ces derniers consacrent à leurs loisirs et à ceux de leurs autres enfants peut aussi être réduit par les soins et le temps que requiert leur enfant handicapé. Le fait de constater ces modifications permet une meilleure compréhension des besoins de la famille.

13.1.4 Comprendre les cycles de vie de la famille d'un enfant handicapé

Plusieurs reconnaissent que les familles d'enfants handicapés à la naissance éprouvent des émotions générées par les différentes étapes de vie de l'enfant. Ainsi, à la naissance de l'enfant, l'annonce du diagnostic est un moment pénible pour plusieurs familles. À la suite d'une étude menée auprès de familles d'enfants présentant une trisomie 21, Bouchard, Pelchat, Boudreault et Lalonde-Gratton (1994) écrivent:

> L'annonce du diagnostic d'une trisomie 21 est, sans contredit, un moment crucial dans la vie des parents. [...] Le contexte qui entoure cet événement et les paroles prononcées vont rester ancrés dans la mémoire des parents et risqueront d'influencer grandement la relation des parents avec leur enfant.
>
> Les entrevues laissent voir qu'un contexte favorable ne se présente qu'en de rares occasions et que, règle générale, les parents sont peu satisfaits de l'attitude des professionnels à leur égard (p. 48).

D'autres auteurs soulignent les réactions émotives des parents à la naissance d'un enfant handicapé ou à l'annonce du handicap et associent le vécu des parents à un processus de deuil. Le tableau 13.1 présente les étapes de ce processus.

Sans nier la présence de ces étapes, Bouchard et autres (1994) indiquent qu'il peut néanmoins y avoir des différences dans le cheminement des familles:

> Tous les parents sont appelés à vivre le choc initial et à traverser certaines étapes pour arriver à une forme d'adaptation à la différence. Mais tous n'ont

TABLEAU 13.1 Étapes du processus de deuil

Étape	Description
Première étape: le choc	• De la confusion • Des émotions intenses • Une absence apparente d'émotions
Deuxième étape: la négation	• Le déni • L'anxiété • La consultation de divers spécialistes à des fins de comparaison
Troisième étape: le désespoir	• Un chagrin intense • De l'épuisement, des attitudes dépressives
Quatrième étape: le détachement	Une étape intermédiaire, où les émotions deviennent peu à peu moins intenses et moins envahissantes
Cinquième étape: l'acceptation	• Le réalisme • L'adaptation • Le retour à l'équilibre

Source: Bhérer (1993, p. 69).

pas les mêmes réactions et ne poursuivent pas le même cheminement, bien qu'ils puissent être aux prises avec des difficultés similaires. Tous ne reçoivent pas le même soutien de la part de leur entourage (p. 79).

Témoignage d'un père

C'est neuf mois de notre vie qu'on vient de rayer. Pour nous, c'était l'enfer. On se disait : toute notre vie chavire. On n'était pas du tout préparé à recevoir ce diagnostic-là.

Je patientais dans la salle d'attente. À deux heures du matin, je vois le médecin arriver ; il ne sourit pas. C'est surprenant, il me semble que quand tu vas annoncer quelque chose de bien à la personne... Peut-être qu'il est stressé, qu'il a autre chose à faire... Il s'assoit à côté de moi et me dit : « Bon, c'est un petit garçon. » Alors, je me dis : « Ça y est, c'est ma femme qui a trépassé, il y a quelque chose, il ne sourit pas ! » Il ajoute : « Ta femme va bien, il n'y a pas de problèmes. Je pense que ton petit garçon a le *Down syndrome*. » Il m'a tapé sur la cuisse, il s'est levé et il est parti.

Je ne comprenais pas ce qu'il me disait. Je cherchais, mais j'étais fatigué, c'était beaucoup d'émotions en même temps. Je me suis dit : « Je pense que c'est un problème intellectuel. » Alors j'ai couru après le médecin et je lui ai demandé : « Est-ce que c'est un retard intellectuel ? » Il s'est retourné, il m'a dit : « Oui », et il s'en est allé. Il m'a évité carrément.

Source : Goupil, G. (1992) (réalisation). *Aux yeux des autres*, vidéo. Montréal : Université du Québec à Montréal, Service de l'audiovisuel.

Après la naissance, d'autres périodes de vie marquent l'enfant et sa famille. Citant les travaux de Hammer, Shea et Bauer (1985) indiquent que les périodes de vie suivantes sont particulièrement stressantes pour les parents :

1) à la naissance ou au moment où on soupçonne le handicap ;
2) au moment du diagnostic et du traitement de la condition handicapante ;
3) au moment de l'entrée à l'école ;
4) à l'arrivée de la puberté ;
5) lorsque l'enfant atteint l'âge de la planification de sa carrière ;
6) lorsque les parents vieillissent et que l'enfant doit les quitter (p. 42 ; traduit par l'auteure).

À chacune de ces périodes, les parents vivent différentes émotions. Il ne faudrait cependant pas croire que la présence d'un enfant handicapé n'a que des conséquences difficiles pour les parents. Ainsi, Bouchard et autres (1994) indiquent : « Chose certaine, ils aiment leur enfant » (p. 74). Puis, ces auteurs précisent :

> Tout compte fait, nous avons pu constater que la présence de cet enfant a des effets positifs sur les parents en ce sens qu'ils réalisent des apprentissages importants. Ils remettent en question leurs valeurs et leurs priorités, se reconnaissent des qualités nouvelles et se sentent plus riches de leur expérience sur le plan personnel. Leur vie est transformée et souvent bousculée, mais ils apprennent à en tirer des leçons pour cheminer de façon positive avec leur enfant (p. 74).

Ces auteurs soulignent l'importance du rôle des professionnels et des images qu'ils renvoient aux parents d'eux-mêmes. L'intégration au système d'éducation, le passage du primaire au secondaire, l'avènement de la puberté, la transition entre l'école et la vie adulte représentent des périodes importantes pour les parents où les intervenants du milieu scolaire auront un rôle crucial à jouer afin de ne pas donner aux parents des images négatives et pessimistes.

Les parents vivent donc différentes émotions et situations. Les ressources pour composer avec ces émotions et ces situations pourront cependant varier en fonction des familles et de leur entourage. Parmi ces ressources, la collaboration avec le personnel scolaire peut revêtir une grande importance lors de la période de scolarisation. Dans les prochaines pages, nous verrons différentes façons de créer une collaboration avec les parents.

13.2 Communiquer avec les parents

13.2.1 Des occasions multiples de communication

En général, les parents peuvent être incités à communiquer de multiples façons avec l'école. Il y a les rencontres individuelles ou en groupe, planifiées ou survenant au fil du quotidien (comme lorsque le parent vient chercher son enfant à l'école). Il y a aussi les communications écrites adressées à un seul parent ou à l'ensemble des parents des élèves d'une classe, les commentaires sur les bulletins, les portfolios, l'envoi de messages par le biais de l'agenda, les cahiers de l'élève, etc. Les enseignants utilisent aussi le téléphone ou le répondeur pour transmettre différents renseignements. Certains parents offrent leurs services comme bénévoles en classe ou dans l'école. Bref, les modalités de la prise de contact avec les parents sont fort variées. Epstein (1988) propose la typologie suivante des modes de collaboration entre les parents et l'école.

1. Les obligations de base des parents envers leurs enfants. Cette catégorie porte sur les responsabilités fondamentales des parents concernant le bien-être de leur enfant, sa santé et sa sécurité.
2. Les obligations de base de l'école envers l'enfant et sa famille. Cette catégorie a trait au devoir de l'école de traiter les élèves de manière juste et équitable en respectant les différences individuelles. Elle concerne aussi certaines obligations de l'école, par exemple le fait de communiquer les horaires, les règlements et la tenue d'événements, et d'informer les parents du rendement scolaire de leur enfant.
3. La participation directe des parents à l'école. Cette catégorie inclut l'aide donnée par les parents dans les classes ou dans l'école, par exemple par l'intermédiaire de projets de bénévolat. Il peut aussi s'agir de participer à des groupes de discussion, à des ateliers d'information ou de formation, etc. On trouve dans les écrits des programmes de formation ou d'information à l'intention des parents qui ont des enfants en difficulté.
4. La participation des parents à l'apprentissage de l'élève à la maison. Cette catégorie comprend les activités visant à développer différentes habiletés sociales et personnelles chez l'enfant. Elle inclut aussi l'aide apportée dans les devoirs et les leçons.
5. La participation des parents à la gestion de l'école. Cette catégorie concerne la participation des parents à des groupes de décisions à l'école ou à la commission scolaire. La participation au comité EHDAA (Comité pour les élèves handicapés et en difficulté d'adaptation et d'apprentissage) de la commission scolaire en est un exemple.

Comme on peut le constater, les modalités de collaboration ne manquent pas. Cependant, la qualité de cette collaboration sera influencée par de multiples conditions, dont les attitudes des partenaires en cause.

13.2.2 Des attitudes conditionnant la qualité de la communication

La première étape dans l'établissement d'une saine collaboration avec les parents consiste à examiner ses attitudes envers les parents. Le parent est-il considéré comme la source du problème ou comme un partenaire à part entière, une ressource importante pour aider l'enfant ? Il est important de pouvoir passer ce message au parent : « Nous voulons tous les deux aider votre enfant. » Les attitudes négatives ont des répercussions sur la communication, se traduisant dans des comportements verbaux ou non verbaux qui nuisent aux échanges.

Décrivant la situation de parents d'enfants qui ont des difficultés graves de comportement, Morgan et Jenson (1988) indiquent que plusieurs mythes interfèrent dans les relations entre enseignants et parents. Ces mythes sont les suivants :

1. Je dois me contenter de faire mon travail d'enseignant et ne pas compter sur les parents.
2. Les parents se doivent d'accepter les programmes de la commission scolaire et ils sont confondus lorsqu'on leur demande de faire des choix.
3. Les parents doivent avoir des valeurs et des attitudes semblables à celles de l'enseignant.
4. Les parents sont la cause première du problème de leur enfant.
5. Les parents n'ont pas un rôle important à jouer dans les programmes éducatifs destinés à améliorer l'adaptation de leur enfant à l'école.

Pour Morgan et Jenson (1988), ces mythes nuisent à la communication. Les parents devraient être considérés comme des partenaires à part égale. De plus, leur collaboration permet d'améliorer les interventions de l'école en facilitant la généralisation des acquis de l'élève dans ses divers milieux de vie.

Si les attitudes de l'enseignant sont importantes, celles des parents le sont également. Rapportant les travaux de Fonders et Lewis, Meese (1996) indique que certains parents décident de ne pas collaborer avec l'école pour plusieurs raisons. Voici quelques-unes de ces raisons : (1) les parents ont eu de mauvaises expériences avec l'école ; (2) ils ont des contraintes importantes de temps et d'argent et (3) ils ressentent de la crainte, de la méfiance ou ont peur de ne pas être respectés.

La qualité de la communication joue donc un rôle primordial. Nous verrons maintenant quelques stratégies qui favorisent celle-ci dans le contexte des relations avec la famille.

13.2.3 Des gestes favorisant la communication

A. Adopter une approche proactive

La plupart des auteurs s'entendent pour dire qu'il est important d'établir le plus tôt possible dans l'année scolaire des contacts avec les parents avant que survienne une situation problématique. Ce principe, qui s'applique à l'ensemble des parents d'élèves, devient crucial dans le cas des parents d'élèves dont on sait qu'ils présentent des difficultés graves de comportement. Un premier contact fait dans une situation où il n'y a pas de tensions particulières aura pour effet de faciliter les contacts qui se révéleront nécessaires dans des circonstances plus difficiles.

B. Manifester des comportements facilitant la communication

Les études en psychologie ont dégagé plusieurs comportements qui facilitent la communication. Une rencontre d'un enseignant avec les parents n'est pas une séance de thérapie. Toutefois, plusieurs comportements manifestés par des spécialistes lors de l'entrevue favorisent les échanges. Le tableau 13.2 présente quelques-uns de ces comportements.

C. Organiser les rencontres

Le milieu scolaire utilise de nombreuses formes de rencontres avec les parents. Ces rencontres peuvent être individuelles ou en groupe, comme les réunions d'information en début d'année. Lorsqu'une rencontre est prévue, sa planification facilite son déroulement. Nous verrons quelques principes de planification appliqués à des rencontres individuelles.

Avant la rencontre

Avant la rencontre, l'enseignant précise l'objectif de celle-ci. Il recueille l'information et les observations nécessaires. Il peut aussi rassembler des exemples de

TABLEAU 13.2 Quelques comportements favorisant la communication

Comportement	Description
Écoute active	Écouter pour percevoir le contenu réel du message, laisser le parent s'exprimer
Utilisation d'un vocabulaire compréhensible pour le parent	Éviter le jargon professionnel ou les termes compliqués
Reformulation	Redire dans d'autres mots ce que la personne vient de nous dire pour nous assurer de notre compréhension du message
Utilisation de questions ouvertes	Poser des questions qui laissent à l'interlocuteur plusieurs possibilités de réponses
Résumé	Faire des synthèses périodiques au cours de la rencontre pour dégager les points principaux et s'assurer d'une bonne compréhension mutuelle
Comportements non verbaux appropriés	Regarder notre interlocuteur, avoir une posture ouverte, utiliser les expressions appropriées du visage, etc. Ne pas adopter une position spatiale révélant un statut d'autorité (par exemple s'asseoir sur une chaise d'adulte et faire asseoir le parent sur une chaise d'élève)

travaux de l'élève illustrant ses forces et ses difficultés. Il avertit l'élève qu'il rencontrera ses parents. Par la suite, il invite les parents à le rencontrer en s'assurant que le moment choisi leur convient. L'enseignant peut aussi transmettre quelques questions qui feront l'objet d'une discussion.

Pendant la rencontre

L'enseignant accueille cordialement les parents en les remerciant de s'être déplacés. Le contact initial est important ; des remarques ou des échanges simples permettent souvent de détendre l'atmosphère. La rencontre se déroule dans un endroit confortable, où il n'y aura pas d'interruptions par des tiers.

Selon Wolf et Stephens (1989), le déroulement de la rencontre comprend les étapes suivantes : (1) l'établissement du contact avec le parent ; (2) la demande d'information ; (3) la transmission de l'information et (4) la planification des stratégies pour un suivi. Lors de situations problématiques, il peut être utile de recourir à un processus de résolution de problèmes. Le processus se déroule selon les étapes suivantes : (1) la détermination du problème ; (2) l'élaboration des solutions potentielles ; (3) l'évaluation et le choix des solutions ; (4) l'application des solutions et (5) l'évaluation des résultats (Friend et Cook, 1992). L'enseignant et les parents se répartissent les responsabilités. Il vaut mieux s'entendre sur des objectifs précis et peu nombreux que sur une liste interminable qui découragera les parents au moment de passer à l'action.

Il peut arriver que des parents souhaitent être en contact avec d'autres parents ou obtenir plus d'aide ou d'information. Les ressources de l'école, de la commission scolaire et du réseau des affaires sociales peuvent bien sûr être mises à contribution. On peut aussi faire appel à plusieurs associations.

Après la rencontre

Après la rencontre, l'enseignant consigne par écrit les points principaux de la rencontre. Il peut téléphoner de nouveau au parent et surtout souligner, s'il y a lieu, les progrès de l'élève. Le tableau 13.3 présente quelques suggestions visant à favoriser les rencontres avec les parents.

TABLEAU 13.3 Suggestions pour faciliter les rencontres avec les parents

- Veillez à l'organisation matérielle de la rencontre : des chaises convenant à la taille des adultes, du café, du papier et des crayons pour permettre aux parents de prendre des notes s'ils le désirent, etc.
- Précisez bien l'objectif de la rencontre.
- Ayez en main des exemples de productions de l'enfant.
- Assurez-vous que vous ne serez pas dérangés durant la rencontre.
- Informez-vous si de jeunes enfants accompagneront les parents.
- Évitez le jargon professionnel.
- Soyez sincère, ne faites pas de promesses qui ne pourraient pas être tenues.

→

TABLEAU 13.3 Suggestions pour faciliter les rencontres avec les parents (suite)

- Gardez en tête, tout au long de la réunion, que l'élève est le sujet de celle-ci.
- Une rencontre avec un enseignant n'est pas une séance de thérapie ; si les parents ont des besoins importants, vous pouvez cependant leur suggérer de consulter d'autres ressources.
- Gardez un ton positif tout au long de la rencontre.
- Évitez de comparer l'élève à d'autres élèves ou encore à ses frères ou à ses sœurs, et ce même si les parents s'aventurent sur ce terrain.
- Si l'élève assiste à cette rencontre, faites-le participer.
- Faites participer les parents aux décisions.
- Effectuez un résumé des points saillants de la rencontre et planifiez un suivi avec les parents.
- Si une autre rencontre s'avère nécessaire, il peut être utile de fixer ce rendez-vous et d'indiquer aux parents que vous les rappellerez quelques jours avant la nouvelle rencontre pour la confirmer.

13.3 Les parents comme membres à part entière de l'équipe d'intervention

Le ministère de l'Éducation du Québec (1992a) indique que, pour arriver à collaborer avec la famille d'un élève en difficulté ou handicapé, « il faut considérer les parents comme des partenaires essentiels et reconnaître leur responsabilité réelle dans le développement de leur enfant » (p. 34). Pour le Ministère, se considérer comme des partenaires implique :

> [...] que les rapports soient des rapports de nature convergente et égalitaire, plutôt que hiérarchique, entre des personnes liées par un intérêt commun, celui d'aider l'élève ;
>
> que l'on accorde une valeur égale à l'expression des points de vue chacun ;
>
> que chacun sente qu'il participe et contribue dans la mesure de ses possibilités à la résolution du problème (p. 34).

La réalisation d'un tel partenariat est toutefois un défi, car plusieurs auteurs ont souligné que certains parents se considèrent eux-mêmes ou sont considérés comme des récepteurs et des émetteurs d'information et non comme des participants à part entière à la prise de décisions. Là-dessus, le plan d'intervention offre un potentiel intéressant d'engagement de l'école avec la famille. Toutefois, cette démarche doit également reposer sur des stratégies facilitant la participation des parents. C'est ce que nous examinerons dans les pages suivantes.

13.3.1 La convocation initiale et la préparation des réunions

Dans les écoles, c'est le plus souvent la direction qui convoque les parents, l'élève et les autres participants à l'élaboration d'un plan d'intervention. La direction s'assure de la disponibilité des diverses personnes en tenant compte des horaires de chacune, particulièrement de ceux des parents. Réunir plusieurs intervenants autour d'une table suppose de nombreux appels téléphoniques et ajustements d'horaires, surtout si les parents travaillent et si les spécialistes œuvrent dans plusieurs écoles.

Lorsque la direction convoque les parents, elle peut leur demander de participer à l'évaluation en apportant divers renseignements: les points forts de l'enfant, les difficultés observées, etc. Au cours de l'élaboration du premier plan d'intervention personnalisé d'un enfant, il est important de se rappeler que ses parents peuvent vivre plusieurs émotions. Selon MacMillan (1988), les parents ressentent souvent de la peine et de la douleur lorsqu'ils apprennent les difficultés de leur enfant. Il est donc très important d'entrer en relation avec eux avant la rencontre portant sur le plan d'intervention personnalisé. En règle générale, les parents devraient déjà avoir eu quelques contacts avec l'école au sujet de leur enfant avant qu'il soit nécessaire de recourir à un plan. Lorsque les spécialistes ont rédigé des rapports-synthèses sur l'enfant, il est important que les parents puissent en prendre connaissance avant la réunion et disposent de tout le temps nécessaire pour ce faire. Schwartz Green (1988) suggère les éléments suivants pour amener les parents à avoir une participation plus active: les encourager à apporter une liste de questions pour mieux intervenir au cours de la réunion, les inviter une semaine ou deux à l'avance à penser aux objectifs à court et à long terme qu'ils aimeraient voir leur enfant atteindre. L'auteure indique aussi que les parents peuvent noter des renseignements sur le comportement de leur enfant: comment ils se comportent face aux devoirs, dans les activités de socialisation, ce qui semble les motiver à la maison. Comme on doit valoriser la participation des parents à la réunion, la convocation par téléphone devrait être positive. On indique alors aux parents que si cette réunion sert à trouver ensemble des moyens d'aider l'enfant à surmonter ses difficultés, elle permettra aussi de faire le point sur ses forces, ses goûts et ses succès.

La direction informe les parents du nom et des fonctions des personnes qui seront présentes à la réunion et peut aussi leur demander s'ils s'opposent à la présence de ces personnes. De même, il faut considérer le nombre d'intervenants: un trop grand nombre intimide certains parents. La direction offre également aux parents d'inviter, s'ils le souhaitent, d'autres personnes qu'intéresse le développement de leur enfant: un médecin, un psychologue, un proche parent, une gardienne, etc. Elle leur souligne qu'ils peuvent obtenir plus d'information avant la réunion. Souvent, des précisions supplémentaires sur le déroulement de la réunion aident à réduire l'anxiété que suscite chez plusieurs parents et chez l'enfant le fait de discuter des difficultés de celui-ci au cours d'une réunion. Par la suite, le responsable de la réunion s'assure que tous les intervenants sont préparés à la rencontre et que les évaluations nécessaires sont prêtes. Le jour de la réunion, on dispose d'une salle adéquate où les participants ne seront pas dérangés ou interrompus.

13.3.2 Une réunion en plusieurs étapes

Juste avant de commencer la réunion, les participants se répartissent autour d'une table. Gress et Carroll (1985) indiquent que l'aménagement de la salle et la table utilisée doivent faciliter la discussion et ne pas faire obstacle aux interactions. MacMillan (1988) suggère à l'enseignant de s'asseoir près du parent. En effet, très souvent les parents rencontrent pour la première fois certaines personnes, alors qu'ils ont déjà eu plusieurs contacts avec l'enseignant.

La réunion se déroule en plusieurs étapes. Comme elle vise à dresser le plan d'intervention, il y sera question successivement de la situation de l'élève, de la sélection des buts et des objectifs d'intervention, et de la planification des ressources et des moyens nécessaires. En ce qui concerne l'analyse de la situation de l'enfant, nous insistons encore une fois sur l'importance de mettre en évidence les forces de l'élève, car il est extrêmement pénible pour un parent et pour un enfant de n'entendre que des remarques négatives. MacMillan (1988) rappelle que les parents sont les personnes qui connaissent le mieux leur enfant. Lorsque l'analyse de la situation de l'élève est complétée, on détermine les besoins prioritaires et on procède à la définition des objectifs et des moyens d'intervention. À la fin de la réunion, on fait un résumé, et le plan est signé par les participants. Les parents et l'élève (s'il participe à la réunion) devraient recevoir un exemplaire de ce plan.

13.3.3 L'animation de la réunion

L'animation de la réunion est une condition importante du succès de celle-ci : elle doit être systématique et permettre à chacun de s'exprimer. Dans un ouvrage sur le plan de services, Boisvert (1990) souligne l'importance de la qualité de l'animation. Selon lui, l'animateur aide au travail des participants au moyen de divers comportements axés sur la clarification, la direction et la facilitation.

Dans un but de clarification, l'animateur s'assure que les participants comprennent toute l'information. Il demande qu'on décrive des faits, qu'on évite autant que possible les jugements et il reformule les interventions au besoin. Par exemple, dire que Jacques est distrait n'indique pas comment se manifeste cette distraction : Passe-t-il outre à diverses consignes ? Saute-t-il des problèmes lors des examens ? Oublie-t-il une partie des instructions lorsqu'il fait ses exercices ? A-t-il durant la semaine oublié deux fois son cahier d'exercices ? A-t-il omis de faire signer trois feuilles par ses parents ? Voilà des distractions dont l'importance varie et qui ne requièrent pas le même type d'intervention. L'animateur doit aussi voir à ce que le vocabulaire utilisé soit compris par tous. Il explique les termes trop spécialisés et s'assure qu'un jargon professionnel ou l'usage d'abréviations ne viennent pas nuire à la compréhension de l'information. « Vous savez que tous les DGA ont dû subir un test de Q.I. avec le psy et une analyse exhaustive basée à la fois sur l'évaluation formative et sommative faite par l'ortho de l'école. » Voilà une phrase peu compréhensible pour une personne qui n'est pas initiée à notre système scolaire !

Le deuxième type de comportements décrit par Boisvert (1990), soit les comportements destinés à diriger les débats, sont centrés sur la procédure. Pour bien accomplir sa tâche, l'animateur doit s'être familiarisé avec la structure et les composantes d'un plan d'intervention. Il fixe des limites de temps, ramène les participants à l'objet de la discussion s'ils s'en écartent et permet à tous de s'exprimer.

Finalement, les comportements de facilitation sont axés sur les relations socioaffectives qui s'établissent au cours de la réunion. Il peut s'agir à l'occasion de détendre l'atmosphère, de susciter l'expression de sentiments, etc. La qualité de l'animation est donc un point très important dans l'élaboration du plan d'intervention.

13.3.4 Des mesures pour faciliter la participation des parents au plan d'intervention

Divers programmes ont été mis sur pied afin de faciliter la participation des parents au plan d'intervention (Nye, Westling et Laten, 1986) ou encore au plan de services (Lapointe, 1990). Nye et autres (1986) ont élaboré un programme axé sur les habiletés de communication, en apprenant aux parents, entre autres, à poser des questions plus efficaces. Ces questions les renseigneront sur la situation vécue par leur enfant et leur permettront de participer davantage aux décisions. Ces auteurs suggèrent ainsi aux parents de se renseigner, avant la réunion, sur la situation de leur enfant et sur le déroulement de cette réunion. De plus, ils proposent toute une série de stratégies qu'ils utiliseront lors de la rencontre portant sur l'élaboration du plan d'intervention. Le tableau 13.4 présente quelques-unes de ces stratégies.

Divers guides (Gallaudet College, 1986; New York State Education Department, 1986) cherchent à faciliter la participation des parents. En général, ces guides informent les parents de leurs droits et de ceux de leur enfant, décrivent le plan d'intervention personnalisé et la démarche dans laquelle il s'insère. Ces documents proposent aussi un éventail de conseils aux parents. Ainsi, dans le document du

TABLEAU 13.4 Quelques stratégies permettant aux parents d'obtenir de l'information

Avant la réunion

1. Demandez de l'information sur la réunion elle-même et sur son fonctionnement: les personnes qui seront présentes, les fonctions et les rôles de ces personnes, etc.
2. Demandez de l'information sur les activités de l'enfant à l'école, sur ses progrès, sur les objectifs poursuivis actuellement, etc.

Pendant la réunion

1. Posez des questions visant à éclaircir certains points: « Je connais bien mon enfant. J'ai toutefois de la difficulté à comprendre le vocabulaire que vous utilisez, en particulier vos abréviations. Par exemple, que veut dire "DGA" ? »
2. Faites des interventions reliées à la compréhension du contenu: « Vous allez trop vite. J'aimerais être certain de bien comprendre. Pourriez-vous ralentir, s'il vous plaît ? »
3. Au besoin, posez des questions sur les services offerts: « Comment fonctionne le transport scolaire ? »
4. Posez des questions pour mieux comprendre la situation de l'enfant: « Vous me dites que Paul a été très agressif cette semaine. Pourriez-vous m'expliquer ce qu'il a fait exactement et quand cela s'est produit ? »

Source: Inspiré de Nye et autres (1986).

New York State Education Department (1986), on indique au parent que le succès de sa participation est relié aux éléments suivants :

- être bien au courant des programmes scolaires et des droits de son enfant ;
- s'estimer partenaire de l'école ;
- désirer devenir activement engagé et intéressé ;
- donner son appui aux programmes éducatifs ;
- poser des questions et exprimer ses inquiétudes quand des doutes surgissent ;
- parler avec son enfant de son école ;
- se tenir au courant des programmes d'enseignement et des progrès de son enfant (p. 11).

13.3.5 Des mesures à l'intention des intervenants

Si certains parents ont besoin de développer des habiletés pour participer à l'élaboration du plan d'intervention (Morgan, 1982), les attitudes et les comportements des autres intervenants les influenceront aussi en ce sens. Bouchard (1987a, 1987b) met en évidence la nécessité de créer une véritable collaboration entre les spécialistes et les parents. Mais cela est parfois difficile, la participation des parents pouvant poser certains problèmes aux intervenants (Walker, cité dans Morgan, 1982) : le personnel craint de devoir s'engager dans des discussions longues et compliquées avant d'en arriver à un consensus ; il a parfois tendance à blâmer le milieu familial lorsqu'un enfant éprouve des difficultés de comportement ou d'apprentissage. Parfois aussi, le manque de connaissances des parents sur la véritable nature des services offerts les amène à se rallier les yeux fermés à l'opinion des spécialistes auxquels ils font confiance. Selon Morgan (1982), à ces éléments peut s'ajouter une préparation insuffisante du personnel à l'intervention avec les parents. Cette préparation incomplète peut se traduire par l'utilisation d'un jargon professionnel ou par des maladresses (pouvant être perçues comme un manque de délicatesse) lors de la description des problèmes de l'enfant.

Shevin (1983) souligne la nécessité pour les spécialistes d'en arriver à un langage commun, exempt de termes techniques, et de connaître les valeurs des parents. Dans ce processus, Lapointe (1990) souligne l'importance de la communication, de la relation de confiance et de l'écoute active. Somme toute, la participation des parents est tributaire de multiples facteurs où les attitudes des intervenants peuvent s'avérer déterminantes.

13.3.6 La participation de l'élève

La Loi sur l'instruction publique indique que l'élève doit, dans la mesure du possible, participer à l'élaboration du plan d'intervention, parce que ce plan est d'abord et avant tout le sien. Sa participation facilite d'ailleurs la réalisation des objectifs d'apprentissage. Quelle serait l'utilité, par exemple, de déterminer plusieurs objectifs sur le comportement d'un élève du secondaire qui s'absente et refuse de faire ses travaux si celui-ci n'est ni intéressé à changer ses comportements ni motivé en ce sens ?

Winslow (1977, cité dans Gillespie et Turnbull, 1983) établit certains critères qu'on doit prendre en considération pour faire participer l'élève : son âge, le degré de sa déficience et sa capacité de participer à ce plan d'intervention. Gillespie et Turnbull indiquent que l'intérêt de l'enfant est un autre critère dont il faut tenir compte. Ces auteurs font plusieurs suggestions aux parents et aux enseignants afin de préparer l'élève à la réunion portant sur le plan d'intervention. Le tableau 13.5 présente ces suggestions.

Le plan d'intervention représente une occasion privilégiée pour établir un partenariat avec les parents. Cependant, tout comme les autres modes d'intervention auprès des parents, il pose aussi le défi de la communication et de la concertation.

TABLEAU 13.5 Suggestions faites aux parents pour préparer leur enfant à une réunion portant sur le plan d'intervention

- Demandez à votre enfant s'il veut venir à la réunion. Expliquez-lui pourquoi cette réunion aura lieu et quelles personnes seront présentes.
- Informez votre enfant au moins une semaine à l'avance du fait qu'il sera invité à participer à la réunion.
- Montrez à votre enfant le plan d'intervention de l'année dernière (si vous pouvez vous le procurer) et révisez avec lui les éléments qui y sont inclus.
- Demandez à l'avance des exemplaires du rapport d'évaluation et un exemplaire des recommandations de l'enseignant pour le plan d'intervention. Prenez vos questions et vos commentaires en note. Révisez cette information avec votre enfant, et communiquez-lui ce que vous avez l'intention de dire à la réunion.
- Discutez avec votre enfant de divers points qui seront abordés au cours de la réunion, comme les buts, les objectifs, le lieu de scolarisation et les services demandés. Si vous et votre enfant différez d'opinions en ce qui concerne les points que vous considérez comme importants, exprimez ces différences le plus tôt possible avant la réunion. Parlez de vos idées ensemble et tâchez d'en arriver à des compromis acceptables pour l'un et l'autre. Rappelez-vous qu'une divergence profonde d'opinions entre vous deux lors de la réunion peut créer un malaise chez vous.
- Dites-vous que les idées de tous sont bienvenues à la réunion.
- Avertissez votre enfant que ses suggestions ne seront peut-être pas toutes suivies, mais que ses opinions sont valables.
- Obtenez le plus d'information possible de votre enfant à propos de son programme éducatif. Il peut être utile de dresser une liste de questions précises et d'aborder ces questions avec lui.
- Aidez votre enfant à dresser une liste de trois choses qu'il aime à l'école, de trois choses qu'il voudrait changer et de trois choses qu'il voudrait apprendre dans l'avenir.
- Discutez de cette réunion à la maison avec les autres membres de la famille (il pourrait être utile de faire un jeu de rôle).
- Le jour de la réunion, révisez l'objectif de cette réunion, mentionnez les personnes qui y participeront et faites une liste des sujets dont vous avez discuté.

→

TABLEAU 13.5 Suggestions faites aux parents pour préparer leur enfant à une réunion portant sur le plan d'intervention (suite)

- Assurez-vous que votre enfant apporte cette liste de sujets à la réunion.
- Aidez votre enfant à se sentir à l'aise pendant la réunion et encouragez-le à parler. Il peut être nécessaire de lui poser des questions sur les éléments qu'il a déjà inscrits sur sa liste.
- Après la réunion portant sur le plan d'intervention, dites à votre enfant que vous êtes fier de lui parce qu'il aide à prendre des décisions importantes pour son éducation.

Source: Tiré de Gillespie et Turnbull (1983, p. 28-29); traduit par l'auteure.

RÉSUMÉ

La collaboration avec les parents présente plusieurs avantages pour la famille, l'enseignant, l'élève et l'école. Toutefois, elle comporte plusieurs défis et doit prendre en considération la réalité des familles actuelles et celle des familles qui ont un enfant en difficulté ou handicapé. Il existe dans le milieu scolaire de nombreuses occasions de collaboration: des rencontres diverses, des communications écrites ou téléphoniques, etc. Toutefois, pour être pleinement efficaces, ces communications doivent respecter certains principes de la communication. Le plan d'intervention personnalisé représente une occasion unique d'établir un partenariat avec la famille. Mais pour instaurer le partenariat souhaité, il faut miser sur des échanges véritables entre les parents et les divers intervenants.

QUESTIONS

1. Au cours des cinquante dernières années, quels sont les principaux changements qui sont intervenus dans la vie familiale? Comment ces changements influencent-ils les relations de la famille avec l'école?
2. Quelles sont les principales fonctions de la famille? Quelle peut être l'influence de la présence d'un enfant en difficulté ou handicapé sur certaines de ces fonctions?
3. Quels sont les cycles de vie de la famille d'un enfant qui naît handicapé?
4. Quelles sont les occasions de communication dans le milieu scolaire?
5. Lorsqu'on établit un plan d'intervention adapté, de quels éléments doit-on tenir compte pour favoriser l'établissement d'une bonne communication avec les parents?

LECTURES SUGGÉRÉES

Sur les relations entre la famille ayant un enfant en difficulté ou handicapé et le personnel du milieu scolaire :

TURNBULL, A.P. et TURNBULL, H.R. (1990). *Families, Professionals and Exceptionality.* New York : MacMillan Publishing Company.

Sur les relations avec la famille, en général :

CONSEIL SUPÉRIEUR DE L'ÉDUCATION (1994). *Être parent d'élève du primaire : une tâche éducative irremplaçable.* Sainte-Foy : Conseil supérieur de l'éducation, Direction des communications.

Adresses utiles

Association québécoise pour les troubles d'apprentissage (AQETA)
284, rue Notre-Dame Ouest, bureau 300
Montréal (Québec)
H2Y 1T7
(514) 847-1324

Association du Québec pour l'intégration sociale (AQIS)
3958, rue Dandurand
Montréal (Québec)
H1X 1P7
(514) 725-7245

Office des personnes handicapées
600, rue Fullum, bureau 5.06
Montréal (Québec)
H2K 3L6
(514) 873-3905

Société pour les enfants handicapés du Québec
2300, boulevard René-Lévesque Ouest
Montréal (Québec)
H3H 2R5
(514) 937-6171
Camp Papillon, garde et activités : poste 210

Société québécoise de l'autisme
2300, boulevard René-Lévesque Ouest
Montréal (Québec)
H3H 2R5
(514) 931-2215

Association québécoise des parents d'enfants handicapés visuels
3700, rue Berri, bureau 448
Montréal (Québec)
H2L 4G9
(514) 849-8729

Association québécoise des parents d'enfants handicapés auditifs (AQUEPA)
3700, rue Berri, bureau 427
Montréal (Québec)
H2L 4G9
(514) 842-8706

Association québécoise pour les enfants atteints d'audimutité
216, rue Querbes, bureau 235
Outremont (Québec)
H2V 3W2
(514) 495-4118

Bibliographie

ADELMAN, H.S. (1992). LD: The next 25 years. *Journal of Learning Disabilities, 25*, 17-22.

ADELMAN, H.S. (1994). Intervening to enhance home involvement in schooling. *Intervention in School and Clinic, 29*(5), 276-287.

ALBERTO, P.A. et TROUTMAN, A.C. (1986). *Applied Behavior Analysis for Teachers.* Columbus, Ohio: Merrill Publishing Company.

ALPINER, J.G. (1970). *Speech and Hearing Disorders in Children.* Boston: Houghton Mifflin Company.

AMERICAN PSYCHIATRIC ASSOCIATION (1996). *DSM IV: Manuel diagnostique et statistique des troubles mentaux.* Paris: Masson.

AQPRM-UQAM (1993). *Échelle québécoise de comportements adaptatifs ÉQCA. Rapport d'évaluation critériée, version 1993.* Montréal: Université du Québec à Montréal, Département de psychologie.

AQPRM-UQAM (1996). *Échelle québécoise de comportements adaptatifs ÉQCA. Rapport d'évaluation critériée, version 1996.* Montréal: Université du Québec à Montréal, Département de psychologie.

ARCHAMBAULT, J. (1992). *Les services aux élèves en difficulté d'apprentissage au primaire: perceptions de responsables des services de commissions scolaires québécoises.* Thèse de doctorat inédite. Montréal: Université de Montréal, Faculté des études supérieures.

ARCHAMBAULT, J. et CHOUINARD, R. (1996). *Vers une gestion éducative de la classe.* Boucherville: Gaëtan Morin Éditeur.

ARCHAMBAULT, J., GAGNÉ, M.-P. et OUELLET, G. (1986). *Réussir à l'école. Guide méthodologique de la démarche d'amélioration du rendement scolaire.* Montréal: CECM, Bureau de ressources en développement pédagogique et en consultation personnelle.

ARCHAMBAULT, J., MONTAMBEAULT, R. et OUELLET, G. (1981). L'approche behaviorale appliquée à la rééducation des difficultés en lecture. *Revue de modification du comportement, 11*, 1-9.

ARDIZZONE, J. et SCHOLL, G.T. (1985). Mental Retardation. Dans G.T. Scholl (dir.), *The School Psychologist and the Exceptional Child.* Reston, Virginie: The Council for Exceptional Children.

ASSEMBLÉE NATIONALE DU QUÉBEC (1988). *Projet de loi 107. Loi sur l'instruction publique.* Québec: Éditeur officiel du Québec.

ASSOCIATION AMÉRICAINE SUR LE RETARD MENTAL (1994). *Retard mental. Définition, classification et systèmes de soutien.* Saint-Hyacinthe: Édisem Inc.

ASSOCIATION DE LA PARALYSIE CÉRÉBRALE DU QUÉBEC (s. d.). *Ce que je dois savoir de l'infirmité motrice cérébrale.* Québec: Association de la paralysie cérébrale du Québec.

ASSOCIATION POUR LA RECHERCHE SUR L'AUTISME ET LA PRÉVENTION DES INADAPTATIONS (1995). Qui était Leo Kanner? *Le bulletin de l'ARAPI*, 3-4.

AUDET, D., LAVOIE, S. et ROYER, E. (1993). *École et comportement. Session de formation ou de perfectionnement sur l'intervention au secondaire.* Québec: Ministère de l'Éducation, Direction de l'adaptation scolaire et des services complémentaires.

AUDET, D. et ROYER, E. (1993). *École et comportement. Un guide d'intervention au secondaire.* Québec: Ministère de l'Éducation, Direction de l'adaptation scolaire et des services complémentaires.

AUDY, P., RUPH, F. et RICHARD, M. (1993). La prévention des échecs et des abandons scolaires par l'actualisation du potentiel intellectuel. *Revue québécoise de psychologie, 14*(1), 151-189.

AVAZIAN, K.L.W. (1987). *The Effects of Learning on a Child's Self-Concept.* Thèse de doctorat. Californie: Biola University.

BARTON, E.J. et ASCIONE, F.R. (1984). Direct Observation. Dans T.H. Ollendick et M. Hersen, *Child Behavioral Assessment.* New York: Pergamon Press, 166-194.

BEAUCHESNE, L. (1985). *Les jeunes et les drogues: Recension de la littérature et données québécoises.* Université de Montréal: Centre international de criminologie comparée.

BEAUPRÉ, P. (1994). Les conditions d'intégration et l'évolution du développement des enfants présentant une déficience intellectuelle scolarisés en maternelle et en classe à effectif réduit. Dans Office des personnes handicapées du Québec, *Élargir les horizons. Perspectives scientifiques sur l'intégration sociale.* Drummondville : Office des personnes handicapées du Québec.

BÉCHER MCSHANE, R. (1984). *Parent Involvement : A Review of Research and Principles of Successful Practice.* Washington : National Institute of Education, ED 247 032.

BENDER, W.N. (1992). *Learning Disabilities, Characteristics, Identification and Teaching Strategies.* Boston : Allyn and Bacon.

BERGERON, A.-M., CAMPEAU, M. et DOIRON, S. (1980). À la découverte de notre audition. Dans *Pour bien m'entendre.* Montréal : Les publications Entendre, Association du Québec pour enfants avec problèmes auditifs.

BETTELHEIM, B. (1967). *La forteresse vide.* Paris : Éditions Gallimard.

BHÉRER, M. (1993). *La collaboration parents-intervenants. Guide d'intervention en réadaptation.* Boucherville : Gaëtan Morin Éditeur.

BLALOCK, G. et PATTON, J.R. (1996). Transition and students with learning disabilities : Creating sound futures. *Journal of Learning Disabilities, 29*(1), 7-16.

BLANCHARD, L. et STABILE, C. (s. d.). *Mieux connaître la personne ayant une déficience intellectuelle.* Montréal : Ministère de l'Éducation du Québec, Service régional de soutien en déficience intellectuelle.

BLATT, B. (1958). The physical, personality and academic status of children who are mentally retarded attending special classes as compared with children who are mentally retarded attending regular classes. *American Journal of Mental Deficiency, 62,* 810-818.

BOHLEN, K. et MABEE, W.S. (1981). Math. Disabilities : A limited review of causation and remediation. *Journal for Special Educators, 17,* 270-280.

BOISVERT, D. (1990). *Le plan de services individualisé.* Montréal : Éditions Agence d'Arc inc.

BOREL-MAISONNY, S. (1973). *Langage oral et écrit 1. Pédagogie des notions de base.* Neuchâtel, Suisse : Delachaux et Niestlé.

BOS, C.C. et VAUGHN, S. (1994). *Strategies for Teaching Students with Learning and Behavior Problems.* Boston : Allyn and Bacon.

BOUCHARD, G.-E. (1985). *Un enfant, un besoin, un service.* Montréal : Conseil scolaire de l'Île.

BOUCHARD, J.-M. (1987a). La famille : impact de la déficience mentale et participation à l'intervention. Dans S. Ionescu (dir.), *L'intervention en déficience mentale.* Bruxelles : Pierre Mardaga éditeur, 97-114.

BOUCHARD, J.-M. (1987b). Les parents et les professionnels : une relation qui se construit. *Attitudes,* mai.

BOUCHARD, J.-M., PELCHAT, D., BOUDREAULT, P. et LALONDE-GRATTON, M. (1994). *Processus d'adaptation et qualité de vie de la famille.* Montréal : Guérin universitaire.

BOUDREAULT, D., DÉRY, M. et ROUSSEAU, J. (1993). La qualité de vie, un critère essentiel dans l'évaluation de l'intégration sociale. Dans S. Ionescu (dir.), *La déficience intellectuelle.* Laval : Éditions Agence d'Arc inc.

BOURNEUF, D. et PARÉ, A. (1975). *Pédagogie et lecture. Animation d'un coin de lecture.* Montréal : Éditions Québec/Amérique.

BOWER, E.M. (1982). Defining emotional disturbance : Public policy and research. *Psychology in the Schools, 19,* 55-60.

BOYLE, M.H. et OFFORD, D.R. (1986). Smoking, drinking and use of illicit drugs among adolescents in Ontario : Prevalence, patterns of use and sociodemographic correlates. *Canadian Medical Association Journal, 135,* 1113-1121.

BRAIS, Y. (1991). *Retard scolaire et risque d'abandon scolaire au secondaire.* Québec : Ministère de l'Éducation.

BRAIS, Y. (1994a). *Le classement des élèves à l'école primaire.* Québec : Ministère de l'Éducation.

BRAIS, Y. (1994b). *L'état réel du redoublement à l'école primaire dans le réseau public de 1980 à 1993.* Document de travail. Québec : Ministère de l'Éducation.

BRINKER, R.P. et THORPE, M.E. (1986). Features on integrated educational ecologies that predict social behavior among severely mentally retarded and non retarded students. *American Journal of Mental Deficiency, 91,* 150-159.

BROOKOVER, W.B., SCHWEITZER, J.H., SCHNEIDER, J.M., BEADY, C.H., FLOOD, P.K. et WISENBAKER, J.M. (1978). Elementary school climate and school achievement. *American Educational Research Journal, 15*, 301-318.

BROPHY, G. (1985). Interactions of male and female students with male and female teachers. Dans C.L. Wilkinson et C.B. Marrett, *Gender Influences in Classroom.* Orlando, Floride : Academic Press Inc.

BROPHY, J.E. (1981). Teacher praise : A functional analysis. *Review of Educational Research, 51*, 5-32.

BROPHY, J.E. (1983). Research on the self-fulfilling prophecy and teachers expectations. *Journal of Educational Psychology, 75*, 631-661.

BROWN, L., BRANSTON, M.B., HAMRE-NIETUPSKI, S., PUMPIAN, I., CERTON, N. et GRUENEWALD, L. (1980). Stratégie de développement d'une programmation fonctionnelle et appropriée à l'âge chronologique pour des adolescents et jeunes adultes handicapés sévères. *Revue de modification du comportement, 10*, 159-169.

BROWN, L., SHIRAGA, B., ROGAN, P., YORK, J., ZANELLA, K., MCCARTHY, E., LOOMIS, R. et VANDEVENTER, P. (1985). *The « Why Question » in Educational Programs for Students Who Are Severly Intellectually Disabled.* Madison : University of Wisconsin.

BROWN, R.L. (1985). The Emotionally Disturbed. Dans G.T. Scholl, *The School Psychologist and the Exceptional Child.* Reston, Virginie : ERIC, The Council for Exceptional Children.

BÜCHEL, F.P. et PAOUR, J.-L. (1990). Introduction. Contributions à l'étude des potentiels d'apprentissage et de développement. *European Journal of Psychology of Education, V, 2*, 89-95.

BUDD, K.S. (1985). Parents as mediators in the social skills training of children. Dans L. L'Abate et M.A. Milan (dir.), *Handbook of Social Skills Training and Research.* New York : John Wiley and Sons, 245-262.

BUDOFF, M. et GOTTLIEB, J. (1976). Special-class EMR children mainstreamed : A study of inaptitude (learning potential) X treatment interaction. *American Journal of Mental Deficiency, 81*, 1-11.

BULLOCK, L.M. et WILSON, M.J. (1989). *Behavior Dimensions Rating Scale : Examiner's Manual.* Allen, Texas : DLM Teaching Resources.

BULLOCK, L.M. et WILSON, M.J. (1992). *Échelle d'évaluation des dimensions du comportement.* Loretteville : Commission scolaire de La Jeune-Lorette.

CARDUCCHI-GEOFFRION, M. et ARCHAMBAULT, J. (1984). *Démarche de besoins d'analyse et de solution de problèmes à l'intention de l'école.* Montréal : CECM, Bureau de ressources en développement pédagogique et en consultation personnelle.

CARPENTER, C.D., RAY, M.S. et BLOOM, L.A. (1995). Portfolio assessment : Opportunities and challenges. *Intervention in School and Clinic, 31*(1), 34-41.

CARR, E. et OGLE, D. (1989). KWL Plus. Dans Wisconsin State Department of Public Instruction, *Strategic Learning in the Content Areas.* Madison : Wisconsin State Department of Public Instruction (ERIC Document Reproduction Service No. ED 306 560).

CECM (1979). *Fiches de lecture, vol. 3, LIRE.* Montréal : CECM.

CECM (1982). *Guide du tuteur. MELI.* Montréal : CECM.

CHALFANT, J. et PYSH, M. (1989). Teacher assistance teams : Five descriptive studies on 96 teams. *Remedial and Special Education, 10*, 49-58.

CHAMPOUX, L., COUTURE, C. et ROYER, E. (1992). *École et comportement. L'observation systématique du comportement.* Québec : Ministère de l'Éducation, Direction de l'adaptation scolaire et des services complémentaires.

CHEVRIER, J.-M. (1989). *Épreuve individuelle d'habileté mentale.* Montréal : Institut de recherches psychologiques Inc.

CHEVRIER, J.-M. (1996). *Épreuve individuelle d'habileté mentale pour enfants de 4 à 9 ans.* Montréal : Institut de recherches psychologiques Inc.

CHOUINARD, R. et PION, N. (1995). L'évaluation des difficultés d'apprentissage en milieu scolaire. *Science et comportement, 24*, 31-50.

CIOTTI, F. et CACCIARI, E. (1987). Diétothérapie. Dans S. Ionescu (dir.), *L'intervention en déficience mentale. I. Problèmes généraux. Méthodes médicales et psychologiques.* Bruxelles : Pierre Mardaga éditeur, 187-221.

CLOUTIER, R. et LEGAULT, G. (1991). *Les habitudes de vie des élèves du secondaire, synthèse du rapport d'étude.* Centre de recherche sur les services communautaires, Université Laval.

COMEAU, M. et GOULET, M. (1980). L'influence de l'entraînement des pairs à augmenter les comportements d'attention à la tâche auprès d'élèves débiles légers. *La technologie du comportement, 4,* 89-106.

COMEAU, M. et GOUPIL, G. (s. d.). *Des comportements difficiles à la garderie.* Dépliant produit dans le cadre d'une recherche subventionnée par le CQRS et Santé et Bien-être social Canada. Montréal.

COMEAU, M. et POULET, R. (1980). Utilisation de l'attention sélective pour la modification de comportements sociaux non appropriés chez les débiles moyens. *La technologie du comportement, 4,* 119-138.

COMITÉ PROVINCIAL DE L'ENFANCE INADAPTÉE (COPEX) (1976). *L'éducation de l'enfance en difficulté d'adaptation et d'apprentissage au Québec.* Québec: Service général des communications du ministère de l'Éducation.

COMITÉ QUÉBÉCOIS ET SOCIÉTÉ CANADIENNE DE LA CIDIH (1995). *Guide de formation sur la classification internationale des déficiences, incapacités et handicaps et proposition du Comité québécois et de la Société canadienne de la CIDIH.* Lac Saint-Charles: SCCIDIH-CQCIDIH.

COMMISSION ROYALE D'ENQUÊTE SUR L'ENSEIGNEMENT DANS LA PROVINCE DE QUÉBEC (1965). *Rapport Parent* (3e éd.). Québec: Gouvernement du Québec.

CONSEIL SUPÉRIEUR DE L'ÉDUCATION (1994). *Être parent d'élève du primaire: une tâche éducative irremplaçable.* Sainte-Foy: Conseil supérieur de l'éducation, Direction des communications.

CONSEIL SUPÉRIEUR DE L'ÉDUCATION (1996). *L'intégration scolaire des élèves handicapés et en difficulté.* Sainte-Foy: Conseil supérieur de l'éducation, Direction des communications.

CÔTÉ, R., PILON, W., DUFOUR, C. et TREMBLAY, M. (1989). *Guide d'élaboration des plans de services et d'interventions.* Québec: Groupe de recherche et d'étude en déficience du développement inc.

COUTU, L., GOUPIL, G. et OUELLET, G. (1993). Étude exploratoire sur la répartition du temps de psychologues en milieu scolaire au primaire. *Science et comportement, 23,* 47-64.

CRANK, J.N. et BULGREN, J.A. (1993). Visual depictions as information organizers for enhancing achievement of students with learning disabilities. *Learning Disabilities. Research and Practice, 8*(3), 140-147.

CRUICKSHANK, W.M. (1977). *Learning Disabilities in Home, School and Community.* Syracuse, New York: Syracuse University Press.

CULLINAN, D., SCHLOSS, P.J. et EPSTEIN, M.H. (1987). Relative prevalence and correlates of depressive characteristics among emotionally disturbed and nonhandicapped students. *Behavioral Disorders, 12,* 90-98.

DEJEAN, A., HOTTLET, C. et GOULET, M. (1981). *MELI. Méthode de lecture. Guide de l'enseignant.* Montréal: Commission des écoles catholiques de Montréal, Division des ressources.

DE MAISTRE, M. (1970). *Dyslexie, dysorthographie.* Paris: Éditions universitaires.

DEMCHAK, M.A. et BOSSERT, K.W. (1996). Assessing problems behaviors. *Innovations,* 4.

DETTMER, P.A., DYCK, N.T. et THURSTON, L.P. (1996). *Consultation, Collaboration, and Teamwork for Students with Special Needs.* Boston: Allyn and Bacon.

DICK, M. (1992). *Putting Transition Planning in the IEP Process.* San Jose, Californie: San Jose State University (ERIC Document Reproduction Service, No. ED 347 777).

DIONNE, J.-J. (1995). Pour une intervention stimulante: la résolution de problèmes. Dans L. Saint-Laurent et autres, *Programme d'intervention auprès des élèves à risque.* Boucherville: Gaëtan Morin Éditeur.

DIVISION FOR LEARNING DISABILITIES OF THE COUNCIL FOR EXCEPTIONAL CHILDREN (s. d.). *Inclusion: What Does It Mean for Students with Learning Disabilities?* Reston, Virginie: DLD.

DORÉ, R., WAGNER, S. et BRUNET, J.-P. (1996). *Réussir l'intégration scolaire. La déficience intellectuelle.* Montréal: Les Éditions Logiques.

DOUCET, J., GAGNIER, P., HOULE, F. et TREGONNING, L. (s. d.). *Telle discipline, tel professeur, telle motivation.* Toronto: Ontario School Teachers' Federation.

DOWDY, C.A. et EVERS, R.B. (1996). Preparing students for transition: A teacher primer on vocational education and rehabilitation. *Intervention in School and Clinic, 31*(4), 197-208.

DOYON, M. (1991). L'apprentissage coopératif en classe : un mode d'apprentissage. *Science et comportement, 21*, 126-146.

DOYON, M. (1994). *Étude des pratiques d'évaluation d'orthopédagogues avec des élèves en difficulté d'apprentissage en français, au premier cycle du primaire.* Mémoire de maîtrise inédit. Montréal : Université du Québec à Montréal, Département de psychologie.

DOYON, M. et ARCHAMBAULT, J. (1986a). *Du feed-back pour apprendre.* Montréal : CECM, Bureau de ressources en développement pédagogique et en consultation personnelle.

DOYON, M. et ARCHAMBAULT, J. (1986b). *Éloge et approbation. Guide méthodologique du renforcement social en classe.* Montréal : CECM, Bureau de ressources en développement pédagogique et en consultation personnelle.

DOYON, M. et ARCHAMBAULT, J. (1988). *Apprendre ça s'apprend.* Montréal : CECM, Service des études.

DRAPEAU, G. (1981). Un mal scolaire pour l'un, un mal social pour l'autre. *Apprentissage et socialisation, 4*, 228-238.

DROZ, R. et RAHMY, M. (1972). *Lire Piaget.* Bruxelles : Charles Dessart éditeur.

DUBÉ, R. (1992). *Hyperactivité et déficit d'attention chez l'enfant.* Boucherville : Gaëtan Morin Éditeur.

DUSSAULT, J.-P. et BOUCHARD, D. (1980). Le bliss. *La revue scolaire, 30*, 5-8.

DUVAL, L., TARDIF, M. et GAUTHIER, C. (1995). *Portrait du champ de l'adaptation scolaire au Québec des années trente à nos jours.* Sherbrooke : Éditions du CRP.

ÉCOLE PETER-HALL (1983). *Programme cadre.* Montréal : École Peter-Hall.

EPPS, S. (1983). *Designing, Monitoring, and Implementing Behavioral Interventions with the Severely and Profoundly Handicapped.* Des Moines : Iowa State Department of Public Instruction, School Psychological Services, microfiche ERIC : 240 772.

EPSTEIN, J.L. (1988). How do we improve programs for parent involvement ? *Educational Leadership, 66*, 58-59.

EPSTEIN, M.H. et OLINGER, E. (1987). Use of medication in school programs for behaviorally disordered pupils. *Behavioral Disorders, 12*, 138-145.

ESTIENNE, F. (1971). *Lecture et dyslexie.* Paris : Éditions universitaires.

FAGAN, J.J. (1980). Self-concept and academic achievement : Their relationship within and between streamed classes. *The Humanist Educator, 19*, 91-96.

FARID, G. (1983). Typologie des incorrections et analyse des erreurs d'orthographe. *Liaisons*, janvier, 32-37.

FEATHERSTONE, H. (1985). What does homework accomplish ? *Principal, 65*, 6-7.

FEINGOLD, B.F. (1974). *Why Your Child Is Hyperactive.* New York : Random House.

FEINGOLD, B.F. (1976). *Pourquoi votre enfant est-il hyperactif ?* Montréal : Éditions L'Étincelle.

FEUERSTEIN, R., RAND, Y. et RYNDERS, J.E. (1988). *Don't Accept Me as I Am. Helping « Retarded » People to Excel.* New York : Plenum Press.

FILION, M. et GOUPIL, G. (1995). Description des activités quotidiennes d'orthopédagogues. *Revue canadienne de l'éducation, 20*(2), 225-238.

FINKELSZTEIN, D. (1986). *Recherche en éducation. Le tutorat dans les écoles.* Bruxelles : Ministère de l'Éducation nationale, Direction générale de l'organisation des études.

FISHER, B.L., ALLEN, R. et KOSE, G. (1996). The relationship between anxiety and problem-solving skills in children with and without learning disabilities. *Journal of Learning Disabilities, 29*(4), 439-446.

FLEISCHNER, J. et GARNETT, K. (1980). *Arithmetic Learning Disabilities : A Literature Review.* Washington : Bureau of Education for the Handicapped, microfiche ERIC : ED 210 843.

FONDATION MIRA (s. d.). Trop jeunes pour attendre ! Dans *Mira : 15 ans d'amour.* Sainte-Madeleine : La Fondation Mira inc.

FORGET, J., LALONDE, F. et BÉLANGER, D. (1978). Entraînement d'éducateurs à l'utilisation de techniques opérantes en vue d'améliorer les comportements alimentaires d'enfants institutionnalisés. *La technologie du comportement, 2*, 81-107.

FORGET, J. et OTIS, R. (1984). La modification des comportements sociaux difficiles chez l'enfant. Dans O. Fontaine, J. Cottraux et R. Ladouceur, *Cliniques de thérapie comportementale.* Bruxelles : Pierre Mardaga, Éditions Études Vivantes.

FORGET, J., OTIS, R. et LEDUC, A. (1988). *Psychologie de l'apprentissage, théories et applications.* Brossard: Éditions Behaviora.

FORNESS, S.R. (1981). Concepts of learning and behavior disorders: Implications for research and practice. *Exceptional Children, 48*, 56-64.

FORNESS, S.R., SWEENEY, D.P. et TOY, K. (1996). Psychopharmacologic medication. What teachers need to know. *Beyond Behavior, 7*(2), 4-11.

FORTIN, L. et BIGRAS, M. (1996). *Les facteurs de risque et les programmes de prévention auprès d'enfants en troubles du comportement.* Eastman: Éditions Behaviora.

FORTINI, M.E. (1987). Attitudes and behavior toward students with handicapped peers. *American Journal of Mental Deficiency, 92*, 78-84.

FOXX, R.M. et AZRIN, N.H. (1973). *Toilet Training the Retarded.* Champaign, Illinois: Research Press.

FRASER, H.J. et FISHER, D.L. (1983). *Assessment of Classroom Psychosocial Environment, Workshop Manual.* Perth: Western Australian Institute of Teaching, microfiche ERIC: ED 228-296.

FRÉCHETTE, M. et JUNEAU, M. (1986). Bim... vous connaissez? Un outil pratique et accessible. *Vie pédagogique*, (45), 41-42.

FREIBERG, H.J. et DRISCOLL, A. (1992). *Universal Teaching Strategies.* Boston: Allyn and Bacon.

FRIEND, M. et BURSUCK, W. (1996). *Including Students with Special Needs.* Boston: Allyn and Bacon.

FRIEND, M. et COOK, L. (1992). *Interactions. Collaboration Skills for School Professionals.* New York: Longman.

FROSTIG, M. (1966). *Test de développement de la perception visuelle. Manuel d'administration et de notation.* Montréal: Institut de recherches psychologiques inc.

FROSTIG, M. (1976). *Education for Dignity.* New York: Grune and Stratton.

FUCHS, D., FUCHS, L.S., BAHR, M.W., FERNSTROM, P. et STECHER, P.M. (1990). Preferreal intervention: A prescriptive approach. *Exceptional Children, 56*, 493-513.

FUCHS, L.S. et FUCHS, D. (1986). Effects of systematic formative evaluation: A meta-analysis. *Exceptional Children, 53*, 199-208.

FULK, B.M. (1994). Mnemonic keyword strategy training for students with learning disabilities. *Learning Disabilities Research & Practice, 9*(3179), 185.

GAGNÉ, R. (1996). *L'intimidation au primaire et au secondaire: la violence cachée de l'école.* Conférence présentée à l'Association québécoise des psychologues scolaires. Trois-Rivières.

GAGNÉ, G., MONTAMBEAULT, G., OUELLET, G. et ARCHAMBAULT, J. (1978). *Hyperactivité-inhibition. Un guide d'intervention.* Montréal: CECM, programme MODIF, Bureau de psychologie, Division des services spéciaux, Service des études.

GALABURDA, A.M. (1987). *Dyslexia. Encyclopedia of Neuroscience.* Boston: Birk House.

GALLAUDET COLLEGE (1986). *A Parents' Guide to the Individualized Education Program (IEP).* Washington: Gallaudet College, ERIC ED 298 747.

GAMBRILL, E. (1985). Social skills training with the elderly. Dans L. L'Abate et M.A. Milan, *Handbook of Social Skills Training and Research.* New York: John Wiley and Sons, 326-357.

GAOUETTE, D. et TARDIF, J. (1986a). Pourquoi les enfants ont-ils des difficultés de lecture au primaire? *Vie pédagogique*, (42), 7-9.

GAOUETTE, D. et TARDIF, J. (1986b). Quelles sont les stratégies utilisées en lecture par un lecteur en difficulté? *Vie pédagogique*, (43), 41-45.

GARON, M. (1994). L'intégration en classe ordinaire des élèves présentant une déficience intellectuelle. Dans Office des personnes handicapées du Québec, *Élargir les horizons. Perspectives scientifiques sur l'intégration sociale.* Drummondville: Office des personnes handicapées du Québec.

GARVES, S.E. (1990). What research has to say about retention. *Prime Areas, 32*(3), 64-67.

GAUDREAU, J. (1980). *De l'échec scolaire à l'échec de l'école: les sacrifiés.* Montréal: Éditions Québec/Amérique.

GAUTHIER, M. et LE FRANÇOIS, J. (1980). Aperçu sur les deux modes de communication mis à la disposition du déficient auditif. Dans *Quel mode de communication choisir pour notre jeune enfant déficient auditif? L'oralisme ou la communication totale?* Montréal: Les publications Entendre, Association du Québec pour enfants avec problèmes auditifs.

GEARHEART, B.R. et GEARHEART, C.J. (1989). *Learning Disabilities, Educational Strategies.* Columbus, Ohio : Merrill Publishing Company.

GENAUX, M., MORGAN, D.P. et FRIEDMAN, S.G. (1995). Substance use and its prevention. *Behavioral Disorders, 20*(4), 279-289.

GIANGRECO, M.F., BAUMGART, D.M. et DOYLE, M.B. (1995). How inclusion facilitates teaching and learning. *Intervention in School and Clinic, 30*(5), 273-278.

GIASSON, J. (1995). *La lecture. De la théorie à la pratique.* Boucherville : Gaëtan Morin Éditeur.

GIBSON, E.J. et LEVIN, H. (1976). *The Psychology of Reading* (2e éd.). Cambridge : The MIT Press.

GILLBERG, C. et PEETERS, T. (1995). *L'autisme : aspects éducatifs et médicaux.* Göteborg, Suède : University of Göteborg.

GILLESPIE, E.B. et TURNBULL, A.P. (1983). Involving students in the planning process. *Teaching Exceptional Children, 16,* 27-29.

GIROUX, N. (1979). Le modèle behavioral : ses fondements, ses modalités, sa valeur. *La technologie du comportement, 3,* 61-103.

GLOVER, J.A. et BRUNING, R.H. (1987). *Educational Psychology Principles and Applications.* Boston : Little, Brown and Company.

GOLDSTEIN, A.P. (1991). *Delinquent Gangs. A Psychological Perspective.* Champaign, Illinois : Research Press.

GOOR, M.B. et SCHWENN, J.O. (1993). Accommodating diversity and disability with cooperative learning. *Intervention in School and Clinic, 29*(1), 6-16.

GOTTLIEB, J. et DAVIS, J.A. (1973). Social acceptance of EMR children during overt behavioral interactions. *American Journal of Mental Deficiency, 78,* 141-143.

GOULET, M. (1985). *Le tutorat.* Montréal : CECM, Bureau de ressources en développement pédagogique et en consultation personnelle.

GOUPIL, G. (1980). *Les conditions d'intégration de l'élève handicapé de la vue dans les écoles régulières du Québec.* Thèse de doctorat. Montréal : Université de Montréal.

GOUPIL, G. (1992) (réalisation). *Aux yeux des autres,* vidéo. Montréal : Université du Québec à Montréal, Service de l'audiovisuel.

GOUPIL, G., BEAUPRÉ, P., BOUCHARD, J.-M., AUBIN, M., HORTH, R., MAINGUY, E. et BOUDREAULT, P. (1995). L'intégration d'élèves ayant une déficience intellectuelle : satisfaction des parents et des enseignants. *Cahiers de la recherche en éducation, 2*(2), 325-342.

GOUPIL, G. et BOUTIN, G. (1983). *L'intégration scolaire des enfants en difficulté.* Montréal : Éditions Agence d'Arc inc.

GOUPIL, G. et COMEAU, M. (1993). Les difficultés d'apprentissage : la parole aux enfants. *Vie pédagogique,* (85), 17-18.

GOUPIL, G., COMEAU, M. et CHAGNON, Y. (1985). *Les problèmes de comportement à la garderie.* Montréal : Université du Québec à Montréal, Département de psychologie.

GOUPIL, G., COMEAU, M., COALLIER, S. et DORÉ, C. (1996). *Perceptions des relations famille-école de parents d'enfant recevant des services d'orthopédagogie.* Rapport de recherche inédit. Montréal : Université du Québec à Montréal, Département de psychologie.

GOUPIL, G., COMEAU, M. et DORÉ, C. (1994). *Étude descriptive des services donnés par des orthopédagogues.* Rapport de recherche inédit. Montréal : Université du Québec à Montréal, Département de psychologie.

GOUPIL, G., COMEAU, M., DORÉ, C. et FILION, M. (1995). Que pensent les orthopédagogues de leurs services ? *Revue canadienne de psycho-éducation, 24,* 55-64.

GOUPIL, G. et LUSIGNAN, G. (1993). *Apprentissage et enseignement en milieu scolaire.* Boucherville : Gaëtan Morin Éditeur.

GOUPIL, G., TASSÉ, M. et LANSON, A. (1996). *Le plan de transition : entre l'école et la vie adulte.* Dépliant.

GOUPIL, G., TASSÉ, M., LANSON, A. et DORÉ, C. (1996). *Élaboration des plans de transition pour les élèves du secondaire qui présentent une déficience intellectuelle.* Rapport de recherche inédit. Montréal : Université de Montréal, Département de psychologie.

GOUVERNEMENT DES ÉTATS-UNIS (1978). *United States Code Annotated.* Saint Paul : West Publishing Co.

GOUVERNEMENT DES ÉTATS-UNIS (1990). *The Individuals with Disabilities Act Public Law 101-246, 20 U.S.C Chapter 33.* Washington : U.S. Government Printing Office.

GOUVERNEMENT DU QUÉBEC (1990). *Loi sur l'instruction publique.* Québec : Éditeur officiel du Québec.

GOUVERNEMENT DU QUÉBEC (1996). *Gazette officielle du Québec,* (48). Québec : Gouvernement du Québec.

GRANDIN, T. (1993-1994). Mes expériences de la pensée visuelle, des problèmes sensoriels et des troubles de la communication. *Le bulletin de l'ARAPI.* 30-40.

GRESHAM, F.M. (1982). Misguided mainstreaming : The case for social skills training with handicapped children. *Exceptional Children, 48,* 422-433.

GRESHAM, F.M. et NAGLE, R.J. (1980). Social skills training with children : Responsiveness to modeling and coaching as a function of peer orientation. *Journal of Consulting and Clinical Psychology, 48*(6), 718-729.

GRESS, J.R. et CARROLL, M.E. (1985). Parent-professional partnership and the IEP. *Academic Therapy, 20,* 443-449.

GRICS (1991). *Évaluation des élèves du primaire qui ont des difficultés d'apprentissage.* Montréal : Société de gestion du réseau informatique des commissions scolaires.

GRICS (1995a). *L'évaluation de la compétence en écriture. Guide général.* Québec : Gouvernement du Québec, Ministère de l'Éducation.

GRICS (1995b). *Les outils pour l'observation de l'élève en classe, les entrevues et l'analyse de textes. Guide.* Québec : Gouvernement du Québec, Ministère de l'Éducation.

GROSSMAN, H.J. (1983). *Classification in Mental Retardation.* Washington : American Association on Mental Deficiency.

HAIGHT, S.L. (1984). Special education teacher consultant. Idealism versus realism. *Exceptional Children, 50,* 507-515.

HALLAHAN, D.P. et KAUFFMAN, J.M. (1994). *Exceptional Children. Introduction to Special Education.* Boston : Allyn and Bacon.

HALLENBECK, M.J. (1996). The cognitive strategy in writing : Welcome relief for adolescents with learning disabilities. *Learning Disabilities Research and Practice, 11,* 107-119.

HALPERN, A. (1990). A methodological review of follow-up studies tracking school leavers from special education. *Career Development for Exceptional Individuals, 13*(1), 13-27.

HALPERN, A. (1994). The transition of youth with disabilities to adult life : A position statement of the division on career development and transition. The Council for Exceptional Children. *Career Development for Exceptional Individuals, 17*(2), 115-124.

HAMMILL, D.D. (1990). On defining learning disabilities : An emerging consensus. *Journal of Learning Disabilities, 23,* 74-84.

HAMMILL, D.D., LEIGH, J.E., MCNUTT, G. et LARSEN, S.C. (1981). A New Definition of Learning Disabilities. *Learning Disability Quarterly, 4,* 336-342.

HARING, T.G. (1993). Research basis of instruction procedures to promote social interaction and integration. Dans R.A. Gable et S.F. Warren (dir.), *Advances in Mental Retardation and Developmental Disabilities.* Londres : Jessica Kingsley Publishers.

HARRISON, J. (1985). Hearing Impairments. Dans G.T. Scholl (dir.), *The School Psychologist and the Exceptional Child.* Reston, Virginie : The Council for Exceptional Children.

HARVEY, M. (1984). *L'échelle de développement de Harvey.* Brossard : Éditions Behaviora.

HÉBERT, S. et POTVIN, P. (1993). *Les devoirs. Guide à l'intention des parents.* Saint-Augustin : Les Parents d'abord enr.

HENLEY, M. (1985). *Teaching Mildly Retarded Children in the Regular Classroom.* Bloomington : Phi Delta Kappa Foundation, microfiche ERIC : ED 257 815.

HENLEY, M., RAMSEY, R.S. et ALGOZZINE, R. (1993). *Characteristics of and Strategies for Teaching Students with Mild Disabilities.* Boston : Allyn and Bacon.

HOBBS, T. et ALLEN, W.T. (1989). *Preparing for the Future : A Practical Guide for Developing Individual Transition Plans.* NAPA County Schools, Californie : Sonoma State University (ERIC Document Reproduction Service No. ED 337 933).

HODGDON, L.A. (1995). *Visual Strategies for Improving Communication.* Troy : Quirck Roberts Publishing.

HOPS, H. et LEWIN, L. (1984). Peer Sociometric Forms. Dans T.H. Ollendick et M. Hersen, *Child Behavioral Assessment.* New York : Pergamon Press, 124-147.

HORTH, R. (1994). Les attitudes d'enseignantes et d'enseignants du primaire face à l'intégration en classe ordinaire d'élèves vivant avec une différence dite moyenne au niveau intellectuel. Dans Office des personnes handicapées du Québec, *Élargir les horizons. Perspectives scientifiques sur l'intégration sociale.* Drummondville : Office des personnes handicapées du Québec.

HUDSON, F.G. et GRAHAM, S. (1978). An approach operationalizing the I.E.P. *Learning Disabilities Quarterly, 1,* 13-32.

HUEFNER, D.S. (1988). The consulting teacher model : Risks and opportunities. *Exceptional Children, 54,* 403-414.

HUTCHISON, N.L. (1993). Effects of cognitive strategy instruction on algebra problem-solving of adolescents with learning disabilities. *Learning Disability Quarterly, 16*(1), 34-63.

HYND, G.W. et COHEN, M. (1983). *Dyslexia. Neuropsychological Research, and Clinical Differentiation.* New York : Grune and Stratton.

INCA (1987). *Les six points magiques de l'écriture braille.* Montréal : Institut national canadien pour les aveugles.

INDIANA STATE DEPARTMENT OF EDUCATION (1987). *Training Modules for School Psychologists.* Indianapolis : Indiana State Department of Education, ERIC : ED 303 956.

INSTITUT CANADIEN POUR LA DÉFICIENCE MENTALE (1986). *Des gestes qui comptent : des mesures collectives ayant pour but de prévenir l'apparition du handicap intellectuel et de promouvoir une qualité de vie pour tous.* Downsview : Institut canadien pour la déficience mentale.

INSTITUT CHESAPEAKE (1994). *Enseigner aux élèves présentant des troubles de l'attention accompagnés d'hyperactivité.* Lévis : La Corporation École et Comportement.

IONESCU, S. (1987). Introduction. Dans S. Ionescu (dir.), *L'intervention en déficience mentale. I. Problèmes généraux. Méthodes médicales et psychologiques.* Bruxelles : Pierre Mardaga éditeur, 21-43.

JACOBSON, J.W. et MULICH, J.A. (1996). *Manual of Diagnosis and Professional Practice in Mental Retardation.* Washington : American Psychological Association.

JENKINS, J.R. et MAYHALL, W.F. (1976). Development and Evaluation of Resource Teacher Program. *Exceptional Children, 43,* 21-30.

JENKINS, J.R. et PANY, D. (1978). Standardized achievement tests : How useful for special education ? *Exceptional Children, 44,* 448-453.

JENSEN, A.R. (1968a). Social class and verbal learning. Dans A.R. Deutseh, J.R. Jensen et I. Katz (dir.), *Social Class. Race and Psychological Development.* New York : Holt, Rinehart and Winston, 115-174.

JENSEN, A.R. (1968b). The culturally disadvantaged and the heredity-environment uncertainty. Dans J. Hellmuth (dir.), *Disadvantaged Child : Vol. 2. Head Start and Early Intervention.* New York : Brunner, 27-76.

JENSEN, A.R. (1970). Can we and should we study race differences ? Dans J. Hellmuth (dir.), *Disadvantaged Child : Vol. 3. Compensatory Education : A National Debate.* New York : Brunner, 27-76.

JOBIN, M. (1982). Guide d'organisation de la signalisation continue à l'école. Montréal : Commission des écoles catholiques de Montréal (édition révisée, janvier 1984).

JODOIN, J.-P. (1980). *Étude de la relation entre le concept de soi et la performance scolaire chez certains élèves en difficulté scolaire.* Mémoire de maîtrise inédit. Montréal : Université du Québec à Montréal, Département des sciences de l'éducation.

JOHNSON, R.T. et JOHNSON, D.W. (1981). Building friendship between handicapped and nonhandicapped students : Effects of cooperative and individualistic instruction. *American Educational Research Journal, 18,* 415-423.

JOHNSON, R.T. et JOHNSON, D.W. (1983). Effects of cooperative, competitive and individualistic learning experiences on social development. *Exceptional Children, 49,* 323-329.

JOURDAN-IONESCU, C. (1987). Applications de la théorie piagétienne. Dans S. Ionescu (dir.), *L'intervention en déficience mentale.* Bruxelles : Pierre Mardaga éditeur, 319-354.

KANNER, L. (1943). Les troubles autistiques du contact affectif. Traduction de l'article Autistic disturbances of affective contact paru dans la revue *Nervous Child, 2*, 217-250, dans *Le bulletin de l'ARAPI*, juin 1995, 5-27.

KAUFFMAN, J.M. (1997). *Characteristics of Emotional and Behavioral Disorders of Children and Youth* (6e éd.). Upper Saddle River, New Jersey: Merrill, Prentice-Hall.

KAUFFMAN, J.M., CULLINAN, D. et EPSTEIN, M.H. (1987). Characteristics of students placed in special programs for the emotionally disturbed. *Behavioral Disorders, 12*, 175-184.

KAUFMAN, A.S. et KAUFMAN, N.L. (1983). *K-ABC Kaufman Assessment Battery for Children.* Circles, Minnesota: American Guidance Service.

KAZDIN, A.E. (1977). *The Token Economy.* New York: Plenum Press.

KEOGH, B.K. (1988). Learning disability: Diversity in search of order. Dans M.G. Wang, M.C. Reynolds et H.J. Walberg (dir.), *Handbook of Special Education: Vol. 2. Mildly Handicapped Conditions.* Toronto: Pergamon.

KEOGH, B.K. (1990). Learning Disability. Dans M.G. Wang, M.C. Reynolds et H.J. Walberg (dir.), *Special Education: Research and Practice: Synthesis of Findings.* Oxford: Pergamon Press.

KERN, W.H. et PFAEFFLE, H. (1963). A comparison of social adjustment of mentally retarded children in various educational settings. *American Journal of Mental Deficiency, 67*, 407-413.

KIRK, S.A. (1962). *Educating Exceptional Children.* Boston: Houghton Mifflin Company.

KIRK, S.A. (1993). *Adolescent Suicide. A School-Based Approach to Assessment & Intervention.* Champaign, Illinois: Research Press.

KIRK, S.A. et GALLAGHER, J.J. (1983). *Educating Exceptional Children* (4e éd.). Boston: Houghton Mifflin Company.

KIRK, S.A., GALLAGHER, J.J. et ANASTASIOW, N.J. (1993). *Educating Exceptional Children.* Boston: Houghton Mifflin Company.

KNOBLOCK, P. (1976). Psychological Considerations of Emotionally Disturbed Children. Dans W.M. Cruickshank, *The Psychology of Exceptional Children and Youth.* New Jersey: Prentice-Hall, 211-307.

KOCHERSPERGER, J., SIELAFF, J. et VAN LEER, D. (1981). *L'élève avec problèmes auditifs dans ma classe: questions et réponses.* Montréal: CECM, Bureau des relations publiques.

KURTZIG. J. (1986). IEP's. Only half of the picture. *Journal of Learning Disabilities, 19*, 447.

L'ABATE, L. et MILAN, M.A. (1985). *Handbook of Social Skills Training and Research.* New York: John Wiley and Sons.

L'ABBÉ, Y. et MARCHAND, A. (1984). *Modification du comportement et retard mental.* Brossard: Éditions Behaviora.

LADD, G.W. et ASHER, R. (1985). Social skills training and children's peer relations. Dans L. L'Abate et M.A. Milan, *Handbook of Social Skills Training and Research.* New York: John Wiley and Sons, 219-244.

LADOUCEUR, R. et BOUCHARD, M. (1982). Autocontrôle pour temps d'étude. *Revue de modification du comportement, 12*, 43-51.

LAMBERT, J.-L. (1978). *Introduction à l'arriération mentale.* Bruxelles: Pierre Mardaga éditeur.

LAMBERT-LAGACÉ, L. (1984). *La sage bouffe de 2 à 6 ans.* Montréal: Éditions de l'Homme.

LANDRY, A. (1990). Le plan d'intervention en milieu scolaire. *Attitudes, 6*, 7-11.

LANGEVIN, L. (1992). Stratégies d'apprentissage: où en est la recherche? *Vie pédagogique*, (77), 39-43.

LANSON, A. (1995). *L'insertion sociale. Document de réflexion pour la réalisation d'activités d'insertion sociale avec les élèves ayant une déficience intellectuelle.* Montréal: Ministère de l'Éducation du Québec, Service régional de soutien, déficience intellectuelle moyenne à sévère et profonde.

LAPOINTE, A. (1990). Être parents et participer. Dans D. Boisvert, *Le plan de services individualisé.* Montréal: Éditions Agence d'Arc inc.

LAROUSSE (1991). *Grand dictionnaire de la psychologie.* Paris: Larousse.

LAUDIGNON, J.-L. (1988). Le redoublement: un mal nécessaire? qu'on peut éviter? *Cahiers pédagogiques*, (264-265), 39-40.

LEBLANC, J. (1991). *Développement d'un plan d'action préventif du redoublement chez les élèves d'école primaire ayant des difficultés d'apprentissage scolaire.* Thèse de doctorat inédite. Montréal: Université de Montréal, Faculté des études supérieures.

LEBLANC, J. (1996). Comment prévenir le redoublement. *La revue de l'ADOQ, 9*(1), 8-9.

LEBRUN, H., TURCOT-LEFORT, N., CARTIER, S., JODOIN, J.-P., JULIEN, Y., GIGNAC, F. et VÉZINA, G. (1995). *Déficience intellectuelle. Fiches signalétiques d'instruments d'évaluation.* Dans Le coffre aux trésors, personnes-ressources du cadre d'organisation en déficience intellectuelle (dir.), Québec : Ministère de l'Éducation du Québec, Cadre d'organisation en déficience intellectuelle.

LE FRANÇOIS, J., MATHIEU, J. et LAROCQUE, M. (1982). Qu'est-ce qu'un audiogramme ? Dans *L'audiogramme de mon enfant,* Montréal : Les publications Entendre, Association du Québec pour enfants avec problèmes auditifs.

LEGENDRE, R. (1988). *Dictionnaire actuel de l'éducation.* Montréal : Larousse.

LERNER, J. (1993). *Learning Disabilities, Theories, Diagnosis & Teaching Strategies.* Boston : Houghton Mifflin Company.

LEROY-MEINIER, A. et OUELLET, G. (1986). *L'organisation fonctionnelle de la classe.* Montréal : CECM, Bureau de ressources en développement pédagogique et en consultation personnelle.

LÉTOURNEAU, J. (1995). *Prévenir les troubles du comportement à l'école primaire.* Lévis : La Corporation École et Comportement.

LEVASSEUR, M. et GOUPIL, G. (1990). L'implantation d'un programme du tutorat au secondaire. *Science et comportement, 20*(3), 161-171.

LEWIS, R.B. (1983). Learning disabilities and reading : Instructional recommendations from current research. *Exceptional Children, 50,* 230-240.

LEWIS, R.B. et DOORLAG, D.H. (1991). *Teaching Special Students in the Mainstream.* New York : Macmillan Publishing Company.

LEWIS, T.J., HEFLIN, J. et DIGANGI, S.A. (1995). *Les troubles du comportement : des réponses à vos questions.* Lévis : La Corporation École et Comportement.

LIGUE DE L'ÉPILEPSIE DU QUÉBEC (1981). *L'épilepsie, votre enfant et vous : quelques conseils aux parents.* Montréal : Ligue de l'épilepsie du Québec.

LIMBOSCH, N., LUMINET-JASINSKI, A. et DIERKENS-DOPCHIE, N. (1968). *La dyslexie à l'école primaire. Dépistage et prévention.* Bruxelles : Éditions de l'Institut de sociologie, Université libre de Bruxelles.

LINDOW, J., MARRETT, C.B. et WILKINSON, L.C. (1985). Overview. Dans L.C. Wilkinson et C.B. Marrett, *Gender Influences in Classroom.* Orlando, Floride : Academic Press Inc., 1-15.

LIPSON, M.Y. et WIXSON, K.K. (1986). Reading disability research as interactionist perspective. *Review of Educational Research, 56,* 111-136.

LORANGER, M. (1984). Le tutorat par des pairs : un moyen de récupération en mathématiques. *Apprentissage et socialisation, 7,* 15-21.

LORANGER, M. (1988). Les garçons et les filles en situation d'apprentissage. Dans P. Durning et R.E. Tremblay. *Relations entre enfants. Recherches et interventions éducatives.* Paris : Éditions Fleurus.

LOVAAS, O.I. (1981). *Teaching Developmentally Disabled Children. The ME Book.* Austin, Texas : Pro-Ed.

LOVAAS, O.I. (1987). Behavioral Treatment and Normal Educational and Intellectual Functioning in Young Autistic Children. *Journal of Consulting and Clinical Psychology, 55*(1), 3-9.

LUSSIER, D. (1984). Le bulletin descriptif : une nouvelle conception de la consignation des résultats. *Québec français, 54,* 57-60.

MACCOBY, E. et JACKLIN, C.N. (1974). *The Psychology of Sex Differences.* Stanford, Californie : Stanford University Press.

MACMILLAN, C. (1988). Suggestions to classroom teachers about designing the I.E.P. *Exceptional Parent, 18,* 90-92.

MACMILLAN, D.L., JONES, R.L. et ALOIA, G.F. (1974). The mentally retarded label : A theoretical analysis and review of research. *American Journal of Mental Deficiency, 79,* 241-261.

MADDEN, N.A. et SLAVIN, R.E. (1983). Mainstreaming students with mild handicaps : Academic and social outcomes. *Review of Educational Research, 53,* 519-569.

MAGER, R.F. (1977). *Comment définir des objectifs pédagogiques.* Paris : Bordas.

MAGEROTTE, G. (1984a). Les environnements éducatifs. L'éducation comportementale clinique des personnes handicapées. Dans O. Fontaine, J. Cottraux et R. Ladouceur, *Cliniques de thérapie comportementale.* Bruxelles : Pierre Mardaga éditeur, Éditions Études Vivantes.

MAGEROTTE, G. (1984b). *Manuel d'éducation comportementale clinique.* Bruxelles : Pierre Mardaga éditeur.

MALBY, J., ROUBY, P. et SAUVAGE, D. (1995). Évolution de la nosographie de l'autisme infantile : de la description princeps au DSM IV. *Le bulletin de l'ARAPI*, août, 14-18.

MANNONI, P. (1979). *Troubles scolaires et vie affective chez l'adolescent.* Paris : Éditions E.S.F.

MANNONI, P. (1984). *Adolescents, parents et troubles scolaires.* Paris : Éditions E.S.F.

MANNONI, P. (1986). *Des bons et des mauvais élèves.* Paris : Éditions E.S.F.

MARTIN, L. (1994). *La motivation à apprendre : plus qu'une simple question d'intérêt !* Montréal : CECM, Service de la formation générale.

MARTIN-LAVAL, H. (1984). *La psychologie du sourd.* Brossard : Éditions Behaviora.

MAYER, C.L. (1966). The relationship of early special class placement and the self-concept of mentally handicapped children. *Exceptional Children, 33*, 77-81.

MAYHALL, W.F. et JENKINS, J.R. (1977). Scheduling daily or less-than daily instruction : Implications for resource programs. *Journal of Learning Disabilities, 10*, 38-42.

MCCONNEL, F. (1973). Children with hearing disabilities. Dans L.M. Dunn (dir.), *Exceptional Children in the Schools.* New York : Holt, Rinehart and Winston, 349-410.

MCDONNELL, J., MATHOT-BRUCKNER, C. et FERGUSON, B. (1996). *Transition Programs for Students with Moderate/Severe Disabilities.* Pacific Grove, Californie : Brooks / Cole Publishing Company.

MCGINNIS, E., KIRALY, J. et SMITH, C.R. (1984). The types of data used in identifying public school students as behaviorally disordered. *Behavioral Disorders, 9*, 239-246.

MEESE, R.L. (1996). *Strategies for teaching students with emotional and behavioral disorders.* Toronto : Brooks / Cole Publishing Company.

MERCER, C.D. (1991). *Students with Learning Disabilities* (4e éd.). New York : Macmillan Publishing Company.

MILLER, D. (1994). Suicidal behavior of adolescents with behavior disorders and their peers without disabilities. *Behavioral Disorders, 20*(1), 61-68.

MILLER, S.P. et MERCER, C.D. (1993a). Mnemonics. Enhancing the math performance of students with learning difficulties. *Intervention in School and Clinic, 29*(2), 78-82.

MILLER, S.P. et MERCER, C.D. (1993b). Using a graduate problem sequence to promote problem-solving skills. *Learning Disabilities Research & Practice, 8*(3), 169-174.

MILLER, S.P. et MERCER, C.D. (1993c). Using data to learn about concrete — semiconcrete — abstract instruction for students with math disabilities. *Learning Disabilities Research & Practice, 8*(2), 89-96.

MILOT, J. (1980). L'examen du handicapé visuel. Dans *Les troubles de la vision chez l'enfant*, Montréal : Institut national canadien pour les aveugles.

MINISTÈRE DE LA SANTÉ ET DES SERVICES SOCIAUX DU QUÉBEC (1988). *L'intégration des personnes présentant une déficience intellectuelle. Un impératif humain et social. Orientations et guide d'action.* Québec : Gouvernement du Québec.

MINISTÈRE DE L'ÉDUCATION DU QUÉBEC (1976). *L'éducation de l'enfance en difficulté d'adaptation et d'apprentissage au Québec.* Rapport du Comité provincial de l'enfance inadaptée (COPEX). Québec : Ministère de l'Éducation, Service général des communications.

MINISTÈRE DE L'ÉDUCATION DU QUÉBEC (1979). *L'école québécoise. Énoncé de politique et plan d'action.* Québec : Ministère de l'Éducation.

MINISTÈRE DE L'ÉDUCATION DU QUÉBEC (1980). *Réflexion sur les préalables aux apprentissages scolaires.* Québec : Ministère de l'Éducation, Direction générale du développement pédagogique.

MINISTÈRE DE L'ÉDUCATION DU QUÉBEC (1982a). *L'école québécoise : une école communautaire et responsable.* Québec : Ministère de l'Éducation, Service général des communications.

MINISTÈRE DE L'ÉDUCATION DU QUÉBEC (1982b). *Formule d'aide à l'élève qui rencontre des difficultés. Bilan fonctionnel et plan d'action.* Québec : Ministère de l'Éducation, Direction générale du développement pédagogique.

MINISTÈRE DE L'ÉDUCATION DU QUÉBEC (1982c). *Guide pédagogique. La mésadaptation socio-affective. Primaire.* Québec : Ministère de l'Éducation, Direction des programmes, Service de l'adaptation scolaire.

MINISTÈRE DE L'ÉDUCATION DU QUÉBEC (1983a). *Guide pédagogique : des programmes de formation générale pour les élèves handicapés par une déficience mentale moyenne : préscolaire, primaire, secondaire.* Québec : Éditeur officiel du Québec.

MINISTÈRE DE L'ÉDUCATION DU QUÉBEC (1983b). *Le handicap visuel. Guide pédagogique. Primaire.* Québec : Ministère de l'Éducation, Direction générale du développement pédagogique.

MINISTÈRE DE L'ÉDUCATION DU QUÉBEC (1983c). *La mésadaptation socio-affective. Éducation préscolaire.* Québec : Ministère de l'Éducation.

MINISTÈRE DE L'ÉDUCATION DU QUÉBEC (1983d). *Les handicaps physiques. Guide pédagogique. Primaire.* Québec : Ministère de l'Éducation, Direction générale des programmes.

MINISTÈRE DE L'ÉDUCATION DU QUÉBEC (1984a). *Formule d'aide à l'élève qui rencontre des difficultés au secondaire. Bilan fonctionnel et plan d'action.* Québec : Ministère de l'Éducation.

MINISTÈRE DE L'ÉDUCATION DU QUÉBEC (1984b). *Les difficultés d'apprentissage en communication écrite. Guide pédagogique. Primaire.* Québec : Ministère de l'Éducation, Direction générale du développement pédagogique.

MINISTÈRE DE L'ÉDUCATION DU QUÉBEC (1985). *Les handicaps physiques. Guide pédagogique. Secondaire.* Québec : Ministère de l'Éducation, Direction générale des programmes.

MINISTÈRE DE L'ÉDUCATION DU QUÉBEC (1987). *Les services d'orthophonie à l'école.* Québec : Ministère de l'Éducation, Direction générale des programmes.

MINISTÈRE DE L'ÉDUCATION DU QUÉBEC (1988a). *Éléments de docimologie. Fascicule 3. L'évaluation formative.* Québec : Les publications du Québec.

MINISTÈRE DE L'ÉDUCATION DU QUÉBEC (1988b). *Éléments de docimologie. Fascicule 4. L'évaluation sommative.* Québec : Les publications du Québec.

MINISTÈRE DE L'ÉDUCATION DU QUÉBEC (1988c). *L'organisation des activités éducatives au préscolaire, au primaire et au secondaire. Instruction 1989-1990.* Québec : Ministère de l'Éducation.

MINISTÈRE DE L'ÉDUCATION DU QUÉBEC (1992a). *Cadre de référence pour l'établissement des plans d'intervention pour les élèves handicapés et les élèves en difficulté d'adaptation et d'apprentissage.* Québec : Ministère de l'Éducation.

MINISTÈRE DE L'ÉDUCATION DU QUÉBEC (1992b). *La réussite pour elles et eux aussi.* Québec : Ministère de l'Éducation, Direction de l'adaptation scolaire et des services complémentaires.

MINISTÈRE DE L'ÉDUCATION DU QUÉBEC (1993). *L'organisation des activités éducatives au préscolaire, au primaire et au secondaire. Instruction 1994-1995.* Québec : Ministère de l'Éducation.

MINISTÈRE DE L'ÉDUCATION (1996a). *La formation générale des jeunes : l'éducation préscolaire, l'enseignement primaire et l'enseignement secondaire. Instruction 1996-1997.* Québec : Ministère de l'Éducation.

MINISTÈRE DE L'ÉDUCATION DU QUÉBEC (1996b). *Programmes d'études adaptés. Défis. Démarche éducative favorisant l'intégration sociale. Enseignement secondaire. Version de mise à l'essai.* Québec : Ministère de l'Éducation.

MINISTÈRE DE L'ÉDUCATION DU QUÉBEC (1996c). *Le redoublement. État de situation.* Jonquière : Ministère de l'Éducation, Direction régionale du Saguenay—Lac-Saint-Jean.

MOLLEN, E. (1985). *Learning Disabilities.* Dans G.T. Scholl (dir.), *The School Psychologist and the Exceptional Child.* Reston, Virginie : The Council for Exceptional Children, 99-114.

MONTAGUE, M., APPLEGATE, B. et MARQUARD, K. (1993). Cognitive strategy instruction and mathematical problem-solving performance of students with learning disabilities. *Learning Disabilities Research & Practice, 8*(4), 223-232.

MONTAMBEAULT, R., ARCHAMBAULT, J. et OUELLET, G. (1979). *Programme de lecture individualisé utilisant le renforcement et l'exercice.* Montréal : CECM, Service aux étudiants, Bureau de la consultation personnelle, programme MODIF.

MOOS, R.H. et MOOS, B.S. (1978). Classroom social climate and students absences and grades. *Journal of Educational Psychology, 70*, 263-269.

MORGAN, D.P. (1982). Parent participation in the IEP process : Does it enhance appropriate education ? *Exceptional Education Quarterly, 3*, 33-40.

MORGAN, D.P. et JENSON, W.R. (1988). *Teaching Behaviorally Disordered Students.* Columbus, Ohio : Merrill Publishing Company.

MORIN, D. (1993). *Élaboration de la version scolaire de l'Échelle québécoise de comportements adaptatifs.* Thèse de doctorat inédite. Montréal : Université du Québec à Montréal, Département de psychologie.

MUSCOTT, H.S., MORGAN, D.P. et MEADOWS, N.B. (1996). *Planning and Implementing Effective School-Aged Children and Youth with Emotional/Behavioral Disorders within Inclusive Schools.* Reston, Virginie : The Council for Children with Behavioral Disorders.

NEW YORK STATE EDUCATION DEPARTMENT (1986). *Manuel d'éducation spéciale à l'usage des parents : le droit de votre enfant dans l'État de New York.* Albany : New York State Education Department, ERIC : ED 275 106.

NIHIRA, K., FOSTER, R., SHELLHAAS, M. et LELAND, H. (1974). *Adaptative Behavior Scales.* Washington : American Association on Mental Deficiency.

NIMIER, J. (1976). *Mathématiques et affectivité.* Paris : Éditions Stock.

NOEL DOWDS, B., HESS, D. et NICKELS, P. (1996). Families of children with learning disabilities : A potential teaching resource. *Intervention in School and Clinic, 32*(1), 17-20.

NORTHERN, J.L. et LEMME, M. (1986). Hearing and auditory disorders. Dans G.H. Shames et L. Wing (dir.), *Human Communication Disorders.* Columbus, Ohio : Charles E. Merrill Publishing Company, 415-444.

NYE, J., WESTLING, K. et LATEN, S. (1986). Communication skills for parents. *The Exceptional Parent, 16,* 30-36.

OFFICE DES PERSONNES HANDICAPÉES DU QUÉBEC (1984). *À part… égale. L'intégration sociale des personnes handicapées : un défi pour tous.* Québec : Ministère des Communications, Direction générale des publications gouvernementales.

OFFICE DES PERSONNES HANDICAPÉES DU QUÉBEC (1989). *Le plan de services de la personne.* Québec : Office des personnes handicapées du Québec.

OFFICE DES PERSONNES HANDICAPÉES DU QUÉBEC (1993). *« Je commence son plan de services ». Guide pour l'évaluation globale des besoins à l'intention des parents ayant un enfant handicapé.* Drummondville : Office des personnes handicapées du Québec.

OKA, E. et SCHOLL, G.T. (1985). Non-Test-Based Approaches to Assessment. Dans G.T. Scholl (dir.), *The School Psychologist and the Exceptional Child.* Reston, Virginie : The Council for Exceptional Children.

O'LEARY, D.K. (1979). Médicaments ou enseignement pour enfants hyperactifs. *Revue de modification du comportement, 9,* 37-51.

O'LEARY, S. et O'LEARY, D.K. (1976). Behavior modification in the school. Dans H. Leitenberg, *Handbook of Behavior Modification and Behavior Therapy.* Englewood Cliffs, New Jersey : Prentice-Hall.

OLWEUS, D. (1991). Bully/victim problems among school children : Basic facts and effects of a school-based intervention program. Dans D. Pepler et K. Rubin (dir.), *The Development and Treatment of Childhood Aggression (p. 441-446).* Londres : Lawrence Erlbaum.

OLWEUS, D. (1993). *Bullying at School. What We Wkow and What We Can Do.* Oxford : Blackwell.

OTIS, R., FOREST-LINDEMANN, M. et FORGET, J. (1974). *L'analyse et la modification du comportement en milieu scolaire.* Montréal : CECM, Bureau de psychologie, Division des services spéciaux, Service des études.

OUELLET, M. (1995). *Statistiques sur les élèves handicapés et en difficulté d'adaptation et d'apprentissage.* Québec : Ministère de l'Éducation.

OUELLET, M. (1996). *Statistiques sur les élèves handicapés et en difficulté d'adaptation et d'apprentissage.* Québec : Ministère de l'Éducation.

OUELLET, R. et L'ABBÉ, Y. (1986). *Programme d'entraînement aux habiletés sociales.* Brossard : Éditions Behaviora.

PAINE, S., RADICCHI, J., ROSELLINI, L.C., DEUTCHMAN, L. et DARCH, C.B. (1983). *Structuring your Classroom for Academic Success.* Champaign, Illinois : Research Press Company.

PALINSCAR, A.S. et BROWN, R.L. (1984). Reciprocal teaching of comprehension-fostering and comprehension-monitoring activities. *Cognition and Instruction, 1,* 117-175.

PAOUR, J.-L. (1991). *Un modèle cognitif et développemental du retard mental pour comprendre et intervenir.* Thèse de doctorat d'État. Aix-Marseille : Université de Provence.

PAOUR, J.-L. (1992). Pour une vision constructiviste de l'éducation cognitive. Dans *Les aides cognitives. Journées d'étude sur les aides cognitives — 1991.* Caen : École des parents et des éducateurs du Calvados et Laboratoire de psychologie cognitive et pathologique de l'Université de Caen.

PARADIS, L. et POTVIN, P. (1993). Le redoublement un pensez-y bien. Une analyse des publications scientifiques. *Vie pédagogique,* (85), 13-14 et 43-46.

PARÉ, A. et LAFERRIÈRE, T. (1985). *Inventaire des habiletés nécessaires dans l'enseignement au primaire.* Québec : Centre d'intégration de la personne.

PARENT, N., POIRIER, M., FREESTON, M. et TREMBLAY, R. (1994). *Complément au manuel de l'examinateur : échelle d'évaluation des dimensions du comportement.* Loretteville : Commission scolaire de La Jeune-Lorette.

PARIS, S.G. et AYRES, L.R. (1994). *Becoming Reflexive Students and Teachers with Portfolios and Authentic Assessment.* Washington : American Psychological Association.

PATTERSON, G.R. (1982). *A Social Learning Approach. Coercive Family Process.* Eugene, Oregon : Castalia Publishing Company.

PATTERSON, G.R., REID, J.B., JONES, R.R. et CONGER, R.E. (1975). *A Social Learning Approach to Family Intervention.* Eugene, Oregon : Castalia Publishing Company.

PAUL, P.V. et JACKSON, D.W. (1993). *Toward a Psychology of Deafness.* Boston : Allyn and Bacon.

PEETERS, T. (1994). *L'autisme. De la compréhension à l'intervention.* Paris : Dunod.

PELCHAT, D. (1993). Developing an early-stage intervention program to help families cope with the effects of the birth of a handicapped child. *Family Systems Medicine, 11*(4), 407-424.

PELCHAT, D. (1995). La famille et la naissance d'un enfant ayant une déficience physique. Dans F. Duhamel (dir.), *La santé et la famille : une approche systémique en soins infirmiers.* Montréal : Gaëtan Morin Éditeur.

PELCHAT, D. et BERTHIAUME, M. (1996). Intervention précoce auprès de parents d'enfant ayant une déficience : un lieu d'apprentissages pour les familles et les intervenants. *Apprentissage et socialisation, 17*(1-2), 105-117.

PELLEGRINO, J.W. et GOLDMAN, S. (1987). Information Processing and Elementary Mathematics. *Journal of Learning Disabilities, 20,* 23-36.

PERROT, A. (1993-1994). Autisme génétique. *ARAPI,* (26-27) (numéro spécial).

PESCARA-KOVACH, L.A. et ALEXANDER, K. (1994). The link between food ingested and problem behavior : Fact or fallacy ? *Behavioral Disorders, 19*(2), 142-148.

PETERSON MILLER, S. et MERCER, C.D. (1993). Mnemonics : Enhancing the match performance of students with learning difficulties. *Intervention in School and Clinic, 29,* 78-82.

PHILIPS, E.L. (1985). Social skills history and prospect. Dans L. L'Abate et M.A. Milan, *Handbook of Social Skills Training and Research.* New York : John Wiley and Sons, 3-21.

PIHL, R.O., DOBKIN, P.L., TREMBLAY, R.E. et VITARO, F. (1993). *Primary Prevention of Alcohol and Other Substance Abuse in At-Risk Pre and Early Adolescent Boys.* Rapport de recherche, CQRS.

PIKE, K. et SALEND, S.J. (1995). Authentic assessment strategies. *Teaching Exceptional Children, 28*(1), 15-20.

POIRIER, M., TREMBLAY, R. et FREESTON, M. (1992). *Échelle d'évaluation des dimensions du comportement. Version québécoise.* Loretteville : Commission scolaire de La Jeune-Lorette.

POLIQUIN-VERVILLE, H. et ROYER, E. (1992). *École et comportement. Les troubles du comportement : état des connaissances et perspectives d'intervention.* Québec : Ministère de l'Éducation.

POLLOWAY, E.A., FOLEY, R.M. et EPSTEIN, M.H. (1992). A comparison of the homework problems of students with learning disabilities and non handicapped students. *Learning Disabilities Research and Practice, 7,* 203-209.

POTVIN, P., MASSÉ, L., BEAUDRY, G., BEAUDOIN, R., BEAULIEU, J., GUAY, L. et ST-ONGE, B. (1994) *PARC. Programme d'auto-contrôle, de résolution de problèmes et de compétences sociales pour les élèves du primaire ayant des troubles du comportement* (2e éd.). Trois-Rivières : Université du Québec à Trois-Rivières.

POTVIN, P., MASSÉ, L., VEILLETTE, M., GOULET, N., LETENDRE, M. et DESRUISSEAUX, M. (1994). *Prends le volant. Programme pour développer les habiletés sociales et l'auto-contrôle des adolescents ayant des troubles du comportement.* Trois-Rivières : Université du Québec à Trois-Rivières.

POWERS, M.D. (1989). *Children with Autism.* Rockville, Maryland : Woodbine House.

QUAY, H.C. (1979). Classification. Dans H.C. Quay, *Psychopathological Disorders in Childhood* (2e éd.). New York : Wiley.

REID, R. et MAAG, J.W. (1994). How many fidgets in a pretty match : A critique of behavior rating scales for identifying students with ADHD. *Journal of School Psychology, 32*(4), 339-354.

REID, R., MAAG, J.W. et VASA, S.F. (1994). Attention deficit hyperactivity disorder as disability category : A critique. *Exceptional Children, 60*(3), 198-214.

ROBILLARD, C. (1994). *Le rôle des stratégies métacognitives dans le développement affectif et cognitif de l'élève.* Texte d'une conférence présentée au colloque de l'Association des orthopédagogues du Québec.

ROCHETTE, A.J. et TARDIF, M. (1994). *Surdité : les bonnes adresses. Guide d'informations à l'usage des personnes malentendantes.* Montréal : Association des devenus sourds et des malentendants du Québec.

ROSENBERG, M.S., WILSON, R., MAHEADY, L et SINDECLAR, P.T. (1997). *Educating Students with Behavior Disorders.* Boston : Allyn and Bacon.

ROSENTHAL, R.A. et JACOBSON, L. (1971). *Pygmalion à l'école.* Paris : Casterman.

ROYER, E., POLIQUIN-VERVILLE, H., BITAUDEAU, I., LARSEN, L. et DUMAS, R. (1993). *Le PASS. Guide de prévention de l'exclusion scolaire au secondaire.* Lévis : La Corporation École et Comportement.

RUBIN, R.A. (1978). Stability of self-esteem ratings and their relation to academic achievement : A longitudinal study. *Psychology in the Schools, 15,* 430-433.

RUTTER, M. et SCHOPLER, E. (1988). Autism and Pervasive Developmental Disorders. Dans E. Schopler et G.B. Mesibov (dir.), *Diagnosis and Assessment in Autism.* New York : Plenum Press.

RYNDAK, D.L. et ALPER, S. (1996). *Curriculum Content for Students with Moderate and Severe Disabilities in Inclusive Settings.* Boston : Allyn and Bacon.

SABORNIE, E.J. et KAUFFMAN, J.M. (1985). Regular classroom sociometric status of behaviorally disordered adolescents. *Behavioral Disorders, 10,* 268-274.

SAINT-LAURENT, L. (1993). Programmes éducatifs à l'intention des élèves présentant une déficience intellectuelle moyenne à sévère. Dans S. Ionescu, G. Magerotte, W. Pilon et R. Salbreux (dir.), *L'intégration des personnes présentant une déficience intellectuelle. Actes du IIIe Congrès de l'Association internationale de recherche scientifique en faveur des personnes handicapées mentales.* Trois-Rivières : Université du Québec à Trois-Rivières.

SAINT-LAURENT, L. (1994). *L'éducation intégrée à la communauté en déficience intellectuelle.* Montréal : Les Éditions Logiques.

SAINT-LAURENT, L., FOURNIER, A.L. et LESSARD, J.-C. (1993). Efficacy of three programs for elementary school students with moderate mental retardation. *Educating and Training in Mental Retardation, 28*(4), 333-348.

SAINT-LAURENT, L., GIASSON, J., SIMARD, C., DIONNE, J.-J., ROYER, E. et autres (1995). *Programme d'intervention auprès des élèves à risque. Une nouvelle option éducative.* Boucherville : Gaëtan Morin Éditeur.

SANTÉ ET BIEN-ÊTRE SOCIAL CANADA (1988). *L'épidémiologie de la déficience intellectuelle. Rapport du groupe de travail 1988.* Ottawa : Santé et Bien-être social Canada.

SANTÉ ET BIEN-ÊTRE SOCIAL CANADA (1991). *Licit and illicit drugs in Canada.* Ottawa : Santé et Bien-être social Canada.

SATTLER, J.M. (1994). *Assessment of Children.* San Diego : Jerome M. Sattler, Publisher.

SCHENCK, S.J. (1980). The diagnostic/instructional link in individualized education programs. *Journal of Special Education, 14,* 337-345.

SCHLOSS, P.J., SCHLOSS, C.N., WOOD, C.E. et KIEHL, W.E. (1986). A critical review of social skills research with behaviorally disordered students. *Behavioral Disorders, 12,* 1-14.

SCHOPLER, E. (1987). Specific and nonspecific factors in the effectiveness of a treatment system. *American Psychologist, 42*(4), 376-383.

SCHRAG, J.A. (1996). Facilitating inclusion. *Keeping in Touch. A Quarterly Newsletter from the Canadian C.E.C. Office.*

SCHWARTZ GREEN, L. (1988). The parent-teacher partnership. *Academic Therapy, 24*, 89-94.

SÉNÉCHAL, L. (1996). *Une étude de l'approche d'actualisation du potentiel intellectuel auprès des personnes ayant une déficience intellectuelle moyenne.* Rimouski : Commission scolaire La Neigette.

SHARMA, M.C. et LOVELESS, E.J. (1986). Introduction. *Focus on Learning Problems in Mathematics, 8*, 1-5.

SHEA, T.M. et BAUER, A.M. (1985). *Parents and Teachers of Exceptional Children.* Boston : Allyn and Bacon.

SHEVIN, M. (1983). Meaningful parental involvement in long-range educational planning for disabled children. *Education and Training of the Mentally Retarded, 18*, 17-21.

SINCLAIR, J. (1993). Ce que les personnes autistes nous disent. *Handicaps-Info, 8*(2-3), 9-16.

SKIBA, R. et CASEY, A. (1985). Interventions for behaviorally disordered students : A quantitative review and methodological critique. *Behavioral Disorders, 10*, 239-252.

SLATE, J.R. et SAUDERGAS, R.A. (1986). Differences in the classroom behaviors of behaviorally disordered and regular class children. *Behavioral Disorders, 12*, 45-53.

SLAVIN, R.E. (1988). *Educational Psychology. Theory into Practice.* Englewood Cliffs, New Jersey : Prentice-Hall.

SMART, R.G. et ADLAF, E.M. (1991). Substance use and problems among Toronto street youth. *British Journal of Addiction, 86*, 999-1010.

SMITH, F. (1979). *La compréhension et l'apprentissage.* Montréal : HRW, traduit et adapté par A. Vézina.

SMITH, P.K. et GREEN, M. (1975). Aggressive behavior in English nurseries and play groups : Sex differences and response of adults. *Child Development, 46*, 211-214.

SMITH, S.W., SIEGEL, E.M., O'CONNOR, A.M. et THOMAS, S.B. (1994). Effects of cognitive-behavioral training on angry behavior and aggression of three elementary-aged students. *Behavioral Disorders, 19*(2), 126-135.

SPARROW, S.S., BALLA, D.A. et CICCHETTI, D.V. (1984). *Vineland Adaptative Behavior Scales.* Circle Pines, Minnesota : American Guidance Service.

STEPHENS, T.A., BLACKHURST, A.E. et MAGLIOCCA, L.A. (1988). *Teaching Mainstreamed Students* (2e éd.). Oxford : Pergamon Press.

STEVENS, D.D. et ENGLERT, C.S. (1993). Making writing strategies work. *Teaching Exceptional Children, 26*(1), 34-43.

SWANSON, H.L. (1994a). The role of working memory and dynamic assessment in the classification of children with learning disabilities. *Learning Disabilities Research and Practice, 9*, 190-202.

SWANSON, H.L. (1994b). Short-term memory and working : Do both contribute to our understanding of academic achievement in children and adults with learning disabilities ? *Journal of Learning Disabilities, 27*, 34-50.

SWANSON, H.L., CHRISTIE, L. et RUBADEAU, R.J. (1993). The relationship between metacognition and analogical reasoning in mentally retarded, learning disabled, average, and gifted children. *Learning Disabilities Research and Practice, 8*, 70-81.

SWICEGOOD, P. (1994). Portfolio-based assessment practices. *Intervention in School and Clinic, 30*(1), 6-15.

TARDIF, J. (1992). *Pour un enseignement stratégique. L'apport de la psychologie cognitive.* Montréal : Les Éditions Logiques.

TARDIF, J. et COUTURIER, J. (1993). Pour un enseignement efficace : une recherche action menée auprès d'élèves en difficulté d'apprentissage. *Vie pédagogique*, (85), 35-41.

TARDIF, J. et GAOUETTE, D. (1986a). Comment faciliter la lecture du lecteur en difficulté ? *Vie pédagogique*, (44), 12-15.

TARDIF, J. et GAOUETTE, D. (1986b). Comment le lecteur en difficulté devrait-il utiliser ses connaissances antérieures ? *Vie pédagogique*, (45), 4-7.

TASSÉ, M.J., AMAN, M.G., ROJAHN, J. et KERN, R.A. (sous presse). Developmental disabilities. Dans R.T. Ammerman et J.V. Campo (dir.), *Handbook of Pediatric Psychology and Psychiatrics.* Boston : Allyn and Bacon.

TATTUM, D. et HERBERT, G. (1993). *Countering Bullying. Initiatives by Schools and Local Authorities.* Straffordshire, Angleterre : Trentham Books.

THIBODEAU, G., MORASSE, M. et FORGET, J. (1985). L'amélioration des comportements sociaux d'un étudiant du secondaire par une stratégie behaviorale. *Technologie et thérapie du comportement, 9*, 145-149.

TIERNEY, R.J., CARTER, M.A. et DESAI, L.E. (1991). *Portfolio Assessment in the Reading-Writing Classroom.* Norwood, Massachusetts: Christopher-Gordon Publishers, Inc.

TREMBLAY, R. (1992). Un nouvel instrument d'évaluation du comportement des élèves. *Vie pédagogique*, (80), 47-48.

TREMBLAY, R. (1994). Du nouveau pour l'évaluation des élèves présentant une difficulté de comportement au secondaire. *Vie pédagogique*, (90), 52-53.

TREMBLAY, R. et ROYER, E. (1992). *École et comportement. L'identification des élèves qui présentent des troubles du comportement et l'évaluation de leurs besoins.* Québec: Ministère de l'Éducation, Direction de l'adaptation scolaire et des services complémentaires.

TRITES, R.L., DUGAS, E., LYNCH, G. et FERGUSON, H.B. (1979). Prevalence of hyperactivity. *Journal of Pediatric Psychology, 4*, 179-188.

TRITES, R.L. et TRYPHONAS, H. (1983). Food Intolerance and Hyperactivity. *Topics in Early Childhood Special Education, 3*(2), 49-54.

TURNBULL, A.P. et TURNBULL, H.R. (1990). *Families, Professionals and Exceptionality.* New York: Macmillan Publishing Company.

TURVEY, J.S. (1986). Homework — Its importance to student achievement. *NASSP Bulletin*, 27-35.

VANDONI, C.M., MAURICE, P. et AUGER, R. (1996). *Rapport critérié de l'échelle québécoise de comportements adaptatifs, version scolaire (EQCA-VS).* Présentation au Congrès international de psychologie. Montréal.

VAN GRUNDERBEECK, N. (1994). *Les difficultés en lecture. Diagnostic et pistes d'intervention.* Boucherville: Gaëtan Morin Éditeur.

VITARO, D., AUDY, P. et DUMOULIN, E. (1986). Intervention multimodale auprès d'enfants jugés agressifs et rejetés des pairs. *Canadian Journal on Special Education, 2*, 171-197.

VITARO, F. et CHAREST, J. (1988). Intervention impliquant les pairs auprès d'enfants en difficulté d'adaptation sociale. Dans P. Durning et R. Tremblay (dir.), *Relations entre enfants, recherches et interventions éducatives.* Paris: Éditions Fleurus.

VITARO, F., DOBKIN, P.L., GAGNON, C. et LE BLANC, M. (1994). *Les problèmes d'adaptation psychosociale chez l'enfant et l'adolescent: prévalence, déterminants et prévention.* Sainte-Foy: Presses de l'Université du Québec.

WALKER, H.M., COLVIN, G. et RAMSEY, E. (1995). *Antisocial Behavior in School: Strategies and Best Practices.* Pacific Grove, Californie: Brooks / Cole Publishing Company.

WANG, M.G. et BAKER, E.T. (1985-1986). Mainstreaming programs: Design features and effects. *The Journal of Special Education, 19*(4), 503-521.

WAYSON, W. (1982). *Creating Schools that Teach Self-Discipline.* Columbus, Ohio: Phi Delta Kappa international.

WECHSLER, D. (1989). *Manual for the Wechsler Preschool and Primary Scale of Intelligence — Revised.* San Antonio, Texas: The Psychological Corporation.

WECHSLER, D. (1991). *Manual for the Wechsler Intelligence Scale for Children — III.* San Antonio, Texas: The Psychological Corporation.

WEINSTEIN, C.S. (1979). The physical environment of the school: A review of the research. *Review of Educational Research, 49*, 577-610.

WESSON, C.L. et KING, R.P. (1996). Portfolio assessment and special education students. *Teaching Exceptional Children, 28*(2), 44-48.

WIEDERHOLT, J.L. et CHAMBERLAIN, S.P. (1989). A critical analysis of resource programs. *Remedial and Special Education, 10*, 15-27.

WILEY, J. (1971). A Psychology of Auditory Impairment. Dans W.M. Cruickshank (dir.), *Psychology of Exceptional Children and Youth.* Englewood Cliffs, New Jersey: Prentice-Hall, 414-439.

WINET, R.A. et WINKLER, R.C. (1974). Current behavior modification in the classroom: Be still, be quiet, be docile. Dans C.M. Franks et G.T. Wilson (dir.), *Annual Review of Behavior Therapy Theory & Practice* (p. 583-591). New York: Brunner / Mazel Publisher.

WING, L. (1988). The continuum of autistic characteristics. Dans E. Schopler et G.B. Mesibov (dir.), *Diagnosis and Assessment in Autism.* New York: Plenum Press.

WINZER, M. (1993). *Children with Exceptionalities* (3e éd.). Scarborough, Ontario : Prentice-Hall Canada, Inc.

WINZER, M. (1996). *Children with Exceptionalities* (4e éd.). Scarborough, Ontario : Prentice-Hall Canada, Inc.

WOLF, J.S. et STEPHENS, T. (1989). Parent / teacher conferences : Finding common ground. *Educational Leadership*, 28-31.

WOLFENSBERGER, W. (1972). *Normalization : The Principles of Normalization in Human Services.* Toronto : National Institute of Mental Retardation.

WRIGHT-STRAWDERMAN, C., LINDSEY, P., NAVARETTE, L. et FLIPPO, J.R. (1996). Depression in students with disabilities : Recognition and intervention strategies. *Intervention in School and Clinic, 31*(5), 261-275.

ZAZZO, R. (1979). *Manuel pour l'examen psychologique de l'enfant. I* (5e éd.). Paris : Delachaux et Niestlé.

ZIGLER, E., BALLA, D. et HODAPP, R. (1984). On the definition and classification of mental retardation. *American Journal of Mental Deficiency, 3*, 215-230.

Index des auteurs

A

B

C

D

E

F

G

M

N

O

P

Q

R

S

T

V

W

Y-Z

Index des sujets

D

E

F

G

H

I

K

L

M

N

O

P

U-Y